Sascha W. Felix

Psycholinguistische Aspekte des Zweitsprachenerwerbs

Gunter Narr Verlag Tübingen

CIP-Kurztitelaufnahme der Deutschen Bibliothek

Felix, Sascha W.:
Psycholinguistische Aspekte des Zweitsprachenerwerbs / Sascha W. Felix. –
Tübingen : Narr, 1982.
(Tübinger Beiträge zur Linguistik : Ser. A, Language development ; 2)
ISBN 3–87808–543–5
ISBN 3–87808–252–5

NE: Tübinger Beiträge zur Linguistik / A

Druck: Müller + Bass, Tübingen
Printed in Germany

ISBN 3–87808–252–5 (geb.)
ISBN 3–87808–543–5 (kt.)

für Gustl Braun

INHALT

Vorwort IX
Einführung 1

TEIL I: NATÜRLICHER ZWEITSPRACHENERWERB

1. Terminologisches 9
2. Methodisches 11
3. Forschungsüberblick 14
4. Aufbau und Perspektiven 19
5. Der Erwerb der Negation 20
   5.1 Die holophrastische Negation 21
   5.2 Die satzexterne Negation 23
   5.3 Die satzinterne Negation 26
   5.4 Schlußbetrachtung 33
6. Der Erwerb der Interrogation 33
   6.1 Ja/nein Fragen 35
   6.2 Informationsfragen: Fragepronomina 39
   6.3 Informationsfragen: Syntax 46
7. Morpheme Order Studies 48
8. Dekomposition von Zielstrukturen 58
9. Entwicklungssequenzen 69
10. Zur Relation L1- vs. L2-Erwerb 78
11. Zur Erklärung von Entwicklungssequenzen 87
12. Zur Bedeutung des Alters im Zweitsprachenerwerb 95

TEIL II: GESTEUERTER ZWEITSPRACHENERWERB

13. Terminologisches 117
14. Fremdsprachenunterricht und Linguistik 118
15. Zum Unterschied zwischen gesteuertem und ungesteuertem Zweitsprachenerwerb 125
16. Entwicklungssequenzen im Fremdsprachenunterricht? 130
17. Entwicklungsphänomene im gesteuerten Zweitsprachenerwerb 133
   17.1 Fragestellung 133
   17.2 Datenerhebungsverfahren 136
18. Der Ewerb der Negation 137
19. Der Erwerb der Interrogation 146
20. Tilgungen 154
21. Satztypen 161
22. Personalpronomina 168
23. Interferenz 174
24. Abschlußbemerkungen 179

TEIL III: PSYCHOLOGISCHE ASPEKTE DES ZWEITSPRACHEN-ERWERBS

25. Vorbemerkungen 185
26. Der *nature-nurture* Konflikt 187
26.1 Empirische Evidenz aus Tierexperimenten 191
26.2 Empirische Evidenz zur frühkindlichen Entwicklung 195
26.3 Sprache als psychologisches Phänomen 214
27. Die *critical period hypothesis* 227
27.1 Prägung 229
27.2 Spracherwerb als zeitlich begrenzte Fähigkeit 235
28. Zur kognitiven Entwicklung 255
28.1 Die Theorie von Jean Piaget 255
28.2 Formale Operationen im Spracherwerbsprozeß 266
28.3 Konkurrierende kognitive Strukturen im L2 Erwerb 282
28.4 Überlegungen zu einem Spracherwerbsmodell 294

Bibliographie 303

Vorwort

Die vorliegende Monographie zieht Bilanz über meine Arbeiten zum Spracherwerb, die in den Jahren 1974–80 zunächst in Kiel, dann in Passau entstanden sind. Ziel ist daher keine allgemeine Einführung in die Spracherwerbsforschung mit einer möglichst ausgewogenen Darstellung der verschiedenen theoretischen Positionen; vielmehr führen die Ergebnisse meiner bislang durchgeführten Untersuchungen – auf dem Hintergrund insbesondere amerikanischer Spracherwerbsarbeiten – zu einer dezidiert-parteilichen Stellungnahme zugunsten bestimmter Forschungsperspektiven, Fragestellungen und theoretischer Urteile.

Während die ersten Phasen des Projekts primär das Ziel verfolgten, eine möglichst detaillierte Datenbasis zu schaffen, um über den Weg einer streng linguistischen, theoretisch möglichst offenen Beschreibung einige grundlegende Gesetzmäßigkeiten der L2-sprachlichen Entwicklung zu erfassen, geht es beim derzeitigen Stand der Forschung vor allem darum, die bislang gewonnenen Einsichten in stärkerem Maße theoretisch zu interpretieren und vor allem in einen psychologischen Gesamtkontext einzuordnen. Aus diesem Grunde nehmen in der vorliegenden Arbeit theoretische Probleme und psychologische Fragestellungen einen weitaus breiteren Raum ein als in meiner Monographie von 1978. Nach wie vor liegt jedoch der Schwerpunkt auf einer integrierenden Perspektive, bei der einzelne Spracherwerbstypen nicht isoliert voneinander, sondern in ihrem gegenseitigen Bezug betrachtet werden.

Während meine Monographie von 1978 thematisch vor allem auf einen Vergleich von Muttersprachenerwerb und natürlichem Zweitsprachenerwerb abzielte, ist die vorliegende Arbeit um den Bereich des Fremdsprachenunterrichts erweitert. Im Mittelpunkt steht die Gegenüberstellung von gesteuertem und ungesteuertem Zweitsprachenerwerb. Einerseits geht es um die Frage, ob und in welchem Umfang Gesetzmäßigkeiten des natürlichen Spracherwerbs auch im Fremdsprachenunterricht durchschlagen, andererseits ist zu klären, warum natürliche Zweitsprachenerwerber – insbesondere im Kindesalter – in der Regel weitaus erfolgreichere Lerner sind als Fremdsprachenschüler. Dabei soll jedoch nicht in das weithin übliche Klagelied über die tatsächlich oder vermeintlich ungünstigen Bedingungen des Fremdsprachenunterrichts eingestimmt werden; vielmehr geht es um eine möglichst detaillierte spracherwerbliche Interpretation fremdsprachenunterrichtlicher Phänomene.

Zahlreichen Kollegen bin ich für ihr stetes Interesse an meinen Arbeiten, ihre ermunternde Kritik und ihre unablässige Diskussionsbereitschaft zu tiefem Dank verpflichtet. Insbesondere danke ich Henning Wode, der mein Interesse an spracherwerblichen Problemen geweckt und meinen Werdegang mit besonderer Fürsorge verfolgt hat. Für die zahlreichen inspirierenden Gespräche danke ich vor allem Hartmut Burmeister, Marina Burt, Heidi Dulay, Udo O.H. Jung, Steve Krashen, Dietrich Lange, Jürgen M. Meisel und Manfred Pienemann. Die Herstellung und Korrektur des Manuskripts lag in den bewährten Händen von Eva Ott und Dagmar Kühl.

Vor allem bin ich Gustl Braun tiefen Dank schuldig, die mir in den vielen Jahren der harten Arbeit unermüdlich zur Seite stand und mich mit Geduld, verständnisvoller Hilfe und aufmunterndem Zuspruch begleitete. Durch ihren unerwartet frühen Tod ist es ihr nicht mehr vergönnt, diese Seiten selbst in den Händen zu halten.

Ihr ist diese Monographie gewidmet.

Sascha W. Felix — Passau, Oktober 1980

EINFÜHRUNG

Die psycholinguistisch-orientierte Zweitsprachenerwerbsforschung (im folgenden kurz "L2-Erwerbsforschung" genannt) ist – zumindest, soweit sie auf empirischer Grundlage betrieben wird – kaum älter als zehn Jahre. Ihr Anfang läßt sich in etwa mit den ersten Arbeiten des Norwegers Roar Ravem (Ravem 1968, 1969, 1970) datieren, der den Erwerb des Englischen unter natürlichen Bedingungen bei seinen zwei Kindern Rune und Reidun untersuchte. Zu Beginn der 70er Jahre entstanden die ersten größeren Forschungsprojekte, wie etwa unter Evelyn Hatch an der University of California Los Angeles oder unter Henning Wode an der Universität Kiel. Gleichfalls zu dieser Zeit begannen die sog. *morpheme order studies,* die vor allem mit den Namen Heidi Dulay und Marina Burt verbunden sind. Mittlerweile ist eine Vielzahl von Projekten und Einzeluntersuchungen zu den unterschiedlichsten Aspekten des L2-Erwerbs hinzugekommen.

Die moderne L2-Erwerbsforschung hebt sich in Methodik und Fragestellung grundlegend von der traditionsreicheren Sprachlehrforschung und Fremdsprachendidaktik ab. Methodisch übernimmt sie – zumindest in den frühen Phasen – die Datenerhebungs- und Analyseverfahren der Kindersprachforschung (L1-Erwerbsforschung). Für den Bereich der Syntax sind dies überwiegend Longitudinalstudien; bei Entwicklungen zur grammatischen Morphologie orientiert man sich an Verfahren, die Brown (1973) entwarf. Hinsichtlich der Fragestellung ist die L2-Erwerbsforschung lernerorientiert. Im Mittelpunkt steht nicht primär die Beschäftigung mit externen Faktoren, wie Motivation, Lernsituation, Sprachbegabung, sozialem und psychologischem Kontext, etc., also den Bedingungen, unter denen Lernen stattfindet; vielmehr konzentriert man sich auf das Lernen selbst, d.h. das verbale Lernerverhalten und mögliche Gesetzmäßigkeiten in der Art und Weise, wie Lernende sprachliches Material verarbeiten.

Diese Verlagerung der Perspektive wird durch die Auffassung motiviert, daß sich Relevanz und Einfluß externer Faktoren erst dann in einem profunden Sinne abschätzen lassen, wenn die Mechanismen des Lernens in ihren Grundzügen sichtbar gemacht worden sind. Diese Auffassung geht natürlich von der Annahme aus, daß das Erlernen von Sprache u.a. nach allgemeinen invarianten Gesetzmäßigkeiten abläuft und nicht ausschließlich das Produkt aus dem Zusammenwirken externer Faktoren ist. Die Plausibilität dieser Annahme, die von Fremdsprachendidaktikern und Sprachlehrforschern vielfach heftig bestritten wird, leitet sich – wie noch zu zeigen sein wird – aus den Erkenntnissen der L1-Erwerbsforschung ab. Die Kernfrage, die hinter dieser lernerorientierten Perspektive steht und uns in der vorliegenden Darstellung durchgehend beschäftigen wird, ist: verarbeitet der Mensch sprachliches Material zum Zwecke des Erwerbs nach gleichbleibenden Prinzipien und Mechanismen, oder ist der Spracherwerbsprozess in Abhängigkeit von äußeren Bedingungen unbegrenzt variabel?

Ausgehend von diesen Überlegungen fragt die L2-Erwerbsforschung nicht, ob in einem gegebenen Zeitraum gut oder schlecht, viel oder wenig gelernt wird, sondern sie fragt, *wie* gelernt wird, d.h. welchen Weg ein Lernender beschreitet, um eine gegebene zielsprachliche Struktur zu meistern. Somit steht im Vordergrund nicht die Frage nach dem *Wieviel,* d.h. der relativen Quantität des Lernens, sondern nach dem *Wie,* d.h. der Qualität des Lernens. Es sei betont, daß die Begriffe Quantität und Qualität hier keineswegs wertend zu verstehen sind; es handelt sich ausschließlich um verschiedene, aber durchaus gleichberechtigte Perspektiven. Die Frage nach dem *Wie* des Lernens impliziert, daß es nicht darum geht, ob eine bestimmte Struktur zu einem gegebenen Zeitpunkt bereits erlernt ist oder nicht, sondern welche Strukturen der Lernende in einem bestimmten Bereich produziert, *bevor* er das Ziel erreicht hat. Sobald eine gegebene Struktur gemeistert ist, ist der Erwerbsprozess im Bereich dieser Struktur abgeschlossen, und es läßt sich kaum noch etwas Sinnvolles über das *Wie* des Lernens erfragen.

Schlüsselwort der traditionellen Sprachlehrforschung ist der Lernerfolg, wenngleich der Begriff Lernprozess vielfach auftaucht, wo eigentlich Lernerfolg gemeint ist (cf. Vogel & Vogel 1975: 45, Jungblut 1974: 37–40, Heuer 1976: 47, Billows 1973). Der Lernerfolg wird nun stets entweder auf die Gesamtkompetenz oder auf einen größeren Teilkompetenzbereich (z.B. Fragebildung, Verlaufsform, Präteritalbildung, etc.) projiziert. Mit Lernerfolg ist nichts anderes gemeint als die quantitative Relation zwischen tatsächlich Erlerntem und dem als Ziel gesetzten zu Erlernenden. *Wieviel* von dem, was gelernt werden soll, ist bereits erlernt? Gemessen wird der Lernerfolg üblicherweise an der Zahl der Fehler. Ziel sind fehlerfreie und situativ angemessene fremdsprachliche Äußerungen des Lernenden in einem festgelegten Bereich. Die Zahl der Fehler gibt an, wie weit der Lernende von diesem Ziel entfernt ist bzw. – beim Vergleich mehrerer Schüler – wie schnell oder langsam einzelne Lernende das Ziel erreichen. Je geringer die Zahl der Fehler, desto größer der Lernerfolg und umgekehrt. Das Lernziel ist solange nicht voll erreicht, wie ein irgendwie gearteter Fehler noch auftritt.

Der Lernerfolg, sprich die relative Anzahl der Fehler, wird dann in Relation zu bestimmten externen Faktoren gesetzt, wie z.B. Motivation, Lehrerverhalten, Lehrmethode, etc. Auf diese Weise erhält man Korrelationen, die Aussagen darüber gestatten, unter welchen externen Faktorenkonstellationen der Durchschnittsschüler – was immer das ist – am schnellsten das Ziel erreicht, d.h. die günstigsten Lernerfolge zu erwarten sind. Letztlich geht es bei diesen Untersuchungen allein um den Einfluß externer Faktoren auf die Quantität des Lernens in einem gegebenen Zeitraum. Derartige Lernerfolgsmessungen auf dem Hintergrund externer Einflußfaktoren machen einen Großteil der empirischen Untersuchungen im Bereich der Sprachlehrforschung und Fremdsprachendidaktik aus. Als typische Beispiele dieser Ansätze mögen gelten: Backman (1976), Brière (1978), Brown (1977), Chihara & Oller (1978), Disick (1976), Fengler & Fischer (1976), Gardner et al. (1977), Guiora & Brannon & Dull (1972), Hamayan et. al. (1977), Heuer (1976), Lambert et. al. (1976), Oller & Perkins (1978), Politzer (1970), Randhawa & Korpan (1973), Scoon (1971), Tucker et. al. (1976).

Dieser Ansatz ruht entscheidend auf der binären Teilung in richtig und falsch. Eine gegebene Schülerleistung wird entweder als sprachgerecht oder sprachabweichend klassifiziert. Nach mehr oder minder intuitiven Kriterien lassen sich Fehler weiterhin in leichte oder schwere unterteilen. Für die Korrelationsberechnung hat dies jedoch keinen durchschlagenden Effekt. Die Korrelation ändert sich erst dann, wenn eine gegebene Äußerung oder Struktur vollständig sprachgerecht wiedergegeben wird. Wird der Fehler A durch den Fehler B ersetzt, so ändert dies – selbst wenn es systematisch geschieht – hinsichtlich der Berechnung des Lernerfolgs nichts. Der Lernerfolg mißt somit nur, ob der Lernende eine gegebene Struktur bereits sprachgerecht oder noch fehlerhaft produziert.

Die Sprachlehrforschung geht davon aus, daß das Erlernen einer zweiten Sprache – und hier schwingt stets das Wort "erfolgreich" mit – das Produkt bzw. das Zusammenwirken einer bislang noch nicht absehbaren Zahl von äußerlichen Einflußfaktoren ist. Dabei spielen nicht nur solche traditionellen und hinlänglich bekannten Faktoren eine Rolle, wie Motivation, Einstellung zur L2, Lernsituation, Sprachbegabung, etc., sondern der Katalog potentieller Einflüsse läßt sich vermutlich beliebig erweitern bis zum Einschluß solcher zunächst trivial erscheinender Faktoren wie angemessene Verpflegung, harmonisches Familienleben, Gesundheit, usw. Diese Grundannahme spiegelt sich dann auch in der vielerorts publizierten These wider (z.B. Burgschmidt & Götz 1974, Chastain 1976, Wilkins 1974, v. Parreren 1975, Solmecke 1973), daß jeder Mensch prinzipiell anders lernt bzw. anders lernen kann als jeder andere. Je nachdem, wie stark die verschiedenen Einflußfaktoren aufeinander einwirken, wird das Produkt, d.h. das Lernen, anders aussehen. Dabei geht man von der plausiblen Vermutung aus, daß nicht alle Variablen gleichermaßen das Lernen beeinflussen, sondern daß sich die Faktoren bezüglich ihrer Einflußkraft in einer Hierarchie anordnen lassen.

Wenn jedoch das Erlernen einer fremden Sprache das Produkt aus dem Zusammenwirken verschiedener externer Faktoren ist, so ist klar, daß sich der Lernprozess nur über den Zugriff bzw. die Kontrolle jener externen Faktoren erfolgreich steuern läßt. Es gilt diese Einflußfaktoren dahingehend zu verändern, daß ein möglichst großer Lernerfolg erzielt wird. Dazu ist es zunächst notwendig zu wissen, in welchem Umfange die verschiedenen Faktoren das Lernen beeinflussen. Derartige Einsichten erhält man durch entsprechende Untersuchungen über Korrelationen zwischen Lernerfolg und Variablen des Lernkontextes. Auf der Basis derartiger Erkenntnisse erhofft man sich dann die Möglichkeit, den Lernprozess beliebig zu manipulieren, d.h. Veränderungen der Bedingungen des Lernens führen zur Veränderung des Lernens selbst.

Bereits Butzkamm (1976: 80) hat die Logik und Plausibilität der These angezweifelt, daß eine Veränderung externer Faktoren, wie etwa der Lehrmethode, gleichzeitig eine Veränderung des Lernprozesses zur Folge habe:

> "Wo man methodenadäquat lehrt, setzt man stillschweigend voraus, daß der Schüler auch methodenkonform lernt . . . wir können nicht fraglos postulieren, daß der Schüler anders lernt, weil ihm der Lehrstoff anders dargeboten wurde . . . Man übersieht, daß wir gar nicht wissen, wie das Lernen eigentlich abläuft."

Butzkamms Ausführungen unterstreichen die Notwendigkeit empirischer Untersuchungen zum Lernprozess selbst. Die bisherige Sprachlehrforschung sagt wenig darüber, wie L2-Erwerb unter Unterrichtsbedingungen abläuft. Sie äußert sich lediglich darüber, ob und inwieweit unter gegebenen Bedingungen der Lernprozess zu einem bestimmten Zeitpunkt abgelaufen ist oder nicht.

Die hier skizzierten Grundannahmen der Sprachlehrforschung und Fremdsprachendidaktik spiegeln eine empiristisch-behavioristische Auffassung vom Fremdsprachenlernen wider. Es wird postuliert, daß Zweitsprachenerwerb nach einem S → R Modell abläuft, wie es etwa Skinner (1957) und andere Behavioristen umrissen haben. Die Reaktion, also das L2-sprachliche Verhalten des Lernenden, ist direkt Folge und Produkt verschiedener Stimulikonstellationen – etwa Lehrmethode, Präsentation des L2-Materials – und Verstärkungsmechanismen (Motivation, Lehrerverhalten, etc.). Der Lernende selbst ist im Grunde nichts anderes als das Objekt, auf das diese Stimuli und Verstärkungen einwirken. Die von der behavioristischen Lerntheorie postulierte direkte Abhängigkeit von Reiz und Reaktion unter Einwirkung von Verstärkungsfaktoren impliziert natürlich, daß eine Veränderung von Reiz und Verstärkung zu einer anderen Reaktion führt. Es wird zu prüfen sein, ob das S → R Modell einen adäquaten Beschreibungsrahmen für den L2-Erwerb liefert, d.h. ob L2-Erwerb in der Tat nach behavioristischen Prinzipien abläuft. Präziser: läuft jede Form des L2-Erwerbs nach behavioristischen Prinzipien ab, oder gilt das S → R Modell nur für bestimmte Formen des L2-Erwerbs – wenn ja, welche? –, oder ist das S → R Modell generell inadäquat für Spracherwerbsphänomene?

Die moderne L2-Erwerbsforschung fragt nicht nach dem Lernerfolg, sondern nach dem Mechanismus, der zu ihm hinführt. Welche Strategien benutzt der Lernende zur Verarbeitung fremdsprachlichen Materials, welche Phasen der L2-sprachlichen Entwicklung durchläuft er, um eine gegebene Struktur zu erwerben? Sie fragt nicht danach, ob eine Struktur bereits fehlerfrei produziert wird, sondern welchen Weg der Lernende beschreitet, um zu einer fehlerfreien Produktion zu gelangen. Im Mittelpunkt steht nicht das Endprodukt, die fehlerfreie Wiedergabe, sondern der Mechanismus, der zu diesem Endprodukt führt. In diesem Sinne ist der Terminus Lernprozess zu verstehen. Lernprozess bezeichnet den Weg, der zum Ziel, d.h. dem Lernerfolg, führt. Um eventuellen Mißverständnissen vorzubeugen, sei betont, daß die Frage nach dem Lernprozess für jede Struktur bzw. jeden Strukturbereich einzeln zu stellen und zu untersuchen ist. Nehmen wir an, das Lernziel besteht in der modellgerechten Beherrschung von zehn Strukturen a,b. . . i, j. Es ist denkbar, daß sich zu einem gegebenen Zeitpunkt vor dem Erreichen dieses Ziels durch einen Test ermitteln läßt, daß der Lernende bereits fünf Strukturen a. . . e gemeistert hat, während die Strukturen f. . . j noch fehlerhaft produziert werden. Zur Beschreibung dieses Sachverhalts wird nun vielfach der Terminus Lernprozess verwendet. Lernprozess gibt dann das relative Erreichen dieses Lernzieles an, d.h. wieviel des Zieles bereits erreicht ist. Ich verwende den Begriff Lernprozess in der folgenden Darstellung nicht in diesem Sinne. Vielmehr soll durch Lernprozess der Weg bezeichnet werden, auf dem jede einzelne der zehn Strukturen erlernt wird; d.h. wie gelangt der Lernende zur fehlerfreien Beherrschung von Struktur a, wie zur Beherrschung von b, usw.

Die L2-Erwerbsforschung geht von der Annahme aus, daß der Prozess menschlichen Spracherwerbs von bestimmten allgemeinen Gesetzmäßigkeiten geprägt ist, und sie versucht, deren Wirkung beim Erlernen speziell einer zweiten Sprache auszuloten. Wenn der Zweitsprachenerwerb allerdings nach bestimmten internen Gesetzmäßigkeiten abläuft, so ist der Versuch, über die Kontrolle externer Faktoren den Ablauf des Lernprozesses zu steuern, so lange zum Scheitern verurteilt, wie diese spracherwerblichen Eigengesetzlichkeiten und deren mögliche Beziehungen zu den externen Variablen des Lernkontextes nicht erkannt und hinreichend präzisiert sind. Auch hier wird an empirischem Material zu prüfen sein, ob und inwieweit L2-Erwerb schlechthin oder nur bestimmte Formen des L2-Erwerbs nach allgemein-spracherwerblichen Gesetzmäßigkeiten ablaufen.

Während die Sprachlehrforschung also für das Erlernen einer zweiten Sprache von einem behavioristischen S → R Modell ausgeht, spiegeln die obigen Überlegungen eine eher mentalistische Grundauffassung wider. Man nimmt an, daß der Mensch speziell für den Erwerb von Sprache mit bestimmten kognitiven Strukturen ausgerüstet ist, die den Rahmen möglicher Verarbeitungsmechanismen sprachlicher Daten abstecken und allein auf deren Grundlage externe Variablen in den Ablauf des Erwerbsprozesses eingreifen.

Wenn sich die moderne Zweitsprachenerwerbsforschung in ihrer Fragestellung grundsätzlich von der traditionellen Sprachlehrforschung und Fremdsprachendidaktik unterscheidet, so ist zu fragen, welche Evidenz dafür vorliegt, daß eine derartige Fragestellung sinnvoll ist und daß durch entsprechende Untersuchungen nicht-triviale Erkenntnisse und Einsichten über das Erlernen einer zweiten Sprache geliefert werden. Ob die oben skizzierte Fragestellung sinnvoll ist oder nicht, läßt sich a priori nicht entscheiden. Es wäre denkbar, daß empirische Untersuchungen zu dem Ergebnis führen, daß derartige allgemeine Gesetzmäßigkeiten in der Verarbeitung sprachlicher Strukturen durch den Lernenden nicht existieren. Die Plausibilität der genannten Auffassung leitet die L2-Erwerbsforschung vor allem aus zwei Bereichen ab:

1. aus Ergebnissen der Erstsprachenerwerbsforschung
2. aus theoretischen Überlegungen über die Sonderstellung von Sprache und Spracherwerb im Gesamtkontext menschlicher (Lern-)fähigkeiten.

Seit Beginn der 60er Jahre sind vor allem in den USA umfangreiche Untersuchungen über den Muttersprachenerwerb durchgeführt worden (cf. Bar-Adon & Leopold 1971, Ferguson & Slobin 1973). Zunächst stand vor allem die syntaktische Entwicklung von Kindern im Mittelpunkt, später traten Untersuchungen zur Semantik (vor allem die Arbeiten von E. Clark 1971, 1972, 1973a–b) und Phonologie (Olmsted 1971, Smith 1973, Ingram 1974a–b) und in jüngster Zeit auch zur Pragmatik (Halliday 1975) hinzu. Während die meisten Untersuchungen lediglich die sprachliche Entwicklung eines oder einiger weniger Kinder verfolgten, verfügen wir derzeit durch die Fülle von Einzelarbeiten über Daten zur sprachlichen Entwicklung einer sehr großen Zahl von Kindern. Ein Überblick findet sich in Brown (1973) und Slobin (1973). Dabei wurde nicht nur der Erwerb "gängiger" Sprachen wie etwa Englisch, Deutsch, Italienisch oder Russisch untersucht, sondern es liegt ausführliches Material über eine Vielzahl recht unterschiedlich strukturierter Sprachen vor, wie etwa Finnisch (Bowerman 1973), Japanisch (Sanches 1968), Samoanisch (Kernan 1969), Luo (Blount 1969), Arabisch (Omar 1973), etc.

Die Fülle des Materials gestattet zwar sicherlich kein abschließendes Urteil über den Muttersprachenerwerb, jedoch ist die Datenbasis ausreichend, um einige grundlegende Merkmale des muttersprachlichen Erwerbsprozesses erkennen zu können. Bei der Analyse von Daten von verschiedenen Kindern aus verschiedenen Sprachgemeinschaften ergaben sich immer wieder die gleichen oder doch zumindest sehr ähnliche Strukturphänomene. Die Anfangsphasen im Erwerb des Englischen sehen ähnlich aus wie im Erwerb des Finnischen, Samoanischen oder Japanischen. Selbstverständlich treten durchaus Unterschiede auf; doch diese scheinen eher Details der Entwicklung zu betreffen, die Grundzüge des Spracherwerbs kehren bei allen bislang untersuchten Kindern wieder.

Diese Untersuchungsergebnisse zeigen deutlich, daß der Muttersprachenerwerb ein in hohem Maße systematischer Prozess ist, dessen Systematik nicht erkennbar mit äußeren Faktoren korreliert. Vielmehr scheinen dem muttersprachlichen Erwerbsprozess bestimmte inhärente Gesetzmäßigkeiten zugrundezuliegen. Es wird heute von niemandem mehr ernsthaft bestritten, daß der Erstsprachenerwerb nicht allein das Produkt von extern einwirkenden Variablen ist, sondern im Rahmen eines biogenetisch vorgegebenen Schemas abläuft. Dieses Faktum wird generell auch von Sprachlehrforschern anerkannt, wie etwa Burgschmidt & Götz (1974: 114): "In der 'vorprogrammierten' Sprachlernperiode . . . können Einzelsprachen als 'Muttersprache' nach einem offensichtlich universalen Ablaufschema gelernt werden" oder Solmecke (1973: 51ff). Ebenso unbestreitbar ist aufgrund der vorliegenden Evidenz, daß sich die Gesetzmäßigkeiten des L1-Erwerbs nicht auf behavioristische Prinzipien im Sinne eines S → R Modells zurückführen lassen.

Diese Erkenntnisse scheinen auch aus theoretischen Überlegungen plausibel, wie sie vor allem etwa von Chomsky (1965, 1968, 1975) vorgetragen wurden. Nur der Mensch ist imstande, natürliche Sprachen zu erlernen. Spracherwerb ist also eine gattungsspezifische Fähigkeit des Menschen. Kein noch so intelligentes Tier ist in der Lage, es in dieser Beziehung dem Menschen gleichzutun (zur Diskussion scheinbarer Gegenevidenz cf. Aitchison 1976). Dabei ist der Mensch nicht auf den Erwerb irgendeiner bestimmten Sprache vorprogrammiert, sondern er kann jede natürliche Sprache gleichermaßen erlernen, und zwar in erstaunlich kurzer Zeit unter vielfach extrem ungünstigen psychischen, sozialen und kommunikativen Bedingungen. Vielfach ist auf die enge Beziehung zwischen sprachlicher und kognitiver Entwicklung hingewiesen worden. So schreibt etwa Solmecke (1973: 62):

> "Der Muttersprachenerwerb des Kindes ist aufs engste mit seiner übrigen Entwicklung verbunden. Mit Hilfe der Sprache hat es gelernt, die Eindrücke, die ihm seine Umwelt vermittelt, zu ordnen. Es kann mit seiner Muttersprache alle Kommunikationsbedürfnisse befriedigen, alle Situationen sprachlich bewältigen . . . Sprache verbindet sich so mit der Befriedigung wirklicher Bedürfnisse, dem Abstellen von Unannehmlichkeiten, dem Gefühl der Sicherheit und Zuneigung."

Diese Beobachtungen sind zweifellos zutreffend, nur darf aus ihnen kein kausales Verhältnis abgeleitet werden. Das Kind erwirbt seine Muttersprache nicht mit dem Vorsatz, besser kommunizieren und in der Welt bestehen zu können; es erwirbt seine Muttersprache, weil es gar nicht anders kann. Das Kind hat gar keine Wahl, ob es die Muttersprache lernen will oder nicht, je nachdem wie die äußeren Umstände sind und wie es sein persönliches Kommunikationsbedürfnis einschätzt. Es *muß* lernen. Spracherwerb ist eine biologische Notwendigkeit. Von extremen pathologischen Fällen, wie dem Autismus, abgesehen, ist es überhaupt nicht zu verhindern, daß das Kind die Sprache seiner Umgebung erwirbt. Der Erwerbsprozess mag bei verschiedenen Kindern in engen Grenzen unterschiedlich schnell ablaufen, durch umweltbedingte Einflüsse auszuschalten ist er nicht. Wäre der L1-Erwerb von kulturellen, klimatischen, ökonomischen, sozialen, etc. Bedingungen abhängig, so müßten wir erwarten, daß etwa das samoanische Kind, das in einer relativ einfach strukturierten, in sich abgeschlossenen Gemeinschaft aufwächst, im Vergleich zu dem in einer hoch technisierten Umwelt heranwachsenden amerikanischen Kind eine verminderte Sprachkompetenz aufweist. Derartige Fälle sind nicht bekannt. Jedes Kind scheint unabhängig von äußeren Bedingungen in seiner Muttersprache volle Kompetenz zu erlangen.

Wenn die Muttersprache daher unter allen Bedingungen gleichsam mit biologischer Notwendigkeit erworben wird, und wenn nach den Ergebnissen der L1-Erwerbsforschung der Ablauf des Spracherwerbs nach gleichbleibenden Prinzipien erfolgt, dann ist es plausibel anzunehmen, daß der Mensch über eine ganz spezifische Spracherwerbsfähigkeit verfügt, deren Prinzipien nicht ohne weiteres mit anderen Lernfähigkeiten zu vergleichen sind. Somit sind auch Versuche skeptisch zu beurteilen, Spracherwerb im Rahmen einer allgemeinen Lerntheorie, die verschiedene Formen menschlichen Lernens erfassen will, zu erklären. Spracherwerb scheint ein Sonderfall zu sein.

Wenn der Mensch jedoch über eine gattungsspezifische Erwerbsfähigkeit verfügt, die die Gesetzmäßigkeiten und Prinzipien des muttersprachlichen Lernens festlegt, so stellt sich die Frage, was passiert, wenn der Mensch, nachdem er seine Muttersprache bereits erworben hat, einer zweiten Sprache ausgesetzt wird. Unter Berufung auf Lenneberg (1967) wird in der Literatur vielfach die These vertreten, daß der Mensch im Laufe seiner Entwicklung – spätestens jedoch beim Einsetzen der Pubertät – diese gattungsspezifische Spracherwerbsfähigkeit verliert. Die verminderte Spracherwerbsfähigkeit des Erwachsenen wird also durch bestimmte neurophysiologische Veränderungen im Gehirn erklärt (cf. Lamendella 1977). Die biologischen Grundlagen dieser These sind allerdings in jüngerer Zeit u.a. von Krashen (1973, 1975) in Frage gestellt worden. Inzwischen hat sich die Auffassung durchgesetzt, daß biologische Gründe kaum für die unterschiedliche Erwerbsfähigkeit von Kindern und Erwachsenen ausschlaggebend sein können. Unterschiede zwischen L1 und L2-Erwerb bzw. kindlichem und erwachsenem Spracherwerb hinsichtlich der Möglichkeit, volle Sprachkompetenz zu erreichen, hat man andererseits auf die unterschiedlichen Lernbedingungen, etwa Motivation, Kommunikationsbedürfnis (Lamendella 1977) u.a. zurückgeführt. Um nochmals Solmecke (1973: 63) anzuführen:

> "Im schlimmsten Falle besteht die Motivation für das Kind (in der Schule eine Fremdsprache zu lernen) also nur darin, daß das Fach überhaupt auf dem Stundenplan auftaucht. Gesellschaftliche Wertschätzung des Fremdsprachenlernens, Interesse der Eltern, Interesse des Kindes am fremden Land, entsprechende Berufswünsche können die Motivation erhöhen. Auch dann ist die Fremdsprache für das Kind keineswegs als lebenswichtig zu bezeichnen . . ."

In dieser Argumentation liegt m.E. ein logischer Trugschluß. Hier wird angenommen, das Kind lerne seine Muttersprache, weil es dazu besonders motiviert sei, während es für den Erwerb einer Zweitsprache gar nicht oder nur weniger motiviert sei. Es ist nochmals zu betonen: das Kind lernt seine Muttersprache nicht, weil es besonders gut motiviert ist oder weil die Lernbedingungen besonders günstig sind – sie sind es in der Tat nicht –, sondern das Kind lernt in jedem Fall. Somit können Unterschiede in der Fähigkeit, eine erste oder zweite Sprache zu erlernen, auch nicht auf Motivation u.ä. zurückgeführt werden. Der gesamte Bereich der Lernbedingungen und externen Faktoren ist für die Beantwortung dieser Frage völlig irrelevant, weil er auf einer unzutreffenden Einschätzung des L1-Erwerbs beruht. Das wesentliche Problem liegt nicht darin, situationelle Unterschiede zwischen L1- und L2-Erwerb zu ermitteln, sondern in der Beantwortung der Frage, warum bestimmte externe Faktoren den Lernerfolg im erwachsenen L2-Erwerb entscheidend mitbestimmen, im L1-Erwerb jedoch ohne gravierende Auswirkungen bleiben.

Durch Auflistung externer Unterschiede ist die Beziehung zwischen erstsprachlicher und zweitsprachlicher Erwerbsfähigkeit nicht in den Griff zu bekommen. Es muß nach anderen Verfahren gesucht werden. Denkbar wäre, daß empirische Untersuchungen zu der Erkenntnis führen, daß L1- und L2-Erwerb nach grundsätzlich unterschiedlichen Prinzipien ablaufen: L2-Erwerb könnte etwa behavioristischen Prinzipien der Konditionierung folgen, während L1-Erwerb auf nicht-behavioristischen Prinzipien beruht. Aus dieser Erkenntnis ließen sich dann Unterschiede in der L1-sprachlichen und L2-sprachlichen Erwerbsfähigkeit erklären. Umgekehrt könnte man von direkt beobachtbaren Unterschieden in der L1-/L2-Erwerbsfähigkeit ausgehen und die These aufstellen, diese Unterschiede gingen auf divergierende Erwerbsprinzipien zurück. Eine solche These ist zweifellos plausibel, nur muß sie in einem weiteren Arbeitsgang empirisch belegt werden.

Unabhängig davon, welchen Weg man in der Argumentation beschreitet, im Mittelpunkt steht die Notwendigkeit empirischer Untersuchungen zu L2-sprachlichen Erwerbsprozessen. Wenngleich über den natürlichen Zweitsprachenerwerb mittlerweile zahlreiche Untersuchungen vorliegen, so ist doch über fremdsprachenunterrichtliche Lernprozesse, d.h. wie Schüler im Unterricht angebotenes fremdsprachliches Material verarbeiten, so gut wie nichts bekannt. Die vorliegende Darstellung versucht, einen Beitrag zum Ausfüllen dieser Lücke zu leisten. In Teil I gebe ich anhand eigener und fremder Daten einen Überblick über die wichtigsten Gesetzmäßigkeiten und Prinzipien im natürlichen Zweitsprachenerwerb. Teil II ist dem Fremdsprachenunterricht gewidmet. Hier werden die ersten Ergebnisse einer empirischen Untersuchung zum gesteuerten Englischerwerb von 34 Sextanern eines Kieler Gymnasiums dargestellt. Teil III ist eher theoretisch ausgerichtet. Es wird der Versuch unternommen, das Phänomen des Spracherwerbs in einen psychologischen Kontext einzuordnen und insbesondere der Frage nachzugehen, inwieweit sich unterschiedliche spracherwerbliche Leistungen aus Gesetzmäßigkeiten der menschlichen kognitiven Entwicklung ableiten lassen.

Teil I

NATÜRLICHER ZWEITSPRACHENERWERB

1. Terminologisches

Mit "natürlichem Zweitsprachenerwerb" (= L2-Erwerb) bezeichnen wir eine Lernsituation, in der der Mensch – nachdem er seine Muttersprache bereits ganz oder teilweise gemeistert hat – eine zweite Sprache erwirbt, ohne dabei formalen Lehrverfahren ausgesetzt zu sein (cf. Wode 1974a, Felix 1978b). Es handelt sich also um einen Erwerbstyp, wie er vielfach z.B. bei Immigrantenkindern oder Gastarbeitern auftritt, die die Fremdsprache ausschließlich durch Kontakt mit der L2-sprachigen Bevölkerung in normalen, alltäglichen Kommunikationssituationen erwerben. Das entscheidende Kriterium ist: Der Lernende erhält keinerlei formalen Sprachunterricht – sei es durch Besuch von Sprachkursen, durch einen Privatlehrer oder durch systematisches Selbststudium mit Hilfe von Grammatiken, Lehrbüchern, Tonbandmaterialien, etc. – noch pflegt er Kontakt zu L2-sprachigen Personen unter dem alleinigen Aspekt einer systematischen Verbesserung seiner Sprachkenntnisse. Der natürliche L2-Erwerb stellt somit eine Lernsituation dar, deren äußerliche Merkmale und Begleitumstände in vielfacher Hinsicht denen des Muttersprachenerwerbs (=L1-Erwerb) gleichen. D.h. der Erwerber ist einem unter lerntheoretischen Aspekten unstrukturierten sprachlichen Input ausgesetzt, aus dem er eigenständig und ohne systematische Hilfe von außen die Grammatik der Zielsprache konstruieren muß.

Der Begriff "natürlich" mag in diesem Zusammenhang Anlaß zu Mißverständnissen geben. Es ist hiermit weder eine Wertung noch eine Charakterisierung der ablaufenden Erwerbsprozesse impliziert; etwa im Gegensatz zu Erwerbsformen, die nicht oder weniger "natürlich" seien. "Natürlicher Zweitsprachenerwerb" ist – streng genommen – eine Kurzform für den angemesseneren, jedoch unhandlicheren Ausdruck "Zweitsprachenerwerb in einer natürlichen Umgebung/unter natürlichen Bedingungen", der in der jüngeren Literatur erstmalig von Ravem (1969) verwendet und in der Folgezeit von verschiedenen Autoren aufgegriffen wurde.

Das Mißbehagen, das mit dem Begriff "natürlicher Zweitsprachenerwerb" verbunden ist, äußert sich allenthalben in der einschlägigen Literatur in dem Versuch, weniger belastete und neutralere Termini zu verwenden. In englischsprachigen, insbesondere amerikanischen Arbeiten wird vielfach von 'naturalistic second language acquisition' (Wode 1976c, 1977f; Ravem 1974, Dulay & Burt 1974b) oder 'free learning' (z.B. Perkins & Larsen-Freeman 1975) gesprochen, jedoch sind auch diese Begriffe keineswegs frei davon, unbeabsichtigte Assoziationen hervorzurufen. In der deutschsprachigen Forschung stehen sich vielfach der "gesteuerte" und der "ungesteuerte" Zweitsprachenerwerb (cf. die im Heidelberger Forschungsprojekt "Pidgin-Deutsch" verwendete Terminologie) gegenüber. Durch diese Begriffe werden jedoch Erwerbsprozesse global in einer Weise gekennzeichnet, die sachlich nur bedingt zutreffend ist. Der natürliche Zweitsprachenerwerb – wie auch der L1-Erwerb – verläuft keinesfalls vollständig ungesteuert. Zweifellos üben Gesprächspartner durch Korrekturen, Wiederholungen und Kommentare – wenngleich in einem sehr engen Sinne – unbewußt steuernden Einfluß auf den Erwerbsprozess des Lernenden aus (cf. Cazden 1965, Bellugi 1967, van der Geest 1977). Andererseits läßt sich auch der Fremdsprachenunterricht keineswegs in allen seinen Phasen als gesteuerter Spracherwerb ausgeben. Die direkte Steuerung und Kontrolle des Lernprozesses gilt vor allem für die frühen Phasen des Unterrichts. Ab einem gewissen Kenntnisstand beschränkt sich die Funktion des Lehrers weitgehend auf die Präsentation fremdsprachlichen Materials, sowie auf die mehr oder minder systematische Korrektur der Schülerleistungen. Lektüre und Diskussion eines Textes im fortgeschrittenen Fremdsprachenunterricht beispielsweise lassen sich kaum als gesteuerter Zweitsprachenerwerb im engeren Sinne des Wortes kennzeichnen.

Ich verwende den Begriff "natürlich" hier also ausschließlich zur terminologischen Unterscheidung gegenüber jener Form des Zweitsprachenerwerbs, die durch den Einsatz formaler Lehrverfahren charakterisiert wird, wie sie etwa im Fremdsprachenunterricht in Schulen, Volksschulen, Universitäten, etc. üblich sind. Die Schwierigkeit, für diese beiden Spracherwerbstypen sachlich angemessene Bezeichnungen zu finden, offenbart die grundlegende Problematik. Letztlich fehlen uns präzise Kenntnisse darüber, nach welchen Gesetzmäßigkeiten Erwerbsprozesse unter unterschiedlichen externen Bedingungen ablaufen. Allein derartige Einsichten ließen eine adäquate terminologische Differenzierung begründen. In der Vergangenheit ist man hier vielfach kaum über eine reine Auflistung äußerer Unterschiedlichkeiten hinausgekommen, ohne die Frage zu prüfen, ob und inwieweit Unterschiede in externen Faktoren mit Unterschieden im Ablauf des Erwerbsprozesses korrelieren. Bei diesen Betrachtungen standen vor allem Variablen wie Motivation (Solmecke 1976), Lernsituation (Hüllen 1976) und Lern-/Lehrmethode (Jungblut 1974, Butzkamm 1976) im Mittelpunkt des Interesses.

Entscheidendes Kriterium für unsere Definition des Zweitsprachenerwerbs ist, daß der Erwerb erst dann einsetzt, wenn die Muttersprache bereits ganz oder teilweise gemeistert ist. Hierin unterscheidet sich der Zweitsprachenerwerb vom Bilingualismus, d.h. dem gleichzeitigen Erwerb zweier Sprachen. Es liegt hinreichend Evidenz dafür vor, daß der Bilingualismus eine Sonderform ist, die sowohl Merkmale des Muttersprachenerwerbs als auch des Zweitsprachenerwerbs trägt (cf. Leopold 1939–49, Kessler 1971, Kadar, in Vorb.). Die strenge Unterscheidung zwischen Zweitsprachenerwerb und Bilingualismus ist namentlich in der amerikanischen Literatur nicht durchgehend üblich. Bilingualismus wird vielfach als Oberbegriff für jede Form des Erwerbs, die mehr als eine Sprache involviert, verwendet. Die vom *Ontario Institute for Studies in Education* herausgegebenen *Working Papers on Bilingualism* befassen sich überwiegend mit dem, was wir als Zweitsprachenerwerb definiert haben. Es handelt sich hier keinesfalls um einen müßigen Streit um Termini. Es empfiehlt sich, verschiedene und abgrenzbare Typen des Spracherwerbs zunächst sorgsam getrennt zu betrachten, solange nicht empirische Daten eine veränderte Klassifikation unter spracherwerblicher Perspektive verlangen.

Natürlicher Zweitsprachenerwerb in reiner Form, also totaler Verzicht auf jegliche Art formaler Lehrverfahren, kommt vermutlich relativ selten vor. Vornehmlich werden wir diesen Erwerbstyp bei Kindern oder Jugendlichen antreffen, die im Geleit ihrer Eltern einen bestimmten Zeitraum im fremdsprachlichen Ausland verbringen und die L2 vor allem durch den quasi spielerischen Kontakt mit Nachbarskindern erwerben. Nicht zuletzt aus diesem Grunde befaßt sich der überwiegende Teil der Forschung auch mit dem natürlichen Zweitsprachenerwerb von *Kindern,* wie etwa die Untersuchungen von H. Dulay & M. Burt, die Arbeitsgruppe unter Evelyn Hatch an der University of California Los Angeles, das Kieler Projekt zum Spracherwerb, das ZISA (Zweitsprachenerwerb italienischer und spanischer Arbeiter) Projekt von Jürgen Meisel u.a.

Ausführliches Datenmaterial zum natürlichen L2-Erwerb bei Erwachsenen ist weitaus seltener, zumal diese die Tendenz zeigen, zumindest bei längerem Aufenthalt ihre L2-sprachlichen Kenntnisse durch Teilnahme an fremdsprachenunterrichtlichen Lehrveranstaltungen verbessern zu wollen, so daß wir hier eine Mischform antreffen.

Wie die Arbeiten etwa von Perkins & Larsen-Freeman (1975) und Schumann (1977b) andeuten, liegt zwar einige Evidenz dafür vor, daß der übliche formale Unterricht bei gleichzeitigem Aufenthalt im Ausland nur unwesentlich – wenn überhaupt – den Erwerbsprozess verändert bzw. fördert, jedoch ist diese Mischform aus natürlichem Zweitsprachenerwerb und Fremdsprachenunterricht aus forschungsmethodischer Perspektive her mißlich. Namentlich bei den von den Amerikanern untersuchten erwachsenen L2-Erwerbern (z.B. Fathman 1975a–b, Bailey & Madden & Krashen 1974, Perkins & Larsen-Freeman 1975 oder Schumann 1975a) handelt es sich überwiegend um Personen, die Englisch einerseits unter natürlichen Bedingungen erwarben, andererseits in unterschiedlichem Maße formalen Lehrverfahren ausgesetzt waren. Die Schwierigkeit bei der Auswertung der entsprechenden Daten liegt darin, daß ohne geeignetes Vergleichsmaterial nicht zu unterscheiden ist, welche Merkmale des Lernprozesses Gesetzmäßigkeiten des natürlichen Spracherwerbs widerspiegeln und welche auf den Einsatz von formalen Lehrverfahren zurückzuführen sind. Aus diesem Grunde sind zahlreiche in der Literatur erscheinende Untersuchungen nur unter Vorbehalt miteinander vergleichbar, weil hier unterschiedliche Erwerbstypen zugrundeliegen.

Zweifellos müssen hier auch praktische Erwägungen mit einfließen. Jeder wird dem Erwerbstyp die größte Aufmerksamkeit schenken, der in seiner Umgebung unter üblichen Bedingungen am häufigsten auftritt. In den USA wird es schwierig sein, geeignete erwachsene L2-Erwerber zu finden, die in der Tat auf jeden englischen Fremdsprachenunterricht verzichten. Somit versteht der amerikanische Forscher unter Zweitsprachenerwerb eben jene Situation, in der ein in den USA lebender Ausländer unter mehr oder minder starker Einbeziehung von Unterricht die englische Sprache erlernt. Demgegenüber wird in Deutschland zumeist Zweitsprachenerwerb mit Fremdsprachenunterricht gleichgesetzt, weil die am weitesten verbreitete Form des Erlernens einer zweiten Sprache die des schulischen Unterrichts ist. Gegen diesen praktischen Aspekt ist nichts einzuwenden. *Nur* muß bei einem Vergleich empirischer Daten darauf geachtet werden, daß nicht unvermittelt Dinge gleichgesetzt werden, deren Beziehung zueinander a priori keineswegs klar ist.

2. Methodisches

Die Frage, welche Methode der Datenerhebung und -analyse bei L2-Erwerbsuntersuchungen die wertvollsten Erkenntnisse und die verläßlichsten Ergebnisse liefert, ist gerade in jüngster Zeit wieder in den Mittelpunkt des Interesses gerückt (cf. Andersen 1978a, Rosansky 1977). Im allgemeinen ist man sich darüber einig, daß keine der verfügbaren Methoden ohne gravierende Nachteile ist. Letztlich hängt die Wahl der Methode entscheidend von der Fragestellung und Perspektive der jeweiligen Untersuchung ab (cf. hierzu auch die Ausführungen in Schönpflug 1977).

In der bisherigen Spracherwerbsforschung (L1 wie L2) herrschten zwei konkurrierende Datenerhebungsverfahren vor: die Longitudinalstudie und die Querschnittsstudie (cf. Felix 1978b). Bei der Longitudinalstudie wird der Erwerber über einen längeren Zeitraum (von mehreren Monaten bis zu mehreren Jahren) in möglichst kurzen Abständen beobachtet. Seine spontanen Äußerungen werden – soweit es geht – vollständig aufgezeichnet und bilden die Datenbasis für die anschließende Analyse. Auf diese Weise erhofft man sich Einsichten über Veränderungen in der sprachlichen Kompetenz in dem betreffenden Zeitraum.

Der Nachteil dieses Verfahrens liegt auf der Hand. Langwierige Dauerbeobachtungen erfordern einen enormen Zeitaufwand, bevor überhaupt die ersten Analysen in Angriff genommen werden können, und lassen sich in der Regel nur an einigen wenigen Kindern durchführen. So beschreiben die frühen L1- und L2-Erwerbsstudien in der Regel auch stets die sprachliche Entwicklung eines oder zweier Kinder (z.B. Leopold 1939–49, Bloom 1973, Bowerman 1973, Huang 1971, Butterworth 1972, Schumann 1975a). Hier stellt sich natürlich sofort die Frage, ob und in welchem Umfange die so gewonnenen Ergebnisse generalisierbar sind. Inwieweit läßt sich von der sprachlichen Entwicklung eines einzelnen Kindes auf generelle spracherwerbliche Mechanismen schließen? Obwohl die Frage nach der Generalisierbarkeit der Ergebnisse der frühen Longitudinalstudie einen ernstzunehmenden Kritikpunkt darstellt, ist sie m.E. aufgrund des derzeitigen Forschungsstandes nicht mehr aktuell.

Zunächst ist darauf hinzuweisen, daß dieser Einwand die Annahme impliziert, daß der Spracherwerb eben von Kind zu Kind unterschiedlich verläuft und daß allgemeingültige Aussagen erst dann gemacht werden können, wenn eine größere Gruppe von Kindern untersucht wird. Die Richtigkeit dieser Annahme ist jedoch selbst Gegenstand empirischer Überprüfung. Im Bereich der frühen Longitudinalstudien erhob zunächst keiner der Autoren den Anspruch, Spracherwerb schlechthin zu beschreiben. Es sollte lediglich dargestellt werden, wie das betreffende Kind oder die betreffenden Kinder die jeweilige Sprache erwarben. Die Frage, ob andere Kinder dies in gleicher oder grundsätzlich unterschiedlicher Weise tun, blieb zunächst offen. Es sollte nicht gezeigt werden, wie Sprache erworben wird, sondern, wie Sprache erworben werden kann. In der Zwischenzeit verfügen wir über derart zahlreiche Longitudinalstudien (cf. Brown 1973: 68 und Slobin 1973), daß auch die Repräsentativität der Daten zumindest im Bereich des englischen L1-Erwerbs gewahrt ist. Dabei zeigt sich, daß die Daten der frühen Erwerbsstudien, die in der Tat nur auf einigen wenigen Kindern beruhten, durch weiteres Material immer wieder bestätigt wurden, wenngleich in zunehmendem Maße unterschiedliche Positionen bei der Interpretation der Daten vertreten wurden. Der Einwand, Longitudinalstudien lieferten kein repräsentatives Datenmaterial, ist m.E. derzeit überholt.

Es hat nicht an Versuchen gefehlt, Schwächen der Longitudinalstudien entgegenzuwirken. Man versuchte, die Intervalle zwischen den einzelnen Datenerhebungen zu vergrößern, um so die Zahl der beobachteten Kinder steigern zu können. Der entscheidende Nachteil ist jedoch, daß bei zu großen Intervallen – und dabei kann es sich schon um Abstände von 1–2 Wochen handeln – vielfach entscheidende Entwicklungen des Erwerbsprozesses verpasst werden. Oftmals sind die Daten, die auf zwei aufeinander folgenden Aufnahmesitzungen gewonnen wurden, nicht schlüssig interpretierbar, weil man nicht weiß, was in der Zwischenzeit passierte (cf. Wode 1976c, Klima & Bellugi 1966).

Bei der Querschnittsstudie wird zu einem gegebenen Zeitpunkt eine größere Anzahl von Personen unterschiedlichen Erwerbsstandes beobachtet, und aus den so gewonnenen Daten wird eine Entwicklung konstruiert. Man sammelt also einzelne Ausschnitte aus der Entwicklung vieler Personen und reiht diese Ausschnitte dann aneinander, um so zu einer längeren Entwicklungsperiode zu gelangen. Der entscheidende Vorteil der Querschnittsstudie liegt zweifellos in der Möglichkeit, von vornherein eine größere Anzahl von Personen zu untersuchen. Dieser Vorteil wird jedoch durch einen gravierenden Nachteil erkauft. Die Verläßlichkeit dieses Verfahrens hängt von der Annahme ab, daß der Entwicklungsprozeß bei allen Personen in allen Details absolut identisch ist. Diese Annahme läßt sich kaum aufrechterhalten. Wenn in bestimmten Bereichen Variationen im Spracherwerb auftreten, so läßt sich eben aus den strukturellen Verhältnissen bei dem Erwerber A nicht notwendigerweise auf den Erwerber B schließen, und die Querschnittsstudie verliert ihre Argumentationsbasis. Querschnittsstudien sind vermutlich nur dann sinnvoll, wenn über den zu untersuchenden Bereich bereits wichtige Einsichten vorliegen, so daß es im wesentlichen um die Lösung von Detailproblemen geht.

Die Frage Longitudinalstudie oder Querschnittsstudie wird überlagert durch das Problem der Datenherkunft. Es lassen sich Daten gewinnen, entweder, indem die spontanen Äußerungen des Erwerbers aufgezeichnet werden oder indem durch verschiedene experimentelle Verfahren Äußerungen elizitiert werden. Im Augenblick zeichnet sich ab, daß das Problem "Spontandaten oder experimentelle Daten" von wesentlich größerer Tragweite ist als die Frage Longitudinal oder Querschnitt (cf. Burmeister & Ufert 1980).

Das Problem bei der Aufzeichnung von Spontandaten ist, daß das Fehlen bestimmter Strukturtypen nicht den Schluß zuläßt, dieser Strukturtyp sei noch nicht erworben. Das Fehlen einer Struktur mag darauf zurückzuführen sein, daß die jeweilige Kommunikationssituation den Gebrauch dieser Struktur nicht favorisierte. Es ist leicht denkbar, daß bestimmte Situationen den Erwerber nicht in besonderem Maße dazu anregen, etwa Fragen zu stellen. In dem entsprechenden Datenmaterial sind Interrogationsstrukturen dann unterrepräsentiert, ohne daß daraus gefolgert werden kann, der Erwerb solcher Strukturen sei noch in der Anfangsphase. Diesen Nachteil kann man durch hinreichende Variation der Kommunikationssituationen teilweise kompensieren, doch dies ändert nichts an der grundsätzlichen Problematik.

Um derartige Nachteile der Erhebung von Spontandaten zu eliminieren, begann man im Bereich der L2-Erwerbsforschung schon recht früh, Äußerungen durch Testverfahren zu elizitieren. Dadurch – so glaubte man – ließe sich schlüssig nachweisen, welche Strukturen bereits vorhanden waren und welche nicht. Leider zeigte sich jedoch, daß man hier den Teufel mit dem Beelzebub austrieb. Beim Vergleich von Spontandaten und Testdaten zeigte sich zunächst eine unerwartete Diskrepanz (cf. Rosansky 1976, Burmeister & Ufert 1980): Strukturtypen, die beim Test auftraten, erschienen in den Spontandaten nie oder nur sehr selten. In Tests griffen die Kinder auf Strukturen zurück, die auf die Spontandaten projiziert, längst vergangene Erwerbsstadien charakterisierten, etc. Testdaten und Spontandaten sind somit nicht isomorph. Dies alles deutet darauf hin, daß das Testverfahren selbst einen entscheidenden Faktor darstellt, der die Sprachproduktion des Erwerbers verändern kann. Die Produktionen in Sprachtests hängen offensichtlich nicht nur vom jeweiligen Erwerbsstand ab, sondern auch von bestimmten allgemeinen Kommunikationsstrategien. Während der Lernende in spontaner Rede seine Verbalisierungen dem Erwerbsstand anpaßt, zwingen ihn Tests vielfach dazu, über die jeweilige Kompetenz hinaus zu verbalisieren. Zumindest die bislang verwendeten Tests sind ein völlig unzuverlässiges Mittel, um Gesetzmäßigkeiten in den Griff zu bekommen. Dies schließt natürlich nicht aus, daß sich geeignetere Testverfahren entwickeln lassen. Jedoch wird sich der Umstand, daß der getestete Erwerber sprachlich anders reagiert als in 'normalen' Kommunikationssituationen, kaum beseitigen lassen.

Nach meiner Einschätzung ist die Longitudinalstudie zur Zeit nach wie vor das relativ zuverlässigste Datenerhebungsverfahren trotz ihrer unbestreitbaren Nachteile. Zu dieser Ansicht gelangt auch Rosansky (1976) in ihrer Dissertation. Es ist hinzuzufügen, daß die grundlegenden Einsichten über den Spracherwerbsprozeß, die allgemein in der Forschung anerkannt werden, fast ausnahmslos auf Longitudinalstudien basieren.

3. Forschungsüberblick

Die Anfänge der psycholinguistisch-orientierten Zweitsprachenerwerbsforschung lassen sich in etwa auf das Ende der 60er bzw. auf den Beginn der 70er Jahre datieren. Thematisch und methodisch orientierten sich die frühen L2-Untersuchungen weitgehend an den Ergebnissen der Erstsprachenerwerbsforschung. Zunächst stand vor allem die Frage im Mittelpunkt, ob und inwieweit sich Muttersprachenerwerb und Zweitsprachenerwerb gleichen bzw. unterscheiden. Hierzu sammelte man umfangreiches Datenmaterial zum Erwerb einer zweiten Sprache durch Kinder bzw. Jugendliche und verglich die gewonnenen Daten mit bekanntem Material zum Muttersprachenerwerb. Erst später wandte man sich zunehmend von der vergleichenden Fragestellung ab und konzentrierte sich auf spezifische Strukturphänomene des Zweitsprachenerwerbs an sich.

Abgesehen von der Pionierleistung des Norwegers Roar Ravem (Ravem 1968, 1969, 1970, 1974), der den englischen Zweitsprachenerwerb seiner beiden Kinder Rune und Reidun untersuchte und der sich noch ganz in die Tradition der Fehleranalyse einordnete, begannen die ersten umfangreichen Untersuchungen zum kindlichen Zweitsprachenerwerb unter der Leitung von Evelyn Hatch an der University of California Los Angeles. Hier wurden mehrere Magisterarbeiten angefertigt (Huang 1971, Butterworth 1972, Adams 1974, Itoh 1973, Young 1974). L2 war in allen Fällen Englisch, L1 Chinesisch und Spanisch; mit Ausnahme von Itoh, der den gleichzeitigen Erwerb des Englischen und Japanischen untersuchte.

Methodisch handelt es sich bei den UCLA Untersuchungen durchweg um Longitudinalstudien. Man beobachtete über einen längeren Zeitraum hinweg den L2-sprachlichen Werdegang eines Kindes oder einiger weniger Kinder, notierte deren spontane Äußerungen und analysierte das Material weitgehend unter dem Aspekt des Vergleichs mit entsprechendem L1-Material. Thematisch konzentrierte man sich auf den Syntaxerwerb.

An die UCLA Untersuchungen schlossen sich die Arbeiten des Kieler Projekts zum Spracherwerb an; allerdings beschränkte man sich in Kiel nicht auf den L2-Erwerb, sondern nahm von Beginn an eine integrierende Perspektive ein, aus der heraus eine Theorie des Spracherwerbs erstellt werden sollte, die Gemeinsamkeiten und Unterschiede zwischen verschiedenen Spracherwerbstypen beschreibt und erklärt (cf. § 4). Auch die Kieler Arbeiten sind methodisch als Longitudinalstudien einzuordnen. In jüngerer Zeit ist die Tradition der L2-Longitudinalstudien durch Arbeiten von Schumann (1975a), Fillmore (1976), Rosansky (1976), Lightbown (1977a), u.a. fortgesetzt worden, wobei man sich thematisch zunehmend von der Syntax abwandte und weitere sprachliche Aspekte mit einbezog.

Parallel zu den longitudinalen Untersuchungen entwickelte sich seit etwa 1972 ein Typus von Querschnittstudie, der vor allem mit den Namen Heidi Dulay und Marina Burt verbunden ist. Thematisch orientierten sich diese Arbeiten zunächst wiederum an der L1-Erwerbsforschung, insbesondere an den Untersuchungen von Brown (1973) und de Villiers & de Villiers (1973) zum Erwerb der grammatischen Morpheme. In der Literatur sind diese Arbeiten unter dem Terminus *morpheme order studies* bekannt. Es ging darum, durch bestimmte Elizitierungsverfahren festzustellen, in welcher Abfolge L2-Erwerber den richtigen Gebrauch einer ausgewählten Gruppe von grammatischen Morphemen meistern. Während in der Anfangsphase weiterhin die Frage nach der Relation zwischen L1 und L2-Erwerb im Mittelpunkt stand, veränderte sich die Fragestellung im Laufe der Untersuchungen grundlegend. Die frühen Untersuchungen deuteten darauf hin, daß die Abfolge, in der die Morpheme gemeistert werden, weitgehend invariant ist, d.h. Kinder unterschiedlichen Alters, unterschiedlichen Bildungsstandes, unterschiedlicher Muttersprache wiesen im wesentlichen stets die gleiche *morpheme order* auf. In der Folgezeit entstanden zahlreiche Untersuchungen (z.B. Bailey et al. 1974, Fathman 1975a–b, Perkins & Larsen-Freeman 1975), die diese These einer invarianten Morphemerwerbssequenz an unterschiedlichen Personengruppen untersuchten.

In Zusammenarbeit mit E. Hernández entwickelten Dulay und Burt (Burt & Dulay & Hernández 1975) ein Testverfahren, das sog. 'Bilingual Syntax Measure' (BSM), bei dem Kindern Bilder vorgelegt wurden, die zu beschreiben waren. Die Bilder waren so angelegt, daß bei der Beschreibung bestimmte grammatische Morpheme obligatorisch anzuwenden waren, so daß sich prüfen ließ, inwieweit die Kinder die entsprechenden Morpheme bereits modellgerecht verwendeten. Aus den Ergebnissen wurde dann eine Rangfolge aufgestellt, die Aufschluß über die Erwerbsfolge geben sollte. Eine präzise methodische Beschreibung findet sich in Dulay & Burt (1974a–c).

Die Methodik der *morpheme order studies* ist gerade in jüngerer Zeit heftig kritisiert worden. Rosansky (1976) widmet ihre Dissertation ausschließlich diesem Thema. Die Kritik zielt vor allem auf drei Punkte ab:

1. Die Ergebnisse der *morpheme order studies* sind im wesentlichen ein Artefact der gewählten Methode, i.e. des BSM. Variiert man das Elizitierungsverfahren,

so verändern sich ebenfalls die Ergebnisse (Andersen 1978a, Rosansky 1976, Tarone 1974).

2. Elizitierte Daten sind – zumindest bei den bislang verwendeten Verfahren – ein unzuverlässiger Indikator der L2-sprachlichen Entwicklung. D.h. elizitierte Daten und Spontandaten weichen in entscheidenden Punkten voneinander ab. Vermutlich stellt die Testsituation selbst einen Faktor dar, der die sprachlichen Produktionen der Probanden verändert (Rosansky 1976, Wode et al. 1978).

3. *Morpheme order studies* gehen an der eigentlichen Problematik des L2-Erwerbs vorbei. Sie untersuchen nicht Gesetzmäßigkeiten, die beim Erwerb von Strukturen auftreten, sondern relative Erwerbsabfolgen. Ob im Bereich der untersuchten grammatischen Morpheme eine gesetzmäßige Erwerbsabfolge besteht, ist fraglich (Rosansky 1976, Wode et al. 1978).

Aufgrund dieser Kritik hat sich zumindest in den USA die Meinung verbreitet, daß Phänomene des L2-Spracherwerbs mit den derzeitigen Testverfahren nicht in den Griff zu bekommen sind, schon gar nicht mit *morpheme order studies*. Methodisch kehrt man daher zunehmend zu Longitudinalstudien zurück. Dennoch ist unbestreitbar, daß die Arbeiten von Dulay und Burt als erste entscheidende theoretische Impulse für die Zweitsprachenerwerbsforschung vermittelten und Forschungsperspektiven nachhaltig beeinflußten.

In die Kategorie der Querschnittstudien fällt ebenso das Heidelberger Projekt "Pidgin-Deutsch". Hier wird der Erwerb des Deutschen durch ausländische Arbeitnehmer untersucht. Thematisch liegt der Schwerpunkt der Heidelberger weniger auf der Beschreibung spracherwerblicher Regularitäten an sich, als vielmehr auf der Frage, inwieweit spracherwerbliche Phänomene und externe Faktoren, wie sozialer Stand, Bildung, Aufenthaltsdauer in Deutschland etc. miteinander korrelieren (cf. Heidelberger Projekt "Pidgin-Deutsch" 1976, Dittmar 1980).

Mit dem sog. Gastarbeiterdeutsch befaßt sich ebenfalls das ZISA Projekt, das Jürgen Meisel Mitte der 70er Jahre initiierte (cf. Meisel 1980a, Pienemann 1980, 1981, Clahsen 1980a, Clahsen et al., in Vorb.). Die Projektmitglieder haben sowohl Lingitudinal- als auch Querschnittsdaten zusammengetragen und gehören zu den wenigen, die innerhalb eines Projekts kindlichen und erwachsenen L2-Erwerb untersuchen. Der Schwerpunkt des ZISA Projekts liegt auf dem Syntaxerwerb, ergänzt durch Daten zur Morphologie und Lexematik. In jüngerer Zeit ist vor allem das Phänomen spracherwerblicher Variationen in Abhängigkeit von psychosozialen Variablen in den Mittelpunkt des Interesses gerückt.

In den vergangenen fünf Jahren sind eine Fülle von Untersuchungen über verschiedene Formen des L2-Erwerbs durchgeführt worden, auf die ich an dieser Stelle nicht im einzelnen näher eingehen kann. Ein – keineswegs erschöpfender – Überblick findet sich in der Tabelle am Ende dieses Abschnitts. Thematisch läßt sich die Einbeziehung weiterer wichtiger Aspekte beobachten; methodisch fehlen weitgehend interessante neue Impulse. Die Schwächen der genannten Datenerhebungsverfahren sind allenthalben bekannt, ohne daß Verfahren entwickelt wurden, die diese Schwächen in entscheidender Weise ausräumen.

Versucht man den gegenwärtigen Stand der Dinge zusammenzufassen, so läßt sich sagen, daß wir recht verläßliche Daten über die L2-Entwicklung von Syntax und Morphologie besitzen, während Phonologie, Semantik, Pragmatik und allgemeine Kommunikationsfähigkeit noch weitgehend im Dunkeln liegen.

Tabelle I
Arbeiten zum Zweitsprachenerwerb

Autor	*L2*	*L1*	*Alter*	*Informantenzahl*	*longitudinal*	*Querschnitt*	*spontan*	*elizit.*
Wode	engl.	deutsch	4–9	4	x		x	x
Felix	dtsch.	engl.	3–7	4	x		x	
Heidelberg	dtsch.	ital./span.	Erw.	48		x	x	x
ZISA a)	dtsch.	ital./span. port.	Erw.	48		x	x	x
b)	dtsch.	ital./span. port.	Erw.	12	x		x	x
Pienemann	dtsch.	ital.	8	3	x		x	x
Huang	engl.	chines.	5	1	x		x	
Butterworth	engl.	span.	13	1	x		x	
Adams	engl.	span.	6–10	10	x		x	x
Itoh	engl.	japan.	$2^1/2$	1	x		x	
Lightbown	franz.	engl.	6	2	x		x	
Fillmore	engl.	span.	$5^1/2$–8	5	x		x	x
Schumann	engl.	span.	33	1	x		x	
Rosansky	engl.	span.	5–33	6	x	x	x	x
Hakuta	engl.	japan.	5	1	x		x	
Milon	engl.	japan.	7	1	x		x	
Gillis & Weber	engl.	japan.	6–7	2	x		x	
Dulay & Burt	engl.	chin./span.	6–8	ca. 200		x		x
Bailey et al.	engl.	12 Sprachen	17–55	73		x		x
Perkins & Larsen-Freeman	engl.	span.	18–22	12		x		x
Larsen	engl.	arab. japan. pers. span.	Erw.	24		x		x
Ravem	engl.	norw.	4–6	2	x		x	
Boyd	span.	engl.	12		x	x		x
Fathman	engl.	versch.	6–15	200/120/ 500		x		x
Agnello	engl.	?	Erw.	3		x	x	x
Andersen	engl.	span.	Erw.	89		x		x
D'Anglejean & Tucker	engl.	franz.	Erw.	40		x		x
Backman	engl.	span.	Erw.	2		x		x
Bertkan	engl.	span./japan.	Erw.	30		x		x
Cazden & Cancino & Rosansky & Schumann	engl.	span.	4–5 10–12 Erw.	6	x		x	x
Cohen	span.	engl.	"Kinder"	3		x		x
Dato	span.	engl.	4–6	6	x		x	
Dickerson	engl.	japan.	Erw.	10	x			x
Dušková	engl.	tschech.	Erw.	50		x		x
Frith	engl.	korean. indon. pers. Hindi	14–16	4		x	x	x
Hanania & Gradman	engl.	arab.	Erw.	1	x		x	
Harley & Swain	franz.	engl.	11	5	x		x	x

Fortsetzung Tabelle I

Autor	*L2*	*L1*	*Alter*	*Informantenzahl*	*longitudinal*	*Querschnitt*	*spontan*	*elizit.*
Hyltenstam	schwed.	35 verschied.	Erw.	160		x		x
Johansson	schwed.	9 verschied.	Erw.	?		x		x
Kessler & Idar	engl.	vietnam.	"Kind"	1	x			
Levenston & Blum	engl.	verschied.	Erw.	83		x		x
Mills	dtsch.	?						
Naiman & Fröhlich & Stern & Todesco	engl.	verschied.	Erw. + Kinder	32,72		x		x
Oldin	engl.	?	Erw.	6		x		
Olsen & Samuels	dtsch.	verschied.	Erw. + Kinder	20		x		x
Schlue	engl.	?	Erw.	3		x	x	
Seliger	engl.	?	?	6		x		
Shapira	engl.	span.	Erw.	1	x		x	
Swain & Naiman & Dumas	franz.	engl.	6	8	x			x
Tarone	engl.	verschied.	Erw.	6				x
Taylor	engl.	span.	Erw.	20		x		x
Wagner-Gough	engl.	assyr./pers.	6	1	x		x	
Anderson	engl.	span.	Erw. 17–39	180		x		x
Chamot	engl.	franz./span.	10	1	x		x	
Fleming	span.	engl.	Erw.	5		x		x
Gadalla	engl.	ägypt.	6–11	32		x		x
Haska	poln.	engl.	18–33	62		x		x
Heckler	engl.	arab. japan. span.	Erw.	36		x		x
Jones	engl. & am. sign lang	engl.	1–5	3	x		x	
Kohn	dtsch.	schweiz. dtsch.	6–10	?		x	x	
Lococo	span. dtsch.	engl.	Erw.	34	x	x		
Syngle	engl.	verschied.	Erw. + Kinder	214		x		x
Walz	franz.	engl.	Erw.	250	x			x
Warshawsky	engl.	span.	8–15	4	x		x	x
Nicholas	dtsch.	engl.	3–8	4	x		x	

4. Aufbau und Perspektiven

Die folgende Darstellung schließt sich an Arbeiten an, die ich zuvor im Rahmen des Kieler Projekts zum Spracherwerb durchgeführt habe. Seit den frühen 70er Jahren sind in Kiel unter der Leitung von Henning Wode zahlreiche Untersuchungen zu verschiedenen Formen des Spracherwerbs (Erstsprachenerwerb, natürlicher Zweitsprachenerwerb und Fremdsprachenunterricht) durchgeführt worden. Aus forschungspraktischen Gründen konzentrierte man sich zunächst auf zwei Sprachen: Englisch und Deutsch. Ziel dieser Arbeiten ist es, eine integrierte Theorie des Spracherwerbs zu erstellen, die es gestattet, verschiedene Spracherwerbstypen gegeneinander abzugrenzen, sowie deren Gemeinsamkeiten und Unterscheide herauszuarbeiten. Zunächst sollte eine ausreichend detaillierte Datenbasis geschaffen werden, um mögliche allgemeine Gesetzmäßigkeiten des Spracherwerbs auf breiter Materialgrundlage darstellen zu können und diese dann zu jenen Phänomenen in Beziehung zu setzen, die spracherwerbstypenspezifisch sind und ggf. mit externen Faktoren korrelieren. Zu diesem Zwecke wurden einige ausgewählte Strukturbereiche quer durch die verschiedenen Spracherwerbstypen verfolgt.

In der ersten Phase des Projekts wurde der deutsche Mutterspracheneerwerb bei vier Kindern aufgezeichnet und mit verfügbarem Material zum englischen L1-Erwerb verglichen. Zunächst lag der Schwerpunkt auf dem Erwerb der Negation, der Interrogation und der elementaren Satztypen (Wode 1973, 1974b, 1976a–b, 1977g; Felix 1975).

Die zweite Phase des Projekts war dem natürlichen Zweitsprachenerwerb gewidmet. Zunächst wurden vier englischsprachige Kinder, die Deutsch als L2 erwarben, über einen Zeitraum von 8–10 Monaten beobachtet (Felix 1976a–d; 1977a–b, d; 1978a–b). Danach folgte eine Untersuchung über den Erwerb des Englischen als L2 durch vier deutsche Kinder. Der Untersuchungszeitraum betrug sechs Monate. In diesem Falle handelt es sich um die gleichen Kinder, deren deutscher L1-Erwerb zuvor aufgezeichnet worden war (Wode 1976c, 1977a–d, 1981).

Die dritte und gegenwärtige Phase des Projekts befaßt sich mit dem Fremdsprachenunterricht. Über einen Zeitraum von acht Monaten wurde der Englischunterricht einer deutschen Sexta mit 34 Schülern verfolgt (Felix 1976c–d; 1977b, d–e; 1979). Die Ergebnisse der Untersuchung zum Fremdsprachenunterricht werden in Teil II der vorliegenden Monographie ausführlich dargestellt.

Datenerhebungsverfahren, Analysemethodik, Informantentypen der Kieler Arbeiten sind mehrfach an anderer Stelle ausführlich behandelt worden, so daß auf diesen Problemkreis hier nicht weiter einzugehen ist. Ich verweise den Leser insbesondere auf Felix (1978b) und Wode (1981).

Im folgenden beschreibe ich den Erwerb zweier Strukturbereiche: Negation und Interrogation. Die Daten stammen überwiegend aus dem Kieler Projekt. Die Gründe für die Wahl dieser beiden Strukturbereiche sind mannigfaltig. Zunächst handelt es sich bei Interrogation und Negation um Bereiche, die ein in sich relativ abgeschlossenes System (cf. Bellugi 1967) bilden und bereits in den frühen Phasen des Erwerbsprozesses entwickelt werden. Zum zweiten verfügen wir gerade in diesen Strukturbereichen über umfangreiches Vergleichsmaterial aus einer Vielzahl von Sprachen und Spracherwerbstypen. Ich werde mich bei der Darstellung auf die wichtigsten Frühphasen des Interrogations- bzw. Negationserwerbs beschränken. Umfassendere Beschreibungen findet der Leser z.B. in Felix (1978b), Bohn (1979), Wode (1981), Huang (1971). Die entscheidenden Prinzipien werden jedoch bereits an diesem Material deutlich sichtbar. Es schließt sich eine kurze Darstellung der *morpheme order studies* an, in der ich die wichtigsten Ergebnisse der Untersuchungen von Dulay & Burt referiere. Die übrigen Abschnitte von Teil I sind der interpretatorischen Wertung der zuvor aufgeführten Daten gewidmet.

5. Der Erwerb der Negation

Entscheidendes Merkmal des natürlichen Spracherwerbs (L1 oder L2) – und hierin liegt ein wesentlicher Unterschied zum Fremdsprachenunterricht – ist, daß der Input grundsätzlich ungeordnet ist. Die Äußerungs- und Strukturtypen, mit denen der natürliche L2-Erwerber konfrontiert wird, richten sich primär nach den kommunikativen – bzw. semantisch-pragmatischen Bedürfnissen der Gesprächspartner und nicht etwa nach den spracherwerblichen Erfordernissen des Lernenden. Einfacher ausgedrückt: der Gesprächspartner eines L2-Erwerbers wird in der Regel das sagen, was er auszudrücken wünscht, und nicht etwa das, was strukturell für den Fortgang des Spracherwerbsprozesses besonders nützlich sein mag bzw. von ihm als nützlich angesehen wird. Zwar ist bekannt, daß ein Sprecher seine Ausdrucksweise dem Spracherwerbsstand des Partners anpaßt – man spricht etwa mit einem Kind oder einem "radebrechenden" Ausländer anders als mit L2-kompetenten Erwachsenen – aber ein Sprecher wird sich nicht etwa auf bestimmte Satztypen oder Konstruktionstypen beschränken mit der Absicht, den Erwerb gerade dieser Typen voranzutreiben. Im übrigen besteht der Input des L2-Erwerbers eben nicht nur aus Äußerungen, die direkt an ihn gerichtet sind; vielmehr ist er in gleichem Maße Gesprächen ausgesetzt, an denen er nicht unmittelbar teilnimmt.

Der Erwerber ist demnach von Beginn an einer Fülle heterogener Sprachstrukturen ausgesetzt. Mit anderen Worten, das sprachliche Material wird ihm nicht etwa in systematischen Einzelschritten, die sich nach seinem jeweiligen Erwerbsstand richten, präsentiert. Vielmehr ist die Systematisierung der sprachlichen Daten eine Aufgabe, die der Erwerber selbst durchzuführen hat.

Es läßt sich kaum bestreiten, daß der Erwerber die Strukturen, mit denen er konfrontiert wird, nicht allesamt gleichzeitig erlernen kann. Aus diesem Grund muß sein erster Schritt darin bestehen, aus dem Angebotenen eine Auswahl zu treffen. Eine solche ließe sich nach zwei Prinzipien durchführen. Der Erwerber könnte etwa aus einer Gruppe verschiedener Satzstrukturen (z.B Kopulasatz, Vollverbsatz, Passiv, Imperativ, Interrogativsatz, etc.) zunächst nur einen oder vielleicht zwei dieser Strukturen auswählen und in seinen eigenen Produktionen verwenden, er könnte etwa Imperative früher als Kopulasätze aufgreifen. In der Tat läßt sich dieses Auswahlprinzip z.B. beim Erwerb der Satztypen beobachten (Felix 1976a, 1978b). Kopulasätze werden vor Vollverbsätzen erworben, Passivkonstruktionen später als Aktivkonstruktionen. Andererseits besteht die Möglichkeit, daß der Erwerber nicht eine vollständige modellgerechte syntaktische Struktur auswählt, sondern zunächst nur einzelne Strukturmerkmale, etwa eine bestimmte Wortstellung oder ein bestimmtes Satzelement, aufgreift und mit diesen versucht, seine Intentionen zu verbalisieren. Auch dieses Verfahren kennzeichnet grundlegende Phasen des Spracherwerbs.

In der Regel läßt sich beobachten, daß beide Verfahren miteinander kombiniert werden.

Wichtig ist vor allem, daß die Auswahl keineswegs willkürlich erfolgt, indem sie etwa von Erwerber zu Erwerber, von Sprache zu Sprache, von Erwerbstyp zu Erwerbstyp variiert. Vielmehr manifestieren sich gewisse Selektionen bzw. Selektionsprinzipien immer in gleicher Weise quer durch alle Sprachen, Erwerber und Erwerbstypen.

5.1. Die holophrastische Negation

Im Bereich der Negation ist die erste Erwerbsphase dadurch gekennzeichnet, daß negierte Äußerungen jeweils nur aus einem einzigen Wort bestehen. In der Literatur hat sich hierfür die Bezeichnung *holophrastische Negation* oder *Ein-Wort-Negation* eingebürgert. Der Erwerber übernimmt also aus dem Gehörten nicht etwa eine bestimmte "komplette" Negationsstruktur, sondern er wählt zunächst ein einzelnes zielsprachiges Negativmorphem aus. Die meisten Sprachen verfügen jedoch über mehrere Negationsmorpheme; das Englische etwa kennt *no, not* und *don't*, das Deutsche *nein, nicht, kein,* das Japanische *iie* und *nai,* das Italienische *no* und *non,* etc. Welches der verfügbaren Negativmorpheme wählt der Erwerber nun aus? Ist die Auswahl willkürlich oder läßt sich eine Systematik feststellen?

Die Daten zeigen übereinstimmend, daß alle bislang beobachteten Erwerber (sowohl L1, als auch L2) stets jenes Negativmorphem auswählen, das in der Zielsprache als ungebundene Form auftritt (Wode 1976c, 1977g; Felix 1978b; Huang 1971; Bellugi 1967, Bloom 1970; Milon 1974). Im Deutschen ist dies *nein,* im Englischen *no,* im Französischen *non* usw. Bislang sind keinerlei Erwerber bekannt, die etwa als erstes Negativmorphem *nicht, not* oder *pas* verwendeten und erst danach *nein, no* und *non* erlernten. Aufgrund der Fülle der verfügbaren Daten kann es sich hierbei kaum um einen Zufall handeln. Vielmehr läßt möglicherweise eines der grundlegenden Spracherwerbsprinzipien freie vor gebundenen Formen produktiv werden. Ein solches Prinzip findet weitere Evidenz in Strukturbereichen, wie etwa der Flektion (cf. Wode 1978c).

Wichtig ist, daß die Wahl des Negativmorphems nicht etwa von dessen Bedeutung abhängt, sondern von den formalen Struktureigenschaften. In ihrer Untersuchung über den japanischen L1-Erwerb stellt Sanches (1968) fest, daß *nai* früher als *iie* produktiv wird. In Wörterbüchern wird *nai* üblicherweise mit *nicht, iie* mit *nein* glossiert. Hier scheint sich die umgekehrte Erwerbsabfolge wie etwa im Deutschen abzuzeichnen. Dieser Unterschied in der Erwerbsabfolge korreliert nun mit den unterschiedlichen Struktureigenschaften von dtsch. *nein* und jap. *iie.* Die folgenden Daten illustrieren den Gebrauch von jap. *hai* (ja) und *iie* (nein):

kimasu ka? kommst du?	hai, kimasu ja, ich komme	iie, kimasen nein, ich komme nicht
kimasen ka? kommst du nicht?	hai, kimasen ja, ich komme nicht	iie, kimasu nein, ich komme

Im Deutschen hängt die Wahl von *ja* und *nein* ausschließlich von der Struktur des Antwortsatzes ab. Ist dieser negativ, so ist *nein* zu verwenden; ist er affirmativ, so erscheint *ja.* Im Japanischen hingegen hängt die Wahl von *hai* und *iie* von der strukturellen Gleichheit bzw. Unterschiedlichkeit von Frage- und Antwortsatz ab. Sind beide Sätze gleich – entweder negiert oder affirmativ – so erscheint *hai,* ist der eine Satz negiert, der andere jedoch affirmativ, so ist *iie* zu verwenden. *Iie* ist also nicht im gleichen Sinne ein Negativmorphem wie das deutsche *nein. Iie* drückt vielmehr die formale Ungleichheit (in bezug auf die Negation) zwischen zwei Satzstrukturen aus. Diese spezielle strukturelle Eigenschaft läßt *iie* im Erwerbsprozeß erst relativ spät auftreten.

Der holophrastische Gebrauch von *nein, no, non* etc. ist nun jedoch gewiß nicht auf den frühen Spracherwerb beschränkt. Auch in der Zielsprache lassen sich die genannten Negativmorpheme isoliert – etwa als Antwort auf Fragen – verwenden. Bedeutsam ist allerdings, daß in den frühen Erwerbsphasen die holophrastisch verwendeten Negativmorpheme eine breite Palette z.T. recht unterschiedlicher Funktionen abdecken, darunter einige, die in der Zielsprache nicht durch isoliertes *nein* ausgedrückt werden können.

Zur Illustration seien hier einige Daten des 5-jährigen amerikanischen Jungen David aufgeführt, der Deutsch als L2 unter natürlichen Bedingungen erwarb (cf. Felix 1978b). Die folgenden Äußerungen stammen aus der Zeit 0.06 bis 0.09, d.h. am 6.–9. Untersuchungstag. Die Beobachtungszeit setzte ca. einen Monat nach Davids Ankunft in Deutschland ein.

(1) F: wer hat dir das gesagt?
D: nein.

(2) F: wann kommt denn Daddy heim?
D: nein.

(3) F: wenn du nicht mit uns spielst, gehen wir wieder heim.
D: nein.

(4) F: David, gehst du auch auf eine Party?
D: nein.

(5) F: wollen wir ein Spiel machen?
D: nein.
F: warum nicht?
D: was?
F: warum kein Spiel?
D: nein.

(6) F: was sagt Eric, geht's ihm gut?
D: nein.

(7) F. räumt Davids Spielsachen fort.
D. protestiert: nein!

(8) D. hat F. gefesselt. F. versucht, sich zu befreien.
D: nein, nein!

Die Daten deuten darauf hin, daß Davids Gebrauch von *nein* zumindest drei Funktionen übernimmt. In (1)–(3) signalisiert *nein* vermutlich lediglich, daß David die vorangegangene Äußerung nicht verstanden hat. Die Beispiele (4)–(6) erscheinen eine modellgerechte Verneinung der vorangegangenen Frage zu sein. Ob David tatsächlich die Frage korrekt dekodiert und dann sprachgerecht negiert, ist zumindest zu diesem frühen Zeitpunkt fraglich. Die genaue Intention von *nein* ist nicht schlüssig zu ermitteln. In (7) und (8) versucht David durch *nein* eine ihm unliebsame Handlung abzuwehren. Diese unterschiedlichen Intentionen der holophrastischen Negation finden eine Parallele im L1-Erwerb. In einer detaillierten Analyse des situationellen Kontextes ermittelt Bloom (1970) drei Hauptfunktionen isoliert gebrauchter Negationsmorpheme, die sie als *denial, rejection* und *non-existence* bezeichnet. Ob in diesem Bereich noch weiter differenziert werden kann, ist derzeit unbekannt. Es liegt hierzu kein entsprechendes Datenmaterial vor.

Die Verneinung von Fragen als auch die Abwendung von Handlungen durch isoliertes *nein* kann durchaus als zielsprachlich korrekt klassifiziert werden. Hingegen ist die Verwendung von *nein* im Sinne von *ich habe nicht verstanden* kaum in der Erwachsenensprache üblich. Hier manifestiert sich erstmalig ein wichtiges Merkmal des Spracherwerbs. Erwerber übernehmen nicht einfach den Gebrauch bestimmter Strukturen in ihrer zielsprachlich festgelegten Form, sondern sie verwenden Strukturen oder Strukturmerkmale unter bestimmten Bedingungen nach einem eigenständigen und modellabweichenden Schema.

Spracherwerb ist also nicht ausschließlich reproduzierend bzw. imitativ, sondern das Kind verarbeitet die vorgegebenen Strukturen in einer ganz charakteristischen Art und Weise.

Ausprägung und Dauer der holophrastischen Negationsphase können recht unterschiedlich sein. Vorab ist klar, daß die holophrastische Negationsphase nur in den Untersuchungen belegt ist, die den Spracherwerbsprozeß von Beginn an verfolgten. Dies ist bei zahlreichen Studien nicht der Fall (Butterworth 1972, Schumann 1975a, Ravem 1968, Gillis & Weber 1976). Im L1-Erwerb scheint die holophrastische Negationsphase relativ ausgeprägt zu sein und in der Regel mehrere Monate zu umfassen (cf. Wode 1977g, Bowerman 1973, Bloom 1970). Im L2-Erwerb ist sie vielfach von wesentlich kürzerer Dauer. Bei David umfaßte sie kaum mehr als 2–3 Wochen. Zumindest bei einigen von Wodes Kindern (Wode 1976c, 1980) läßt sich eine zeitlich eigenständige holophrastische Negationsphase mit *no* schwer nachweisen. Namentlich die älteren begannen bereits nach wenigen Tagen des Aufenthalts in den U.S.A. komplexere Negationsstrukturen zu verwenden. Möglicherweise liegen hier jedoch auch Lücken im Datenmaterial vor.

5.2. Die satzexterne Negation

Die nun folgenden Erwerbsphasen sind dadurch gekennzeichnet, daß *nein* mit weiteren Konstituenten zu komplexen Äußerungen verbunden wird. Es erscheint die Form Neg + X, wobei X für eine hier nicht näher definierte Klasse von Strukturen steht. In Anlehnung an Bloom (1970) und Wode (1974a) empfiehlt es sich, an dieser Stelle zwischen anaphorischer und nicht-anaphorischer Negation zu unterscheiden. Bei der anaphorischen Negation verneint das Negativmorphem nicht die ihm folgenden Konstituenten der gleichen Äußerung, sondern bezieht sich auf einen vorangegangenen Sachverhalt oder eine Äußerung. Vielfach folgt auf das Negativmorphem eine kurze Pause, die dadurch auch formal diesen Typus abgrenzt. Der anaphorische Gebrauch von *nein* bzw. *no* entspricht im wesentlichen der Verwendung in der Erwachsenensprache. Die Bedeutung der Negativmorpheme in dieser Phase umfaßt die gleiche Palette wie bei der holophrastischen Negation.

Zur Illustration hier zunächst einige deutsche Beispiele, die wiederum von David stammen (cf. Felix 1978b) Seit der holophrastischen Negationsphase sind etwa 1–2 Wochen vergangen:

(9) F: ist das deins?
D: nein, Barbara.

(10) M. hält D. am Arm fest.
D. nein, laß das!

(11) F: ist das dein Ranzen?
D: nein, das ist Tasche.

(12) F: David, bist du in der Küche?
D: nein, ich komm doch.

Entsprechende Daten fand Wode (1976c) beim natürlichen L2-Erwerb des Englischen durch seine vier Kinder. Nach Ablauf der holophrastischen Negation beginnen die Kinder zunächst, das Negationsmorphem *no* mit weiteren Konstituenten zu anaphorisch negierten Äußerungen zu verbinden:

(13) no, you.
(14) no, Tiff.
(15) no, drink milk.

Die formale Struktur Neg + X, wobei X eine festgelegte Klasse von Strukturen umreißt, bleibt darüberhinaus in der nächsten Erwerbsphase bestehen. Allerdings wird diese Konstituentenabfolge nunmehr zum Ausdruck der nicht-anaphorischen Negation verwendet, d.h. das Negativmorphem *nein* wird benutzt, um die folgenden Konstituenten der gleichen Äußerung zu negieren. Wode (1976c: 18) sieht in diesem Übergang ein Übergeneralisierungsphänomen: "new semantic intentions are first expressed through old machinery".

Zunächst wiederum einige Beispiele für nicht anaphorische Negation von David:

(16) F: das ist ja kaputt.
D. nein kaputt.

(17) M: soll ich helfen?
D: nein helfen.

(18) M: komm, wir spielen ein bißchen mit der Katze
D: nein spielen Katze

Auch die von Wode beobachteten L2-Erwerber (cf. Wode 1981) beginnen in dieser Phase, Sätze mit Hilfe von *no* in Satzanfangsstellung nicht-anaphorisch zu negieren:

(19) no finish
(= I'm not finished yet)

(20) no cold
(= it's not cold)

(21) no play baseball
(= I don't want to play baseball)

Vergleichbare Strukturen sind ebenso in zahlreichen amerikanischen Untersuchungen belegt. Milon (1974) beobachtete einen 7-jährigen japanischen Jungen, der in

Hawaii Englisch erwarb, und fand in einer nicht näher spezifizierten Frühphase neben dem stereotypen *I don't know* stets satzextern nicht-anaphorisch negierte Äußerungen. Vergleichbare Beobachtungen machen Gillis & Weber (1976) ebenfalls mit japanischen Kindern, die Englisch erwerben.

Butterworth (1972) beschreibt den englischen L2-Erwerb des 13-jährigen Kolumbianers Ricardo. Im Bereich der Negation finden wir wiederum in der frühen Phase Belege für nicht-anaphorische satzexterne Negation mit *no:*

(22) no is good

(23) no is correct, no correct, is no correct.

(24) no speak Spanish

(25) no understand this

Beispiele vor allem wie (24) und (25) legen natürlich die Möglichkeit spanischer Interferenz nahe (no hablo español; no comprendo eso). In der Tat neigt Butterworth zu einer Interpretation im Sinne negativen Transfers aus Ricardos Muttersprache: "But much of the data can as easily support a claim for transfer from Spanish" (S. 57). Diese Interpretation scheint mir nur sinnvoll zu sein, solange man Ricardos L2-Erwerb isoliert betrachtet. Schließen wir die Gesamtheit der verfügbaren Daten in die Überlegung mit ein, so verliert die Interferenzhypothese in diesem Bereich weitgehend an Plausibilität. Nicht nur Ricardo produziert *no* + X Strukturen, sondern entsprechende Äußerungen treten ebenso bei L2-Erwerbern auf, deren Muttersprache etwa Deutsch (cf. Wode 1981) oder Japanisch (cf. Milon 1974) ist. Diese beiden Sprachen zeigen jedoch Negationssysteme, die eine Interpretation von *no* + X Strukturen als Transfer aus L1 weitgehend ausschließen. Dies gilt insbesondere für das Japanische, das Sätze mit Hilfe des gebundenen Morphems *nai,* das am Satzende an die Verbform angehängt wird, verneint. Hielte man an der Interferenzerklärung fest, so wäre zu begründen, warum Ricardo Strukturen aus L1 transferiert, nicht jedoch die japanischen bzw. deutschen Kinder. Ich sehe hier keine plausible Möglichkeit. Mir scheint es sinnvoller zu sein, bis zum Nachweis des Gegenteils anzunehmen, daß gleiche Phänomene auf gleiche Ursachen zurückgehen.

Die Strukturen deuten einerseits an, daß es sich hier zweifelsfrei um Eigenbildungen handelt. Sätze wie (16)–(21) können die Kinder nicht aus ihrer sprachlichen Umgebung übernommen haben, wie dies etwa bei der anaphorischen Negation denkbar wäre. Kein Erwachsener spricht so. Zunächst verwendet die Erwachsenensprache zum Zwecke der nicht-anaphorischen Negation nicht die Morpheme *no* bzw. *nein,* sondern *not* bzw. *nicht.* Zum zweiten erscheint das Negativmorphem in diesem Typus nicht am Satzanfang. Auch ist es wichtig, daß es sich bei diesen Strukturen keineswegs um zufällige Bildungen im Sinne sporadischer Fehlleistungen handelt. Vielmehr verwenden die Kinder die nicht-anaphorische Negation mit vorangestelltem Negativmorphem *nein* bzw. *no* während eines bestimmten Zeitraumes (bei David umfaßte dieser ca. 4 Wochen) als einzige und regelmäßige Form der Satzverneinung. Es handelt sich also um systematische Bildungen. Die Möglichkeit einer reinen Zufälligkeit scheidet auch deshalb aus, weil alle bislang beobachteten Kinder in der genannten Erwerbsphase diesen Typus von Satznegation produktiv benutzten.

Dies gilt darüberhinaus nicht nur für den L2-Erwerb; auch Kinder, die Englisch oder Deutsch als Muttersprache erwerben, durchlaufen ein Entwicklungsstadium, das durch Strukturen mit satzexterner Negation gekennzeichnet wird. Hierzu einige Belege aus Bellugi (1967):

(26) no Fraser drink all tea

(27) no sit there

(28) no the sun shining

(29) no play that

Wenngleich die bislang verfügbaren Daten auf eine weithin gleiche Entwicklung in den frühen Negationsphasen hindeuten, ist die relative Chronologisierung der anaphorischen und der nicht-anaphorischen Negation nicht ganz unproblematisch. Das von Wode (1977g) aufgearbeitete L1-Material läßt eine Entwicklung anaphorisch vor nicht-anaphorisch erkennen. Für unsere L2-Daten (cf. Felix 1978b) ist eine solch klare Differenzierung nicht möglich. Vielmehr scheinen beide Negationstypen zu etwa dem gleichen Zeitpunkt aufzutreten. Allerdings ist die Möglichkeit von Beleglücken nicht auszuschließen. Erschwerend kommt hinzu, daß in Davids frühen anaphorisch negierten Äußerungen für Neg das dtsch. *nein* steht, während X durch englische Konstituenten manifestiert wurde:

(30) nein, move that car there

(31) nein, that's broken

Derartige gemischt-sprachliche Äußerungen sind entwicklungsspezifisch schwer zu klassifizieren, da nicht entscheidbar ist, ob diese Belege als Evidenz für den Erwerb der *deutschen* anaphorischen Negation gelten können. Von vergleichbaren Schwierigkeiten berichtet Ravem (1974) im Detail, dessen Kinder in weitaus höherem Maße L1- und L2-Wortschatz/Strukturen vermischten.

Angesichts dieser im großen und ganzen recht homogenen Evidenz erhebt sich die Frage, woher die Kinder diese nicht-anaphorischen Negationsstrukturen haben. Auszuschließen ist die Möglichkeit, daß diese Strukturen unmittelbar aus der Erwachsenensprache übernommen werden. Eine entsprechende erwachsenen-sprachliche Vorlage gibt es nicht. Vielmehr ist anzunehmen, daß die Kinder aus der gehörten Sprache einzelne Strukturelemente quasi herausfiltern und daraus nach eigenständigen Prinzipien Konstruktionen bilden. Vorbild für diese Struktur ist zweifellos ein in Satzanfangsstellung auftretendes Negativmorphem in der Zielsprache. Die Eigenleistung des Kindes besteht jedoch darin, diese formale Form mit einem neuen semantischen Inhalt – hier Satzverneinung – auszufüllen. Hier offenbart sich einer jener wichtigen Mechanismen, mit denen Erwerber die angebotenen sprachlichen Strukturen verarbeiten. Da alle Kinder offenbar sowohl im L1-, als auch im L2-Erwerb nach den gleichen Prinzipien vorgehen, zeigt sich hier besonders deutlich eine Gesetzmäßigkeit des Spracherwerbs, der eben nicht durch äußere Faktoren ausgelöst wird, sondern die Eigengesetzlichkeit des Spracherwerbsprozesses widerspiegelt.

5.3. Die satzinterne Negation

Bis zu diesem Zeitpunkt erscheint das Negativmorphem stets am Satzanfang. Die folgenden Entwicklungsphasen sind dadurch gekennzeichnet, daß das Negativmorphem nunmehr in den Satz eingebettet wird. Die Struktur Neg + X wird somit abgelöst durch die Struktur X + Neg + Y. Hier zunächst wieder einige Beispiele aus Davids L2-sprachlicher Entwicklung:

(32) F: was machst du denn da? Ißt du deine Schokolade?
D: ich nein essen.

(33) D. schlägt seinen Kopf rhythmisch gegen die Wand.
F: laß das doch, du tust dir ja weh.
D: das nein aua.

(34) D. gibt vor zu schlafen. F. und M. verhalten sich ganz still und flüstern nur noch.
D: ich nein schlafen.

Durch die satzinterne Stellung von Neg nähert sich David bereits einen großen Schritt dem Modell, wiewohl die Satzstellung des deutschen Negativmorphems in der Erwachsenensprache erheblich komplexeren Regeln unterliegt. (Stickel 1970, Huber & Kummer 1974) Zum zweiten behält David eine Zeitlang noch den ausschließlichen Gebrauch von *nein* bei, während die Zielsprache zum Zwecke der Satznegation das Morphem *nicht* verwendet.

Die Systematik dieses Erwerbsstadiums zeigt sich weiterhin an Parallelbeispielen aus Wodes Material zum englischen L2-Erwerb und aus Bellugis Daten zum englischen L1-Erwerb:

(35) lunch is no ready

(36) I can no play with Kenny

(37) that no fish school

(38) I no want envelope

(39) I no taste them

Auch in diesem Strukturtyp spiegelt sich das Prinzip der Eigengesetzlichkeit des Spracherwerbsprozesses wider. Aus der Erwachsenensprache können diese Strukturen nicht übernommen worden sein. Vielmehr manifestiert sich in ihnen ein nächster Schritt in der Verarbeitung sprachlichen Angebots. Offensichtlich haben die Kinder mittlerweile erkannt, daß das Negativmorphem in der Erwachsenensprache nicht satzextern, sondern satzintern erscheint. Dementsprechend revidieren sie ihre ursprüngliche Hypothese zugunsten einer satzinternen Plazierung von Neg. Allerdings haben die Kinder noch nicht erkannt, daß die Zielsprache in satzinterner Position nicht *no* bzw. *nein* verlangt, sondern *not* bzw. *nicht.* Diese Erkenntnis bleibt dem folgenden Erwerbsschritt vorbehalten.

Zu beachten ist, daß die Plazierung von Neg – im Vergleich zu den Verhältnissen des Modells – noch weitgehend undifferenziert ist. Neg erscheint stets prä-VP. Auch diese Position läßt sich nur schwer direkt aus den Strukturverhältnissen der Zielsprache(n) ableiten. Zwar kennt das Deutsche etwa in Nebensätzen die präverbale Stellung von Neg (z.B. *wenn er nicht kommt . . .*), jedoch ist a priori keineswegs ersichtlich, warum der Erwerber sich in diesem Bereich eher am Nebensatz als am Hauptsatz orientieren sollte. Die Parallelität der deutschen und englischen Erwerbsdaten deutet eher darauf hin, daß die in der Zielsprache auftretenden positionellen Differenzierungen in diesem Entwicklungsstadium noch nicht ihren Niederschlag finden. Die Verhältnisse des Modells schlagen lediglich dahingehend durch, daß Neg satz*intern* plaziert wird. Ein Reflex der präzisen zielsprachlichen Position ist noch nicht vorhanden. Andererseits läßt sich jedoch nicht bestreiten, daß in der zur Diskussion stehenden Entwicklungsphase Neg nicht irgendwo satzintern auftritt, sondern stets prä-VP. Es liegt einige Evidenz dafür vor, daß der Orientierungspunkt für die Position von Neg nicht das Verb (wie im Modell), sondern die VP ist. Ausgehend von dieser Evidenz habe ich an anderer Stelle (Felix 1978b: 207 ff.) den Versuch einer Erklärung dieser prä-VP Position unternommen.

Beispiele für den genannten Strukturtyp finden sich in zahlreichen L2-Erwerbsstadien. Verständlicherweise ist Butterworth (1972) geneigt, folgende Äußerungen von Ricardo als spanische Interferenzen auszugeben; eine Interpretation, die angesichts der Parallelbeispiele etwa aus dem Deutschen, kaum plausibel ist:

(40) no, me no bad

(41) I am no hungry

(42) Plays is no professionals

(43) me no go

(44) me no ski

Ravems (1969) Datensammlung enthält zwar ebenfalls zahlreiche Beispiele für präverbales Neg, jedoch benutzen die Kinder offensichtlich sehr bald das Negationsmorphem *not.* Lediglich eine Äußerung von Reidun belegt *no;* allerdings verbessert sich das Kind in der gleichen Äußerung zugunsten von *not.* Möglicherweise haben Ravems Kinder dieses Entwicklungsstadium übersprungen; wahrscheinlicher ist jedoch, daß Ravem (cf. Einleitung zu Ravem 1974) entsprechende Äußerungen verpaßt hat, da er systematische Aufzeichnungen erst relativ spät begann:

(45) no, no like it – no, not like it

(46) I not build house

(47) no, I not this way

(48) the teacher not come

(49) I not looking for edge.

Bis zum Entwicklungsstadium der satzinternen Negation mit *nein* bzw. *no* weisen die deutschen und englischen Daten eine verblüffende Parallelität auf; das gilt sowohl im L1-, als auch im L2-Bereich. Da das englische und deutsche Negationssystem jedoch in wesentlichen Punkten voneinander abweichen, ist zu erwarten, daß zu einem bestimmten Zeitpunkt die spezifisch deutschen bzw. spezifisch englischen Regeln auch im Erwerbsprozeß durchschlagen müssen. Dies ist in den nun folgenden Entwicklungsphasen der Fall. Wichtig ist jedoch, daß sich der englische und deutsche Negationserwerb nicht von Beginn an unterscheiden; vielmehr wird zunächst sozusagen eine Strecke des Weges gemeinsam durchschritten, und erst dann erfolgt die Differenzierung. Hieraus folgt, daß die sprachspezifischen Strukturmerkmale der englischen bzw. der deutschen Negation offenbar erst dann zum Tragen kommen, wenn ein bestimmter Erwerbsstand erreicht ist.

Wenden wir uns zunächst dem deutschen L2-Erwerb zu. Die prä-VP Stellung des Negativmorphems wird zunächst noch eine Zeitlang beibehalten; allerdings taucht nun zunehmend *nicht* statt *nein* auf. Dieser Übergang ist somit durch eine Veränderung auf der lexikalischen Ebene gekennzeichnet, während die Satzstellung zunächst unverändert bleibt.

Die folgenden Beispiele stammen wiederum von David, sowie von der 5.4-jährigen Engländerin Julie und ihrem 7.6-jährigen Bruder Guy (cf. Felix 1978b: 37 ff.):

(50) D: nein, du nicht kommt.

(51) D: du nicht spielen Keller.

(52) D: ich nicht essen mehr.

(53) F: die Puppe muß im Schrank bleiben.
J: die nicht bleib hier.

(54) F: wann gehst du denn in die Schule?
J: ich nicht geht zu Schule.

(55) G: Julie nicht spielt mit.

(56) G: ich nicht weiß.

(57) G: ich nicht halten das.

In dieser Erwerbsphase müssen wir das vorhandene Datenmaterial bereits nach Satztypen differenzieren, um der vollen Komplexität des Erwerbsprozesses gerecht zu werden. Bei den Beispielen (50)–(57) handelt es sich ausnahmslos um Vollverbsätze, in denen das Negativmorphem *nicht* – modellabweichend – präverbal gesetzt ist. Zum gleichen Zeitpunkt treten jedoch auch Kopula- und Auxiliarsätze auf, in denen Neg – modellgerecht – bereits postverbal erscheint:

(58) F: spring mal runter.
J: ich kann nicht.

(59) F: du mußt jetzt aber die Milch trinken.
J: nein, ich will nicht.

(60) J: das ist nicht Kindergarten.

(61) G: das ist nicht so.

(62) G: das ist nicht kaputt.

(63) F: komm, wir spielen weiter.
G: nein, ich will nicht mehr.

Die Frage ist: was veranlaßt die L2-Erwerber dazu, hinsichtlich Plazierung von Neg Vollverben, Hilfsverben und Kopula in einer Art und Weise zu unterscheiden, die die Erwachsenensprache nicht kennt? Diese Frage ist nur schwer und allein auf der Basis von Negationsstrukturen überhaupt nicht zu beantworten. Hier spielen zahlreiche Gesetzmäßigkeiten aus verschiedenen Strukturbereichen eine Rolle, auf deren exakte Beschreibung wir hier verzichten müssen. Ich verweise den Leser auf Felix (1978b: 194 ff.). Die genannte Differenzierung nach Vollverb, Auxiliar und Kopula spiegelt Unterschiede im Erwerb der Satztypen wider. Kopula- und Auxiliarsätze werden in der Regel früher als Vollverbsätze produktiv (cf. Felix 1978b). Diese Erwerbsabfolge wiederholt sich nun in ähnlicher Form im Bereich der Negation und Interrogation, so daß etwa negierte Kopulasätze früher als Vollverbsätze modellgerecht auftreten.

Entscheidend ist jedoch vor allem, daß die kindlichen Äußerungen Gesetzmäßigkeiten aufweisen, die in dieser Form nicht aus der Erwachsenensprache übernommen worden sein können. Hier schlägt wiederum die spracherwerbliche Eigenleistung der Kinder durch.

Nach dem Ende der oben beschriebenen Erwerbsphase beginnen die Kinder nunmehr, *nicht* postverbal zu plazieren. Damit nähern sie sich wiederum ein gutes Stück dem Modell.

Allerdings wird diese Regel zunächst übergeneralisiert, so daß sie auch in jenen Fällen angewandt wird, in denen die Zielsprache Satzendstellung von Neg verlangt. Dies gilt in all jenen Fällen, in denen der Satz eine Objekt-NP bzw. bestimmte Klasse von Adverbien enthält, wie etwa in folgenden Sätzen:

(64) ich esse das nicht

(65) er singt das Lied nicht

(66) er kommt heute nicht

(67) ich leihe dir das Buch nicht.

Derartige positionelle Differenzierungen beherrscht das Kind zu diesem Zeitpunkt noch nicht. *Nicht* wird generell postverbal plaziert:

(68) du kannst nicht das

(69) du must nicht das

(70) ich mach nicht das

(71) ich weiß nicht das

Erst nachdem diese Struktur eine Zeitlang produktiv verwendet wurde, treten Sätze auf, in denen *nicht* modellgerecht am Satzende erscheint:

(72) du kannst das nicht

(73) ich weiß das nicht

(74) der essen das nicht

Zu diesem Zeitpunkt haben die Kinder die wesentlichen Grundzüge des deutschen Negationssystems erworben. Die Mehrzahl der produzierten Sätze sind im Bezug auf die Negation modellgerecht. Es fehlen noch recht komplexe Positionsrestriktionen im Bereich der Nebensätze, sowie negative Indefinita wie etwa *kein, nichts, niemand* etc. Wir gehen auf diese späten Erwerbsstadien hier nicht ein, sondern verweisen auf die entsprechende Literatur, insbesondere Bellugi (1967), Felix (1978b), Wode (1978c).

Wir wenden uns nunmehr dem englischen L2-Erwerb zu.

Während zu Beginn der Entwicklungsphase, die durch den Gebrauch der satzinternen Negation gekennzeichnet ist, überwiegend *no* in präverbaler Stellung erscheint, zeichnen sich in der Folgezeit Veränderungen auf lexikalischer Ebene ab. Statt *no* tritt in zunehmendem Maße *not* auf, wenig später *don't.* Eine exakte chronologische Differenzierung dieser drei Morpheme ist schwierig, da das Material in den entsprechenden Studien vielfach nicht ausreichend ist. *No* scheint in der Regel das früheste Negativmorphem in satzinterner Stellung zu sein; bei Ravem (1969) ist diese Struktur jedoch nur unzureichend belegt. *Not* und *don't* treten vielfach gleichzeitig auf; einige Kinder scheinen jedoch direkt von *no* auf *don't* überzuwechseln ohne ein Zwischenstadium mit *not.*

Zu diesen Strukturen einige Beispiele aus verschiedenen L2-Erwerbsstudien:

Kruse 1976, Wode 1978c

(75) you not shut up

(76) we not go home

(77) me and Jennifer not play

(78) I don't need this

(79) I don't want that

(80) I don't go there

Ravem 1969

(81) no, I not come now

(82) I not like that

(83) I don't talking to you

(84) I don't will more

(85) I don't know what I doing

Butterworth 1972

(86) I don't know name city

(87) I don't know, no understand this

(88) I don't understand English

In diesem relativ frühen Stadium der satzinternen Negation müssen *no, not* und *don't* als Varianten eines Morphems gewertet werden. Insbesondere *don't* wird noch nicht als kontrahierte Form aus *do + not* erkannt. Dies zeigt sich vor allem bei Ricardo (Butterworth 1972), der die Verwendung von *don't* auf die Verben *know* und *understand* beschränkt, in allen anderen Fällen *no* verwendet. Die zuvor genannten Beispiele beziehen sich ausschließlich auf Vollverbsatzstrukturen. Wie auch bei den deutschen Daten, nehmen im englischen Material Kopula und Auxiliare eine Sonderstellung ein. Sobald *not* erstmalig auftritt, wird es von Beginn an modellgerecht nach Kopula/Auxiliar plaziert. In Äquationalsätzen werden die zielsprachlichen Strukturverhältnisse also weitaus früher erreicht als in Vollverbsätzen:

Kruse 1976, Wode 1978c

(89) that's not yours

(90) that's not easy

(91) Henning's not closed

(92) you cannot catch the ball

(93) I cannot see one

(94) he cannot hit the ball

(95) I can't do it

Ravem 1969

(96) it's not ready yet

(97) I'm not hungry any more

(98) I don't like it

(99) I don't will more

(100) no can't find car

In ihrer Untersuchung zum L1-Erwerb der englischen Negation rechnet Bellugi (1967) ebenso die Form *can't* zur Gruppe der Negationsvarianten in präverbaler Stellung. Diese Analyse begründet sie durch das Auftreten von *can't* vor *cannot* und durch die Tatsache, daß sich *can't* und *don't* hinsichtlich der folgenden Verben komplementär verteilen. Diese Auffassung ist insofern problematisch, als sie die Semantik von *can't* ignoriert, d.h. während etwa *I no go, I not go* und *I don't go* gleichbedeutend sind, gilt dies nicht für *I can't go.* Für den L2-Erwerb ist diese Analyse aus einem weiteren Grunde nicht zutreffend. Zumindest für Wodes Kinder gilt, daß *cannot* früher als *can't* erworben wird. Wichtig für unsere Darstellung hier ist vor allem, daß *not* in Verbindung mit Kopula/Auxiliar früher modellgerecht plaziert wird als in Verbindung mit Vollverben.

Während sich in der Folgezeit der Gebrauch von *don't* rasch stabilisiert, verschwinden präverbales *no* und *not.* Es treten die ersten Belege mit *didn't* und *doesn't* auf. Auch hier differenzieren die Kinder noch nicht sofort nach Tempus bzw. Person, sondern verwenden *don't, didn't* und *doesn't* als Varianten:

Kruse 1976, Wode 1978c

(101) you didn't got a trout

(102) they don't lost any game

(103) we doesn't care

(104) I didn't broke it

Während sich der Gebrauch von *don't, didn't,* etc. ausbreitet, treten nunmehr auch Auxiliare auf, die mit diesen Morphemen negiert werden, d.h. die Kinder übergeneralisieren den Gebrauch von *don't.* Hierzu Beispiele aus Kruse (1976), Wode (1978c)

(105) you didn't can say danke

(106) I didn't can closed it

(107) you don't can use that

(108) I don't can sit here, 's nothing to do

(109) you didn't can't

Übergeneralisierungsphänomene sind allenthalben bekannt im Spracherwerb. Dennoch sind die genannten Beispiele aus einem anderen Grunde bemerkenswert. Es sei daran erinnert, daß die Kinder zuvor bereits Auxiliare mit modellgerecht plaziertem *not* produziert hatten, wie etwa in *I cannot see one* oder *I can't do it.* In diesem Sinne hatten sie also ihr Erwerbsziel bereits erreicht. Dennoch geben sie die korrekte Form zu einem späteren Zeitpunkt zugunsten einer modellabweichenden wieder auf. Es erscheint, daß der Erwerbsprozeß einen Rückschritt erleidet. Die Frage stellt sich also, warum die Kinder eine offenbar korrekte Hypothese über die Sprachstruktur (nämlich die Stellung Cop/Aux + not) revidieren und stattdessen eine falsche Hypothese aufstellen. Bei diesem "Rückschritt" handelt es sich wiederum keinesfalls um einen zufälligen Mißgriff. Alle bislang beobachteten englischen L2-Erwerber scheinen diesen Schritt, der sie vom Ziel wieder entfernt, zu tun.

Warum? Dieser scheinbare Rückschritt ist im Rahmen einer behavioristischen Lerntheorie sicher nicht zu erklären. Offensichtlich ist es unerheblich, ob der Erwerber an irgendeiner Stelle in seiner Entwicklung bereits eine völlig modellgerechte Struktur produziert. Ausschlaggebend ist nicht, ob eine Struktur im Sinne des Modells bereits richtig ist oder nicht; vielmehr folgt die Aufstellung und Revision von Hypothesen der internen Gesetzmäßigkeit des Spracherwerbsprozesses. Diese interne Gesetzmäßigkeit entscheidet über das weitere "Schicksal" bestimmter Strukturen. Hier schlägt die Systematik sprachlicher Entwicklungsprozesse voll durch. Es zeichnet sich an dieser Stelle eine Hierarchie von Hypothesen(bildungen) ab. Offensichtlich wird zunächst einer allgemeineren Lösung der Vorzug gegeben, während strukturbedingte (kontextsensitive) Ausdifferenzierung einem späteren Stadium angehören. Diesem Vorzug genereller Formationsprinzipien fällt die bereits korrekt erworbene Auxiliarnegation zum Opfer.

Derartige scheinbare Rückschritte sind nicht auf den hier beschriebenen Fall beschränkt. Man denke daran, daß unregelmäßige Präteritalbildungen, wie *came, went,* oder *took* recht früh auftreten, danach jedoch zugunsten eines generellen Formationsprinzips aufgegeben werden, so daß danach Formen erscheinen wie *comed, goed* oder *taked.*

5.4. Schlußbetrachtung

Die vorangegangene Darstellung des Negationserwerbs ist in vielen Punkten bewußt simplifizierend, um die Überschaubarkeit des Materials zu gewährleisten. Es geht hier nicht um Vollständigkeit, sondern um den Versuch, entscheidende Aspekte herauszuarbeiten. Unberücksichtigt blieben vor allem Sonderentwicklungen in einzelnen Satztypen, Wiederholungen von Entwicklungssequenzen, Probleme der Chronologisierung sowie die Klassifizierung von Interferenzen, sofern solche überhaupt auftreten. Späte Entwicklungen im Negationserwerb, wie etwa positionelle Restriktionen in Nebensätzen oder das Auftreten negativer Indefinita blieben auch deshalb unerwähnt, weil hierzu kaum ausreichendes Datenmaterial vorliegt. Ansätze finden sich in Bellugi (1967) und Felix (1978b).

Es geht an dieser Stelle vor allem darum, die Systematik des Erwerbs sprachlicher Strukturen sichtbar zu machen. Spracherwerb – sei es L1 oder L2 – ist kein Prozeß, der je nach äußeren Umständen einmal so und einmal so verläuft, sondern dessen rigide Ordnung dem Betrachter nicht nur Überraschung, sondern auch Faszination vermitteln mag.

6. Der Erwerb der Interrogation

Neben der Negation gehört auch die Interrogation zu jenen Strukturbereichen, denen in der Spracherwerbsforschung besondere Aufmerksamkeit gewidmet wurde. Wir verfügen also auch hier über relativ umfangreiches Vergleichsmaterial. Wie die Negation, so ist auch die Fragebildung ein recht eindeutig abgrenzbares und in sich abgeschlossenes Strukturgebiet, das andererseits in die volle grammatische Komplexität der Sprache eingreift. Am Beispiel der Interrogation soll in den folgenden Abschnitten gezeigt werden, daß sich der systematische Charakter des Erwerbsprozesses und die ihm zugrundeliegenden Regularitäten nicht allein auf die Negation beschränken, sondern in gleicher Weise in anderen Strukturbereichen durchschlagen.

Die Interrogation ist in vielerlei Hinsicht ein weitaus komplexerer Bereich als die Negation. Dies liegt u.a. daran, daß neben den formalsyntaktischen Strukturmerkmalen zahlreiche semantische Differenzierungen mit eingebracht werden müssen. Es muß daher darauf verzichtet werden, die Entwicklung der Interrogation in ihrer gesamten Komplexität darzustellen; vielmehr beschränke ich mich darauf, einige ausgewählte Aspekte zu illustrieren, um daran die grundlegenden Erwerbsmechanismen aufzuzeigen.

Für den Bereich der Interrogation ist es sinnvoll, zunächst zwei Typen von Fragen zu unterscheiden: die ja/nein-Fragen und die Informationsfragen (w-Fragen/wh-Fragen). Diese Distinktion gründet sich nicht allein auf die Strukturverhältnisse im Modell (cf. Katz & Postal 1964) sondern auch auf erwerbsspezifische Phänomene. Sowohl der L1-, als auch der natürliche L2-Erwerb liefert überzeugende Evidenz dafür, daß sich diese beiden Fragetypen nicht gleichzeitig, sondern separat, d.h. chronologisch differenzierbar, entwickeln.

Strukturphänomene, die in der Erwachsenensprache beide Fragetypen gleichermaßen betreffen, treten beim Erwerb vielfach zeitlich verschoben und unabhängig voneinander auf. Als Beispiel seien die Subjekt-Verb Inversion im Deutschen oder die *do*-Periphrase im Englischen genannt, die sowohl in ja/nein-Fragen, als auch in Informationsfragen gelten. Kinder verwenden zu einem gegebenen Zeitpunkt diese Strukturen zwar in dem einen Fragetyp, nicht aber in dem anderen. So zeigen etwa Klima & Bellugis (1966) Daten, daß englische L1-Erwerber im Stadium 3 die *do*-Periphrase in ja/nein-Fragen bereits verwenden, nicht jedoch in wh-Fragen.

1. ja/nein-Fragen

(1) does the kitty stand up?

(2) Oh, did I caught it?

(3) did I saw that in my book?

2. wh-Fragen

(4) where the other Joe will drive?

(5) where my spoon goed?

(6) what I did yesterday?

(7) why Paul caught it?

Wenn sich jedoch ja/nein-Fragen und Informationsfragen – zumindest teilweise – unabhängig voneinander entwickeln, so erhebt sich die Frage, ob einer der beiden Interrogationstypen generell früher erworben wird. Diese Frage läßt sich zwar nicht abschließend beantworten, jedoch liegen einige Anzeichen dafür vor, nach welchem Typ von Daten hier zu schauen ist.

Vielfach ist die Vermutung geäußert worden, daß die zwei Fragetypen unterschiedlichen kognitiven Konzepten entsprechen, und daß daher der Erwerbszeitpunkt mit allgemeinen Gesetzmäßigkeiten in der kognitiven Entwicklung korrelieren muß. Die bisherige Evidenz deutet eher darauf hin, daß der Erwerbszeitpunkt nicht durch allgemeine kognitive Entwicklungsphänomene bestimmt wird, sondern durch die formalen Strukturmerkmale, die die Zielsprache zur Kodierung der beiden Fragetypen verwendet.

Nach Durchsicht der verfügbaren L1-Literatur kommt Wode (1976a) zu dem Schluß, daß der am frühesten erworbene Interrogationstyp die Intonationsfrage ist, d.h. eine Struktur, die allein aufgrund ihrer Intonation als Frage erkennbar ist. In der Tat verwenden die meisten Sprachen, über die Erwerbsmaterial vorliegt, eine ja/nein-Fragestruktur, die sich nur auf der suprasegmentalen Ebene von dem entsprechenden Aussagesatz unterscheidet. Bei den Informationsfragen kann der Fall der reinen Intonationsfrage logischerweise nicht auftreten, da – unabhängig von der Intonation – das Fragemorphem stets den Interrogationsstatus der betreffenden Äußerung auf der segmentalen Ebene anzeigt. Wir sehen hier von solchen Fällen, wie dem Neugriechischen ab, wo das Fragepronomen für *was* mit dem fem. Pronomen *sie* homophon ist, so daß *ti vlepis?* sowohl *was siehst du?*, als auch *siehst du sie?* bedeuten kann.

Da die Intonationsfrage der zuerst erworbene Interrogationstyp ist und die genannten Sprachen reine Intonationsfragen lediglich im Bereich der ja/nein Fragen kennen, ist klar, daß ja/nein Fragen im Entwicklungsprozeß früher auftauchen als Informationsfragen (wenn wir vom Gebrauch isolierter Fragepronomen wie *wo?*, *wann?*, *was?*, etc. einmal absehen). Hängt dieser frühe Erwerbszeitpunkt nun von der formalen, i.e. intonatorischen Markierung oder von dem kognitiven Korrelat der ja/nein Frage ab? Eine Antwort darauf können solche Sprachen liefern, die reine Intonationsfragen nicht kennen. Hierzu gehört das Finnische. Eine finnische ja/nein Frage wird mit Hilfe eines gebundenen Morphems *(kö/ko)* gebildet, formal also ähnlich wie Informationsfragen. Ein finnischer Aussagesatz kann nicht allein durch die Intonation in einen Fragesatz transformiert werden. Bowermans (1973) Daten zum finnischen L1-Erwerb zeigen nun, daß im Finnischen – abweichend vom Englischen und Deutschen – ja/nein-Fragen sehr spät auftreten, zumindest wesentlich später als eine große Klasse von Informationsfragen.

Hier zeigt sich deutlich, daß für die Erwerbsabfolge kaum die allgemeine kognitive Entwicklung ausschlaggebend sein kann. Es ist kaum plausibel anzunehmen, daß sich finnische Kinder hinsichtlich der Fragekonzepte kognitiv entscheidend anders entwickeln als deutsche. Wichtig ist vielmehr die formale Strukturmarkierung in der jeweiligen Sprache. Kennt eine Sprache rein intonatorisch markierte ja/nein-Fragen, so werden diese als erste erworben; kennt sie diesen formalen Fragetypus nicht, treten ja/nein-Fragen erst später auf.

6.1. Ja/Nein-Fragen

Für das deutsche und englische Interrogationssystem gilt, daß ja/nein-Fragen als solche entweder syntaktisch und/oder rein intonatorisch markiert werden. Bei der rein intonatorischen Markierung sind die entsprechenden affirmativen und interrogierten Sätze hinsichtlich der Morphemabfolge identisch. Daher läßt sich eine Opposition aufstellen zwischen *er kam heute!* vs. *er kam heute?* und *he came today!* vs. *he came today?*, wobei die beiden Zeichen ! und ? hier als Cover-Symbole der entsprechenden Intonationskonturen gelten sollen. Bei der syntaktischen Fragemarkierung wird im Deutschen die Subjekt-NP mit dem ersten finiten Verbalelement invertiert, also *kam er gestern?*. Im Englischen betrifft die entsprechende Inversion die Subjekt-NP und das erste Hilfsverb. Ist kein Hilfsverb vorhanden, wird das *dummy*-Hilfsverb *do* in den Aux-Knoten eingesetzt (cf. Klima 1964, Katz & Postal 1964), also *will he come today?* vs. *did he come today?*

Tabelle I

Frühe ja/nein-Fragen

L1 Englisch (aus: Klima & Bellugi 1966)	*L1 Deutsch* (aus: Wode 1976 a)
Fraser water? see hole? sit chair? ball go?	mehr tetet? Auto weg? Eier auf?
L2 Englisch/L1 Deutsch (aus: Ufert 1980)	*L2 Deutsch/L1 Englisch* (aus: Felix 1978b)
you catch any? you have a fish? you can ride the horse?	du spielen? die kaputt da? du want Negerküsse?
L2 Englisch/L1 Chinesisch (aus: Huang 1971)	*L2 Englisch/L1 Spanisch* (aus: Butterworth 1972)
Jim, you finish? you see the water? see it, Mark? Hi, Teddy, you want another ball?	you come by Friday? he understand chess? you like Los Angeles? you no understand?

Die Erwerbsdaten zeigen nun, daß sowohl L1-, als auch L2-Erwerber Fragen zunächst nach rein intonatorischem Muster produzieren, bevor sie die syntaktische Fragemarkierung erwerben. Die ersten ja/nein-Fragen lassen sich durch die Beispiele in Tabelle I illustrieren.

Dieser Typ von intonatorischer ja/nein-Fragebildung tritt natürlich auch noch in späteren Erwerbsphasen auf, da es sich um einen Typ handelt, den auch die Erwachsenensprache kennt. Entscheidend ist jedoch, daß die intonatorische vor der syntaktischen Fragemarkierung gemeistert wird.

Wie erwerben die Kinder nun die syntaktische Fragemarkierung, insbesondere die Inversion? Es ist zu erwarten, daß hier aufgrund der unterschiedlichen Zielsprachsysteme die englischen und deutschen Daten zumindest teilweise voneinander abweichen. Die deutschen Daten zeigen (cf. Felix 1978b), daß die Inversionstransformation nicht auf einen Schlag erworben wird, sondern zunächst nur auf solche Sätze beschränkt bleibt, die die Kopula oder ein Hilfsverb enthalten. Zum gleichen Zeitpunkt werden Vollverbsätze weiterhin rein intonatorisch als Frage markiert. Bei der 5.4-jährigen Engländerin Julie (cf. Felix 1978b) finden wir daher im gleichen Entwicklungsabschnitt Äußerungen wie die folgenden:

a. Auxiliarsätze

(8) willst du ein?

(9) kann ich die Bonbon da (= hineintun)?

(10) hat du alles hier?

b. Vollverbsätze

(11) du gehst da?

(12) Christa nicht kommt?

(13) du weißt, was ist das?

Erst zu einem späteren Zeitpunkt wird der Anwendungsbereich der Inversionstransformation auch auf Vollverbstrukturen übertragen. Dies geschieht allerdings über ein Zwischenstadium, dessen strukturelle Merkmale interessante Einblicke in die von den Kindern verwendeten Erwerbsstrategien bieten. Bevor Vollverb und Subjekt modellgerecht invertiert werden, tritt bei Julie folgendes Muster zur Interrogation von Vollverbsätzen auf:

(14) bist du weiß was ich gemacht?

(15) bist du bleib hier?

(16) ist du komm hier?

(17) ist du nimmst das mit?

Auf den ersten Blick mögen die Strukturen auf Interferenzen aus dem Englischen hindeuten. Berücksichtigt man jedoch die gesamte L2-sprachliche Entwicklung der Kinder, so kann die Möglichkeit englischer Interferenzen vermutlich ausgeschieden werden. Hier scheinen wiederum Mechanismen durchzuschlagen, die auf die spezifische Erwerbsabfolge der Satzstrukturen zurückgehen, insbesondere das frühe Auftreten von Auxiliarsätzen. Die Inversion tritt erstmalig zu einem Zeitpunkt auf, an dem Vollverbsätze ohne Auxiliar noch nicht voll erworben sind. Der Anwendungsbereich der Inversionstransformation wird somit weitgehend nach dem Vorhandensein eines Auxiliars definiert. Beim Auftreten von Vollverbsätzen wird nun nicht etwa der Anwendungsbereich der Inversionstransformation erweitert, sondern es wird vielmehr ein *dummy*-Auxiliar geschaffen, um die Inversion nach altem Muster anwenden zu können. Detaillierte Angaben zu diesem Komplex finden sich in Felix (1978b: 152 ff.).

Entscheidend ist im derzeitigen Zusammenhang weniger die Frage, auf welche Ursache die Verwendung der genannten Strukturen exakt zurückgeht, als vielmehr die Tatsache, daß die Kinder in sehr systematischer Art und Weise verschiedene Strukturmerkmale aufgreifen und sich so nach und nach dem Modell nähern. Darüber hinaus bleibt als charakteristisches Merkmal zu unterstreichen, daß die Kinder eine bestimmte erwachsenensprachliche Transformation nicht notwendigerweise sofort über den gesamten Anwendungsbereich erwerben; vielmehr wird der Erwerbsprozeß hier wiederum in einzelne Schritte zerlegt. Zunächst wird ein eingeschränkter Anwendungsbereich gemeistert, und erst nach und nach der gesamte Anwendungsbereich erschlossen.

Die englischen L2-Erwerbsdaten deuten weitgehend auf ähnliche Erwerbsmechanismen hin, wobei die Kinder hier nicht nur die Inversion, sondern darüber hinaus auch die *do*-Periphrase erwerben müssen.

Auch im englischen L2-Erwerb wird die Anwendung der Inversionstransformation zunächst auf Kopula und Aux + V-Sätze beschränkt, während gleichzeitig Vollverbsätze rein intonatorisch als Frage markiert werden. Hierzu einige Daten des von Huang (1971) beobachteten Taiwanesen Paul. Am gleichen Tage zeichnete Huang folgende Äußerungen auf:

(18) Joe, you want to go home?

(19) Joe, you want to turn around?

(20) can I write my name?

(21) is this yours house?

Huang mußte seine Beobachtungen abbrechen, bevor Paul die *do*-Periphrase erwarb. Dennoch enthält Huangs Material zahlreiche Belege für die Verwendung von *do* in negierten Äußerungen.

In Übereinstimmung mit Huangs Daten und meinem eigenen deutschen L2-Material beschränken auch Wodes (1981) Kinder die Inversionstransformation zunächst auf Sätze, die die Kopula oder ein Hilfsverb enthalten. Zum etwa gleichen Zeitpunkt stehen sich also folgende Äußerungen gegenüber, die aus Ufert (1980) entnommen sind:

(22) is it hot dogs?

(23) can me have it?

(24) want something?

(25) you have a fish?

Erst nach diesem Stadium treten dann Vollverb- ja/nein-Fragen unter Verwendung von *do* auf:

(26) Hey, John, do you see this jump?

(27) did you got a fish?

(28) do you don't know that?

(29) do the crickets can fly?

(30) do there is any sugar here?

(31) do they all basses?

Diese Strukturen deuten auf ein Phänomen hin, das wir bereits bei der Negation beobachteten, nämlich einen scheinbaren Rückschritt in der Entwicklung. Obwohl die Kinder zuvor bereits modellgerecht Kopula- und Aux + V-Sätze allein durch die Inversion als Frage markierten, beginnen sie mit dem Auftreten der *do*-Periphrase, diese modellabweichend auf alle Satzstrukturen auszudehnen. Während hinsichtlich der Fragebildung die früheren Äußerungen *is it hot dogs?* oder *can me have that?* sprachgerecht sind, wird diese Struktur später zugunsten der modellabweichenden *do they all basses* bzw. *do the crickets can fly* aufgegeben. Erst danach wird die Differenzierung nach verschiedenen Satztypen erneut aufgenommen.

In Übereinstimmung mit den entsprechenden Daten zum Negationserwerb zeigen die vorangehenden Äußerungen wiederum, daß die verschiedenen Formen von *do,* also *do, does* und *did,* nicht sofort modellgerecht verwendet werden. Wie die Äußerung *did you got a fish* zeigt, hat das Kind noch nicht erkannt, daß in der Vollverbinterrogation die Tempusmarkierung von *do* übernommen wird. Die Ausdifferenzierung der verschiedenen Formen von *do* ist ein höchst komplexer Prozeß, dessen Einzelheiten vielfach noch unbekannt sind (cf. Bahns & Wode 1980). Dennoch fällt sowohl die Systematik als auch die Homogeneität der Daten ins Auge.

Aus Kreisen der Fremdsprachendidaktik mag die Frage gestellt werden: traten keinerlei Interferenzen bei der Fragebildung auf, etwa in der Form, daß Subjekt und Vollverb modellabweichend invertiert wurden? Solche Strukturen treten in Wodes Daten in der Tat auf:

(32) Catch Johnny fish today?

Allerdings erscheinen solche Strukturen relativ selten. Im Verhältnis zu den wie oben beschriebenen produktiven Strukturen, finden sich in Wodes Material nur vereinzelt Belege für Interferenzen. Insbesondere scheint der Status dieser Interferenzen nicht mit dem anderer produktiver Strukturen vergleichbar zu sein. Soweit sich erkennen läßt, markieren die modellabweichenden nicht-interferentiellen Strukturen mehr oder minder exakt limitierbare Entwicklungsstadien, d.h. während eines bestimmten Entwicklungsabschnittes treten weitgehend nur diese Strukturen auf. Ähnliches gilt nicht für Interferenzen. Es scheint kein abgrenzbares Erwerbsstadium zu geben, in dem ausschließlich oder auch nur überwiegend Interferenzen auftreten. Mit dem Problem der Interferenz werde ich mich noch ausführlich an späterer Stelle befassen.

6.2. Informationsfragen: Fragepronomina

Der Erwerb der Fragepronomina stellt im Vergleich zu den bislang dargestellten Strukturphänomenen ein vermutlich sowohl komplexeres als auch grundsätzlich andersgeartetes Problem dar. In diesem Bereich verlassen wir das Gebiet der eigentlichen Syntax (im strengen Sinne des Wortes) und bewegen uns in Richtung Lexikonerwerb.

Im Bereich der Fragepronomen ist das Kind – grob gesprochen – vor folgende Aufgaben gestellt:

1. es muß erkennen, daß Informationsfragen grundsätzlich – sowohl syntaktisch, als auch semantisch – anderer Natur sind als ja/nein-Fragen.
2. es muß lernen, daß in den hier zur Diskussion stehenden Sprachen die Fragepronomina stets am Satzanfang stehen, unabhängig davon, auf welche Satzkonstituenten sie sich beziehen.
3. es muß erkennen, welche Lexeme Fragepronomina sind.
4. es muß die Bedeutung der einzelnen Fragepronomina identifizieren.

Die Punkte 1. und 2. stellen kein entscheidendes Problem im L2-Erwerb dar, so daß wir hier nicht näher auf sie eingehen müssen. Die Distinktion zwischen ja/nein-Fragen und Informationsfragen kennt das Kind aus seiner L1. Die derzeit verfügbaren Daten deuten übereinstimmend darauf hin, daß L2-Erwerber von der Hypothese ausgehen, daß diese Distinktion auch in der zu erwerbenden L2 formal relevant ist. Hinsichtlich der Initialstellung der Fragepronomina sind die verfügbaren Daten – sowohl L1, als auch L2 – eindeutig. Alle bislang beobachteten Kinder plazierten von Beginn der Entwicklung an die Pronomina modellgerecht an den

Anfang des Satzes. Eine Ausnahme hierzu bilden lediglich einige vereinzelte Belege in Butterworths (1972) Material. Wenngleich Ricardo in der überwiegenden Zahl der Fälle Fragepronomina an den Satzanfang plaziert, so erscheinen in den folgenden Äußerungen *what, where* und *who* an der gleichen Stelle wie die erfragte Konstituente:

(33) this is what?

(34) Volkswagen is from what?

(35) you watch where?

(36) he is who?

(37) he say what?

Das frühe Auftreten der Satzanfangsstellung bei Fragepronomen löste im Lager der Generativisten einiges Unbehagen aus. Nach der Theorie erwartete man in den Frühstadien eher Strukturen wie die oben genannten von Ricardo. Mit dieser Problematik befaßt sich vor allem Brown (1968).

Zu Punkt 3 ist wenig Verläßliches zu sagen. Mir sind keine Daten bekannt, die darauf hindeuten, daß sich Kinder bei der Identifizierung von Interrogativlexemen systematisch 'irren', indem etwa häufige Wörter wie *aber, und, nun* fälschlicherweise als Fragepronomen verwendet würden, während z.B. *wo* Koordinationsfunktionen übernähme. Dies mag z.T. daran liegen, daß viele Sprachen die Fragepronomina auch phonologisch markieren, etwa durch *wh-* im Englischen, *w-* im Deutschen, *d-* im Japanischen, *p-* im Neugriechischen. Es gibt jedoch auch zahlreiche Ausnahmen, vor allem im Bereich der romanischen Sprachen, z.B. frz. *quoi, pourquoi, où, comment* oder ital. *dove, cosa, perché, come.* Soweit mir bekannt ist, liegt aus diesen Sprachen kein umfassendes Erwerbsmaterial zur Fragebildung vor.

Der entscheidende Punkt scheint 4 zu sein. Um die Problematik des Erwerbs der Bedeutung von Fragepronomina deutlich zu machen, sind zunächst einige Bemerkungen zur Struktur erwachsenensprachlicher Fragepronomen notwendig.

Es scheint ein universales Merkmal menschlicher Sprachen zu sein, daß formale Mittel bereitgestellt werden, um nach solchen Grundkonzepten wie Ort, Zeit und Weise, Grund fragen zu können. Soweit mir bekannt ist, gibt es keine Sprache, die ihren Sprechern verwehrt, derartige Fragen formal eindeutig zu stellen; also eine Sprache, die das gleiche Lexem etwa für Orts- und Kausalfragen verwendet. Andererseits unterscheiden sich Sprachen grundlegend darin, wie weit diese Konzepte, z.B. Ort, semantisch strukturiert sind und somit durch verschiedene Lexeme abgedeckt werden. Im Deutschen etwa werden verschiedene Pronomina im lokativen Bereich benutzt, je nachdem ob nach Herkunft, Richtung oder Zustand eines Ortes gefragt wird (*wo, wohin, woher*). Das Englische hingegen benutzt das gleiche Lexem *where* für Richtung und Zustand, hingegen eine Präposition für Herkunft *(where from).* Das Japanische benutzt für alle drei Fälle das gleiche Morphem (*doko*). Zahlreiche Sprachen unterscheiden bei der Frage nach NPs zwischen belebt und unbelebt (*wer* vs. *was*), während das Lettische diesen Unterschied nicht macht. Das englische Fragepronomen *who* ist nicht nach dem Genus markiert, das Neugriechische hingegen kennt *piós* (*wer*-mask.), *piá* (*wer*-fem.) und *pió* (*wer*-neutral). Im gleichen Bereich unterscheidet das Japanische wiederum zwischen *dare* (*wer*-umgangssprachlich) und *donata* (*wer*-höflich).

Es ist klar, daß das Kind sowohl in L1, als auch in L2 diese verschiedenen semantischen Strukturen der Fragepronomen erlernen muß. Das bisherige Material zeigt, daß die einzelnen Fragepronomen in einer bestimmten Abfolge erworben werden, und daß sich – allerdings unterschiedlich in L1 und L2 – bestimmte modellabweichende Verwendungen systematisch herausbilden.

Ich stelle zunächst in tabellarischer Übersicht die bislang bekannten Erwerbsabfolgen von Fragepronomina in verschiedenen Erwerbstypen dar und gehe dann auf einzelne Probleme ein. Tabelle II gilt dem L1-Erwerb, Tabelle III dem L2-Erwerb:

Tabelle II

L1-Erwerb der Fragepronomina
(aus: Wode 1976a)

Deutsch
(nach: Wode 1976a)

Kind I	*Kind II*
wo	wo
was	was
wer	wer
wie	wie
welch-	wann
warum	
wann	

Bulgarisch
(nach: Gheorgov 1908)

Kind I		*Kind II*	
kamo	(wo)	kadé	(wo)
kakvó	(was)	što	(was)
što	(was)	zašto	(warum)
kakâv	(welch-)	kakvó	(was)
zašto	(warum)		

Lettisch
(nach: Ruke-Dravina 1963)

Kind I		*Kind II*	
kur	(wo)	kur	(wo)
kas	(wer/was)	kas	(wer/was)
kad	(wann)	kâ	(wie)
kāpēc	(warum)	kāpēc	(warum)
		kad	(wann)

Tabelle III

L2-Erwerb der Fragepronomina

L2 Deutsch/L1 Englisch
(aus: Felix 1978b)

Guy	*Julie*
was	was
wo	wo
wer	wer
wann/wie	wann
warum	wie
	warum

L2 Englisch/L1 Deutsch
(Material von Wode nach: Ufert 1980)

Heiko	*Lars*	*Birgit*	*Inga*
what	what	what	what
where	where	where	where
how many	when	how many	who
when	who	who	why
who	why	why	how
why	how	which	
which	which		

L2 Englisch/L1 Norwegisch
(aus: Ravem 1970)

Rune	*Reidun*
what/where	what/where
how/when	why
why	whose
who	who

L2 Englisch/L1 Chinesisch
(aus: Huang 1971)

Paul
what
where
how (many)
who
why

L2 Englisch/L1 Spanisch
(aus: Butterworth 1972)

Ricardo
what
how (much/many)
where
who
why

Die tabellarische Übersicht über den Erwerb der Fragepronomina in verschiedenen Sprachen und Spracherwerbstypen zeigt deutlich, daß in diesem Bereich keineswegs die gleiche Übereinstimmung und Parallelität der Daten zu finden ist, wie dies etwa den Erwerb der Negation oder der ja/nein-Fragen kennzeichnete. Die individuellen Variationen zwischen Erwerbern und Erwerbstypen sind nicht zu übersehen. Andererseits läßt sich ebensowenig behaupten, daß die Erwerbsabfolge der Fragepronomina völlig willkürlich sei, etwa in dem Sinne, daß jedes Pronomen vor oder nach jedem anderen Pronomen erworben werden kann. Vielmehr zeichnet sich ein Grundmuster ab, das bei allen Kindern weitgehend gleichbleibend zu sein scheint und das in etwa wie folgt umrissen werden kann:

Phase I: als erste Fragepronomina treten *wo* und *was* bzw. deren Entsprechungen auf. Im L1-Erwerb scheint in der Regel *wo* vor *was* produktiv zu werden, während für den L2-Erwerb die umgekehrte Reihenfolge gilt.

Die Gründe für die Umkehr der Abfolge im L2-Erwerb sind nicht ohne weiteres auszumachen. Möglicherweise findet sich hier ein Reflex der Unterschiede im Satztypenerwerb, insbesondere des frühen Auftretens des Äquationalsatzes Pro + Cop + NP (cf. Felix 1978b). Die NP dieses Satztypes wird über eine *was*-Frage erfragt, während Lokativangaben in Äquationalsätzen, die eine *wo*-Frage erfordern, erst später erscheinen.

Phase II: Nach dem Erwerb von *wo* und *was* treten in der Regel als nächste *wer* und *wie*, sowie möglicherweise flektierte Formen wie *wessen, wem* etc. auf. Gerade in diesem Stadium zeigt sich die Erwerbsabfolge jedoch außerordentlich flexibel.

Phase III: Die Fragewörter *warum* und *wann* scheinen stets sehr spät erworben zu werden, wobei die Reihenfolge des Erwerbs von *warum* und *wann* nicht festgelegt ist, sondern variieren kann. Zuweilen treten in den Daten jedoch auch sehr frühe Einzelbelege für *warum/wann* auf.

Trotz individueller Variationen variiert die Erwerbsabfolge also keinesfalls beliebig. Wir werden hier mit dem zunächst paradox erscheinenden Phänomen der Variation innerhalb der Invarianz konfrontiert, das uns an späterer Stelle noch ausführlich beschäftigen wird. Was hier weitgehend konstant zu sein scheint, ist die Erwerbsabfolge bestimmter *Klassen* von Elementen (hier: Fragepronomen), während sich die Variationen auf die Erwerbsabfolge der Elemente innerhalb *einer* Klasse beziehen.

Es ist wichtig, darauf hinzuweisen, daß eine Theorie des Spracherwerbs so konstruiert werden muß, daß sie diesem Phänomen Rechnung trägt. D.h. sie muß mehr können als lediglich feststellen, ob die Elemente a . . . h in zwei verschiedenen Datensammlungen hinsichtlich der Erwerbsabfolge identisch sind oder nicht, und sie muß mehr können als den Grad der Übereinstimmung numerisch auf einer Skala angeben. Sie muß die Möglichkeit bereitstellen, nicht nur die Erwerbsfolge einzelner Elemente, sondern auch die Erwerbsfolge von Klassen von Elementen als entweder variabel oder invariant zu charakterisieren. Es scheint mir fraglich, ob diese Aufgabe durch die gängigen statistischen Variabilitätsberechnungen erfüllt werden kann. Insbesondere hinsichtlich der Klassenbildung wird man kaum auf sprachliche Strukturphänomene verzichten können. Darüber hinaus sind numerische Variabilitätsangaben nur dann sinnvoll, wenn sie spracherwerblich interpretierbar sind, etwa in dem Sinne, daß eine Abfolge x schneller, langsamer oder gar nicht zum Ziel führt.

Vielfach ist die Frage diskutiert worden, wie sich die spezifische Erwerbsabfolge der Fragepronomina erklären läßt, d.h., warum Kinder etwa zuerst *wo* erwerben und weitaus später das Pronomen *warum.* Gerade im Bereich der Fragewörter drängt sich hier eine Erklärung durch allgemeine kognitive Entwicklungsphänomene auf, da die Bedeutung der Fragepronomina in besonders offensichtlicher Art mit bestimmten kognitiven Konzepten wie Zeit, Ort, Art und Weise etc. korreliert. Für den L1-Erwerb ist daher die These aufgestellt worden, daß die Reihenfolge, in der Kinder derartige kognitive Konzepte erwerben, ebenso die Erwerbsfolge der entsprechenden sprachlichen Einheiten bestimmt (Slobin 1973). Zunächst ist der Versuch, sprachliche Erwerbsphänomene durch sog. allgemeine kognitive Entwicklungsphänomene zu erklären, an sich schon problematisch, weil er von einer Reihe ungerechtfertigter Annahmen ausgeht, auf die ich noch an späterer Stelle detailliert eingehen werde. Im Bereich der Fragewörter läßt sich die These der Abhängigkeit sprachlicher und kognitiver Entwicklungsphänomene auf zweierlei Art interpretieren. Eine mögliche Interpretationsart besagt, daß sprachliche Einheiten, die sich etwa auf Zeit und Ort beziehen, erst dann erworben werden können, wenn Begriffe wie Zeit und Ort auf konzeptueller Ebene bereits gemeistert sind. Eine solche Interpretation ist trivial. Es ist offenkundig, daß man nur über solche Dinge sprechen kann, die man kognitiv-konzeptuell erfassen kann. Ein von Geburt aus Blinder kann über Farben keine sinnvollen Aussagen machen. Das bedeutet natürlich nicht, daß er Wörter, die in der Erwachsenensprache Farben bezeichnen, nicht verwenden könnte; jedoch haben diese Wörter für ihn nicht den gleichen Symbolgehalt, wie etwa Wörter, die das Fühlen oder das Hören betreffen. Sinnvolle Verbalisierungen sind nur über solche Dinge möglich, die der Sprecher konzeptuell verarbeiten kann.

Eine andersgeartete Interpretationsart besagt, daß der Erwerb eines bestimmten kognitiven Konzepts, etwa der Zeit oder des Ortes, unmittelbar all diejenigen sprachlichen Elemente auslöst, in denen diese Konzepte ganz oder teilweise enthalten sind. Eine solche These ist faktisch falsch. Kinder machen Aussagen über Ort und Zeit, lange bevor sie die entsprechenden Fragepronomina erwerben. Darüberhinaus stellen L1-Erwerber in der frühen Phase Fragen nach Ort, Zeit etc. ohne jedoch die entsprechenden Fragepronomina zu benutzen (cf. Wode 1976a, Felix 1976b). In dieser Frühphase sind entsprechende Fragen formal ja/nein-Fragen, ihrer Intention nach jedoch Informationsfragen. In welcher Form Kinder Fragepronomina erwerben, hängt also nicht von ihrer kognitiven Entwicklung ab – außer in dem trivialen Sinne, daß die in den sprachlichen Einheiten kodierten Begriffe kognitiv vorhanden sein müssen –, sondern ist im wesentlichen ein Problem sui generis.

Die weitreichende Parallelität in der Erwerbsfolge der Fragepronomina zwischen L1- und L2-Erwerb ist ein weiteres Indiz dafür, daß die These der kognitiven Abhängigkeit keine interessante Erklärungshypothese abgibt. Zweifellos sind bei einem etwa 6–7jährigen Kind, das eine zweite Sprache erlernt, die relevanten kognitiven Strukturen voll entwickelt. Wenn dieses Kind dennoch die Fragepronomina in etwa der gleichen Abfolge wie L1-Erwerber erlernt, so lassen sich hierfür kaum unterschiedliche Stufen der kognitiven Entwicklung verantwortlich machen. Welche Phänomene für die genannte Erwerbsabfolge ausschlaggebend sind, läßt sich derzeit auch nicht annähernd abschätzen. Sicherlich spielen hier Prinzipien der semantischen Entwicklung eine entscheidende Rolle. Jedoch wissen wir gerade über diesen Aspekt des Erwerbsprozesses nur wenig.

Eine wesentliche Aufgabe des L2-Erwerbers besteht darin, die Fragemorpheme der jeweiligen Sprache zu identifizieren. Die Annahme scheint gerechtfertigt, daß der L2-Erwerber aufgrund seiner L1-Erfahrung davon ausgeht, daß es in der zu erlernenden Sprache möglich ist, Fragen nach Ort, Zeit etc. zu stellen, und daß die betreffende Sprache Lexeme bereitstellt, die die entsprechenden Fragen kodieren. Sein Problem ist also, die korrekten Morpheme zu finden. Dies ist im Prinzip ein lexikalisches Problem, vergleichbar mit der Aufgabe, in der zu erlernenden Sprache die Lexeme zur Bezeichnung bestimmter Gegenstände ausfindig zu machen.

Interessanterweise gehen die Kinder dieses Problem wiederum ganz systematisch in einer Weise an, die ich in Felix (1976b) *semantic overextension* genannt habe, d.h. die Kinder benutzten bereits identifizierte Fragepronomina mit einer erweiterten Bedeutungsbreite.

Die 5.4-jährige Julie erwirbt als erstes das Fragepronomen *wo* und verwendet dieses dann auch mit der Bedeutung jener Fragepronomen, die sie noch nicht erworben hat. Besonders häufig tritt dabei *wo* in Kausalfragen auf:

(38) J. reißt an F.s. Pullover.
F: laß das, Julie, ich will heute nicht toben.
J: wo nicht?

(39) F: so, wir müssen jetzt nach Hause.
J: wo?
F: Ja, Julie, arbeiten, arbeiten!
J: nein, du bleib hier.

(40) F. hat das Radio ausgeschaltet.
J: (ärgerlich) wo du mach das?

Zuweilen benutzt Julie das Fragewort *wo* auch in temporaler Bedeutung

(41) M. und J. haben eine Stunde auf F. gewartet.
J. wird ungeduldig.
J: wo Sascha kommt?
M: gleich mit dem roten Auto.
J: ich weiß wohl, wo die kommt.
M: ja?
J: ist die kommt?
M: ja
J: wo?

In der folgenden Äußerung benutzt Julie *wo* vermutlich in der Bedeutung eines modalen Frageworts:

(42) F. und J. spielen mit einem Mechanikbaukasten und versuchen, einen Kran zu bauen. J. hat Schwierigkeiten.
F: guck mal, du mußt die Schraube mit dem Finger festhalten und dann die Mutter andrehen. . . so!
J: ich kann nicht das. Wo das geht? Das ist doof.

Durch die Strategie der *semantic overextension* gelingt es Julie, den vollen Bereich der Informationsfragen abzudecken. Während sie in der Folgeperiode nach und nach die verschiedenen Fragepronomen identifiziert, nehmen die "falschen" Verwendungen der Fragepronomina ab.

Die Strategie der *semantic overextension* bei den Fragepronomina ist insofern von Bedeutung, als sie in dieser Form im L1-Erwerb nicht auftritt. Zwar verwenden auch L1-Erwerber in gewissen Entwicklungsstufen Fragepronomina in modellabweichender Weise, jedoch stets nur innerhalb des gleichen Begriffsfeldes. So verwenden L1-Erwerber *wo* für *wohin* oder *woher, was* für *wer, wer* für *wem* oder *wessen,* nicht jedoch etwa *wo* für *warum* oder *wann* für *wie* (cf. Felix 1976b, 1978b). Hier scheinen sich die unterschiedlichen Ausgangssituationen von L1- und L2-Erwerbern widerzuspiegeln.

6.3. Informationsfragen: Syntax

Im Bereich der Informationsfragen müssen die Kinder neben dem Erwerb der Fragepronomina die relevanten syntaktischen Regeln meistern. Dabei handelt es sich – ähnlich wie bei den ja/nein-Fragen – vor allem um die Inversion bzw. im Englischen um die *do*-Periphrase. Entscheidender Unterschied zu den ja/nein-Fragen ist, daß eine rein intonatorische Markierung, also ohne Inversion bzw. *do*-Periphrase, nicht möglich ist.

Alle bislang verfügbaren Daten zeigen übereinstimmend, daß die Kinder zunächst Informationsfragen ohne Inversion, d.h. mit der Satzstellung des Aussagesatzes, bilden. Tabelle IV enthält die entsprechenden Daten aus verschiedenen Erwerbstypen:

Tabelle IV

Nicht-invertierte Informationsfragen

L1 Englisch (aus: Klima & Bellugi 1966)	*L1 Deutsch* (aus: Wode 1976a)
where milk go? where horse go? what dollie have? why not he eat?	Henning, wo Björn wohnt? wo ich sitze? wo meine Mütze gegangen?
L2 Englisch/Deutsch (aus: Ufert 1980)	*L2 Deutsch/L1 Englisch* (aus Felix 1978b)
what you say? what you doing? what socks I can take?	wo du geht hin? was du macht? warum das geht? wo Sascha kommt?
L2 Englisch/L1 Spanisch (aus: Butterworth 1972)	*L2 Englisch/L1 Norwegisch* (aus: Ravem 1970)
what time we finish? what you doing? why you go? what time you go?	what he's doing? why he come for a cup of coffee? why he not live in Scotland? why not Mummy make dinner?

Bemerkenswert ist hier wiederum, daß die Kinder zur gleichen Zeit in ja/nein-Fragen bereits invertieren bzw. in Ansätzen die *do*-Periphrase verwenden. Die jeweiligen grammatischen Operationen werden offensichtlich in Abhängigkeit der verschiedenen Strukturbereiche (teilweise erneut) erworben (cf. Felix 1978b).

In der folgenden Phase werden zunächst wiederum erst Kopula und Auxiliarstrukturen invertiert, während im Deutschen die Inversion von Vollverb und Subjekt als letzter Erwerbsschritt erfolgt.

Der Erwerb der englischen *do*-Periphrase zeigt bei den Informationsfragen im wesentlichen die gleichen Merkmale wie bei den ja/nein-Fragen. *Do, did* und *does* werden zunächst weitgehend als Varianten des gleichen Morphems betrachtet. Das Vollverb trägt weiterhin die Tempusmarkierung:

Tabelle V

Frühe do-Periphrase in wh-Fragen

L1 Englisch (aus: Klima & Bellugi 1966)
what did you doed?
L2 Englisch/L1 Deutsch (aus: Ufert 1980)
what do you was doing? whose fishingpole do you lost? when did you caught your first trout? what did you can see?
L2 Englisch/L1 Norwegisch (aus: Ravem 1970)
what do you doing to-yesterday? what do you going to do tomorrow? what did you talk to them?

Die diesen Erwerbsprozessen zugrundeliegende Systematik ist – ähnlich wie bei der Negation – kaum zu übersehen. Zwei kleine Norweger, die in Schottland Englisch erlernen, produzieren die gleichen Strukturen, die wir bei deutschen Kindern finden, die in Kalifornien der L2 ausgesetzt sind, und die kleine Amerikaner beim Erwerb ihrer Muttersprache vorbringen. Dies kann kaum durch Zufälligkeiten oder ähnliche Umweltbedingungen erklärt werden. Bestimmte syntaktische Grundmuster erscheinen – wenngleich mit zeitlicher Verschiebung – sowohl in der Negation, als auch in der Interrogation.

Die Systematik des Erwerbsprozesses wurde hier an den genannten beiden Strukturbereichen illustriert. Vergleichbare Daten lassen sich quer durch die Sprache hindurch finden: Phonologie (Olmsted 1971, Smith 1973, Wode 1977a), Flektionsmorphologie (Brown 1973, Wode 1976c), und zahlreiche weitere Strukturbereiche der Syntax (Felix 1978b, Wode 1980) vermitteln immer wieder die rigide Ordnung, der Kinder beim Spracherwerb folgen.

7. Morpheme Order Studies

Zu Beginn der 70er Jahre wurde namentlich die amerikanische L2-Erwerbsforschung von einem Untersuchungstyp dominiert, der in der Literatur unter dem Terminus *morpheme order studies* bekannt ist. Dieses Untersuchungsverfahren ist gerade in jüngster Zeit von verschiedenen Seiten (z.B. Andersen 1978a, Rosansky 1976, Tarone 1974, Wode et al. 1978) heftig kritisiert worden. Sowohl aus methodischen, als auch aus theoretischen Gründen stellte man den grundlegenden Erkenntniswert der *morpheme order studies* in Frage. Wenngleich die Ära der *morpheme order studies* als beendet angesehen werden kann und man nunmehr zunehmend andere Untersuchungsverfahren aufgreift, so nahmen sie dennoch in der Geschichte der L2-Erwerbsforschung eine derart beherrschende Stellung ein, daß auf eine Darstellung der wichtigsten Ergebnisse und methodischen Grundlagen dieser Untersuchungsverfahren nicht verzichtet werden sollte. Im übrigen sind von den *morpheme order studies* trotz der anerkannten Schwächen wichtige Impulse für die Theoriebildung im Zweitsprachenerwerb ausgegangen. Es ist zweifellos das Verdienst der *morpheme order studies* und ihrer zwei konsequentesten Vertreterinnen, Heidi Dulay und Marina Burt, grundsätzliche Fragen über das Wesen des L2-Erwerbs aufgegriffen und Lösungen vorgeschlagen zu haben.

Methodik und Fragestellung der *morpheme order studies* gehen auf Untersuchungen zurück, die Brown (1973) in Zusammenarbeit mit Cazden (1968) an amerikanischen L1-Erwerbern durchführte. Diese Untersuchungen wurden später durch breit angelegte Experimente von de Villiers & de Villiers (1973) ergänzt und präzisiert. Bei seinen Beobachtungen zur englischen L1-Entwicklung dreier Kinder (Adam, Eve und Sarah) stellte Brown fest, daß zwischen den Erwerbsstadien I und V verschiedene grammatische Morpheme, wie z.B. Plural *-s,* Kopula, *-ing,* etc. in zunehmendem Maße in den kindlichen Äußerungen auftauchten. Wenngleich die allgemeine Auftretenshäufigkeit dieser grammatischen Morpheme im Laufe der Entwicklung wuchs, so verwendeten die Kinder sie dennoch nicht von Beginn an modellgerecht, d.h. in allen Kontexten, in denen die Erwachsenensprache sie gefordert hätte. Zuweilen trat in einer bestimmten Umgebung das richtige Morphem auf, zuweilen ein falsches, zuweilen gar keines. Aus diesem Sachverhalt ergab sich nun die Frage, in welcher Abfolge die Kinder die genannten grammatischen Morpheme meisterten, d.h. sprachgerecht verwendeten. Diese Abfolge wurde mit dem Begriff *order of acquisition* bezeichnet. Brown sah die Äußerungen der drei Kinder erneut unter dem Aspekt durch, "at what point does the child know how to use a given form and when to use it?" (Brown 1973: 254).

Der Begriff *order of acquisition* eröffnet eine grundsätzlich andere Perspektive, als diejenige, die wir bei unserer Darstellung des Negations- und Interrogationserwerbs verfolgten und die die frühe L1- und L2-Erwerbsforschung kennzeichnete. Während wir bei Negation und Interrogation danach fragten, welche Strukturen Kinder benutzen, *bevor* sie die zielsprachliche Struktur modellgerecht wiedergeben, zielt Browns *order of acquisition* ausschließlich auf den Zeitpunkt ab, an dem die Kinder ein gegebenes grammatisches Morphem bereits sprachgerecht verwenden, d.h. an dem der Erwerbsprozeß hinsichtlich des jeweiligen grammatischen Morphems weitgehend abgeschlossen ist. Die verschiedenen Zeitpunkte, ab denen die Kinder die jeweiligen grammatischen Morpheme sprachgerecht beherrschten, wurden dann in einer relativen Chronologie zusammengestellt. Der Begriff *order of acquisition* bezieht sich somit weniger auf den Erwerbs*prozeß,* wenn wir hierunter die Zeitspanne zwischen Null-Kompetenz und zielsprachlicher Kompetenz in bezug auf eine gegebene Sprachstruktur verstehen. Hier schleicht sich vielmehr der aus der Didaktik bekannte Begriff des Lernerfolges ein. Gefragt wird nicht, *wie* eine Sprachstruktur (hier: grammatisches Morphem) erworben wird, sondern *wann* sie in Relation zu anderen Sprachstrukturen erlernt ist. Auf die Syntax übertragen käme dies einer Frage gleich, ob etwa die Interrogation vor der Negation sprachgerecht gemeistert wird oder umgekehrt. Dies ist grundsätzlich etwas ganz anderes als die Frage nach spracherwerblichen Zwischenstadien *vor* der zielgerechten Beherrschung. Wenngleich aus rein linguistischer Sicht die von Brown untersuchten grammatischen Morpheme über gewisse gemeinsame Eigenschaften verfügen und somit zusammen gruppiert werden können, ist fraglich, ob eine derartige Gruppierung auch spracherwerblich relevant ist. Diese Frage kann nicht a priori, sondern nur empirisch gelöst werden. So läßt sich beispielsweise ohne Schwierigkeiten eine *order of acquisition* für den Passivsatz, die Pluralbildung, das Phonem /i/ und die deiktischen Pronomen erstellen. Jeder wird einsehen, daß eine solche Erwerbsabfolge unsinnig ist, weil sie Bereiche einschließt, die nur wenig miteinander zu tun haben. Es ist fraglich, ob sich diese Bereiche überhaupt in spracherweblich relevanter Weise ordnen lassen. Das gleiche gilt prinzipiell für die Gruppe der grammatischen Morpheme, so daß zu überlegen ist, ob man hier nicht einem spracherwerblichen Phantom nachjagt.

Bei der Bestimmung des Erwerbszeitpunktes ergibt sich sofort eine methodische Schwierigkeit, der sich auch Brown von Beginn seiner Untersuchung an bewußt war. Welche Kriterien sind dafür anzusetzen, ob das Kind ein gegebenes Morphem bereits sprachgerecht beherrscht? Dieses Problem wurde zunächst durch eine ad hoc-Regelung gelöst. Cazden (1968) definierte den Erwerbszeitpunkt als "the first speech sample of three, such that in all three the inflection is supplied in at least 90% of the contexts in which it is clearly required" (Brown 1973: 258). In dieser Definition wird der Begriff des obligatorischen Kontextes *(obligatory context)* eingeführt. Man geht davon aus, daß in bestimmten syntaktischen Umgebungen ein gegebenes grammatisches Morphem entweder vorhanden sein muß oder nicht. Grundlage für die Bestimmung eines solchen obligatorischen Kontextes ist die Erwachsenensprache. Verwendet das Kind nun in dieser syntaktischen Umgebung das gleiche grammatische Morphem, das auch in einer entsprechenden erwachsenensprachlichen Äußerung erforderlich ist, so gilt es im Sinne des Definitionskriteriums als erworben. Bereits Brown selbst sah, daß die Definition des obligatorischen Kontextes weitaus problematischer ist, als dies auf den ersten Blick erscheint. In zahlreichen Fällen ist es nicht möglich, eindeutig zu bestimmen, welches grammatische Morphem in einem gegebenen syntaktischen Kontext obligatorisch ist:

> "For the third person singular inflection it is peculiarly difficult to define obligatory contexts. For example, Eve, in sample 10, said: *Mommy, use it.* The subject is third person singular clearly enough, but is it the inflection that is missing or a model like *can* or possibly a present progressive?" (Brown 1973: 261)

Dieses Problem ist generell nur durch ad hoc-Entscheidungen zu lösen, solange man es mit einer artifiziellen Gruppierung wie der grammatischer Morpheme zu tun hat.

Brown schloß in seine Untersuchung 14 grammatische Morpheme ein: Progressive Form des Präsens, die Präpositionen *in* und *on,* Plural, regelmäßiges und unregelmäßiges Präteritum, Possessiv, die kontrahierbare und nicht kontrahierbare Kopula, die Artikel *a* und *the,* die regelmäßigen und unregelmäßigen Formen der dritten Person Singular, die kontrahierbaren und nicht kontrahierbaren Auxiliare.

Brown untersuchte nun sein Material – gegliedert nach den fünf Entwicklungsstadien – unter der Frage, in wieviel Fällen des jeweils obligatorischen Kontextes die grammatischen Morpheme vorhanden waren bzw. fehlten. Hierbei stellt er etwa fest, daß in Stadium I keines der drei Kinder irgendwelche grammatischen Morpheme verwendete. In Stadium II traten z.B. bei Adam die progressive Form des Präsens, der Plural und die Präpositionen *in* und *on* auf, während Eve den Plural erst in Stadium III erstmalig produzierte. Hierbei ist bemerkenswert, daß grammatische Morpheme überhaupt erst ab Stadium V im Sinne des zuvor genannten Kriteriums als erworben gelten konnten. Vor Stadium V traten die jeweiligen Morpheme lediglich in einem Prozentsatz von obligatorischen Kontexten auf, der weit unter 90% liegt. Hier offenbart sich eine weitere methodische Schwierigkeit. Derartige Aufstellungen geben keinesfalls an, in welcher Abfolge die jeweiligen Morpheme im Sinne des Definitionskriteriums erworben werden, denn vor Stadium V kann keines der Morpheme als erworben gelten. Hier wird lediglich eine Skala von Prozentsätzen für die Auftretenshäufigkeit der verschiedenen grammatischen Morpheme gegeben. Brown erkennt diese Schwierigkeit:

> "The morphemes listed below Stage V had not attained the 90% criterion at this point. They are ordered in terms of the percentages of the morphemes supplied in obligatory contexts in the last 6 hours of the records including Stage V. While this is actually an order of level of performance at V it probably corresponds quite closely with the order of ultimate acquisition." (Brown 1973: 272).

In dieser Aussage liegt die eigentliche methodische Schwierigkeit verborgen. Die Grundlage für Browns Annahme, daß die prozentuale Auftretenshäufigkeit mit der endgültigen Erwerbsabfolge korreliert, ist völlig unklar. Eine solche Korrelation ist auch a priori keineswegs einleuchtend. Im übrigen erscheint das Kriterium eines Auftretens in 90% obligatorischer Kontexte, nach dem ein grammatisches Morphem als erworben gelten kann, als völlig überflüssig, wenn auch solche Morpheme in die Berechnung mit einbezogen werden, die dieses Kriterium noch nicht erreicht haben.

Brown vergleicht nun die Auftretenshäufigkeit der genannten Morpheme in den 5 Entwicklungsstadien seiner 3 Kinder und errechnet daraus die *mean order of acquisition,* die in Tabelle VI wiedergegeben ist.

Tabelle VI

(aus: Brown 1973: 274)
Mean order of acquisition of fourteen morphemes across three children.

	Morpheme	*Average Rank*
1.	present progressive	2.33
2.–3.	in, on	2.50
4.	plural	3.00
5.	past irregular	6.00
6.	possessive	6.33
7.	uncontractible copula	6.50
8.	articles	7.00
9.	past regular	9.00
10.	third person regular	9.66
11.	third person irregular	10.83
12.	uncontractible auxiliary	11.66
13.	contractible copula	12.66
14.	contractible auxiliary	14.00

Diese Tabelle ist wohlgemerkt als Erwerbsabfolge zu interpretieren, d.h. sie enthält die Behauptung, daß die drei untersuchten Kinder die sprachgerechte Verwendung etwa der präsentischen progressiven Form meistern, bevor sie die Präpositionen *in* und *on* im Sinne des Kriteriums modellgerecht verwenden; daß sie von den genannten Morphemen das kontrahierte Auxiliar als letztes beherrschen, etc. Browns entscheidendes Ergebnis ist nun, daß von geringen Abweichungen abgesehen für alle drei Kinder die gleiche Erwerbsabfolge ermittelt wurde. Hierdurch glaubten sich Brown und seine Mitarbeiter einem generellen Spracherwerbsmechanismus auf der Spur.

Eine grundsätzliche Schwäche der Brown'schen Untersuchung liegt eben darin, daß in dem zuletzt beobachteten Entwicklungsstadium, i.e. Stadium V, eben noch nicht alle Morpheme als erworben gelten konnten, so daß Brown auf eine Prozentskala zurückgreifen mußte, die teilweise weit unter 90% liegt. Diese Schwäche versuchten de Villiers & de Villiers (1973) in ihrer Untersuchung zu überwinden. Sie unternahmen eine Querschnittsstudie von 21 amerikanischen Kindern im Alter zwischen 16 und 40 Monaten. Die Datenbasis reichte von 200–900 Äußerungen. De Villiers & de Villiers orientierten sich nun nicht ausschließlich an der prozentualen Auftretenshäufigkeit der 14 grammatischen Morpheme, sondern "the morphemes were ranked in terms of the lowest MLU sample at which each reached the 90% criterion; when more than one morpheme attained criterion at the same MLU the ranks were counted as tied" (Brown 1973: 273).

Wenngleich die von de Villiers & de Villiers (1973) ermittelte Erwerbsabfolge in einigen Punkten von der Brown'schen abwich, so zeigte sich dennoch, daß alle untersuchten Kinder die genannten 14 Morpheme im wesentlichen in der gleichen Abfolge erwarben. Diese erstaunliche Übereinstimmung führt Brown zu der Schlußfolgerung, daß sich hinter dem Erwerb der grammatischen Morpheme eine grundlegende Gesetzmäßigkeit des Spracherwerbs verbirgt: "Thanks to the de Villiers it has been made clear that we have a developmental phenomenon of substantial generality" (Brown 1973: 274). Ob es sich hier tatsächlich um ein "developmental phenomenon" handelt, und nicht vielmehr um ein Artefakt der gewählten Untersuchungsmethode, ist nach den jüngsten Studien nicht mehr ganz eindeutig.

Browns Untersuchungstyp wurde erstmalig von Heidi Dulay und Marina Burt in größerem Umfange auf den Zweitsprachenerwerb übertragen. Heute sind die *morpheme order studies* untrennbar mit dem Namen dieser beiden Autorinnen verbunden. Die wesentlichen Ergebnisse dieser Untersuchungen finden sich in Dulay & Burt (1973, 1974a–b, 1975) und Burt & Dulay (1980).

Dulay & Burts Arbeiten unterscheiden sich von Browns Beobachtungen zunächst vor allem im Datenerhebungsverfahren. Während Brown die Erwerbsreihenfolge der grammatischen Morpheme auf der Basis von Longitudinalstudien ermittelte, verwendeten Dulay & Burt eine Querschnittsuntersuchung. Diese methodische Änderung war ursprünglich nicht vorgesehen, sondern ergab sich aus den Zufälligkeiten der verfügbaren Informanten:

> "Our original plan had been to use a longitudinal research design as Brown had done for first language acquisition . . . Coincidentally, however, at the time we were looking for children who are likely to stay in the area for a 9 month data collection period and whose parents and teachers would permit us to spend several hours every week or two with them, we became involved in the evaluation and diagnosis of the language development of children in two bilingual programs. This involvement resulted in 1) access to nearly 1000 children who were acquiring English as a second language and 2) the development of the Bilingual Syntax Measure (BSM), which successfully elicited natural L2-speech from young children" (Dulay & Burt 1974a: 39).

Dulay & Burt entwickelten ein Elizitierungsverfahren, das sie als *Bilingual Syntax Measure* (BSM) bezeichnen. Hinter diesem anspruchsvollen Namen verbirgt sich nichts anderes als ein Satz von sieben farbigen Zeichnungen in Verbindung mit 33 Standardfragen, die auf eine Beschreibung der auf den Bildern gezeigten Geschehnisse abzielen. Im Laufe eines normalen Gesprächs wurden den Kindern diese sieben Bilder vorgeführt mit der Aufforderung, die entsprechenden Darstellungen zu beschreiben, Bilder und Fragen waren so entworfen, "that certain structure types will be almost unavoidable in the child's responses" (Dulay & Burt 1974a: 40). Dulay & Burt legen immer wieder Wert auf die Feststellung, daß BSM "natural speech" elizitiert. Im Gegensatz zu Übersetzungs- oder Imitationstests legt BSM die Kinder nicht auf die Produktion bestimmter Sprachstrukturen fest, sondern läßt weitgehend freie Wahl bei den Verbalisierungen. Dennoch liegt überzeugende Evidenz dafür vor, daß die Testsituation als solche ihre Wirkung auf die Sprachproduktion der Kinder nicht verfehlte (Rosansky 1976). Durch dieses Elizitierungsverfahren erhielten die beiden Autorinnen ein Korpus von Daten, das auf das Vorhandensein von grammatischen Morphemen in obligatorischen Kontexten untersucht wurde.

Dulay & Burt konzentrierten sich weitgehend auf die gleichen grammatischen Morpheme, die auch Brown beim L1-Erwerb untersucht hatte. Im Laufe ihrer Untersuchungen wurde die Zahl jedoch auf 9 Standardmorpheme reduziert und zwar:

-ing, Plural, regelmäßige und unregelmäßige Form des Präteritums, Possessiv, Artikel, 3. Person Singular, Kopula und Auxiliar.

Im Laufe mehrerer Jahre untersuchten Dulay & Burt mit Hilfe des BSM einige hundert Kinder chinesischer bzw. spanischer Muttersprache, die in den USA Englisch als Zweitsprache erwarben. Die spanischen Kinder umfaßten 3 Gruppen: Chicanos aus Sacramento, Mexikaner aus Tijuana und Puerto-Ricaner in New York City. Die chinesischen Kinder stammten aus Chinatown/New York City. Dulay & Burts Informanten sind nicht im strengen Sinne des Wortes als "natürliche" L2-Erwerber zu bezeichnen. Die meisten von ihnen erhielten in unterschiedlichem Umfange formalen Englischunterricht. Dennoch finden wir auch nicht den reinen Typ des Fremdsprachenunterrichts, da die Kinder – zumindest überwiegend – in den USA lebten und dort einen erheblichen Teil ihres Tagesablaufes in englischer Sprache bestreiten mußten. Diese Form des Mischtyps ist kennzeichnend für die amerikanische L2-Erwerbsforschung.

Dulay & Burt bemühten sich zunächst vor allem darum, den Untersuchungstyp von Brown methodisch zu verfeinern. In Dulay & Burt (1974a) werten sie ihre Daten nach drei verschiedenen Analyseverfahren *(group score, group means, syntax acquisition index).* Einerseits ging es um die Definition des obligatorischen Kontextes, andererseits um eine verläßlichere Bewertung: für die Berechnungen war nicht nur ausschlaggebend, ob ein Morphem vorhanden oder nicht vorhanden war, sondern das Auftreten eines im Sinne der Erwachsenensprache falschen Morphems wurde ebenfalls registriert. Einen erheblichen Teil der Diskussion nahm in der Anfangszeit die Frage ein, welches der gängigen statistischen Verfahren am geeignetsten ist, die exakte Erwerbsabfolge der grammatischen Morpheme zu ermitteln. Hierzu sei vor allem auf Dulay & Burt (1974b, 1975) verwiesen.

Dulay & Burts Untersuchungen führten zu zwei wichtigen Ergebnissen:

1. Für alle beobachteten L2-Erwerber ergab sich im wesentlichen die gleiche Erwerbsabfolge der genannten Morpheme.
2. Diese L2-Erwerbsabfolge wich erheblich von der von Brown ermittelten L1-Erwerbsabfolge ab.

Tabelle VII faßt die Ergebnisse zusammen:

Tabelle VII

(aus: Dulay & Burt 1974b: 257)

L1 and L2 orders for 9 functors

	L1 Rank Order			*L2 Rank Order*		
	Brown	de Villiers Method I	de Villiers Method II	Group Score	Group Means	SAI
-ing	1	1.5	2	3	2.5	2.5
Plural	2	1.5	1	4	4	5
Past-irreg	3	3	7	7	7.5	7.5
Possessive	4	5	6	8	7.5	6.5
Article	5	4	5	1	1	2.5
Past-reg	6	7.5	4	6	6	8.5
3rd Person	7	7.5	8	9	9	8.5
Copula	8	6	7	2	2.5	1
Auxiliary	9	9	9	5	5	4

Die erstaunliche Übereinstimmung in den Erwerbsabfolgen der grammatischen Morpheme bei mehreren hundert Kindern unterschiedlicher Muttersprache führte innerhalb der amerikanischen L2-Erwerbsforschung zur Formulierung eines neuen theoretischen Ansatzes, der weitgehend Gedankengänge der Kindersprachforschung aufgriff und sich somit entscheidend von der vor allem in der Fremdsprachendidaktik vorherrschenden Auffassung des Zweitsprachenerwerbs als *habit formation* abhob. Für die quasi konstanten Erwerbsabfolgen im Bereich der grammatischen Morpheme bürgerte sich in der amerikanischen Literatur der Terminus *natural sequences* ein. Der Begriff *natural* impliziert hier, daß die Erwerbsabfolgen nicht im Sinne behavioristischer Lerntheorien als Reflex externer Bestimmungsfaktoren anzusehen sind, sondern allgemeine interne Mechanismen menschlichen Sprachenlernens widerspiegeln. Diese *natural sequences* beim Erwerb der grammatischen Morpheme kennzeichnen nach Dulay & Burt den Zweitsprachenerwerb als einen *creative construction process,* so wie er für den L1-Erwerb angenommen wird:

> "This similarity of errors, as well the specific error types, reflect what we refer to as creative construction, more specificly, the process in which children gradually reconstruct rules for speech they hear, guided by universal innate mechanisms which cause them to formulate types of hypotheses about the language system being acquired, until the mismatch between what they are exposed to and what they produce is resolved." (Dulay & Burt 1974a: 37)

Aufgrund ihrer Untersuchungsergebnisse propagierten Dulay & Burt somit die Auffassung, daß eine zweite Sprache nicht durch Strategien der Imitation, Repetition und Speicherung des Gehörten erworben wird, sondern durch das Aufstellen und Prüfen verschiedener Hypothesen über die vermutete Struktur des zu erwerbenden Sprachsystems. Mit dieser Auffassung zogen Dulay & Burt eine deutliche Paralleie zum Erstsprachenerwerb und galten daher als dezidierte Vertreter der sog. L1=L2-Hypothese. Dulay & Burt reklamieren die prinzipiell gleichen universalen Erwerbsstrategien, Verarbeitungsmechanismen und Entwicklungsgesetzmäßigkeiten, die für den Erstsprachenerwerb angesetzt werden, ebenso für das Erlernen einer zweiten Sprache.

Diese Auffassung steht nun – zumindest oberflächlich gesehen – in Konflikt mit dem zweiten Ergebnis ihrer Untersuchungen, nämlich, daß sich die L2-Erwerbsabfolge radikal von der L1-Erwerbsabfolge unterscheidet. Wenn bestimmte Erwerbsmechanismen und -strategien, die universalen Charakter haben, sozusagen zur kognitiven Grundausstattung des Menschen gehören, so ist nicht ohne weiteres einzusehen, warum sich die Erwerbsabfolgen für grammatische Morpheme in L1 und L2 derart voneinander unterscheiden sollen. Auf diesen scheinbaren Widerspruch wiesen zahlreiche Forscher bereits sehr früh hin (cf. Tarone 1974).

Dulay & Burts L1=L2-Hypothese scheint jedoch vielfach mißverstanden bzw. überinterpretiert worden zu sein. Nach Dulay & Burt gleichen sich L1-Erwerb und L2-Erwerb lediglich dahingehend, daß beide *creative construction processes* sind und nicht nach behavioristischen Prinzipien erklärt werden können. Keineswegs ist in Dulay & Burts Hypothese impliziert, daß der individuelle Ablauf des L1- und L2-Erwerbsprozesses in allen Punkten identisch sein muß. In Dulay & Burts eigenen Worten:

> "Our L2=L1 hypothesis was very specific and narrow in scope. The major purpose . . . was to display the conflict between the habit formation and creative construction account of second language acquisition and to attempt to resolve it. Although the creative construction view has become almost axiomatic for child language researches today, the opposite view is still widely held in the second language teaching profession . . . The materials teachers work with . . . are based on the assumption that L2 learning proceeds by principles of habit formation e.g. by imitation, repetition, reinforcement, immediate correction of any error, and transfer of first language behavior.
> We believe therefore that it is of utmost importance for L2 researchers to gather data that would provide a sound empirical base to settle the real conflict in the field, as well as to provide a sound theoretical basis for second language teaching. Since L1 acquisition research provides much systematic evidence for the creative construction process, it would be foolish to ignore it in L2 research merely because there are certain obvious differences between the L1 and L2 learning processes." (Tarone 1974: 59–60)

In ihren späteren Arbeiten waren Dulay & Burt dennoch vornehmlich damit beschäftigt, die Diskrepanz zwischen L1- und L2-Erwerbsabfolge zu untersuchen. Hierbei orientierten sie sich zunächst wiederum an Browns Arbeiten. In Anschluß an die Ermittlung der *order of acquisition* bei amerikanischen L1-Erwerbern unterzog Brown die 14 Faktoren einer detaillierten semantischen und syntaktischen Analyse mit dem Ziel, eine linguistische Komplexitätshierarchie zu erstellen. Ein Vergleich dieser mit der ermittelten Erwerbsabfolge ergab, daß der relative Erwerbszeitpunkt eines grammatischen Morphems in der Tat von dessen relativer semantisch/syntaktischen Komplexität abhängt.

Dulay & Burt gehen nun davon aus, daß semantische Faktoren beim L2-Erwerb keine entscheidende Rolle spielen dürften:

> " . . . one would not expect the semantic complexity of functors already acquired in L1 to be a major determinant of the order of those functors in L2 acquisition. If this is correct, the functor acquisition sequences for L1 and L2 should differ significantly due at least to the absence of the semantic complexity factor in L2. The importance of such a finding would be that conceptual development, at least for those concepts expressed by functors, could be safely discarded as a major explanatory device for L2 acquisition sequences" (Dulay & Burt 1974b: 256).

Die Gleichsetzung von *semantic* und *conceptual* scheint aus linguistischer Sicht allerdings sehr problematisch.

Dulay & Burt untersuchen nunmehr, inwieweit sich die L2-Erwerbsabfolge entweder aus der semantischen oder syntaktischen Komplexität der Morpheme erklären läßt. In beiden Fällen ist das Ergebnis negativ. Weder im semantischen noch im syntaktischen Bereich korreliert die L2-Abfolge signifikant mit der sprachlichen Komplexität. Aufgrund dieses Befundes bezweifeln die beiden Autorinnen, ob die *natural sequences* überhaupt stets als lineare Abfolge einzelner Morpheme anzugeben sind. Nach dem Verfahren der "Ordering-Theoretic-Method" stellen Dulay & Burt drei Gruppen von Morphemen zusammen:

Gruppe I: Pronomen, Casus;
Gruppe II: Kopula, Auxiliar, Plural, -ing, Artikel;
Gruppe III: Possessiv, regelmäßiges und unregelmäßiges Präteritum, 3. Person Sing., langer Plural.

Es gilt, daß Gruppe I vor Gruppe II vor Gruppe III erworben wird, während innerhalb der Gruppe in begrenztem Umfange Varianten möglich sind. In diesen Gruppierungen finden wir eine auffällige Parallelität zu Erwerbsphänomenen im Bereich der Interrogativpronomina. Dennoch können Dulay & Burt auch durch diesen modifizierten Analyseansatz die Diskrepanz zwischen L1- und L2-Erwerbsabfolge nicht erklären.

Dulay & Burts Untersuchungen zum L2-Erwerb der grammatischen Morpheme nahmen bis Mitte der 70er Jahre in den USA eine derart beherrschende Stellung ein, daß methodisch und thematisch andersgearteten Arbeiten (z.B. die zahlreichen Untersuchungen unter der Leitung von E. Hatch) in der laufenden Diskussion kaum der ihnen gebührende Platz zugewiesen wurde. So warteten Dulay & Burt noch 1974 mit "neuen" Erkenntnissen auf, die sich bereits bei Ravem (1968–70), Huang (1971) und Butterworth (1972) nachlesen lassen. Im Gefolge von Dulay & Burt entstanden zahlreiche Einzeluntersuchungen,die Thematik und Informantenkreis erweiterten.

Bailey & Madden & Krashen (1974) übertrugen Dulay & Burts Untersuchungsmethode auf erwachsene Sprecher, Perkins & Larsen-Freeman (1975) untersuchten nach dem BSM-Verfahren 12 venezuelanische Universitätsstudenten, die Englisch im Unterricht erlernt hatten. Krashen (1977) entwickelt sein *monitor model* nahezu ausschließlich auf der Evidenz der *morpheme order studies.* Nahezu sämtliche Dissertationen, Magisterarbeiten und sonstige Forschungsprojekte zum Zweitspracherwerb lieferten zumindest zusätzlich Ergänzungsmaterial zu Dulay & Burts Untersuchungen. Das Ergebnis war in allen Fällen stets das gleiche. Trotz Abweichungen im einen oder anderen Fall zeigten die Erwerbsabfolgen bei allen untersuchten Personen weitgehende Übereinstimmung.

In den vergangenen Jahren sind die *morpheme order studies* zunehmend unter heftige Kritik geraten. Derzeit setzt sich die Auffassung durch, daß der Untersuchungstyp von Dulay & Burt zwar wichtige Anregungen für die L2-Erwerbsforschung brachte, methodisch jedoch eine Sackgasse war. Man verzichtet daher darauf, weitere Untersuchungen in dieser Tradition durchzuführen. Die Kritik konzentriert sich vor allem auf folgende Punkte:

Unter rein statistisch-technischem Gesichtspunkt wird der Vorwurf erhoben, daß die von Dulay & Burt verwendeten statistischen Verfahren viel zu primitiv und dem Gegenstand unangemessen seien. Diese Ansicht vertritt und begründet vor allem Andersen (1978a). Rosansky (1976) kritisiert insbesondere, daß die Berechnung des *rank order* individuelle Variationen zwischen verschiedenen Kindern unberücksichtigt läßt und somit einen verfehlten Eindruck des L2-Erwerbsprozesses vermittelt. Dieser gravierende Kritikpunkt läßt sich an folgender (hypothetischen) Erwerbsabfolge sechs fortlaufend durchnumerierter Morpheme illustrieren:

Tabelle VIII

Morpheme	*Kind I*		*Kind II*	
	Auftreten in %	*Rangfolge*	*Auftreten in %*	*Rangfolge*
I	99%	1	32%	1
II	97%	2	12%	2
III	92%	3	11%	3
IV	80%	4	10%	4
V	70%	5	2%	5
VI	50%	6	1%	6

Die Rangfolge der Morpheme ist nach Dulay & Burts Berechnungsmodus für Kind I und II identisch. Dennoch sind die Unterschiede kaum zu übersehen. Kind I benutzt sämtliche Morpheme in mindestens 50% aller obligatorischen Kontexte richtig. Drei Morpheme können nach dem 90% Kriterium als erworben gelten. Kind II hat im Sinne dieses Kriteriums keines der sechs Morpheme erworben. Ein einziges Morphem tritt in 1/3 der Kontexte richtig auf, alle übrigen fehlen in der überwiegenden Zahl der Fälle. Beide Kinder unterscheiden sich also erheblich in ihrem relativen Erwerbsstand. Bei Kind II erscheint zwischen Morphem I und II und Morphem IV und V ein prozentualer "Sprung", der keine Entsprechung bei Kind I findet. Bei Kind I sind die Abstände zwischen den Morphemen I–III, IV, V und VI weitgehend gleich. Derartige Variationen, die in verschiedener Form in verfügbaren Daten belegt sind, bleiben bei der Berechnung der Rangfolge außen vor. Diese scheinbare Schwäche läßt sich jedoch auch durchaus positiv bewerten. Wenn die Rangfolge durch den gesamten Erwerbsprozeß konstant bleibt, also vom jeweiligen Erwerbsstand und von individuellen Variationen unabhängig ist, so mag dies als Indiz dafür gelten, daß wir es im Sinne Browns (1973) mit einem "developmental phenomenon of substantial generality" zu tun haben.

Fragen der Angemessenheit verschiedener statistischer Verfahren werden bei Dulay & Burt kaum diskutiert. In der Tat scheinen die beiden Autorinnen nicht über fundierte statistische Kenntnisse verfügt zu haben; vielmehr ließen sie sich von anderer Seite beraten (cf. Tarone 1974). Hier stehen sie jedoch nicht allein. In der L2-Erwerbsforschung der USA läßt sich vielfach eine gewisse naive Statistikgläubigkeit beobachten.

Ein weiterer Kritikpunkt wiegt schwerer. In ihrer Dissertation versucht Rosansky (1976) nachzuweisen, daß Dulay & Burts Ergebnisse im wesentlichen ein Artefakt der gewählten Untersuchungsmethode, also des BSM, sind. Rosansky zeigt, daß eine Veränderung des Elizitierungsverfahrens eine Veränderung der Erwerbsfolge mit sich bringt. Dies gilt insbesondere dann, wenn statt elizitierter Daten spontane Äußerungen, wie sie durch Longitudinalstudien gewonnen werden, in die Berechnung eingehen. Derartige Beobachtungen wurden in jüngster Zeit durch verschiedene Untersuchungen (Bahns & Wode 1980, Burmeister & Ufert 1980) bestätigt. Es scheint sich abzuzeichnen, daß Testdaten – zumindest soweit die derzeit gängigen Verfahren verwendet werden – nur in sehr beschränktem Umfange Einsichten in die Gesetzmäßigkeiten des Spracherwerbs erlauben, da die Testsituation selbst das verbale Verhalten der Informanten in unkontrollierbarer Form verändert. Spontandaten scheinen hier verläßlicher zu sein.

Weiterhin wurde vor allem von Wode et al. (1978) die Relevanz des Begriffes *order of acquisition* in Frage gestellt. Dieser Begriff vermittelt keinerlei Information darüber, wie Kinder Sprachstrukturen verarbeiten, sondern lediglich welche Strukturen sie früher bzw. später verarbeiten. Wode et al. bieten einen alternativen Ansatz an, bei dem sie systematisch die Entwicklung einzelner Morpheme untersuchen und dabei eine geordnete Abfolge von Erwerbsstadien ermitteln.

Trotz der teilweise sehr massiven Kritik kann Dulay & Burt nicht das Verdienst bestritten werden, wesentliche Fragen des Zweitsprachenerwerbs aufgeworfen und pointiert formuliert zu haben. Sie sind zweifellos dafür verantwortlich, daß in den USA traditionelle Vorstellungen über den L2-Erwerb erstmalig in Frage gestellt wurden. Wenngleich heute nur noch wenige den ermittelten Erwerbsfolgen den Status von *natural sequences* zubilligen mögen, so wurde durch sie dennoch das eigentliche Problem erkannt, nämlich die Frage nach Gesetzmäßigkeiten menschlichen Sprachenlernens.

8. Dekompositionen von Zielstrukturen

Die in den vorangegangenen Abschnitten dargestellten Daten zeigen deutlich, daß Kinder unter natürlichen Bedingungen eine zweite Sprache nicht dadurch erwerben, daß sie Äußerungen, mit denen sie in der L2-sprachlichen Umgebung konfrontiert werden, in ihrer Gesamtheit als Ganze aufnehmen, speichern und bei Bedarf, d.h. in einem situationell angemessenen Kontext, abrufen. Ebensowenig greifen sie linear Teile von Äußerungen auf, indem sie von einem gehörten Satz zunächst etwa nur die ersten zwei, später dann die ersten drei oder vier, etc. Konstituenten reproduzieren. Hieran zeigt sich bereits, daß natürlicher Zweitsprachenerwerb – ebenso wie L1-Erwerb – kein im strengen Sinne imitativ-reproduktiver Prozeß ist.

Um einem weitverbreiteten Mißverständnis vorzubeugen, soll an dieser Stelle bereits betont werden, daß diese Aussage keineswegs impliziert, daß Imitation beim L2-Erwerb überhaupt keine Rolle spielt. Natürlich imitieren Kinder beim Erwerb einer Sprache z.T. das, was sie von ihren Gesprächspartnern hören; nur lassen sich mit Hilfe des Begriffs der Imitation die wesentlichen Merkmale und Gesetzmäßigkeiten des natürlichen L2-Erwerbs nicht erfassen. Durch das Konzept der Imitation lassen sich lediglich triviale und äußerst uninteressante Aspekte des Spracherwerbs erklären. So etwa, daß Kinder, die einer englischsprachigen Umgebung ausgesetzt sind, eben Englisch und nicht Chinesisch erwerben, oder daß Kinder, die in einer ländlichen Umgebung aufwachsen, Wörter wie *Kuh* oder *Baum* eher benutzen als Kinder, die in einer Großstadt leben. Solche banalen Einsichten versetzen uns nicht in die Lage, just jene Aspekte zu erfassen, die die Besonderheiten des Zweitsprachenerwerbs bzw. des Spracherwerbs schlechthin ausmachen.

Wenn also behauptet wird, daß Spracherwerb kein imitativer Prozeß sei, so soll damit die Möglichkeit imitativen Verhaltens aufseiten der Kinder nicht in Abrede gestellt werden. Vielmehr geht es um die Feststellung, daß just jene Phänomene und Regularitäten des Zweitsprachenerwerbs, die einer Erklärung bedürfen, nicht auf einfaches Imitations- bzw. Reproduktionsverhalten der Kinder zurückgeführt werden können.

Kinder erwerben eine zweite Sprache somit nicht durch Imitation gehörter Äußerungen, sondern dadurch, daß sie einzelne Strukturmerkmale gleichsam herausfiltern und diese nach z.T. eigenständigen, d.h. nicht im Modell auftretenden Regeln, zu Konstruktionen verbinden. Den Terminus *Strukturmerkmal* verwende ich hier zunächst als Oberbegriff für jede Form von Konstituenten oder deren syntaktische Eigenschaften innerhalb einer gegebenen Äußerung/Struktur. Hierbei mag es sich einerseits um lexikalische Einheiten handeln, aber ebenso um Wortstellungsphänomene, wie etwa die Satzanfangsposition des Negativmorphems in der frühen Erwerbsphase. Betroffen sind ebenso semantische Merkmale, wie etwa im Falle der Verwendung des Fragewortes *wo,* das zunächst in seiner Bedeutung eine breite Palette noch nicht erworbener Fragewörter abdeckt. Dazu zählen gleichfalls die Auflösung von *kein* in *nicht + ein* oder das Fehlen der Inversionstransformation in wh-Fragen.

Von neo-behavioristischer Seite hat es nicht an Versuchen gefehlt (z.B. Schneider 1978), spracherwerbliche Strukturen (L1 wie auch L2) als Reduktionen bzw. Simplifikationen erwachsenensprachlicher Äußerungen auszugeben, d.h. spracherwerbliche Sätze stellen ein Weniger an Struktur dar als zielsprachliche. In einem sehr globalen Sinne ist die Auffassung sicher korrekt. Die Kompetenz von Kindern, die eine Sprache erwerben, ist geringer als die von Erwachsenen, die diese Sprache bereits beherrschen. Entscheidend ist jedoch nicht, *daß* Kinder reduzieren, sondern *wie* sie reduzieren. Hierzu bemühte man dann allgemeine, – d.h. nicht-spracherwerbsspezifische – lerntheoretische Konzepte, wie Übergeneralisierung, Kontamination, Interferenz, Komplexitätszuwachs etc. An isolierten Beispielen zeigte man dann, wie bestimmte Strukturphänomene sich ebenso gut mit derartigen lerntheoretischen Konzepten beschreiben lassen. Derartige Versuche gehen m.E. an der eigentlichen Problematik vorbei. Zunächst ist unbestritten, daß eine gegebene Äußerung nach einer Vielzahl unterschiedlichster Kategorien/Modelle beschrieben werden kann – strukturalistische, generative, dependenzgrammatische, tagmemische und – im Bereich des Spracherwerbs – lerntheoretische. Alle diese Beschreibungen mögen im Sinne von Chomskys *observational* bzw. *descriptive adequacy* dem Gegenstand angemessen sein. Nur ist dadurch nicht viel gewonnen. Allein die Bereitstellung plausibler Beschreibungskategorien nützt nichts, solange diese Kategorien beobachtbare Gesetzmäßigkeiten nicht zu erklären vermögen. Natürlich übergeneralisieren Kinder im Spracherwerb; nur sie übergeneralisieren nicht überall dort, wo sie es – theoretisch – könnten. Unbestreitbar treten Interferenzen im L2-Erwerb auf, aber eben nur an ganz bestimmten Stellen. Vielfach erwerben Kinder Komplexeres vor weniger Komplexerem, zuweilen jedoch auch umgekehrt. Das Fehlen der Kopula in frühen Erwerbsstudien mag – isoliert betrachtet – dadurch erklärt werden, daß die Kinder zuerst semantisch hervorstechendere Wörter aufgreifen, wie Nomina oder Adjektive (*principle of salience*). Nur warum wird dann bei erwachsenen-sprachlichen SVO-Strukturen ausgerechnet auf das Verb verzichtet? Es geht also nicht allein um die Bereitstellung adäquater Beschreibungskategorien, sondern um die Erarbeitung von Erklärungshypothesen für beobachtete Regularitäten. Zur Discussion steht nicht, ob sich Struktur x als Übergeneralisierung beschreiben läßt, sondern, warum Struktur x, aber nicht Struktur y übergeneralisiert wird. Welches sind die zugrundeliegenden Prinzipien und Mechanismen? Hier versagen die vielfach angebotenen lerntheoretischen Konzepte zumeist.

Entscheidend für ein Verständnis des dem Zweitsprachenerwerbs zugrundeliegenden Mechanismus scheint die Tatsache zu sein, daß Kinder im Laufe des Erwerbsprozesses Strukturen bilden, die sie in dieser Form nicht in ihrer sprachlichen Umgebung gehört haben können. Sätze wie *Katze nein spielen* oder *no play baseball* – mit der angegebenen Bedeutung (cf. §§ 5.2 und 5.3) – sagt kein Erwachsener. Weiterhin wichtig ist, daß es sich bei diesen modellabweichenden Strukturen keinesfalls um zufallsbedingte Fehlleistungen handelt. Nach der uns bislang verfügbaren Evidenz kann als sicher gelten, daß es sich hier um produktive Strukturen handelt, d.h. um Strukturen, die zu einem gegebenen Zeitpunkt in der Entwicklung völlig regelmäßig von allen Kindern gebildet werden. Somit lassen sich diese Fehler auch nicht als durch begrenzte Gedächtnisleistung bedingte Auslassungsfehler charakterisieren. Die in Imitationstests immer wieder belegte Tatsache (cf. Ramge 1975; Brown & Bellugi 1964), daß Kinder von einer vorgegebenen Menge von Elementen nur ein Teil wiedergeben können, vermag die fraglichen Strukturen nicht zu erklären. Ebensowenig ist es möglich, allein mit dem Begriff der Komplexität spracherwerbliche Phänomene zu erklären. Komplexitätsunterschiede spielen vielfach nur in einem sehr groben und zumeist uninteressanten Sinne eine Rolle. Sicherlich ist es nicht verwunderlich, daß Kinder Aktivsätze vor Passivsätzen und direkte vor indirekten Fragen erwerben. Hier mögen sich Komplexitätsphänomene widerspiegeln. Andererseits wird mit den gängigen linguistischen Theorien kaum zu begründen sein, inwieweit etwa *ich weiß nicht* komplexer ist als *ich nicht weiß,* bzw. worin sich *ich nicht weiß* von *ich nein weiß* hinsichtlich der Komplexität unterscheidet. Hier ist die Erwerbsabfolge durch Rekurs auf andere Phänomene zu erklären.

Es scheint mir eindeutig, daß mit solch globalen Begriffen wie ‘Komplexität’ oder ‘Gedächtnisleistung’ die vielschichtigen und komplizierten Gesetzmäßigkeiten des L2-Erwerbs nicht zu erklären sind. Offensichtlich spielen im Spracherwerb Phänomene eine Rolle, die sich nicht aus den gängigen Lerntheorien ableiten lassen.

Die Frage stellt sich, woher die Kinder diese Strukturen haben. Gehört haben können sie sie nicht. Andererseits treten diese Strukturen mit einer Regelmäßigkeit auf, die auf allgemeine zugrundeliegende Prinzipien deutet. Die Frage, “woher die Kinder diese Struktur haben” – in der Literatur vielfach, z.B. von Wode (1974a) gestellt – scheint mir von vornherein falsch gestellt zu sein, da sie als Tatsache voraussetzt, was offensichtlich eben nicht der Fall ist; nämlich, daß es für alles das, was Kinder produzieren, ein direktes erwachsenensprachliches Modell geben muß. Dieser Frage liegt wiederum ein im Prinzip imitatives Konzept von Spracherwerb zugrunde. Die Daten deuten eher in die umgekehrte Richtung; d.h. Kinder produzieren im Laufe des Spracherwerbs eben Strukturen, die sich nicht ohne weiteres aus dem Modell ableiten lassen. Ein nachweisbarer Ursprung in der Erwachsenensprache liegt nur in jenem bereits angesprochenen trivialen Sinne zugrunde, daß dem Englischen ausgesetzte Kinder als erstes Negativmorphem *no* erwerben, während in deutscher Umgebung aufwachsende L2-Erwerber mit *nein* beginnen. Derartige Erklärungen sind uninteressant.

Es ließe sich nun allerdings behaupten, daß die genannten Strukturen zwar eine direkte erwachsenensprachliche Entsprechung haben, wir diese jedoch aufgrund unseres mangelhaften Wissensstandes nicht kennen. Mit anderen Worten, bei diesen Strukturen imitieren bzw. reproduzieren die Kinder zwar etwas, was sie in der Erwachsenensprache gehört haben, nur wissen wir nicht genau was. Eine solche Position ist nicht ernst zu nehmen, da sie weder verifizierbar noch falsifizierbar ist. Hier handelt es sich um eine Form von Dogmatismus, wie er im behavioristischen Lager etwa von Skinner (cf. Skinner 1966) vertreten wird. Die These, daß sich jede spracherwerbliche Struktur aus einem direkt-imitativen erwachsenensprachlichen Vorbild ableiten läßt, ist aus den verfügbaren Daten nicht abzuleiten. Es ist auch keineswegs erkennbar, wie Daten aussehen müßten, die eine solche These stützen. Hier wird der Versuch unternommen, Spracherwerbsphänomene in bekannte lerntheoretische Kategorien einzupressen. Jegliche Form von Gegenevidenz läßt sich natürlich mit dem Argument ausräumen, man hätte eben den Ursprung der Imitation noch nicht gefunden.

Die bisherige Evidenz läßt m.E. nur den Schluß zu, daß der L2-Erwerbsprozeß eben kein imitativer, sondern ein kreativer Prozeß im Sinne von Dulay & Burt ist. Die Kinder greifen in ganz systematischer Weise einzelne Strukturmerkmale aus den gehörten Äußerungen auf, und bilden daraus zunächst ein eigenständiges grammatisches System, das in wesentlichen Aspekten vom zielsprachlichen System abweicht. Da alle bislang beobachteten Kinder in der Art und Weise, wie sie beim Aufbau eines solchen eigenständigen Systems vorgehen, verblüffende Übereinstimmung zeigen, ist anzunehmen, daß diesem Prozeß allgemeine Prinzipien zugrundeliegen. Dieser kreative Aspekt des Spracherwerbs stellt eine besondere Herausforderung an Erklärungshypothesen dar. Ein Modell, das den Spracherwerbsprozeß darstellen soll, muß diesen kreativen Aspekt in irgendeiner Form berücksichtigen.

Die Frage stellt sich somit: wie muß ein Modell aussehen, das den Spracherwerbsprozeß, so wie er sich aus den bisherigen Daten darstellt, adäquat abbildet? Grundsätzlich lassen sich zumindest zwei alternative Modelle vorstellen. Wir können zunächst davon ausgehen, daß das Kind von dem Zeitpunkt an, an dem es der L2 zum ersten Mal ausgesetzt ist, bis zur vollständigen Beherrschung der Zielsprache, eine Entwicklung durchläuft. Spracherwerb ist nicht im Sinne Chomskys (1975) ein *instantaneous process.* Dies bedeutet, daß das Kind zu jedem beliebigen Zeitpunkt innerhalb der Entwicklung über eine L2-sprachliche Teilkompetenz (TK) verfügt, die sich im Laufe der Zeit nach und nach der erwachsenensprachlichen Vollkompetenz (VK) annähert. Der entscheidende Punkt ist nun, in welcher Beziehung Teilkompetenz und Vollkompetenz stehen und wie sich die Annäherung vollzieht. Es ist einerseits denkbar, daß die Teilkompetenz zu jedem beliebigen Zeitpunkt einen echten Ausschnitt aus der Vollkompetenz des erwachsenen Sprechers darstellt; d.h., die Kompetenz des L2-Erwerbers ist zwar geringer als die des erwachsenen Sprechers, aber sie deckt sich vollständig mit einem Ausschnitt der zielsprachlichen Kompetenz. Ein Parallelbeispiel aus einem anderen Wissensbereich mag den Gedankengang verdeutlichen: ein Sextaner verfügt zweifellos über eine geringere mathematische Kompetenz als ein Oberprimaner. Ersterer kennt sich vielleicht nur in den Grundrechenarten und einigen Prinzipien der Bruchrechnung aus, während der ältere Schüler über Kenntnisse in Logarithmen, Trigonometrie, Differentialrechnung etc. verfügt. Dennoch stellt die mathematische Kompetenz des Sextaners einen dekkungsgleichen Ausschnitt aus der Kompetenz des Oberprimaners dar. Der Sextaner handhabt die Grundrechenarten prinzipiell in der gleichen Art und Weise wie der Oberprimaner. Teilkompetenz und Vollkompetenz unterscheiden sich also quantitativ, nicht qualitativ.

Demgegenüber ließe sich ein alternatives Erwerbsmodell vorstellen, bei dem die jeweilige Teilkompetenz eben nicht einen deckungsgleichen Ausschnitt der Vollkompetenz darstellt, sondern sich mit der Vollkompetenz nur teilweise oder gar nicht deckt. D.h., der Lernende produziert auf der Grundlage seiner jeweiligen Kompetenz Strukturen, die sich aus der Vollkompetenz nicht ableiten lassen.

Zur Vereinfachung seien diese beiden Modelle graphisch dargestellt:

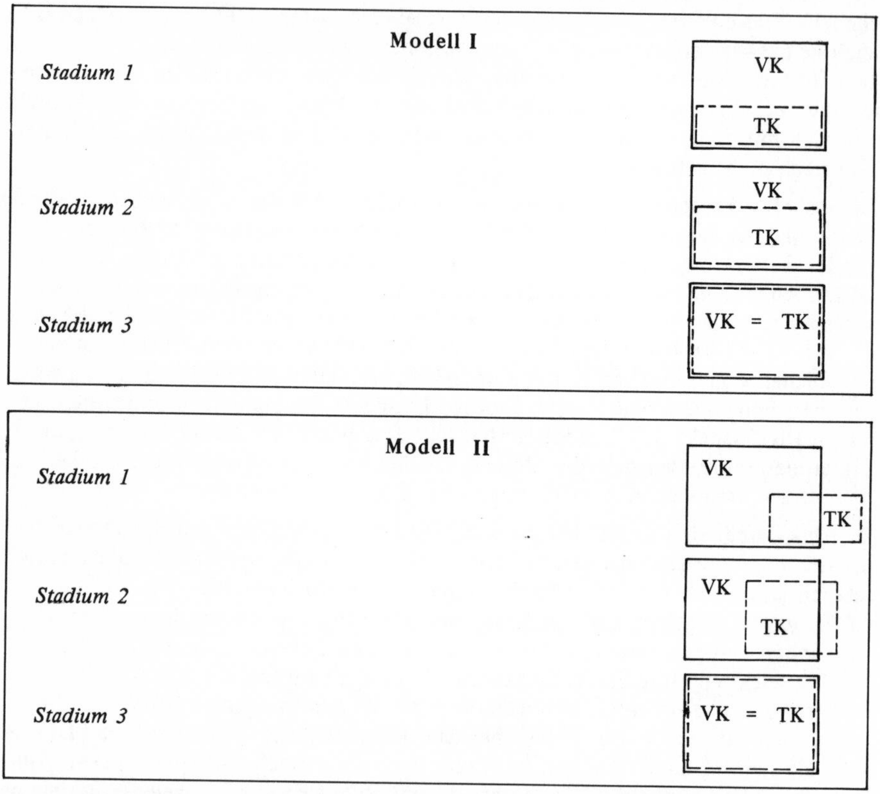

Modell I

Stadium 1 VK TK

Stadium 2 VK TK

Stadium 3 VK = TK

Modell II

Stadium 1 VK TK

Stadium 2 VK TK

Stadium 3 VK = TK

In der Graphik ist der L2-sprachliche Entwicklungsprozeß in drei Stadien eingeteilt. Diese Einteilung ist rein willkürlich und dient ausschließlich der bequemeren Lesbarkeit der Graphik. Es kann mit einiger Sicherheit angenommen werden, daß in allen größeren Strukturbereichen die Entwicklung über mehr als drei Stadien abläuft. Andererseits deutet die bisherige Evidenz darauf hin, daß die Zahl der Entwicklungsstadien keineswegs unendlich bzw. beliebig groß sein kann (cf. hierzu § 9). Für die bislang untersuchten Strukturen läßt sich mit ziemlicher Präzision eine nur gering schwankende Zahl von Stadien annehmen.

Hier taucht natürlich die grundsätzliche Frage auf, ob eine Einteilung in diskrete Stadien überhaupt dem Phänomen des Spracherwerbs angemessen ist, oder ob es sich nicht vielmehr um einen stetig kontinuierlichen Kompetenzzuwachs handelt. Ich werde auf diese Frage ausführlich in § 9 eingehen. Vorab jedoch: für bestimmte Bereiche des Spracherwerbs scheidet ein stetig kontinuierlicher Kompetenzzuwachs aus; es sind vielmehr diskrete Stadien anzusetzen.

Die Modelle I und II sind naturgemäß stark vereinfacht. Zahlreiche wichtige Fragen bleiben unberücksichtigt. Zu welchem Teil sich in Modell II TK und VK in den einzelnen Entwicklungsstadien decken, ist ungewiß. Es ist denkbar, daß sich im Stadium I VK und TK überhaupt nicht decken, sondern – graphisch gesprochen – zwei nebeneinander stehende Kästchen darstellen. Ungeklärt ist weiterhin, inwieweit mit dem Anwachsen von TK proportional dazu auch der Deckungsbereich zwischen TK und VK stetig steigt. Entscheidend wird hierbei auch sein, welcher sprachliche Bereich untersucht wird. Für Syntax und Phonologie mag gelten, daß Stadium I im L1-Erwerb tatsächlich als zwei getrennte Kästchen darzustellen ist, während im L2-Erwerb von Beginn an ein zumindest kleiner Deckungsbereich für TK und VK angesetzt werden muß.

Von derartigen Detailproblemen – die zweifellos von eminenter Wichtigkeit sind – soll im Augenblick abgesehen werden. Die entscheidende Aussage, die in den alternativen Modellen I und II dargestellt wird, ist, daß die Teilkompetenz entweder ganz in der Vollkompetenz aufgehen kann, oder daß die Teilkompetenz Strukturen umfaßt, die die Gesamtkompetenz nicht kennt, die jedoch offensichtlich einen notwendigen Schritt zur Erreichung von VK darstellen.

Die verfügbaren Daten zeigen deutlich, daß Modell I als Beschreibungsrahmen für den natürlichen Zweitsprachenerwerb nicht adäquat ist. Zweitsprachenerwerb vollzieht sich im großen und ganzen so, wie es Modell II darstellt. Modell I beschreibt eine Form des Erwerbs, bei dem zu jedem Zeitpunkt der Lernende Vorgegebenes und nur Vorgegebenes als Ganzes aufgreift und internalisiert. Seine sprachlichen Produktionen sind stets identisch mit einem Teil jener Produktionen, die von einem erwachsenen Sprecher gemacht werden (können). Es sei hier schon angedeutet, daß der gängige Fremdsprachenunterricht in etwa eine Form des Spracherwerbs anstrebt, die der von Modell I folgt.

Natürlicher Zweitsprachenerwerb vollzieht sich somit in allen Bereichen – das gilt etwa auch für das Lexikon – entsprechend dem Modell II. Der Lernende wählt aus dem Gehörten einzelne Elemente aus und bildet ein eigenständiges Regelsystem. Dieses Regelsystem deckt sich in bestimmten Bereichen – zumindest teilweise – mit dem erwachsenensprachlichen Regelsystem; in anderen Bereichen weicht es grundsätzlich von letzterem ab.

Ein entscheidendes Merkmal des natürlichen Zweitsprachenerwerbs scheint somit zu sein, daß das Kind die Zielstrukturen nicht in ihrer vorgegebenen Form aufgreift und speichert, sondern sie vielmehr in ihre Bestandteile auflöst, um dann aus diesen Bestandteilen nach festen Regeln Äußerungen zu bilden. Das Phänomen des Zerlegens von erwachsenensprachlichen Strukturen nennt Wode (1977b) "Dekompositionen von Zielstrukturen".

Die Dekomposition von Zielstrukturen scheint nach unseren bisherigen Erkenntnissen eines der grundlegenden Prinzipien menschlichen Spracherwerbs schlechthin zu sein. Soweit derzeit zu erkennen ist, schlägt das Prinzip der Dekomposition in allen bislang untersuchten Spracherwerbstypen durch: im Erstsprachenerwerb ebenso wie im natürlichen Zweitsprachenerwerb als auch im Fremdsprachenunterricht. Die Spracherwerbstypen scheinen sich hier lediglich in dem Ausmaße zu unterscheiden, in dem Zielstrukturen zerlegt werden.

Es scheint mir an dieser Stelle sinnvoll zu sein, zwischen *Erwerbsprinzipien* und *Erwerbsstrategien* zu unterscheiden. In der Literatur werden diese beiden Begriffe häufig in einem sehr globalen Sinne gleichgesetzt, wenngleich eine deutlichere Trennung vereinzelt auch von anderer Seite, z.B. Seliger (1980), vorgeschlagen wurde. Unter den im Spracherwerb zu beobachtenden Regularitäten gibt es jedoch hinreichend differenzierbare Phänomene, um auch eine terminologische Distinktion zu motivieren.

Unter Spracherwerbsprinzipien sind solche sehr allgemeinen Phänomene zu verstehen, die sozusagen den Rahmen möglicher Spracherwerbsstrategien abgrenzen. Sie liegen jeder Form des Spracherwerbs zugrunde und bilden die Grundlagen für spracherwerbstypenspezifische Mechanismen. In diesem Sinne zählen zu den Spracherwerbsprinzipien Phänomene wie die Dekomposition von Zielstrukturen, der Stadiencharakter spracherwerblicher Entwicklungen oder die dem Modell II entsprechende Deckungsdiskrepanz zwischen TK und VK.

Demgegenüber sind unter Erwerbsstrategien Operationen zu verstehen, die Kinder durchführen, um in einem bestimmten Bereich zu Strukturerkenntnissen zu gelangen. Hierbei ist zu beachten, daß Erwerbsstrategien den Erwerbsprinzipien untergeordnet sind, d.h. nur solche Operationen sind möglich, die in Einklang mit den Erwerbsprinzipien stehen. Erwerbsprinzipien und -strategien sind somit hierarchisch angeordnet, wobei den Prinzipien Priorität zukommt. Es ist anzunehmen, daß die Wahl der jeweiligen Erwerbsstrategie in entscheidendem Maße vom Vorwissen des Lernenden abhängt. Die sprachlich-kognitive Ausgangssituation bestimmt, wie der Lernende die Verarbeitung der sprachlichen Daten angeht. In diesem Sinne sind die Slobin' schen (cf. Slobin 1973) Erwerbsprinzipien in unserem Sinne als Erwerbsstrategien aufzufassen. Bei Slobin handelt es sich vorwiegend um Operationen, die das Kind bei der Verarbeitung von Sprache benutzt. Zu den Erwerbsstrategien gehören etwa Übergeneralisierung, Simplifikation, Bevorzugung freier Morpheme, *avoidance strategies* (Schachter 1974, Kleinmann 1978), Bevorzugung fester Wortstellung, etc.

Welche im Erwerbsprozeß auftretenden Regularitäten als Prinzipien oder Strategien zu klassifizieren sind, ist a priori nicht entscheidbar. Es handelt sich hierbei um eine empirische Frage. Vermutlich spiegeln die Erwerbsprinzipien in starkem Maße sprachliche Universalien (im Sinne der linguistischen Theorie) wider. Die Dichotomie Prinzipien vs. Strategien erweist sich vor allem als nützlich, um bestimmte Unterschiede und Gemeinsamkeiten zwischen Erstsprachenerwerb und natürlichem Zweitsprachenerwerb in den Griff zu bekommen (cf. § 10). Beide Erwerbstypen folgen den gleichen Prinzipien; L2-Erwerber können jedoch im Einzelfall andere Strategien als L1-Erwerber benutzen. So ist z.B. dem L2-Erwerber aufgrund seines linguistischen Vorwissens das syntaktische Ordnungsschema von Sprache bereits bekannt, während der L1-Erwerber dieses erst im Laufe der Entwicklung entdekken muß. Dieser Unterschied im Vorwissen gestattet dem L2-Erwerber weitaus 'ökonomischere' Strategien (cf. Ravem 1969) als dem L1-Erwerber. L2-Erwerber bilden ihre frühesten Äußerungen bereits nach festen syntaktischen Regeln, während der L1-Erwerber sich zunächst an semantisch-konzeptuellen Kategorien orientiert (cf. Bloom 1973, Felix 1978b).

Der Begriff der Dekomposition allein ist jedoch nicht ausreichend (bzw. zu unpräzis), um damit die beobachtbaren Phänomene adäquat zu beschreiben. Dekomposition bedeutet lediglich, daß der Erwerber einzelne Elemente aus den gehörten Ketten herausfiltert. Entscheidend ist jedoch, daß ebenso die *Art* der Dekomposition systematisch und vielfach vorhersagbar ist. Es wird nicht irgendwie aufgelöst, sondern auf der Grundlage einer wenngleich sehr rudimentären, aber dennoch systematischen Strukturanalyse der gehörten Äußerungen. Obgleich die Systematik der Dekomposition nicht auf den ersten Blick erkennbar sein mag, so wird sie doch deutlich, wenn man sich mögliche alternative Formen der Dekomposition vorstellt. Es wäre denkbar, daß Erwerber linear vorgehen und zunächst jeweils die erste oder die letzte Hälfte einer Äußerung aufgreifen und verarbeiten; oder daß sie jedes zweite Wort oder jedes betonte Wort einer Äußerung speichern. Ebenso könnten die Erwerber sprachliche Äußerungen nicht auf der Basis syntaktischer Konstituenten, sondern nach Silbenstrukturen zerlegen, indem etwa zuerst alle jene Elemente aufgegriffen werden, die eine bestimmte Silbenstruktur aufweisen. Derartige alternative Vorgehensweisen ließen sich durchaus unter dem Begriff 'Dekomposition' subsumieren.

In der Tat kommen derartige Formen der Dekomposition offenbar nicht vor. Sie erscheinen uns auch absurd, weil wir intuitiv zu wissen scheinen, daß Sprache eben so nicht erworben wird. Dabei gibt es a priori keinerlei Gründe, warum etwa die eine Dekompositionsform einer anderen vorzuziehen sei. Auch der Begriff der Komplexität hilft hier kaum weiter. Im Gegenteil. Die tatsächlich zu beobachtenden Formen der Dekomposition sind z.T. erheblich komplexerer Natur als etwa die oben angesprochenen linearen Auflösungen.

Wenngleich die Kinder natürlich keine vollständige syntaktische (morphologische, phonologische, etc.) Analyse der gehörten Äußerungen vornehmen können, so greifen sie dennoch mit verblüffender Sicherheit just jene Elemente auf, die auch in der Zielsprache strukturell relevant sind. Allein bei der Segmentierung sind gemessen an der Zahl theoretischer Möglichkeiten die tatsächlich auftretenden Fehleinschätzungen erstaunlich gering. Der Erwerber scheint somit bei der Dekomposition zielsprachlicher Äußerungen davon auszugehen, daß diese auf verschiedenen Ebenen strukturiert sind. In bekannterer Terminologie ausgedrückt: Dekompositionen sind stets strukturabhängig. Bislang liegt keinerlei Evidenz dafür vor, daß das Kind bei der Verarbeitung sprachlicher Daten strukturunabhängige Dekompositionsmechanismen verwendet.

Nach Chomsky (1975) kann das Phänomen strukturabhängiger Operationen als ein grundlegendes Prinzip menschlicher Sprache schlechthin gelten. So sind Transformationen stets strukturabhängig, niemals strukturunabhängig. Chomsky postuliert weiterhin, daß das Wissen um den Systemcharakter von Sprache dem Kinde angeboren sein muß. Die dem Kind verfügbare Evidenz aus den gehörten Äußerungen schließt keineswegs die Möglichkeit strukturunabhängiger Operationen aus. Dennoch verwenden Kinder beim Erwerb von Sprache ausschließlich strukturabhängige Transformationen bzw. Operationen.

Folgende Beispiele verdeutlichen das Phänomen:

(1a) the man is in the room.
(1b) is the man in the room?

(2a) my oldest brother will buy a car.
(2b) will my oldest brother buy a car?

(3a) the book was sold yesterday.
(3b) was the book sold yesterday?

Die Beispiele geben jeweils einen einfachen Aussagesatz mit der dazugehörenden Interrogationsform an. Ausgehend von der Evidenz dieser Daten könnte das Kind zur Formulierung einer strukturabhängigen Regel zur Fragebildung im Englischen gelangen. Diese Regel würde etwa folgendermaßen lauten:

(a) Wähle das von links zuerst auftretende Verbale und setze es an den Anfang der Äußerung.

Diese Regel erfüllt das Kriterium der *observational adequacy,* da sie in den vorliegenden Fällen sprachgerechte Interrogationsformen generiert. Sie ist strukturunabhängig in dem Sinne, daß sie lediglich die lineare Abfolge von Konstituenten berücksichtigt, die hierarchische Struktur von Sprache hingegen mißachtet.

Würde das Kind die Hypothese einer solchen strukturunabhängigen Regel aufstellen und diese auch auf komplexere Satzstrukturen anwenden, so müßten Interrogationsformen wie in den folgenden b)-Beispielen auftreten statt der korrekten c)-Beispiele:

(4a) the man who is in the room is my father.
(4b) is the man who in the room is my father?
(4c) is the man who is in the room my father?

(5a) John's smoking is a pain.
(5b) smoking John's is a pain?
(5c) is John's smoking a pain?

In der Tat treten Strukturen wie (4b) oder (5b) nie auf. Kinder machen beim Erwerb einer Sprache zwar zahlreiche "Fehler", aber ungrammatische Strukturen wie in (4b) oder (5b) sind bislang nicht belegt. Selbst wenn aufgrund der Datenevidenz eine Hypothese naheliegt, die auf strukturunabhängige Regeln abzielt, selbst wenn die Zahl der Äußerungen, die sich mit strukturunabhängigen Regeln beschreiben lassen, die Zahl der eindeutig strukturabhängige Regeln fordernden Äußerungen bei weitem übersteigt, entscheidet sich das Kind stets für die strukturabhängige Regel, obgleich diese weitaus komplexer ist als die strukturunabhängige Regel. Dies gilt gleichermaßen für L1- und L2-Erwerb. Hier scheint sich ein grundlegendes Prinzip zu manifestieren, das auch bei der Dekomposition durchschlägt.

Natürlicher Zweitsprachenerwerb, ebenso wie L1-Erwerb scheint in seinen wichtigsten Aspekten auf dem systematischen Testen bestimmter Hypothesen über die mögliche Struktur der zu erwerbenden Sprache zu beruhen. Aus den Daten, i.e. Äußerungen, mit denen das Kind konfrontiert wird, leitet es Hypothesen über die strukturellen Eigenschaften der Zielsprache ab. Auf der Grundlage dieser Hypothesen bildet es dann seine eigenen sprachlichen Produktionen, die in einem weiteren Schritt mit zielsprachlichen Äußerungen verglichen werden. Die Diskrepanz zwischen den eigenen und den erwachsenensprachlichen Produktionen führen zu einer Revision der ursprünglichen Hypothesen. Es werden neue, d.h. verfeinerte Hypothesen aufgestellt, die wiederum am Input-Material getestet werden. Dieses Testen und Revidieren von Hypothesen vollzieht sich immer wieder aufs neue, bis das Kind die volle zielsprachliche Kompetenz erlangt hat. In diesem Sinne bezeichnen Dulay & Burt (1975) den natürlichen L2-Erwerb als *creative construction process.* Das Kind reproduziert nicht etwa Gehörtes, sondern es erstellt über das Testen von Hypothesen eigenständige grammatische Regelsysteme, die nach und nach dem zielsprachlichen System angeglichen werden.

Entscheidend ist nun jedoch, daß das Aufstellen und Testen von Hypothesen nicht willkürlich und beliebig, sondern in sehr systematischer Art und Weise nach ganz bestimmten Prinzipien erfolgt. Das Kind verwendet kein *trial and error*-Verfahren, bei dem beliebig viele verschiedene Möglichkeiten ausprobiert und ggf. verworfen werden. Die verblüffende Parallelität zwischen Daten aus verschiedenen Spracherwerbstypen, von verschiedenen Kindern und unterschiedlichen externen Lernbedingungen deutet darauf hin, daß sich die Erwerber von allen logisch möglichen Hypothesen immer wieder für eine recht eingegrenzte Menge von Hypothesen entscheiden. Die Bandbreite der für das Kind a priori plausiblen Hypothesen scheint fest umrissen zu sein. Es treten keine Hypothesen auf, die etwa strukturunabhängige Regeln involvieren oder die die Möglichkeit rekursiver Regeln ausschließen. Das Kind weist also von vornherein bestimmte logisch denkbare Hypothesen über die Struktur der Zielsprache zurück, unabhängig davon, ob diese Hypothesen zu einer adäquaten Beschreibung der relevanten sprachlichen Strukturen führen. Das Aufstellen und Testen von Hypothesen folgt somit Prinzipien, die sich nicht notwendigerweise aus dem Input-Material ergeben. Das Kind besitzt offensichtlich die intuitive Kenntnis, daß bestimmte Dinge, wie etwa strukturunabhängige Regeln, in natürlichen Sprachen nicht vorkommen.

Für den natürlichen L2-Erwerb ließe sich nun einwenden, daß das Kind vermutlich auf sein L1-sprachliches Vorwissen zurückgreift, so daß allein von daher schon die Zahl möglicher Hypothesen eingeschränkt ist. Dieser Einwand ist zweifellos richtig; nur erklärt er nicht das grundsätzliche Problem. Bei der Konfrontation mit der L2 wird das Kind bald merken, daß sich die L2 in verschiedenen Bereichen von seiner L1 unterscheidet, während andere Strukturphänomene ähnlich oder gleich sind. Daher muß das Kind bei der Aufstellung von Hypothesen stets die Möglichkeit von Strukturunterschieden zwischen L1 und L2 berücksichtigen. Somit wäre eine Hypothese durchaus denkbar, die den Unterschied zwischen L1 und L2 dahingehend spezifiziert, daß erstere nur strukturabhängige Regeln kennt, während die L2 – zumindest teilweise – auch über strukturunabhängige Regeln verfügt. Dies ist jedoch nicht der Fall. Das Kind mag annehmen, daß sich L1 und L2 etwa hinsichtlich der Wortstellung, der Zahl der Negatoren, der semantischen Struktur von Fragewörtern etc. unterscheidet; aber die Möglichkeit, daß L2 über strukturunabhängige Regeln verfügt, scheidet das Kind offenbar von vornherein aus.

Aufgrund dieser Evidenz erweisen sich behavioristisch orientierte Lerntheorien als Erklärungshypothesen für den natürlichen L2-Erwerb als unbrauchbar. L2-Erwerb folgt ebensowenig einem S → R Modell wie der L1-Erwerb. L2-sprachliche Äußerungen sind nicht im behavioristischen Sinne konditioniert, sondern sie sind das Ergebnis von Hypothesen über die mögliche Struktur der Zielsprache. Die Form dieser Hypothesen ist nicht willkürlich, sondern folgt Prinzipien, die sich nicht auf Stimuli in der Sprache der Umgebung zurückführen lassen. Behavioristische Lerntheorien können prinzipiell nicht erklären, warum Kinder produktiv Strukturen verwenden, die in der Zielsprache ungrammatisch sind, warum Kinder unter den unterschiedlichsten Bedingungen immer wieder zu den gleichen Hypothesen gelangen, und warum bestimmte Hypothesen, etwa solche, die strukturunabhängige Regeln involvieren, generell nicht vorkommen.

Die spezifischen Merkmale und Regularitäten des natürlichen Zweitsprachenerwerbs scheinen sich nur dann plausibel erklären zu lassen, wenn wir annehmen, daß der L2-Erwerber sich grundsätzlich an den gleichen Prinzipien orientiert, die auch den

Erwerb der Muttersprache bestimmen. Dies bedeutet natürlich nicht, daß sich L1- und L2-Erwerb in allen Aspekten und Phasen der Entwicklung gleichen (cf. Felix) 1978b).

Die allerorts zu beobachtende Systematik spracherwerblicher Prozesse deutet darauf hin, daß der Mensch in seiner Kognition speziell für den Erwerb von Sprache ausgerüstet ist, d.h. daß eine spezifische Spracherwerbsfähigkeit *(language faculty)* zu seiner natürlichen Ausstattung gehört. Diese Spracherwerbsfähigkeit ist als ein System kognitiver Strukturen zu verstehen, in dem etwa jene Prinzipien verankert sind, die die Hypothesenbildung beim Spracherwerb steuern. Diese vermutlich biogenetisch verankerten kognitiven Voraussetzungen erlauben es dem Menschen, trotz heterogener, widersprüchlicher und vielfach unzureichender Datenevidenz aus den gehörten Äußerungen die Grammatik der Zielsprache zu entdecken. Die Spracherwerbsfähigkeit ist spezies-abhängig, d.h. nur der Mensch verfügt über sie; kein Tier ist in der Lage, Sprache zu erwerben.

Die Annahme einer spezifischen Spracherwerbsfähigkeit des Menschen und der in ihr verankerten Prinzipien scheint aufgrund der vorliegenden empirischen Evidenz nur schwer vermeidbar zu sein. Ohne diese Annahme ist kaum zu erklären, wie Kinder unterschiedlichen Alters, unterschiedlicher Muttersprache, unterschiedlicher Lernbedingungen, unterschiedlicher Intelligenz, unterschiedlichen Vorwissens, etc. immer wieder den prinzipiell gleichen Weg zum Erwerb einer Zweitsprache unter natürlichen Bedingungen beschreiten.

Für den Bereich des Erstsprachenerwerbs hat sich vor allem Chomsky (1965, 1975) mit Fragen einer spezifischen Spracherwerbsfähigkeit befaßt und die entsprechende Literatur und empirische Evidenz aufgearbeitet. Chomsky vertritt die These, daß der Mensch über ein in seiner kognitiven Ausstattung verankertes *language acquisition device* (LAD) verfügt, das – in allerdings weitgehend noch unbekannter Weise – aus dem Input der sprachlichen Umgebung eine Grammatik der Zielsprache konstruiert.

Der Begriff des LAD ist gerade in jüngster Zeit erheblich in Mißkredit geraten. Diese Tatsache ist weniger auf Chomskys eigene Aussagen zurückzuführen als vielmehr auf die konkreten Hypothesen über die interne Struktur von LAD. Es sollte daher streng unterschieden werden zwischen Argumenten, die für die Existenz von LAD, d.h. für angeborene spracherwerbsspezifische kognitive Strukturen, sprechen, und Aussagen über die konkrete Form von LAD. Die empirische Falsifizierung von Hypothesen über die interne Struktur von LAD berührt in keiner Weise die Annahme vorgegebener kognitiver Strukturen selbst.

Daß die Systematik des Spracherwerbs nur erklärbar ist, wenn man von einer spezifischen, kognitiv verankerten Spracherwerbsfähigkeit des Menschen ausgeht, wird derzeit – mit Ausnahme von orthodoxen Behavioristen – von niemandem ernsthaft bestritten. Die Frage ist nicht, gibt es LAD oder nicht, sondern, wie sieht LAD aus. Chomsky selbst stellt diesen Sachverhalt klar:

> "Every 'theory of learning' that is even worth considering incorporates an innateness hypothesis . . . The question is not whether learning presupposes innate structures – of course, it does; that has never been in doubt – but rather what these innate structures are in particular domains" (Chomsky 1975: 13).

Im Bereich der L1-Forschung haben Autoren wie McNeill (1970) und Roeper (1973) konkrete Hypothesen über die interne Struktur von LAD aufgestellt. Unter dem Schlagwort *children talk base strings* wurde behauptet, daß solche grundlegenden Kategorien wie Subjekt, Objekt, NP, VP etc. angeboren sein müssen. In extremer Form wurde sogar die These vertreten, daß die gesamten Tiefenstrukturen angeboren sind, so daß Kinder lediglich Transformationen noch zu erwerben hätten. Obwohl diese Thesen in der damaligen Zeit zu fruchtbaren Diskussionen führten, werden sie heute kaum noch ernsthaft diskutiert. Die inzwischen aufgearbeitete Evidenz widerlegt die McNeill'schen Thesen eindeutig. Chomsky selbst (etwa in Chomsky 1975) ist bei der Beurteilung des Sachverhalts weitaus vorsichtiger. Er vermutet zunächst, daß universale Eigenschaften menschlicher Sprache zu jenen angeborenen kognitiven Strukturen des Menschen gehören, die den Ausgangspunkt des Spracherwerbs darstellen. Welche sprachlichen Eigenschaften zu diesen angeborenen Strukturen gehören, ist derzeit bestenfalls in Ansätzen entscheidbar. Mögliche Kandidaten sind etwa das Prinzip der strukturabhängigen Operationen, sowie möglicherweise bestimmte Restriktionen wie etwa das *A over A principle* oder die *clause mate constraint.*

Das Postulat einer spezifischen menschlichen Spracherwerbsfähigkeit führt zwangsläufig zu jener Kontroverse, die in der psychologischen Literatur unter dem Stichwort *nature-nurture conflict* firmiert. Gemeint ist die unterschiedliche Auffassung von Empiristen und Mentalisten über Entwicklung und Struktur menschlicher Kognition. Da Teil III der vorliegenden Darstellung diesem Themenkreis gewidmet ist, verzichte ich hier auf eine weitere Exposition der relevanten Argumente und Überlegungen.

9. Entwicklungssequenzen

Im Rahmen der Aufstellung allgemeiner Gesetzmäßigkeiten des L2-Erwerbs wies ich im vergangenen Abschnitt darauf hin, daß Kinder die sprachlichen Äußerungen ihrer Umgebung nicht etwa als Ganzes speichern und dann bei Bedarf abrufen, sondern vielmehr die Zielstruktur(en) auflösen, einzelne Elemente aufgreifen und mit diesen nach bestimmten universalen Prinzipien eigenständige Konstruktionen bilden. Aus dieser Beobachtung ergab sich die These, daß der L2-Erwerb als *creative construction process* anzusehen ist, indem die Kinder über die Strukturen der Zielsprache Hypothesen aufstellen, die im Laufe der Entwicklung immer wieder revidiert werden. Aufstellung und Revision von Hypothesen sowie die Verarbeitung weiterer Strukturinformationen erfolgen jedoch nicht willkürlich, sondern unterliegen einer erkennbaren Systematik. Nach Wode (1976c) re-integriert der Lernende die einzelnen Strukturelemente in einer geordneten Abfolge von Erwerbsstadien zur Zielstruktur hin. Diese Abfolge von Erwerbsstadien nennen wir Entwicklungssequenz.

Neben der Dekomposition von Zielstrukturen kann als weiteres grundlegendes Merkmal des natürlichen Spracherwerbs gelten, daß dieser geordneten Entwicklungssequenzen unterliegt.

Der Begriff der geordneten Entwicklungssequenz bedarf einiger Erläuterung. In ihm sind entscheidende Aussagen über die Natur sprachlicher Entwicklungsprozesse enthalten, die nicht ohne weiteres aus dem Terminus selbst erkennbar sind. Der Begriff der (geordneten) Entwicklungssequenz ist vielfach mißinterpretiert worden, indem ihm Aussagen angelastet wurden, die in der Tat nicht impliziert sind.

Zunächst muß hervorgehoben werden, daß die (geordnete) Entwicklungssequenz ein theoretisches Konstrukt ist, mit dessen Hilfe bestimmte Regularitäten, die sich in der sprachlichen Entwicklung beobachten lassen, erfaßt werden. Das entscheidende Merkmal dieses Konstruktes äußert sich terminologisch in dem Zusatz "geordnet". Die Entwicklungssequenz faßt somit all jene spracherwerblichen Phänomene zusammen, die die Systematik des Prozeßablaufes erkennen lassen. Hierbei bleibt zunächst unberücksichtigt, daß zahlreiche Aspekte des L2-Erwerbs keiner (erkennbaren) spracherwerblichen Systematik unterliegen, sondern z.B. individuelle oder kontextbedingte Gegebenheiten widerspiegeln. Derartige Aspekte gehören nicht zu jenem Bereich, der durch den Begriff der geordneten Entwicklungssequenz erklärt werden soll. Entwicklungssequenz ist also keineswegs ein bloßes Etikett für die Beobachtung, daß Kinder im Laufe ihrer sprachlichen Entwicklung verschiedene Strukturen verwenden, die sich hinsichtlich ihres Auftretens chronologisch ordnen lassen. Verstünde man Entwicklungssequenz in diesem Sinn, so ließe sich ohne Schwierigkeiten zeigen, daß die chronologische Abfolge *aller* auftretenden Strukturen bei jedem Kinde anders ist, so daß das Postulat einer grundlegenden Systematik in der Erwerbsabfolge als empirisch falsifiziert gelten könnte. Auf einem Mißverständnis des Begriffes "Entwicklungssequenz" basieren zahlreiche Diskussionen jüngerer Zeit. Hierzu gehört etwa die weitverbreitete Kritik, die Entwicklungssequenz mißachte individuelle Variationen, oder der Vorwurf, die Kriterien zur Abgrenzung von Erwerbsstadien seien unklar.

Der Begriff der Entwicklungssequenz impliziert zunächst, daß Spracherwerb in diskreten Schritten oder Stadien verläuft. Der Erwerbsprozeß ist beschreibar als Abfolge von Stadien A, B, C, D . . . , wobei jedes Stadium durch die Strukturmerkmale der Äußerungen definiert ist, die der Lernende zu dem jeweiligen Zeitpunkt produziert.

Der Begriff "Erwerbsstadium" umfaßt somit zwei Dimensionen: eine zeitliche und eine sprachstrukturelle. Auf der zeitlichen Ebene wird ein Erwerbsstadium durch seine Stellung innerhalb der relativen Chronologie des gesamten Erwerbsprozesses (i.e. früher oder später als andere Erwerbsstadien) definiert. Auf der sprachstrukturellen Ebene wird ein Erwerbsstadium durch das Auftreten bestimmter sprachlicher Strukturmerkmale abgegrenzt. Namentlich in der amerikanischen L1-Erwerbsforschung wurde "Erwerbsstadium" vielfach als rein zeitlicher Begriff ohne sprachstrukturelle Implikationen verwendet. Ein Erwerbsstadium war hier ein willkürlich ausgewählter Zeitraum, z.B. 2 Monate oder das erste Drittel der Untersuchungsperiode, für den dann eine Grammatik geschrieben wurde.

M.E. liegt das wesentliche Merkmal des Erwerbsstadiums jedoch in seinen sprachstrukturellen Implikationen. Aus ihnen ergeben sich vor allem die Kriterien für die Stadieneinteilung. Der Unterschied zwischen den einzelnen Stadien – und darin liegt das Wesen des Diskreten – liegt nicht im Quantitativen, sondern im Qualitativen. Der Lernende produziert etwa in Stadium B nicht allein *mehr* als in Stadium A (außer in einem sehr trivialen Sinne), sondern etwas grundsätzlich Anderes. Beim Übergang von Stadium A zu Stadium B wächst seine Sprachkompetenz nicht nur, sondern sie verändert sich in ihrer grundlegenden Substanz. Spracherwerb ist also auf der sprachstrukturellen Ebene kein unendlich differenzierbarer Prozeß, sondern vollzieht sich in einer endlichen Anzahl qualitativ unterscheidbarer Entwicklungsschritte.

Ein konkretes Beispiel aus dem Negationserwerb mag unsere Argumentation verdeutlichen. Zu einem gegebenen Zeitpunkt – nennen wir ihn Stadium A – produziert das Kind Äußerungen, in denen das Negativmorphem *nein* bzw. *no* stets am Satzanfang steht, z.B.:

(1) nein Katze hier spielen
(2) no this doggie drink milk

Im folgenden Stadium B erscheinen dann Äußerungen mit interner, d.h. präverbaler Stellung von *nein* bzw. *no*.

(3) Katze hier nein spielen
(4) this doggie no drink milk.

In diesen Sätzen manifestieren sich qualitativ unterschiedliche Strukturen, nämlich satzexterne Negation vs. satzinterne Negation. Der Unterschied in der Stellung des Negativmorphems läßt sich in einem nicht-trivialen Sinne kaum als ein "Mehr" an Struktur, Negation oder Sprachkompetenz definieren. Vielmehr gibt das Kind zu einem gegebenen Zeitpunkt den einen Strukturtyp auf und ersetzt ihn durch einen neuen Strukturtyp. Die Veränderung der Stellung des Negativmorphems ist kein allmählich-kontinuierlicher Prozeß, indem der Lerner das Negativmorphem von seiner Anfangsstellung sozusagen langsam nach und nach in die präverbale Position "schiebt". Der Übergang ist vielmehr sprunghaft. Gleiches gilt für das dann folgende Stadium, in dem *nein* durch *nicht* ersetzt wird.

(5) Katze hier nicht spielen

Auch die Substitution von *nein* durch *nicht* ist nicht ein "Mehr" an Fähigkeit oder Struktur, sondern ein Austausch verschiedener Strukturqualitäten. Eine quantitative Veränderung der Sprachkompetenz findet lediglich in dem Sinne statt, daß der Lernende der Zielsprache ein Stück näher gerückt ist. Durch diese Einsicht ist jedoch nichts gewonnen. Das Entscheidende ist, daß der Zuwachs an Strukturerkenntnis eben nicht kontinuierlich verläuft, sondern in einer Abfolge diskreter Stadien, die sich hinsichtlich ihrer strukturellen Qualität unterscheiden. Auch wenn Quantität als Komplexität definiert wird, lassen sich die Unterschiede zwischen den Stadien nicht als quantitativ ausweisen. Es ist kaum auszumachen, inwieweit etwa *Katze hier nein spielen* komplexer sein soll als *nein Katze hier spielen.* Zweifellos nimmt der Komplexitätsgrad der Äußerungen im Laufe der Entwicklung zu, doch auch dieser Komplexitätszuwachs geschieht wiederum in qualitativ unterschiedlichen und somit diskreten Stadien.

Da Spracherwerb über eine Sequenz diskreter Stadien erfolgt, kommt dem sprachlichen Erwerbsprozeß eine Sonderstellung zu, die ihn von zahlreichen anderen Formen des Lernens abgrenzt. So erfolgt das Erlernen bestimmter manueller oder auch geistiger Fähigkeiten – soweit bekannt – nicht in diskreten Schritten, sondern besteht in einem kontinuierlichen Zuwachs der angestrebten Fähigkeit. Hierzu mag das Memorieren längerer Texte gehören, wie es etwa von Schauspielern verlangt wird. Die Fähigkeit, Texte im Gedächtnis zu speichern, wird nicht in abgrenzbaren Stadien erworben, sondern vergrößert sich stetig-kontinuierlich, d.h. die Speicherkapazität wächst linear an. Demgegenüber ist Substitution von etwa *ich nein weiß* durch *ich nicht weiß* nicht etwa ein linear-gradueller Übergang, sondern stellt einen plötzlichen Entwicklungsschritt dar.

Spracherwerbliche Entwicklungssequenzen sind geordnet. Diese Aussage impliziert, daß eine Struktur erst dann auftauchen kann, wenn zuvor bestimmte andere Strukturen produktiv verwendet wurden. Die Abfolge der durch sprachstrukturelle Eigenschaften definierten Erwerbsstadien ist somit festgelegt. In diesem Sinne kommt der geordneten Entwicklungssequenz ein theoretischer Status zu. Sie beschreibt nicht etwa allein im nachhinein, in welcher Abfolge sprachliche Strukturen bei einem Erwerber auftraten, sondern sie gestattet Voraussagen darüber, in welcher Abfolge bestimmte Strukturen auftreten werden. Aus den bisherigen Untersuchungen zum Negationserwerb ließe sich die Voraussage ableiten, daß im Frz. *non* vor *pas,* im Ital. *no* vor *non,* im griech. /oçi/ vor /ðɛn/ erscheinen wird.

Während der Begriff der geordneten Entwicklungssequenz impliziert, daß der Erwerbsprozeß in diskreten Stadien abläuft, und daß die Abfolge dieser Stadien nicht reversibel ist, macht er keinerlei Aussagen darüber, wie lange (in absoluter Zeit) Erwerbsstadien dauern oder ob einzelne Stadien bei verschiedenen Lernern gleich lang sind. In diesem Bereich treten bekanntlich erhebliche Unterschiede auf. Manche Stadien dauern bei einigen Kindern nur wenige Tage, bei anderen mehrere Wochen.

Der Begriff der geordneten Entwicklungssequenz schließt ebensowenig die Möglichkeit aus, daß bestimmte Stadien von manchen Kindern übersprungen werden. Die Äußerungen einiger Kinder mögen eine Stadienabfolge A, B, C belegen, während andere Kinder von Stadium A direkt in Stadium C überwechseln. Die geordnete Entwicklungssequenz impliziert jedoch die Aussage, daß eine Umkehrung von Stadien nicht möglich ist, etwa in dem Sinne, daß einige Kinder erst die Strukturen von Stadium C produzieren, bevor die Strukturen von Stadium A oder B auftreten.

Es ist vielfach behauptet worden, das Konzept der Entwicklungssequenz ließe keinen Raum für Übergangsperioden. Zahlreiche Daten belegen, daß auf der rein zeitlichen Ebene der Übergang etwa von Stadium A zu Stadium B nicht abrupt erfolgt, sondern daß die Erwerber während eines bestimmten Zeitraumes die Strukturen von Stadium A und B gleichzeitig verwenden, wobei die Auftretenshäufigkeit der Strukturen von A abnimmt, während die der Strukturen von B anwächst. Diese Beobachtung führte zu dem Einwand, daß die Möglichkeit *allmählicher* Übergänge das Konzept der Entwicklungssequenz, i.e. die Abfolge diskreter Schritte ad absurdum führe.

Hier muß nochmals betont werden, daß der Begriff der geordneten Entwicklungssequenz eine zeitliche *und* eine sprachstrukturelle Perspektive vereinigt. Übergangsperioden sind jedoch – ebenso wie etwa absolute Stadiendauer – rein zeitliche Phänomene ohne sprachstrukturelle Implikationen. Zu ihnen verhält sich der Begriff der Entwicklungssequenz neutral. Die Entwicklungssequenz spezifiziert die relative Chronologie in bezug auf den Produktivitätsbeginn zweier (bzw. mehrerer) Sprachstrukturen. Sie spezifiziert, welche von zwei Sprachstrukturen früher produktiv (= erworben) werden. Ob zu irgendeinem Zeitpunkt in der Entwicklung beide Strukturen auch gleichzeitig auftreten oder nicht, fällt nicht in den Erklärungsbereich der Entwicklungssequenz. In Felix (1978b) habe ich gezeigt, daß englischsprachige Kinder, die Deutsch als L2 erwarben, äquationale Satzstrukturen vor Vollverbstrukturen produktiv verwendeten. Diese relative Chronologie drückt sich in einer entsprechend angesetzten Entwicklungssequenz aus. Dennoch treten in späteren Phasen – ebenso wie in der Erwachsenensprache – Äquational- und Vollverbsätze gleichzeitig auf. Hierdurch wird die Entwicklungssequenz in keiner Weise berührt. Die eigentliche Problematik liegt in der Bestimmung des Produktivitäts*beginns*. Welche Auftretenshäufigkeit rechtfertigt die Annahme, eine bestimmte Struktur sei erworben? Derzeit fehlen hier noch verläßliche Kriterien. Vermutlich wird man von Fall zu Fall entscheiden müssen, wobei die Gesamtentwicklung zu berücksichtigen ist.

Es ist bekannt, daß die Erwerbsabfolge *aller* in der sprachlichen Entwicklung auftretenden Strukturen durchaus bei einzelnen Kindern verschieden sein kann. Bestimmte Strukturen treten bei verschiedenen Kindern überhaupt nicht auf, andere werden in umgekehrten Abfolgen produktiv. D.h. im Spracherwerbsprozeß treten durchaus individuelle Variationen auf; nicht alle Kinder beschreiten exakt den gleichen Weg. Das Phänomen individueller Variationen ist vielfach als Evidenz *gegen* den Begriff der Entwicklungssequenz angeführt worden.

Die entscheidende Frage ist jedoch nicht, ob individuelle Variationen auftreten – selbstverständlich sind sie hinreichend belegt –, sondern ob die Erwerbsabfolge *beliebig* variiert. Nach der bisher verfügbaren Evidenz muß diese Frage entschieden verneint werden. Bestimmte Strukturen kommen zwar in beliebiger Abfolge vor, andere jedoch sind hinsichtlich ihrer relativen Auftretenschronologie streng geordnet. In der frühen Negationserwerbsphase produzieren einige Kinder *no* in Satzanfangsstellung, andere plazieren das Negativmorphem an das Ende des Satzes. Einzelne Kinder verwenden nur den einen Negationstyp, andere beide mit verschiedener Auftretenshäufigkeit. Hier besteht also vielfältige individuelle Variation. Kein bislang beobachtetes Kind benutzte jedoch die satzinterne Negation *bevor* die verschiedenen Formen der satzexternen Negation produktiv wurden.

Der individuellen Variation sind somit enge Grenzen gesetzt. Während innerhalb der satzexternen Negation bestimmte Strukturtypen untereinander variieren, ist die Erwerbsabfolge satzinterne Negation – satzexterne Negation geordnet, d.h. festgelegt. Die Entwicklungssequenz zielt nun primär auf jene Strukturtypen ab, die einer geordneten Erwerbsabfolge unterliegen. Sie steckt somit den Rahmen ab, innerhalb dessen Variationen überhaupt nur möglich sind. Die Entwicklungssequenz spezifiziert die geordnete Abfolge der Erwerbsstadien, d.h. den spracherwerblich determinierten invarianten Teil des Lernprozesses. Innerhalb der in ihrer relativen Sequenz festgelegten Erwerbsstadien sind dann jene Bereiche einzuordnen, in denen individuelle oder gruppenspezifische Variationen auftreten.

Auf diesem Hintergrund ergeben sich nunmehr eine Reihe grundsätzlicher Fragen. Welche Strukturtypen sind welchen Erwerbsstadien zuzuordnen? Welche Strukturen fallen in den Bereich der Variationen, welche sind sequentiell geordnet? Wie läßt sich die Grenze zwischen zwei Erwerbsstadien ermitteln?

Diese Fragen sind nicht a priori entscheidbar. Vielmehr muß die Analyse des jeweils vorliegenden empirischen Datenmaterials die Antwort liefern. Wie aus einer vorgegebenen Datenmenge eine Entwicklungssequenz im oben skizzierten Sinne zu erstellen ist, mag in vielen Fällen auch ein analysepraktisches Problem sein. Eine Entwicklungssequenz ist eine Hypothese über die variablen und invarianten Strukturteile des Erwerbsprozesses. Als solche macht sie Voraussagen über den Ablauf sprachlicher Erwerbsprozesse unter bestimmten Bedingungen. Diese Voraussagen sind dann an weiterem Datenmaterial zu überprüfen. Hierdurch ergibt sich möglicherweise die Notwendigkeit, die Entwicklungssequenz zu modifizieren bzw. zu präzisieren.

Bei der Ermittlung von Entwicklungssequenzen ist in etwa wie folgt vorzugehen:

Zunächst liefern die Rohdaten eine Fülle verschiedener Strukturen und Strukturtypen, verteilt über einen längeren Zeitraum. Eine erste Analyse zeigt, daß einige dieser Strukturen bei allen Kindern auftreten, andere jedoch auf einzelne Erwerber beschränkt sind. Weiterhin ergibt sich, daß bestimmte Strukturtypenpaare entwicklungsspezifisch geordnet sind, in dem Sinne, daß Strukturtyp x stets früher auftritt als Strukturtyp y, bzw. vice versa. Für andere Strukturpaare läßt sich im gleichen Zeitraum sowohl die Abfolge y vor x belegen. Diese Beobachtungen führen zu der Erkenntnis, daß zwischen den einzelnen Strukturen und den zu erstellenden Erwerbsstadien keine eins-zu-eins Korrespondenz besteht; d.h., nicht jede einzelne Struktur kennzeichnet ein eigenständiges Erwerbsstadium. Konkret ausgedrückt: treten in einem gegebenen Zeitraum für einen ausgewählten Strukturbereich z.B. zehn linguistisch differenzierbare Strukturen *a, b, c, d, . . . i, j* auf, so ist keineswegs a priori davon auszugehen, daß der entsprechende Erwerbsprozeß in zehn diskreten geordneten Entwicklungsstadien A,B,C,D. . . . I,J, abläuft. Der Spracherwerbsprozeß vollzieht sich demnach nicht notwendigerweise entsprechend dem folgenden Modell:

Modell I

Stadium A	–	Struktur a
Stadium B	–	Struktur b
Stadium C	–	Struktur c
.		.
.		.
.		.
.		.
.		.
.		.
Stadium I	–	Struktur i
Stadium J	–	Struktur j

Die Möglichkeit, daß eine einzelne Struktur allein ein Erwerbsstadium kennzeichnet, ist nicht ausgeschlossen, muß jedoch von Fall zu Fall nachgewiesen werden. Vermutlich gilt dies für holophrastische Negation.

Weitaus häufiger ist damit zu rechnen, daß ein Entwicklungsstadium durch eine Gruppe von Strukturen definiert ist. Die Erwerbsreihenfolge der Strukturen innerhalb einer solchen Gruppe ist variabel; jedoch kann keine Struktur dieser Gruppe früher bzw. später als die Struktur einer anderen Gruppe (= Erwerbsstadium) auftreten. Die Frage, ob ein bestimmtes Entwicklungsstadium durch eine einzelne Struktur oder durch eine Gruppe von Strukturen gekennzeichnet wird, ist von rein empirischer Natur.

Es ist festzustellen, welche Strukturen in bezug auf welche anderen Strukturen hinsichtlich der relativen Auftretenschronologie variieren bzw. invariant sind.

In der Mehrzahl der Fälle wird die Analyse ein Ergebnis liefern wie es in Modell II angedeutet ist.

Modell II

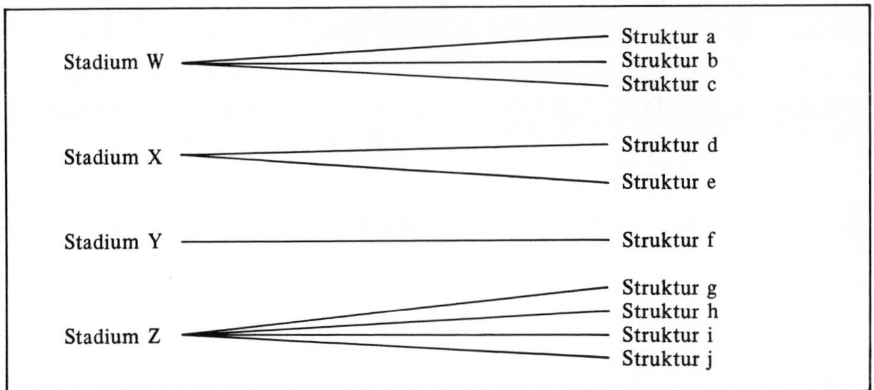

Die obige Graphik ist als Hypothese über die Variationen und Invarianzen im Erwerb eines gegebenen Strukturbereiches zu verstehen. Sie besagt, daß die Entwicklung in diesem Bereich über vier geordnete Stadien W,X,Y und Z abläuft. Stadium W ist definiert durch die Strukturen *a, b* und *c,* Stadium X durch die Strukturen *d* und *e* usw. Die Stadien W, X und Z umfassen jeweils mehrere Strukturen, Stadium Y hingegen eine einzelne. Innerhalb eines Stadiums können die verschiedenen Strukturen in beliebiger Abfolge auftreten, wobei den Abfolgen möglicherweise unterschiedliche Wahrscheinlichkeitswerte zuzuordnen sind. Manche Kinder mögen etwa *a* vor *b* vor *c* produzieren, während andere eine Abfolge *b* vor *a* vor *c* durchlaufen. Die Graphik postuliert jedoch, daß Struktur *d* niemals vor Struktur *c* auftritt, wenngleich *b* nach *c* durchaus möglich ist. *b* und *c* sind Strukturen des gleichen Stadiums, während Struktur *d* einem anderen Erwerbsstadium (nämlich X) angehört. Nach obiger Graphik tritt Stadium X stets später als Stadium W auf, niemals umgekehrt.

Der Erwerbsprozeß ist also sowohl durch Variationen als auch durch Invarianzen gekennzeichnet. Entscheidend ist jedoch, daß die Erwerbsabfolgen, der einzelnen Strukturen nicht beliebig variieren, sondern daß die Variationsbreite durch die festgelegte Abfolge der Stadien W. . . Z eingegrenzt ist. Die Gruppierung einzelner Strukturen zu entwicklungsspezifischen Stadien beinhaltet somit eine Voraussage über mögliche und nicht mögliche Entwicklungen.

Von statistischer Seite erfolgt vielfach der Einwand, die Erstellung diskreter Stadien wie W. . . Z sei insofern überflüssig, als sich mittels statistischer Verfahren Unterschiede zwischen einzelnen Kindern hinsichtlich der Erwerbsabfolge der Strukturen a . . . j berechnen lassen. Durch die Einführung numerischer Größen sei eine Quantifizierung und somit erhebliche Präzisierung der Variationsbreite innerhalb der beobachteten Erwerbsabfolge möglich.

Nach meiner Auffassung sind jedoch statistische Verfahren ungeeignet, die entscheidenden Gesetzmäßigkeiten des Spracherwerbs zu erfassen. Die Eigengesetzlichkeit des Spracherwerbs manifestiert sich eben nicht in einer mehr oder minder variierenden Abfolge einzelner Strukturen, sondern in der geordneten Sequenz von Stadien, die einzelne oder auch mehrere Strukturen umfassen können.

Unter diesem Aspekt ist die Ermittlung von Erwerbsstadien essentiell für die Bestimmung der grundlegenden Gesetzmäßigkeit des Spracherwerbs.

An einem einfachen – wenngleich konstruierten – Beispiel soll dieser Gedankengang erläutert werden. Es sei angenommen, daß bei vier Kindern der Erwerb eines gegebenen Strukturbereichs untersucht wird. In Anlehnung an die Graphik (S. 75) soll die Datenerhebung die Strukturen *a. . . j* liefern. Zur Vereinfachung der Darstellung sei weiterhin angenommen, daß sämtliche zehn Strukturen bei allen vier Kindern belegt sind, d.h. ein Auslassen bzw. Überspringen einzelner Strukturen tritt nicht ein. Für diese vier Kinder ergeben sich folgende chronologische Sequenzen der genannten zehn Strukturen:

Kind I	*Kind II*	*Kind III*	*Kind IV*
a	a	c	a
b	c	b	b
c	b	a	c
d	d	e	d
e	e	d	e
f	f	f	g
g	g	h	f
h	h	g	h
i	j	j	i
j	i	i	j

Die Graphik zeigt, daß die Erwerbsabfolgen nicht nur von Kind zu Kind variieren, sondern daß auch der Grad der Variation jeweils unterschiedlich ist. Wählen wir als willkürlichen Referenzpunkt die Daten von Kind I, so weicht hiervon Kind II in zwei Punkten ab: die Abfolgen *b–c* und *i–j* sind bei Kind II umgekehrt; ansonsten sind beide Abfolgen gleich. Kind III hingegen weicht von Kind I hinsichtlich der Umkehrung von *a–b–c, d–e, g–h* und *i–j* ab. Kind I und Kind II sind einander somit weitaus ähnlicher als Kind I und Kind III.

Derartige Ähnlichkeitsbeziehungen lassen sich mittels des M-Koeffizienten (cf. Bock, H., 1974. Automatische Klassifikation, Göttingen, p. 68 ff) statistisch berechnen. Die Extremwerte des M-Koeffizienten liegen bei 1 (völlige Identität) und O (keinerlei Ähnlichkeit). Für die vier dargestellten Erwerbsabfolgen ergeben sich folgende Ähnlichkeitswerte:

Kind I/Kind II	*Kind I/Kind III*	*Kind I/Kind IV*
M = 0.6	M = 0.1	M = 0.8
Kind II/ Kind III	*Kind II/Kind IV*	*Kind III/Kind IV*
M = 0.3	M = 0.4	M = 0.1

Die Berechnung zeigt, daß sich Kind I und Kind IV am ähnlichsten sind (M = 0.8), während Kind III am meisten abweicht, und zwar M = 0.1 von Kind I und Kind IV und M = 0.3 von Kind II. Die Berechnung vermittelt darüberhinaus den Eindruck einer recht großen Variationsbereite zwischen den einzelnen Kindern, d.h. von M = 0.8 bis M = 0.1.

Derartige statistische Ähnlichkeitsberechnungen sind nicht nur nichtssagend, sondern sie verschleiern vor allem grundlegende Gesetzmäßigkeiten des Spracherwerbs. Es sei angenommen, daß auf der Grundlage der Datenevidenz der Kinder I, II u. III eine Entwicklungssequenz wie auf S. 75 ermittelt wurde. Diese Entwicklungssequenz besagt, daß alle drei Kinder den fraglichen Strukturbereich über vier Stadien W, X, Y und Z erwarben. Für die Gültigkeit dieser Aussage ist völlig unerheblich, daß Variationen auftreten und in welchem Umfang dies der Fall ist. In Übereinstimmung mit dem Begriff der Entwicklungssequenz treten Variationen nur innerhalb der einzelnen Erwerbsstadien auf. Die Gesetzmäßigkeit des Erwerbsprozesses äußert sich also in der gleichbleibenden Abfolge der Stadien W, X, Y und Z, und nicht in möglichen Variationen der Abfolge der Strukturen *a . . . j.*

Es sei nun weiter angenommen, daß die für die Kinder I–III erstellte Entwicklungssequenz an den Daten von Kind IV überprüft wird. Es sei daran erinnert, daß Kind IV gegenüber etwa Kind I die geringste Variation aufweist (M = 0.8). Die Erwerbsfolgen stimmen bis auf die Umkehrung der Folge *f–g* überein. Trotz dieser minimalen Abweichung hat nun die Umkehrung der Folge *f–g* gravierende Konsequenzen für die Entwicklungssequenz, da *f* dem Stadium Y, *g* hingegen dem Stadium *Z* angehört. Die Entwicklungssequenz S. 75 ist als Hypothese zu verstehen, daß eine Erwerbsabfolge wie bei Kind IV nicht möglich ist, da Variationen zwar innerhalb eines Stadiums, aber nicht über Stadien hinweg zugelassen sind.

Die Evidenz von Kind IV muß daher entweder zu einer Revidierung der Entwicklungssequenz S. 75 führen oder zu einer Überprüfung der Daten von Kind IV. Erweisen sich die Daten von Kind IV als empirisch korrekt, so gehört entweder Struktur *f* zum gleichen Stadium wie die Strukturen *g, h, i* und *j* – mit der Konsequenz, daß der fragliche Bereich nicht über vier, sondern über drei Stadien erworben wird, – oder Struktur *g* gehört zu Stadium Y.

Der entscheidende Aspekt dieser angenommenen Daten ist folgender: der Grad der Variation zwischen verschiedenen Kindern spielt für die Ermittlung der Entwicklungssequenz und somit für Aussagen über Gesetzmäßigkeiten des Spracherwerbsprozesses bestenfalls eine untergeordnete Rolle. Ausschlaggebend ist nicht, ob und wie stark einzelne Kinder variieren, sondern vielmehr in welchem Bereich sie variieren. Nicht die Quantität, sondern die Qualität der Variation bestimmt die spezifische Form der Entwicklungssequenz. Das Auftreten einer Abfolge *g–f* statt *f–g* führt notwendigerweise zu einer Revision der Analyse und somit zu einer Revision der Hypothese über eine bestimmte Gesetzmäßigkeit im Erwerb eines Strukturbereiches. Umkehrungen zahlreicher Strukturabfolgen, wie wir sie bei den Kindern II und III feststellten, spielen – wiewohl numerisch erheblich höher – für die Hypothesenbildung keinerlei Rolle. Diese Aussage, daß der betreffende Strukturbereich in vier diskreten Stadien W . . . Y erworben wird, wird durch die Evidenz der Daten der Kinder II und III überhaupt nicht berührt. Allein die minimale aber qualitativ unterschiedliche Umkehrung bei Kind IV führt zu einer Überprüfung der aufgestellten Hypothese.

Hier wird deutlich, daß die Gesetzmäßigkeiten des Spracherwerbs eben nicht – zumindest nicht primär – statischer, sondern struktureller Natur sind. An dieser Stelle drängt sich die Frage auf, ob es – vom empirisch-deskriptiven Befund abgesehen – unabhängig motivierte Evidenz dafür gibt, daß etwa die Strukturen *a, b, c* einem anderen Entwicklungsstadium angehören als die Strukturen *d* und *e.* D.h. gibt es ein den Strukturen *a, b, c* gegenüber *d* und *e* gemeinsames Merkmal? So lassen sich etwa die frühen Negationsstrukturen *no* + X und X + *no* als satzexterne Negation zusammenfassen.

Zweifellos wäre es wünschenswert, diese empirische Frage in den verschiedenen Strukturbereichen weiter zu verfolgen, zumal bei einer positiven Antwort ein weiteres unabhängiges Kriterium zur Stadieneinteilung geliefert wäre. Bei unserem derzeitigen Wissensstand scheint dieses Unterfangen jedoch weitgehend utopisch. Die bislang aufgestellten Entwicklungssequenzen sind vielfach zu grob und lückenhaft. Zudem gibt es nur wenige Strukturbereiche, für die annähernd vollständiges Material über einen längeren Zeitraum vorliegt.

Das Phänomen einer nach diskreten Stadien ablaufenden Entwicklung ist keinesfalls auf den Spracherwerb beschränkt. In der Entwicklungspsychologie ist derartiges allenthalben bekannt. Als prominentester Vertreter einer Stadientheorie mag Piaget gelten, der für die kognitive Entwicklung des Menschen bis etwa zur Pubertät vier diskrete Stadien postuliert, die weitgehend die gleichen Merkmale tragen wie die hier angesetzten spracherwerblichen Stadien.

10. Zur Relation L1- vs. L2-Erwerb

Die Frage nach der Beziehung zwischen Erstsprachenerwerb und Zweitsprachenerwerb – inwieweit sie sich gleichen oder unterscheiden – ist eines jener Themen, bei denen sich kaum jemand eines Kommentars enthalten mag. So läßt sich die Zahl der Aufsätze, die ausschließlich diese Frage thematisieren, kaum absehen (um nur einige zu nennen Felix 1978a, Littlewood 1973, Lane 1962, van Parreren 1975), und nur wenige publizierte oder nicht-publizierte Diskussionen zum L2-Erwerb mochten auf dieses Dauerthema verzichten.

Bezeichnenderweise wurde die Diskussion um Gleichheit oder Unterschiedlichkeit von L1- und L2-Erwerb just zu jener Zeit – etwa Ende der 60er Jahre – am heftigsten geführt, als kaum relevantes empirisches Material zum L2-Erwerb zur Verfügung stand. Somit nimmt es nicht wunder, daß die meisten frühen Arbeiten über mehr oder minder plausible Spekulationen nicht hinauskamen. Dies hinderte jedoch kaum einen Verfechter der L1 = L2-Hypothese bzw. L1 ≠ L2-Hypothese, seine Auffassung mit gebührendem Nachdruck und Dogmatismus zu vertreten.

Seit dem Erscheinen der ersten umfangreichen empirischen Arbeiten zum natürlichen L2-Erwerb Anfang der 70er Jahre (beginnend mit Ravem 1968–70 und Huang 1971) handelt es sich bei diesem Problem um kein eigentlich diskussionswürdiges Thema mehr. Die Frage, ob der L2-Erwerb genauso verläuft wie der L1-Erwerb, ist viel zu undifferenziert, um darauf eine sinnvolle Antwort geben zu können. Die beiden Erwerbstypen sind in toto weder gleich noch ungleich.

Dennoch sollen die grundlegenden Positionen hinsichtlich der Beziehung zwischen L1- und L2-Erwerb kurz umrissen werden, weil sich in ihnen grundsätzliche Fragen stellen, die die hier zu behandelnde Problematik verdeutlichen mögen.

Die frühen Verfechter der L1 = L2-Hypothese orientierten sich vorwiegend an den Anfang/Mitte der 60er Jahre in großem Umfange publizierten Erkenntnissen zum Muttersprachenerwerb. Sie gingen aufgrund der empirischen Evidenz aus diesem

Erwerbstyp von der Annahme aus, daß der Mensch über einen angeborenen Spracherwerbsmechanismus verfügt, der ihm gestattet, nach bestimmten Prinzipien aus Input-Material die Grammatik der zu erwerbenden Sprache zu konstruieren. In diesem Kontext argumentieren etwa Corder (1967), Newmark & Reibel (1968) oder Reibel (1971), es läge keinerlei Grund für die Annahme vor, daß dieser Erwerbsmechanismus zwischen L1-Daten und L2-Daten unterscheiden kann. Vielmehr müsse man bis zum Beweis des Gegenteils davon ausgehen, daß der menschliche Spracherwerbsmechanismus immer dann in Aktion trete, wenn er mit neuen sprachlichen Daten konfrontiert wird. Corder (1967: 164) schließt somit, daß "it still remains to be shown that the process of learning a second language is of a fundamentally different nature from the process of primary acquisition". Als einzigen Unterschied konzediert Corder: "The principal feature that then differentiates the two processes is the presence or absence of motivation". (S. 164)

Corders Darstellung ist so allgemein gehalten, daß sich aus ihr weder eine Forschungsperspektive noch eine im einzelnen überprüfte Hypothese ableiten lassen. Die Schwierigkeit liegt vor allem in der fehlenden Spezifizierung, was denn die "fundamentally different nature" sein könnte. Impliziert Corders These, daß die Strukturerkenntnis in beiden Erwerbstypen exakt gleich verläuft, so ist sie – wie wir heute wissen – falsch. Räumt sie hingegen – abgesehen von der Motivation – die Möglichkeit irgendwie gearteter Unterschiede ein, so ist sie solange nichtssagend, wie diese Unterschiede nicht klar umrissen werden. M.E. ist es auch kaum zu vertreten, die Beweislast dem Gegner der These aufzubürden.

Die Verfechter der L1≠L2-Hypothese, die zumeist aus der Didaktik und Sprachlehrforschung kamen und unter L2-Erwerb vor allem den schulischen Fremdsprachenunterricht verstanden, wiesen in ihrer Argumentation immer wieder auf die extrem unterschiedlichen Lernsituationen hin. Die situative Gesamtkonstellation des L1-Erwerbs läßt sich kaum mit der des L2-Erwerbs gleichsetzen. Man unterstrich vor allem Unterschiede des Alters, der kognitiven Entwicklung, der Motivation, der kommunikativen Erfordernisse; man betonte die Tatsache, daß der L2-Erwerber bereits über ein voll ausgebildetes sprachliches Kommunikationssystem verfügt.

Die Argumente der Verfechter der L1≠L2-Hypothese hinsichtlich der lernsituationellen Unterschiede sind sicherlich nicht zu widerlegen. Nur liefern sie so lange keine entscheidende Einsicht, wie unklar bleibt, in welcher Art und Weise denn etwa situationelle oder motivationelle Faktoren den Lernprozeß beeinflussen bzw. verändern. Die Problematik der L1≠L2-Position liegt darin, daß als Faktum vorausgesetzt wird, was erst zu beweisen ist; nämlich, daß das Erlernen einer zweiten Sprache ausschließlich das Produkt verschiedener Einflußfaktoren ist. Hier wird implicite die These vertreten, daß unterschiedliche äußere Bedingungen auch notwendigerweise zu unterschiedlichem Lernen führen. Diese Auffassung ist bislang weder bewiesen, noch ist sie a priori plausibel.

Die Position der Verfechter der L1≠L2-Hypothese basiert letztlich auf einer streng behavioristischen Vorstellung von Lernen, wenngleich dieses nur selten offen anerkannt wird. Es wird als selbstverständlich angenommen, daß zweitsprachliches Lernen stets behavioristischen Prinzipien folgt. Die dem sprachlichen Lernen zugrundeliegenden Prinzipien müssen jedoch aus den Ergebnissen empirischer Untersuchungen abgeleitet werden und können nicht a priori festgelegt werden. Im

Grunde ist es müßig, ohne entsprechende Datenbasis über die Relation zwischen L1- und L2-Erwerb zu spekulieren. Glücklicherweise besitzen wir durch die intensive Forschungsarbeit der vergangenen zehn Jahre hinreichend Material, um das Problem nunmehr präziser fassen zu können.

Die derzeit verfügbaren Daten zeigen übereinstimmend, daß eine derart globale Frage wie 'ist L1-Erwerb gleich oder ungleich L2-Erwerb?' keine sinnvolle Antwort erlaubt und daher in dieser Form nicht gestellt werden kann. Die Beziehung zwischen L1- und L2-Erwerb muß weitaus differenzierter gesehen werden. Eine präzisere Formulierung des Problems erwächst aus den bislang gewonnenen Untersuchungsergebnissen. Zunächst ist zu fragen: handelt es sich beim L1- und L2-Erwerb hinsichtlich der dem Lernprozeß, i.e. der Strukturerkenntnis zugrundeliegenden Prinzipien um zwei grundsätzlich gleiche oder unterschiedliche Typen von Lernen? Lassen sich L1- u. L2-Erwerb mit dem gleichen Lernmodell bzw. der gleichen Lerntheorie erfassen, oder sind zwei prinzipiell verschiedene Modelle anzusetzen? Davon zu unterscheiden ist die Frage, ob L1- u. L2-Erwerber in jedem Einzelfalle die gleichen Strategien anwenden, um in einem gegebenen Bereich strukturelle Zusammenhänge zu erkennen. Anders formuliert: ist bei gleichem sprachlichen Input der Output von L1- u. L2-Erwerber stets identisch?

Wir unterscheiden also einerseits die dem Lernen zugrundeliegenden Prinzipien und andererseits die auf diesen Prinzipien aufbauenden Verarbeitungsmechanismen. Diese Unterscheidung ist – wohl gemerkt – nicht theoretisch motiviert, sondern aus den vorliegenden Daten abzuleiten, um sowohl Unterschiede als auch Gemeinsamkeiten zwischen L1- und L2-Erwerb erfassen zu können.

Wenden wir uns zunächst dem empirischen Material zu. Analyse und Vergleich von L1- und L2-Erwerbsdaten zeigen – zunächst rein oberflächlich – in vielen, aber keineswegs allen Bereichen eine verblüffende Übereinstimmung. Zahlreiche jener entwicklungsspezifisch bedingten Strukturen, die die Entwicklungsstadien des L1-Erwerbs markieren, treten in gleicher – oder zumindest sehr ähnlicher – Form im natürlichen L2-Erwerb auf. Schließen wir die Möglichkeit eines reinen Zufalls aus – und die Vielfalt der Daten läßt dies als ratsam erscheinen –, so liegt die Vermutung nahe, daß L1- und L2-Erwerb hinsichtlich der involvierten Lernprozesse ähnlichen Mechanismen unterliegen. Demgegenüber finden sich zahlreiche Strukturphänomene, die spezifisch L1- bzw. L2-erwerblich sind.

Nach dem derzeitigen Erkenntnisstand gleichen sich L1- und L2-Erwerb zweifellos dahingehend, daß in beiden Fällen der Lernprozeß geordneten Entwicklungssequenzen unterliegt und daß die Entwicklung über diskrete Stadien erfolgt. Für L1 wie für L2-Erwerber gilt, daß sie die Strukturen der Zielsprache nicht auf einen Schlag erwerben, sondern einzelne Elemente systematisch aufgreifen und in einer geordneten Abfolge von Stadien zur Zielstruktur hin re-integrieren. Somit gelten drei Grundprinzipien, nämlich die Dekomposition von Zielstrukturen, die geordnete Entwicklungssequenz und das Phänomen der diskreten Stadien, gleichermaßen für den L1-, wie auch für den L2-Erwerb.

Daraus folgt, daß es sich bei beiden Erwerbstypen um prinzipiell gleiche oder doch zumindest sehr ähnliche Formen des Lernens handelt. Sprachliches Lernen – sei es L1 oder L2 – folgt vor allem nicht behavioristischen Prinzipien in Form eines S → R-Modells, sondern stellt einen *creative construction process* im Sinne von Dulay & Burt dar, in dem der Lernende systematisch Hypothesen über die Struktur der zu erwerbenden Sprache bildet, überprüft und revidiert. Diese Auffassung kann inzwischen als Allgemeingut der Spracherwerbsforschung gelten, die von kaum jemandem ernsthaft bestritten wird.

Die Frage ist nun, wie sich diese Hypothesenbildung, die eben zur Dekomposition und zur geordneten Entwicklungssequenz führt, im Einzelfall beim L1- bzw. L2-Erwerber darstellt.

Über diese Frage herrscht noch vielfach Unklarheit. Es ist sicher plausibel anzunehmen, daß sich Hypothesenbildung auf dem Hintergrund bereits vorhandener kognitiver Strukturen vollzieht, präziser: auf der Grundlage vorhandenen Wissens um Sprache. Wenngleich auch der L1-Erwerber qua Mensch bestimmte kognitive Voraussetzungen für das Erlernen von Sprache mitbringt, so ist kaum zu bezweifeln, daß der L2-Erwerber aufgrund seiner muttersprachlichen Vorkenntnisse über weitaus detaillierteres und konkreteres Wissen um Sprache verfügt. Dieses L1-sprachliche Vorwissen sowie u.a. seine größere kognitive und intellektuelle Reife insgesamt gestattet es ihm vermutlich, über die Struktur der zu erwerbenden Sprache weitaus präzisere und effizientere Hypothesen aufzustellen, als dies dem L1-Erwerber möglich ist. In welcher Hinsicht die Hypothesen des L2-Erwerbers präziser als die des L1-Erwerbers sind, ist im Einzelfall noch weitgehend ungeklärt. Jedoch ließe sich annehmen, daß die qualitativen Unterschiede in der Hypothesenbildung für jene Phänomene verantwortlich sind, in denen sich L1- und L2-Erwerb unterscheiden.

Es muß betont werden, daß die Annahme, der L2-Erwerber setze sein L1-sprachliches Vorwissen bei der Hypothesenbildung ein, keinesfalls eine Variante der Interferenzhypothese ist. Interferenz im traditionellen Sinne bedeutet lediglich Übertragung von L1-Strukturen auf L2. Diese Übertragung ist im strengen Sinne keine Hypothese über die mögliche Struktur von L2, sondern bestenfalls ein Verzicht auf Hypothesenbildung. Interferenz ist als Ausweichstrategie zu klassifizieren, nicht als Mechanismus zur Strukturerkenntnis. Dementsprechend liefern die bisherigen Daten keinerlei Evidenz dafür, daß Interferenzen im natürlichen L2-Erwerb mehr als eine untergeordnete Rolle bei der Verarbeitung sprachlicher Inputs spielen (cf. Huang 1971, Dulay & Burt 1974a, Gillis & Weber 1976, Stauble 1978, Felix 1980a). In welcher Form L1-sprachliches Vorwissen bei der Hypothesenbildung des L2-Erwerbers einfließt, läßt sich für die Mehrzahl der bislang untersuchten Strukturbereiche kaum ausmachen. Dies liegt u.a. auch daran, daß die Hypothesenbildung selbst der Beobachtung nicht zugänglich ist, sondern über den Vergleich von Input und Output erschlossen werden muß. Für einzelne Bereiche können jedoch mit einiger Plausibilität Aussagen über vermutliche Hypothesen von L1- und L2-Erwerber gemacht werden. D.h. Unterschiede im Output zwischen L1- und L2-Erwerb lassen sich durch die Annahme unterschiedlicher Hypothesen auf seiten des Lernenden erklären.

In Felix (1978a–b) sind bereits eine Reihe grundlegender Unterschiede in der Strukturverarbeitung, i.e. Hypothesenbildung, von L1- und L2-Erwerber zusammengefaßt worden. Ich möchte hier zur Illustration einen Einzelfall aufgreifen, bei dem sich m.E. besonders deutlich zeigt, wie L1-sprachliches Vorwissen den L2-Erwerbsprozeß beeinflußt. Konkret geht es um den Erwerb elementarer Satzstrukturen, wie etwa Kopulasätze, Auxiliarsätze, Vollverbsätze, etc.

Ein sehr frühes Stadium des L1-Erwerbs ist durch Äußerungen gekennzeichnet, die jeweils nur aus zwei, gelegentlich drei Konstituenten bestehen. In der einschlägigen Literatur wird dieses Stadium als Zweiwortphase bezeichnet. Untersucht man diese Äußerungen auf breiter Basis, so zeigt sich, daß sich in den Zweiwortäußerungen, die in der Regel im Alter zwischen 1.2 – 1.4 Jahren auftreten, bereits eine recht große Anzahl unterschiedlicher Relationen manifestieren. In der Tat scheinen sämtliche grundlegenden grammatischen Relationen zumindest ansatzweise in diesem Alter vorhanden zu sein. Gleich zu Beginn der syntaktischen Entwicklung verfügt das Kind also über ein erstaunlich umfangreiches Repertoire an grammatischen Relationen.

Zur Illustration verwende ich die englischen Daten von Bowerman (1973), die u.a. den L1-Erwerb eines amerikanischen Mädchens beschrieb. Die Analyse der frühen Zweiwortäußerungen ergibt insgesamt zwölf verschiedene Relationen zwischen den auftretenden Konstituenten:

1. Subjekt + Verb
   Kendall bark
   thread break
   pillow fell
   see Kendall

2. Verb + Objekt
   read book
   Kimmy kick
   bite finger
   look Kendall

3. Adj. + N
   poor doggie
   more lotion
   big bed

4. Subjekt + Objekt
   Kendall bath
   Kendall spider
   Kendall book

5. N + Lokativ
   Kendall bed
   lotion thummy
   there cow
   ear outside

6. V + Lokativ
   play bed
   sit here
   sit pool

7. Prädikatsnomen
   that Kimmy
   Kendall monkey
   Mommy lady

8. Subjekt + V + Objekt
   Kendall ride bike
   Kendall turn page

9. Subjekt + V + Lokativ
   Ben swim pool
   Kendall play bed

10. Objekt + V + Lokativ
   Kimmy change here
   Kimmy kick there

Neben der Vielzahl recht eindeutig grammatisch klassifizierbarer Äußerungen treten darüber hinaus Strukturen auf, die sich nach den gängigen Verfahren syntaktischer Analyse nicht recht einordnen lassen. Dies liegt vor allem daran, daß es für sie – im Gegenteil zu den oben genannten Äußerungstypen – offensichtlich keine erkennbare erwachsenensprachliche Vorlage gibt. Zu den inzwischen schon klassischen Beispielen dieses Typs gehören etwa *allgone shoe, allgone outside, see hot, bye-bye dirty, night-night office, more sing,* oder *outside more* aus Braine (1963) und Brown & Fraser (1963). Derartige Äußerungen haben die L1-Erwerbsforschung seit eh und je in Verlegenheit gebracht, da sie semantisch zwar weitgehend identifizierbar sind, syntaktisch jedoch hinsichtlich der Formationsprinzipien rätselhaft erscheinen. Es hat daher nicht an Versuchen gefehlt (z.B. Brown & Bellugi 1964), diese Strukturen sozusagen als Unfälle im Spracherwerb darzustellen. Nur ist ihr Auftreten zu häufig und regelmäßig, als daß man sie als Performanzfehler aussortieren könnte.

Vergleichen wir diesen frühen Erwerbsstand des L1-Erwerbers mit dem entsprechenden Stadium im L2-Erwerb, so ergibt sich hier ein völlig anderes Bild. Der überwiegende Teil der Mehrwort-Äußerungen des L2-Erwerbers besteht aus Äquationalsätzen. Daneben treten verschiedentlich auch Adj + N und Adv + Adj Strukturen sehr früh auf. In Felix (1978b) habe ich diese Phase als Äquationalphase bezeichnet. Entscheidend ist, daß Vollverbsatzstrukturen und Auxiliarsätze (Typ: *ich kann das, ich muß dahin*) erst in einem späteren Stadium auftreten, d.h. *nachdem* die Äquationalsätze in ihrer strukturellen Komplexität bereits erheblich ausgebaut worden sind. Für den natürlichen L2-Erwerb scheint somit zu gelten, daß elementare Satztypen sukzessiv in einer festgelegten Abfolge erworben werden.

Demgegenüber treten diese Satztypen – wenngleich in rudimentärer Form – im L1-Erwerb gleichzeitig bereits im frühesten Zweiwortstadium auf. L2- und L1-Erwerb unterscheiden sich demzufolge durch sukzessiven gegenüber simultanen Satztypenerwerb (cf. Felix 1978b).

Die übrigen im frühen L1-Erwerb auftretenden grammatischen Relationen sind im frühen L2-Erwerb kaum belegt. Es fehlen im L2-Erwerb weitgehend N + N-Strukturen, in denen sich eine Subjekt – Objekt oder eine Subjekt – Lokativ-Relation manifestiert (Strukturtyp 4 und 5). Ebenso selten sind subjektlose Satzstrukturen, wie sie sich in den Strukturtypen 2 und 6 zeigen. Vor allem fehlen jedoch just jene Äußerungstypen, die sich einer Klassifikation nach üblichen Kriterien entziehen, wie etwa *allgone shoe, bye-bye dirty,* etc.

Zusammenfassend läßt sich feststellen, daß der L1-Erwerber bereits in der frühesten syntaktischen Phase über eine erstaunliche strukturelle Vielfalt verfügt, während sich der L2-Erwerber zunächst weitgehend auf Äquationalsätze und Adj + N-Strukturen beschränkt. Die frühesten Stadien des L2-Erwerbers sind somit durch eine relative strukturelle Armut gekennzeichnet.

Wie läßt sich dieser Sachverhalt erklären? Auf der Grundlage der üblichen Attribute, die man dem L2-Erwerber zubilligt, wie etwa größere Reife, fortgeschrittene kognitive Leistungsfähigkeit, sprachliche Vorerfahrung, etc., ist diesem Problem kaum beizukommen. Im Gegenteil. Geht man davon aus, daß der L2-Erwerber in seiner gesamten Entwicklung und Kompetenz dem L1-Erwerber überlegen sein muß, so wäre eher zu erwarten, daß der L2-Erwerber von Beginn seiner Entwicklung an größere strukturelle Vielfalt, Komplexität, Variationsbreite usw. zeigt als der L1-Erwerber. Die Daten deuten jedoch vielmehr an, daß der L2-Erwerber in seinen sprachlichen Ausdrucksmöglichkeiten zunächst unterlegen zu sein scheint. In diesem scheinbaren Paradoxon äußern sich jedoch just jene unterschiedlichen Ausgangsvoraussetzungen, die die Hypothesenbildung im L1- und L2-Erwerb bestimmen.

Grundsätzlich ist die Frage zu stellen, auf Grundlage welcher Prinzipien und Kategorien der L1-Erwerber in der frühen Phase seine Äußerungen bildet. Man hat lange Zeit angenommen – vor allem durch die orthodox-generativistischen Thesen von McNeill (1970) –, daß grammatische Grundrelationen, wie Subjekt-Objekt, Verb-

Objekt, Subjekt-Prädikat, etc. nicht erworben werden müssen, sondern bereits im angeborenen Spracherwerbsmechanismus des Menschen substantiell angelegt sind. Der erste Erwerbsschritt des Kindes bestünde dann lediglich darin, die einzelnen Stellen dieses vorgegebenen Musters mit lexikalischen Elementen auszufüllen. Mit dieser These läßt sich zwar die Mehrzahl frühkindlicher Äußerungen – wie etwa die 10 Kategorien von Bowerman (1973) – erfassen. Nicht erklären lassen sich damit allerdings die Typen *allgone shoes, bye-bye dirty,* etc., da sie offenbar keine der als angeboren ausgegebenen grammatischen Relationen manifestieren. Aus diesem Grunde hat es von generativistischer Seite auch nicht an Versuchen gefehlt, derartige Strukturen als zufällige und für den Ablauf des Erwerbsprozesses unbedeutende Mißgriffe des Kindes zu interpretieren. So nehmen etwa Brown & Bellugi (1964) an, daß "it is more likely that they (i.e. diese Strukturen) are mistakes which externalize the child's search for the regularities of Englisch syntax" (S. 314). Natürlich ist unbestritten, daß das Kind im Laufe seiner Entwicklung Fehler macht. Aus der Perspektive des Erwachsenen sind alle Äußerungen des Kindes vor dem Erreichen voller Kompetenz Fehler. Entscheidend ist: sind diese Fehler systematisch oder nicht, d.h. stellen sie einen konstruktiven Schritt im Erwerbsprozeß dar? Äußerungstypen wie *allgone shoe,* etc. sind so typisch für die Frühphase des L1-Erwerbs und lassen sich mit Daten aus einer Vielzahl von Sprachen belegen, daß es schwerfällt, hier lediglich zufällige und unsystematische Mißgriffe anzunehmen.

Nicht zuletzt aufgrund dieser Evidenz weist Bloom (1973) in ihrer zweiten Monographie die These der angeborenen grammatischen Grundrelationen zurück. Um Mißverständnissen vorzubeugen, muß klargestellt werden, daß Bloom hier nicht etwa eine empiristische Position vertritt, die jede Form angeborenen sprachlichen Vorwissens leugnet. Bloom stellt lediglich fest, daß die grammatischen Grundrelatinen eben nicht zu dem gehören, was dem Menschen biologisch zum Erwerb von Sprache mitgegeben ist.

Die umfangreiche Analyse eigener und fremder Daten führt Bloom zu der These, daß die Konstruktionsprinzipien frühkindlicher Äußerungen in der Zweiwortphase nicht syntaktischer Natur sind. Die Erkenntnis, daß Sprache formal-syntaktischen Prinzipien unterworfen ist, gehört zu jenen Dingen, die das Kind erst nach und nach erwerben muß. Bloom versucht nachzuweisen, daß das Kleinkind seine frühesten Äußerungen nach konzeptuellen bzw. semantisch-konzeptuellen Prinzipien konstruiert. Erst zu einem späteren Zeitpunkt werden diese Prinzipien zugunsten eines rein syntaktischen Ordnungsprinzips aufgegeben:

> "Certain conceptions of experience are coded by words which have meaning only in relation to other words that refer to objects or actions on objects. The combination of such words with other words is direct, linear, and contextbound, and not determined by relationships between intervening linguistic categories. The meaning is dependent upon the meaning of one of the words in combination." (Bloom 1973: 116)

Mit dieser These bekommt Bloom vor allem jene scheinbar so rätselhaften Äußerungen in den Griff, wie *allgone shoe, bye-bye dirty,* etc. Gerade die frühesten kindlichen Äußerungen enthalten vorwiegend Wörter wie *allgone, more, up,* etc., denen relationale Konzepte zugrundeliegen. Von ihrer Bedeutung her beziehen sich diese Wörter notwendigerweise auf irgendein Objekt oder eine Handlung.

Bloom postuliert, daß das Kind zunächst primär solche Wörter aufgreift, denen derartige relationale Konzepte zugrundeliegen, und diese dann mit Wörtern verbindet, die Objekte bzw. Handlungen bezeichnen. Diese Auffassung gilt grundsätzlich auch für jene Äußerungen, die sich ebenso gut auf der Grundlage (erwachsenensprachlicher) syntaktischer Kategorien analysieren lassen. Ob sich kindliche Sprachstrukturen bekannten syntaktischen Kategorien zuordnen lassen oder ob das Kind Äußerungen tatsächlich nach den gleichen Prinzipien wie ein Erwachsener konstruiert, sind zwei verschiedene Dinge. Aus dem einen folgt keineswegs das andere. In vielen Einzelfällen wird diese Frage auch nicht zu entscheiden sein. Wichtig ist: es liegt Evidenz dafür vor, daß das Kind in der Frühphase auch nach nicht-syntaktischen Prinzipien Äußerungen bildet.

Blooms These läßt sich wie folgt zusammenfassen: das Kind konstruiert zunächst nach konzeptuellen Kategorien, die dann durch semantische Kategorien ersetzt werden. In einem weiteren Schritt erkennt das Kind dann das syntaktische Prinzip von Sprache. In Blooms Worten:

> "Once the child begins to understand and use words relative to the total cognitive relation category, words begin to assume SEMANTIC significance in relation to one another. Having learned the meanings of words as representing enduring objects, he learns the meaning relations between words when a whole event (eventually a cognitive category) is mapped onto several, as yet linguistically unrelated words." (Bloom 1973: 120)

Für den Vergleich von L1- und L2-Erwerb gilt vor allem festzuhalten, daß nach Blooms These das Kleinkind das syntaktische Prinzip von Sprache erst erwerben muß und dies über ein Vorstadium tut, in dem es Äußerungen nach konzeptuellen und semantischen, i.e. nicht-syntaktischen, Kategorien bildet.

Für den L2-Erwerber ist sicherlich anzunehmen, daß dieser aufgrund seines L1-sprachlichen Vorwissens – im Gegensatz zum L1-Erwerber – mit dem syntaktischen Prinzip von Sprache vertraut ist. Der L2-Erwerber weiß, daß in seiner L1 syntaktische Regeln zur Bildung von Äußerungen notwendig sind. Wie wirkt sich nun diese unterschiedliche Ausgangssituation auf die Hypothesenbildung im L1- und L2-Erwerb aus?

Der L1-Erwerber geht offensichtlich davon aus, daß Sprache allein nach einem konzeptuellen Ordnungsprinzip aufgebaut ist, d.h. orientiert sich zunächst an der Bedeutung von Wörtern, bzw. an den ihr zugrundeliegenden Begriffen. Dieses Ordnungsprinzip wendet er in seinen frühesten Äußerungen an. Nun verfügt der L1-Erwerber beim Einsetzen des sprachlichen Lernprozesses – etwa im Alter von 0.8–1.2 Jahren – zweifellos über eine Vielzahl verschiedener kognitiver Konzepte. Somit nimmt es nicht wunder, daß die ersten sprachlichen Äußerungen diese konzeptuelle Vielfalt in irgendeiner Form widerspiegeln. Durch Vergleich seiner eigenen Äußerungen mit denen seiner Umgebung gelangt das Kind dann zu einer Revidierung seiner ursprünglichen Hypothese hinsichtlich des konzeptuellen Ordnungsprinzips von Sprache. Wie und wann die konzeptuelle Hypothese zugunsten der syntaktischen Hypothese aufgegeben wird, läßt sich im einzelnen derzeit noch nicht klären. Wir können jedoch wohl davon ausgehen, daß etwa gegen Ende der Zweiwortphase das syntaktische Prinzip von Sprache dem Kinde vertraut ist (cf. Felix 1978b). Nach den bislang vorliegenden Daten scheinen Äußerungen, die drei und mehr Konstituenten umfassen, zumindest überwiegend nach syntaktischen Kriterien konstruiert zu sein. Aufgrund der Vielfalt konzeptueller Relationen in der frühen Erwerbsphase ist anzunehmen, daß das Kind, sobald es das syntaktische Prinzip erkannt hat, diese Vielfalt nun auch in den syntaktischen Bereich zu übertragen versucht, da sonst seine Kommunikationsfähigkeit entscheidend verringert würde.

Aus diesem Grunde ist bereits von Beginn der Zweiwortphase an eine relativ große strukturelle Vielfalt – sei sie nun konzeptuell oder syntaktisch definiert – anzutreffen. Der L2-Erwerber unterscheidet sich nun vom L1-Erwerber vor allem dadurch, daß er das syntaktische Prinzip von Sprache nicht erst erkennen, d.h. erwerben muß. Vielmehr ist er mit diesem Prinzip aufgrund seines L1-sprachlichen Vorwissens bereits vertraut. Dieses Vorwissen führt nun zu der Hypothese, daß nicht nur seine L1, sondern auch die zu erwerbende L2 einem syntaktischen Ordnungsprinzip unterliegt. Es erübrigt sich für den L2-Erwerber, das syntaktische Prinzip über den 'Umweg' einer konzeptuellen Phase zu erwerben. Er kann sozusagen gleich mit der Syntax beginnen, während der L1-Erwerber durch die Annahme eines allgemeinen konzeptuellen Ordnungsprinzips zunächst einen 'falschen' Weg einschlägt.

Aufgrund der Annahme, daß auch die zu erwerbende L2 einem syntaktischen Ordnungsprinzip unterliegt, wird der erste Schritt des L2-Erwerbers darin bestehen, derartige syntaktische Strukturen ausfindig zu machen. Warum der L2-Erwerber mit dem Äquationalsatz beginnt, ist nicht eindeutig zu klären. Möglicherweise ist der Äquationalsatz aus der Perspektive des Erwerbers eine der einfachsten Strukturen. Entscheidend ist jedoch, daß die Zahl der verschiedenen syntaktischen Strukturen die der L2-Erwerber gleichzeitig verarbeiten kann, natürlicherweise begrenzt ist. Daher wird er die verschiedenen Satzstrukturen nacheinander erwerben.

Wenn der L2-Erwerber tatsächlich gleich mit der Syntax beginnt und die für den L1-Erwerb offenbar typische präsyntaktische, i.e. konzeptuelle Phase gleichsam überspringt, so dürften im L2-Erwerb alle diejenigen Strukturen nicht auftreten, die im L1-Erwerb Evidenz für das konzeptuelle Ordnungsprinzip zu Beginn des Erwerbs liefern. Dies ist in der Tat der Fall.

Gerade jene Strukturen, die als überzeugendster Beweis für die Bloom'sche These der konzeptuellen Frühphase im L1-Erwerb gelten können, nämlich *allgone shoes, bye-bye dirty* usw., fehlen im L2-Erwerb.

Am Beispiel des frühen Satztypenerwerbs sollte hier aufgezeigt werden, wie sich L1- und L2-Erwerb hinsichtlich der Verarbeitung von Strukturinformationen unterscheiden. Aufgrund seines sprachlichen Vorwissens kann der L2-Erwerber die präsyntaktische Phase überspringen; er kann von Beginn an weitaus präzisere – oder wenn man so will – 'richtigere' Hypothesen über die Struktur der zu erwerbenden Sprache aufstellen. In dieser Hinsicht ist er dem L1-Erwerber in der Tat überlegen. Entscheidend ist vor allem, daß bei weitgehend identischem Input L1- und L2-Erwerber zwar nach den gleichen Prinzipien – Dekomposition, Entwicklungssequenz, etc. – vorgehen, jedoch aufgrund ihrer unterschiedlichen kognitiven Ausgangslage verschiedene Verarbeitungsstrategien, (im Sinne von Hypothesenbildung) anwenden.

Wie die Daten zeigen, verändert die unterschiedliche Ausgangslage ganz konkret den Erwerbsprozeß: Sprachliches Vorwissen führt zu unterschiedlichen Hypothesen, unterschiedliche Hypothesen führen zu verschiedenen Entwicklungssequenzen. Der wesentliche Erkenntiswert dieser Analyse liegt darin, daß externe Unterschiede zwischen L1- und L2-Erwerber, i.e. die kognitiv-sprachlichen Voraussetzungen, in Relation zu Gesetzmäßigkeiten des Spracherwerbsprozesses gesetzt werden. Externe Unterschiede werden nicht nur aufgelistet, sondern ihr Einfluß auf den Lernprozeß wird sichtbar gemacht.

Die Beziehung zwischen externen Faktoren und Unterschieden im Erwerbsprozeß ist in der Vergangenheit kaum jemals als Problem erkannt worden. Die Mehrzahl jener Arbeiten, die sich mit der Relation von L1- und L2-Erwerb oder natürlichem L2-Erwerb und Fremdsprachenunterricht befassen, enthalten typischerweise eine mehr oder minder lange Liste externer Unterschiede zwischen den einzelnen Lernertypen bzw. Lernsituationen (cf. Littlewood 1973, van Parreren 1975, Schumann 1975b). Daraus wurde ungerechtfertigterweise die Schlußfolgerung gezogen, daß Unterschiede in den äußeren Bedingungen notwendigerweise mit Unterschieden im Ablauf des Erwerbsprozesses korrelieren müssen. Derartige Darstellungen und Schlußfolgerungen sind jedoch trivial und ohne Erkenntniswert. Solange Unterschiede hinsichtlich der äußeren Bedingungen lediglich aufgezählt werden, jedoch nicht zu beobachteten Gesetzmäßigkeiten des Lernens in Beziehung gesetzt werden, ist nichts gewonnen.

Im übrigen ist die These, unterschiedliche Lernbedingungen führen zu unterschiedlichem Lernen, viel zu undifferenziert und empirisch nicht haltbar. Die unterschiedliche Ausgangssituation zwischen L1- und L2-Erwerber gilt natürlich nicht nur für den oben beschriebenen Satztypenerwerb, sondern für den Spracherwerb insgesamt. Dennoch finden sich keinesfalls in allen Strukturbereichen so gravierende Unterschiede im Output wie beim Satztypenerwerb. Im Bereich der Negation verlaufen zumindest in den frühen Phasen L1- und L2-Erwerb weitgehend parallel. In diesem Bereich ist somit die unterschiedliche Ausgangssituation völlig unerheblich. Die Beziehung zwischen Lernprozeß und Lernbedingung muß also weitaus differenzierter betrachtet werden.

11. Zur Erklärung von Entwicklungssequenzen

In der heutigen Spracherwerbsforschung wird allgemein nicht mehr bestritten, daß die L1- bzw. L2-sprachliche Entwicklung nach einem festgelegten Grundmuster abläuft, das sich z.B. in Erwerbssequenzen widerspiegelt. Die strittige Frage ist nicht, ob Spracherwerb systematisch ist oder nicht, sondern wie diese Systematik im einzelnen aussieht. In der Literatur taucht in diesem Zusammenhang immer wieder die Forderung nach Erklärungen für den systematischen Ablauf des Erwerbsprozesses auf (cf. Slobin 1973, Bloom et al. 1975, Brown 1973, Schlesinger 1977). Warum erlernt das Kind eine Sprache just so wie es sie erlernt? Warum etwa erscheint *nein* früher als *nicht;* warum die satzexterne Negation vor der satzinternen Negation, etc.?

Grundsätzlich bieten sich zwei Typen von Erklärungen für den formalen Ablauf von Spracherwerbsprozessen an: linguistische und nicht-linguistische (hier speziell: kognitive und sozio-ökonomische). In der derzeitigen Forschung werden rein linguistische Aussagen über den Ablauf des Erwerbsprozesses nicht als 'Erklärungen' im eigentlichen Sinne anerkannt. Ihnen wird lediglich der Status von Beschreibungen zugebilligt. Die Forderung, spracherwerbliche Gesetzmäßigkeiten zu erklären, impliziert im allgemeinen den Versuch, bestimmte sprachliche bzw. spracherwerbliche Phänomene aus nicht-sprachlichen – in der Regel kognitive – Regularitäten abzuleiten. Eine Aussage wird erst dann als Erklärung angesehen, wenn die rein linguistische Ebene verlassen wird, um etwa kognitive oder soziologische Kategorien in die Betrachtung mit einzubeziehen.

Die bisherigen Versuche, spracherwerbliche Gesetzmäßigkeiten, wie sie sich etwa in den Entwicklungssequenzen manifestieren, durch Rekurs auf allgemeine kognitive Phänomene zu erklären, sind de facto nahezu ausnahmslos fehlgeschlagen (cf. Fillmore 1976, Lightbown 1977a, Felix 1980c). Die vorgebrachten Erklärungen waren zumeist entweder derart global, daß sie über triviale Erkenntnisse kaum hinauskamen, oder sie gingen an den eigentlich erklärungsbedürftigen Phänomenen, i.e. den beobachteten Gesetzmäßigkeiten, einfach vorbei. Letzteres gilt vor allem für den phonologischen Bereich.

M.E. beruht die Forderung, spracherwerbliche Regularitäten aus allgemeinen kognitiven Kategorien abzuleiten, auf einem fundamentalen Mißverständnis der Aussagekraft linguistischer Analysen im Spracherwerbsbereich. Daher scheint mir beim augenblicklichen Stand der Forschung der Versuch, Korrelationen zwischen linguistischen und kognitiven Phänomenen aufzustellen, mit Skepsis zu betrachten zu sein.

Bei der Frage nach der Beziehung von sprachlicher und kognitiver Entwicklung ist vor allem darauf hingewiesen worden, daß Spracherwerb offenbar von bestimmten kognitiven Voraussetzungen abhängt (cf. Slobin 1973). Bestimmte sprachliche Elemente oder Kategorien können erst dann auftreten, wenn im kognitiven Bereich die entsprechenden Voraussetzungen gegeben sind. So setzt etwa der Erwerb jener syntaktischen und semantischen Kategorien, die sich auf Begriffe wie Zeit, Ort, Grund, etc., beziehen (z.B. Präpositionen, Fragepronomina, Tempusmarkierungen), voraus, daß das Kind auf der kognitiven Ebene die genannten Konzepte gemeistert hat. Dies ist zweifellos richtig. Nur: was wird damit erklärt? Hier handelt es sich im Grunde nur um die triviale Einsicht, daß nicht verbalisiert werden kann, was kognitiv noch nicht erfaßt ist (cf. Felix 1980c). Gesetzmäßigkeiten des Spracherwerbs lassen sich hierdurch nicht erklären. Es ist unzweifelhaft plausibel anzunehmen, daß – vor allem im L1-Erwerb – die sprachliche und geistige Entwicklung des Kindes ineinandergreifen.

Ebenso werden vermutlich bestimmte Entwicklungsphänomene – körperliche, geistige wie sprachliche – einander bedingen. Nur: allein durch diese Annahme ist nichts gewonnen, solange derartige Beziehungen nicht im einzelnen sichtbar gemacht werden. Vor allem sollten die "kognitiven Voraussetzungen" im Slobin'schen Sinne nicht mit Erklärungen konkreter sprachlicher Erwerbsprozesse verwechselt werden.

Zweifellos läßt sich das Phänomen des Spracherwerbs unter einer Vielzahl unterschiedlicher Fragestellungen – psychologischer, soziologischer, neuropysiologischer didaktischer, linguistischer, etc. – untersuchen. In der "älteren" Spracherwerbsforschung (z.B. Stern & Stern 1910, Scupin & Scupin 1907) stand zumeist die psychologische Fragestellung im Vordergrund. Durch Beobachtung des Spracherwerbs erhoffte man, Einsichten über die geistige Entwicklung des Kindes zu gewinnen. Unter dem Stichwort *Sozialisationsprozeß* rückte in jüngster Zeit die soziologische Fragestellung mehr und mehr in den Mittelpunkt. Mir scheint es ein wesentliches Verdienst der psycholinguistischen Forschung der 60er und frühen 70er Jahre zu sein, über die traditionellen Fragestellungen hinaus spracherwerbliche Gesetzmäßigkeiten sichtbar gemacht zu haben, die sich mit linguistischen Kategorien beschreiben lassen. Hierbei handelt es sich um Regularitäten, wie sie etwa durch Entwicklungssequenzen, Simplikationsmechanismen (Meisel 1980) oder Dekompositionsphänomenen erfaßt werden. Mit dem Erkennen linguistischer bzw. linguististisch formulierbarer Gesetzmäßigkeiten ist zunächst einmal nichts anderes verbunden als eben dies: daß solche Gesetzmäßigkeiten vorhanden sind. Es wird – wenngleich von verschiedenen Seiten vielfach unterstellt – weder damit postuliert, daß die linguistischen die einzigen Gesetzmäßigkeiten des Spracherwerbs seien, noch, daß ihnen gegenüber anderen Gesetzmäßigkeiten ein Sonderstatus zukomme. Es wird lediglich behauptet, daß eine adäquate Beschreibung des Spracherwerbs jene linguistischen Gesetzmäßigkeiten mit einbeziehen muß. Sollen derartige linguistische Gesetzmäßigkeiten nun erklärt werden, so kann es nicht allein darum gehen, aufzuzeigen, daß neben linguistischen auch andere Regularitäten den Spracherwerb bestimmen, indem man etwa darauf hinweist, daß das Erlernen einer Sprache stets ein Sozialisationsprozeß ist oder daß kognitive Phänomene eine Rolle spielen. Hier wird bestenfalls die Perspektive erweitert, aber nichts erklärt. Vielmehr muß eine Erklärung darauf abzielen, die beobachteten linguistischen Gesetzmäßigkeiten auf allgemeinere Kategorien oder Prinzipien zurückzuführen.

In den vergangenen Jahren ist mit vielversprechendem Erfolg der Versuch unternommen worden, spezielle linguistische Phänomene des Spracherwerbs auf allgemeinere linguistische Strukturzusammenhänge zurückzuführen. So wird etwa das Auftreten der linguistischen Strukturen *a* und *b* aus dem Prinzip X und das Auftreten der linguistischen Strukturen *c* und *d* aus dem Prinzip Y abgeleitet, wobei X und Y linguistische Kategorien bzw. mit linguistischen Kategorien formulierte Prinzipien sind. Mit anderen Worten: die Erklärung bleibt auf der rein linguistischen Ebene; dabei wird Spezielles jeweils durch Allgemeines erklärt.

Derartige Erklärungen sind vor allem in zwei Bereichen geliefert worden: einerseits hat man die Abhängigkeiten der Entwicklungssequenzen von den formalen, d.h. linguistisch formulierbaren Struktureigenschaften der zu erwerbenden Sprache nachgewiesen; andererseits hat man gezeigt, daß sich strukturelle Eigenschaften in den Entwicklungssequenzen verschiedener Strukturbereiche als Ausdruck des gleichen sprachlichen Prinzips beschreiben lassen.

Für den Phonologierwerb sind in dieser Richtung Untersuchungen vor allem von Smith (1973) und Ingram (1974a–b, 1976) durchgeführt worden. Für den Syntax- und Morphologiebereich liegen erste Ergebnisse etwa von Wode (1977f–h, 1978c, 1981) oder Meisel (1980) vor. Die von Wode angestrebte Spracherwerbstheorie versteht sich in diesem Sinne als streng linguistische Theorie; d.h. sie macht mit Hilfe von linguistischen Kategorien Aussagen über linguistische Sachverhalte. Darin unterscheidet sich Wode etwa von Slobin, der mit Hilfe psychologischer, i.e. kognitiver Kategorien sprachliche, i.e. spracherwerbliche Sachverhalte erklären will. Wode betont an verschiedenen Stellen seiner Arbeiten (cf. Wode 1976c, 1977f), daß einer jener Faktoren, die die Entwicklungssequenz, und somit den Ablauf des Spracherwerbsprozesses bestimmen, die Struktur des zu erwerbenden Modells ist. Zur Illustration folgende Beispiele:

Bei der Analyse des englischen und des deutschen Interrogationserwerbs zeigte sich, daß ja/nein-Fragen gegenüber Pronominalfragen einerseits und die verschiedenen

Fragepronomina andererseits in einer bestimmten Abfolge erworben werden. Ja/nein-Fragen treten sehr früh auf, und zwar zunächst in der Form von rein intonatorisch markierten Fragen, d.h. ohne Inversion. Bei den Pronominalfragen erscheinen zunächst *wo* oder *was*, während *wann* und *warum* sehr spät erworben werden. Dies gilt jedoch zunächst nur für das Deutsche und Englische. Bowermans (1973) Arbeit über den L1-Erwerb des Finnischen zeigt, daß ja/nein-Fragen erst relativ spät erscheinen, d.h. später als *wo-* oder *was*-Fragen, aber früher als *wann* oder *warum*-Fragen.

Dieser Unterschied in den deutschen/englischen gegenüber finnischen Entwicklungssequenzen im Bereich der Interrogation findet seine Entsprechung in der Tatsache, daß das Finnische im Gegensatz zum Deutschen oder Englischen keine rein intonatorisch markierten ja/nein-Fragen kennt. Dieser Fragetyp wird im Finnischen durch ein gebundenes Morphem markiert, das an verschiedenen Konstituenten des Satzes angehängt werden kann. Der Strukturunterschied in den Modellen korreliert also mit Unterschieden in den Entwicklungssequenzen – frühes gegenüber spätes Auftreten von ja/nein-Fragen.

In Felix (1978b) habe ich gezeigt, daß im deutschen L2-Erwerb Auxiliare (*können, müssen,* etc.) früher als Vollverben auftreten, während im englischen L2-Erwerb die umgekehrte Abfolge anzutreffen ist. Auch dieser Unterschied in den Entwicklungssequenzen korreliert mit den unterschiedlichen syntaktischen Eigenschaften der Auxiliare im Englischen und Deutschen. Im Deutschen können Auxiliare Vollverbstatus einnehmen, im Englischen nicht (cf. dtsch. *ich kann das* vs. engl. **I can that*). In mehreren Arbeiten zum Flektionserwerb (Wode 1976c, Wode 1978c) stellt Wode als Spracherwerbsprinzip auf: freie Formen werden vor gebundenen Formen erworben. Mit diesem Prinzip erklärt er nicht nur, warum etwa bei der Negation *don't* später als *no/not* auftritt, sondern ebenfalls die einzelnen Erwerbsstadien bei der Pluralbildung oder der Verbalflektion.

Entscheidend ist, daß derartige Erklärungen stets linguistische Erklärungen sind. Sprachliche Sachverhalte werden auf linguistische bzw. linguistisch formulierbare Phänomene zurückgeführt. So erklären etwa die formalen Strukturmerkmale der Zielsprache bestimmte Aspekte der (linguistisch formulierten) Entwicklungssequenz bei ihrem Erwerb. Ein linguistisches Prinzip, wie etwa gebundene Form vor freier Form, erklärt zuvor beobachtete formale Eigenschaften im Ablauf des Erwerbsprozesses, etc.

Woraus leitet sich die Berechtigung ab, allein auf die linguistische Ebene fixierte Korrelationsaussagen als Erklärungen auszugeben? Die Antwort scheint mir sehr einfach zu sein: ihre Voraussagekraft. Es ist möglich, auf der Basis derartiger linguistischer Prinzipien Voraussagen über Entwicklungssequenzen beim Erwerb von Sprachen zu machen. Es werden nicht nur im nachhinein vorhandene Daten interpretiert, sondern in Abhängigkeit von bestimmten Strukturverhältnissen zu erwartende Entwicklungssequenzen vorhergesagt.

Mir scheint in der Tat das Kriterium der Voraussagekraft die entscheidende Legitimation eines Spracherwerbsprinzips zu sein. Eine Aussage ist nur dann eine Erklärung, wenn sie über den Einzelfall hinaus zu allgemeinen Hypothesen über einen Sachverhalt führt. Ansonsten handelt es sich eben nicht um eine Erklärung, sondern eine Beschreibung. Es läßt sich jedoch nicht leugnen, daß weite Kreise der psycholinguistischen Forschung – vor allem soweit sie primär psychologisch orientiert sind – einer derartigen linguistischen Aussage kaum den Status einer Erklärung zubilligen. Und zwar nicht, weil etwa ihr Vorhersagecharakter bestritten wird, sondern weil es sich um eine Aussage handelt, die sich eben auf die rein linguistische Ebene beschränkt. Vielfach werden als Erklärungen nur solche Aussagen anerkannt, die linguistische (hier: spracherwerbliche) Sachverhalte aus nicht-linguistischen Prinzipien/Kategorien ableiten, d.h. die sprachliche Gesetzmäßigkeiten als einen Sonderfall allgemeinerer Regularitäten ansehen. Unter jenen Bereichen, von denen man sich in diesem Sinne Erklärungen erhofft, gilt die Kognition als plausibelste Domäne.

Das eigentliche Problem besteht nun darin, linguistische Sachverhalte so mit kognitiven Fakten zu korrelieren, daß bei Kenntnis der kognitiven Fakten eine Vorhersage über die zu erwartenden linguistischen Sachverhalte ermöglicht wird. Diese Aufgabe läßt sich nun nicht dadurch lösen, daß einfach auf die Relevanz der Kognition hingeweisen wird, indem man irgendwelche Korrelationen zwischen beliebigen kognitiven und spracherwerblichen Phänomenen aufstellt. Vielmehr ist die sprachliche Seite der Korrelationen eindeutig vorgegeben: Die Entwicklungssequenz d.h. der formal-sprachliche Ablauf des Erwerbsprozesses, gibt jenen Bereich an, zu dem etwa kognitive Faktoren in Beziehung zu setzen sind.

Mir sind bislang keine Arbeiten bekannt, die eine solche Korrelation zwischen kognitiven Phänomenen und Gesetzmäßigkeiten der Entwicklungssequenz bzw. des formal-linguistischen Ablaufs des Erwerbsprozesses erfolgreich aufgestellt hätten. Wo die Beziehung zwischen Spracherwerb und Kognition untersucht wird (cf. Sinclair-de Zwart 1967, 1973, Fillmore 1976), erscheinen auf der sprachlichen Seite zumeist recht globale Bezüge, wie etwa Geschwindigkeit oder Beginn des Erwerbsprozesses, nicht jedoch just jene erklärungsbedürftigen linguistischen Gesetzmäßigkeiten, wie sie sich z.B. in den Entwicklungssequenzen manifestieren.

Slobin (1973) gilt als einer der ersten, der die Abhängigkeiten zwischen Kognition und Spracherwerb unterstrich. Gerade Slobin wird immer wieder zitiert, wenn es darum geht, linguistische Sachverhalte des Spracherwerbs auf allgemeine kognitive Phänomene zurückzuführen. In Slobin (1973) werden insgesamt sieben *operating principles* aufgeführt, die die Beziehung zwischen kognitiver und sprachlicher Entwicklung darlegen sollen.

An zwei willkürlich aufgegriffenen *operating principles* möchte ich exemplarisch illustrieren, daß diese Prinzipien entweder nichts anderes sind als nicht-formalisierte linguistische Aussagen, oder so allgemein gehalten sind, daß letztlich alles und nichts damit erklärt werden kann.

Operating Principle A lautet: *pay attention to the end of words.* Dieses Prinzip ist so allgemein – und damit scheinbar kognitiv – gehalten, daß kaum präzis auszumachen ist, was damit eigentlich gemeint ist. Operating Principle A ließe sich wie folgt paraphrasieren: gegeben sei eine Kette *xy*, die in irgendeinem Sinne eine Einheit bildet; greife stets das am Ende stehende Element *y* als erstes auf.

Für den Spracherwerb wäre eine solche Aussage sachlich falsch. Kinder greifen keineswegs stets das Ende eines Wortes als erstes auf. Es ist auch keinesfalls klar, auf welche nicht-sprachliche kognitive Domäne ein solches Prinzip anzuwenden ist. In der Tat will Slobin dieses Prinzip auch so nicht verstanden wissen. Was damit gemeint ist, offenbart sich in dem darunter erscheinenden Universal A1:

> "for any given semantic notion, grammatical realizations in the form of suffixes or postpositions will be acquired earlier than realizations in the form of prefixes or prepositions."

In dieser Formulierung ist das *operating principle* jedoch eine rein linguistische Aussage, der man kaum etwas allgemein Kognitives im traditionellen Sinne zuzuerkennen vermag. Es handelt sich um Angaben zur relativen Erwerbschronologie bestimmter linguistischer Kategorien (Präpositionen, Suffixe, etc.) Slobins Operating Principle A beschränkt sich ebenso auf die rein linguistische Ebene wie Wodes Prinzip freie vor gebundene Form.

Operating Principle F lautet: *Avoid exceptions.* Auch dieses Prinzip ist so allgemein gehalten, daß erst das folgende Universal F2 klar macht, was gemeint ist:

> "rules applicable to larger classes are developed before rules relating to their subdivisions, and general rules are learned before rules for special purposes."

Diese Aussage umfaßt in der Tat ein Prinzip, das allgemeine kognitive Mechanismen widerspiegeln und somit auch in anderen i.e. nicht-sprachlichen Bereichen zutreffen könnte. Nur: die Problematik dieses Prinzips liegt darin, daß es viel zu allgemein ist, um beobachtete Gesetzmäßigkeiten des Spracherwerbs zu erklären. Die Regeln, die Slobin hier anspricht, sind offensichtlich die Regeln des Erwachsenenmodells. Allgemeinere Regeln des Modells sollen demnach vor spezielleren Regeln des Modells erworben werden. Nur: das Kind lernt die Regeln des Modells – egal, ob allgemein oder speziell – vielfach eben nicht sofort, sondern über Zwischenstadien, in denen Regeln auftreten, die das Modell gar nicht kennt. Gerade die Systematik jener Regeln, die das Kind vor dem Erlangen erwachsenensprachlicher Kompetenz benutzt, ist erklärungsbedürftig. Prinzip F geht also an der eigentlichen Problematik vorbei.

Zuweilen widerlegen die Daten die Gültigkeit des *operating principle.* Die allgemeinste englische Satzverneinung ist wohl, daß Sätze durch interne Stellung des Negators *not* negiert werden. In einigen speziellen Fällen kann jedoch statt des Negators *not* das Negativmorphem *no* vor einem folgenden nominalen Objekt erscheinen: *I do not have a car* vs. *I have no car.* Es besteht kaum Zweifel, daß die *not*-Regel allgemeiner ist als die *no*-Regel. Daher müßte nach Slobins Prinzip *not* vor *no* erworben werden. Das Umgekehrte ist der Fall. Mir scheint der Versuch, linguistische Gesetzmäßigkeiten des Spracherwerbs auf allgemeinere kognitive Phänomene zurückzuführen und sie dadurch zu erklären, beim derzeitigen Stand unseres Wissens wenig sinnvoll zu sein. Vor allem liegt diesem Versuch m.E. eine völlig unzutreffende Einschätzung des Phänomens Sprache zugrunde. Sprache wird hier sozusagen als etwas Sekundäres, als eine Art Derivat aufgefaßt. Sprache wird hier dem menschlichen Denken und Erkennen untergeordnet; sie wird als in sich unselbständiges Ausdrucksmittel für die als primär geltenden kognitiven Leistungen des Menschen gesehen. Hier spiegelt sich natürlich das alte Problem der Beziehung zwischen Sprache und Denken wider, allerdings nicht im Sinne einer zu lösenden Frage, sondern als eindeutige Stellungnahme zugunsten des Primats des Denkens. Sprache wird a priori der Kognition untergeordnet; sie ist nichts anderes als die Abbildung kognitiver Phänomene. In dieser Auffassung gehen zweifellos behavioristische Grundpositionen ein, wie sie etwa von Thorndike (1913, 1932) entwickelt wurden. "Thorndike neigte dazu, getreu der assoziationstheoretischen Tradition Sprache als eine Ansammlung von Wörtern anzusehen, die er einer quantitativen Behandlung unterzog" (Hilgard & Bower 1975: 63). Sprache im Sinne einer solchen Ansammlung von Wörtern bildet lediglich die diesen Wörtern zugrundeliegenden kognitiven Phänomene ab; daher führt der Zugang zu Sprache allein über den Weg der Kognition.

In einem fatalen Mißverständnis wird bei dieser Auffassung völlig der eigenständige Systemcharakter von Sprache übersehen und ein Weg zurück zu linguistischen Urzeiten beschritten. Es ist das Verdienst der in jüngster Zeit viel geschmähten Systemlinguistik, auf die formalen Prinzipien, die Sprache zugrundeliegen, hingewiesen zu haben. Diese formalen Prinzipien, d.h. der Systemcharakter von Sprache, werden nicht durch Kategorien des menschlichen Denkens oder Erkenntnis motiviert. Sie werden zunächst durch gar nichts motiviert, sondern sie stellen ein eigenständiges und unabhängiges Phänomen sui generis dar. Daß natürliche Sprache etwa stets strukturabhängige und niemals strukturunabhängige Regeln enthalten, ist nicht in einem strengen Sinne aus irgendwelchen kognitiven Phänomenen begründbar. Es handelt sich um ein Faktum, das bei der Beschreibung sprachlicher Phänomene zu berücksichtigen ist, das aber nicht in strengem Sinne erklärungsbedürftig ist.

In diesem Sinne bilden die Entwicklungssequenzen das entscheidende Merkmal zur Prüfung von Erklärungshypothesen. Mir sind bislang keine erfolgreichen Versuche bekannt, die formalen Prinzipien und Gesetzmäßigkeiten des Spracherwerbs mit kognitiven Phänomenen zu korrelieren. Ich bin auch skeptisch, ob derartiges in absehbarer Zeit gelingen mag. Das grundliegende Problem liegt darin, daß Korrelationen zwischen den Elementen zweier Gruppen – soweit es sich nicht um statistische Auftretenskorrelationen handelt, und die spielen hier keine Rolle – nur dann aufgestellt werden können, wenn die Elemente der einen Gruppe irgendwelche Eigenschaften mit den Elementen der anderen Gruppe gemeinsam haben, so daß erkennbar ist, welches Element potentiell mit welchem Element korreliert werden kann.

Besteht etwa die eine Gruppe aus den Elementen *a, b, c,* und *d* und die andere Gruppe aus den Elementen *w, x, y* und *z*, und wird vermutet, daß zwischen den Elementen dieser Gruppe eine Korrelation besteht, etwa *a* zu *w, b* zu *x*, etc., so müssen *a* und *w,* sowie *b* und *x* irgendeine Eigenschaft gemeinsam haben. Ist dies nicht der Fall, so läßt sich nicht eindeutig entscheiden, ob *a* nun mit *w, x, y* oder *z* korreliert, usw. Auf das Problem Spracherwerb vs. Kognition übertragen bedeutet dies: die Elemente des Spracherwerb sind zunächst formal-linguistisch charakterisiert; im Bereich der Negation z.B. durch Wortstellung, Morphemwahl, *nein* vs. *nicht*, etc. Die Elemente der Kognition sind durch kognitive Merkmale gekennzeichnet. Ich sehe derzeit keine Gemeinsamkeiten zwischen formal-linguistischen und kognitiven Kategorien. Anders ausgedrückt: welches ist das kognitive Korrelat zu solchen linguistischen Phänomenen wie Wortstellung, Transformation, gebundene Form vs. ungebundene Form? Welches ist das kognitive Korrelat zu *nicht* gegenüber *nein,* etc.? Soweit mir bekannt, stellt die derzeitige Psychologie keine kognitiven Kategorien bereit, die in diesem Sinne Gemeinsamkeiten mit formal-linguistischen Kategorien aufweisen, so daß sich hier eine Korrelation ermitteln ließe.

Mir scheint, der Versuch, spracherwerbliche Phänomene auf kognitive Gesetzmäßigkeiten zurückzuführen, nicht nur aussichtslos, sondern auch weitgehend überflüssig zu sein, sobald man Sprache, Sprachfähigkeit und somit auch Spracherwerb selbst als psychologische Kategorien begreift. Nicht etwa in dem Sinne, daß sie aus solchen abgeleitet sind, sondern, daß sie neben Perzeption, Motorik, Intelligenz, Kognition etc. einen weiteren ebenso selbständigen psychologischen Bereich darstellen. Diese Auffassung ist nicht neu, sondern firmiert in der Literatur vielfach unter dem Schlagwort: *linguistic data are psychological data.*

Nach meiner Kenntnis hat bisher Chomsky (1968, 1975) diese Auffassung am ausführlichsten und überzeugendsten dargelegt. Chomsky versteht Linguistik nicht als einen Gegenpol zur Psychologie, sondern als einen Teilbereich der Psychologie. Linguistik, oder besser die linguistische Theorie, so wie sie Chomsky versteht, versucht, einen Beitrag zum Verständnis kognitiver Strukturen im Menschen zu leisten. Linguistik beschränkt sich dabei naturgemäß auf jenen kognitiven Strukturbereich, der Sprache betrifft. Diese verschiedenen Bereiche der Kognition des Menschen, i.e. Perzeption, Intelligenz, Sprache, sind zunächst nicht hierarchisch geordnet, sondern stellen gleichberechtigte Strukturbereiche dar. Für den Psychologen scheint klar zu sein (cf. Bower 1974), daß sich Phänomene wie Perzeption und Intelligenz auf der Grundlage kognitiver Strukturen entwickeln, die dem Menschen artspezifisch mitgegeben sind. Chomskys Leistung mag nun u.a. darin bestehen, daß er den traditionellen psychologischen Strukturbereichen jenen der Sprache zugefügt hat.

Wenn wir davon ausgehen, daß Sprache nicht etwa ein Derivat aus hierarchisch höher anzusiedelnden kognitiven Leistungen ist, sondern selbst einen kognitiven Bereich darstellt, so erweist sich die Forderung, spracherwerbliche Regularitäten aus kognitiven Phänomenen abzuleiten, als tautologisch. Spracherwerb ist nicht Abbild einer kognitiven Leistung, sondern er ist selbst eine kognitive Leistung. Linguistische Kategorien sind kognitive Kategorien, ebenso wie perzeptuelle Kategorien oder Kategorien der Intelligenz. Wortstellung, gebundene Formen, etc. sind Kategorien jenes kognitiven Struktursystems, das wir Sprache nennen, ebenso wie etwa Raum oder Richtung Kategorien jenes kognitiven Systems sind, das wir als Perzeption bezeichnen. Ebenso wie Raum und Richtung als Kategorien der Perzeption und deren Entwicklung beim Kinde nicht an sich einer Erklärung bedürfen in dem Sinne, daß sie Abbild 'allgemeinerer' kognitiven Kategorien sind, so sind auch formal-linguistische Kategorien nicht erklärungsbedürftig.

Aus dem behavioristischen Lager wird der Einwand vorgebracht, daß solche kognitiven Teilsysteme wie Perzeption, Motorik, Intelligenz und Sprache nicht per se existieren und schon gar nicht biologisch angelegt sind, sondern, daß die entsprechenden Fähigkeiten das Lernergebnis einer allgemeinen kognitiven Kapazität seien. Hier zeigt sich natürlich die Kontroverse zwischen Empiristen und Nativisten, auf die ich noch im Teil III eingehen werde.

Nach meiner Auffassung hat Chomsky (1975) überzeugend dargelegt, daß die Auffassung, Perzeption, Intelligenz, Sprache, etc. seien Ergebnis einer allgemeinen Lernfähigkeit, weitgehend dogmatisch und ohne jede empirische Grundlage ist. Chomsky vertritt die These, daß nach allem, was wir wissen, eine allumfassende Lerntheorie nicht existieren kann. Eine Lerntheorie LT ist jeweils auf den Bereich, der erlernt werden soll, und auf denjenigen, der lernt, zu beziehen.

Eine Theorie, die erklären soll, wie etwa Ratten sich in einem Labyrinth orientieren, wird die besondere Struktur von Ratten und die besonderen Strukturen des zu Erlernenden berücksichtigen müssen. Gleiches gilt für den Menschen und seine geistigen Fähigkeiten:

> "It would be interesting, for example, to discover whether there is some cognitive domain D other than language for which LT (H, L) is identical to or similar to LT (H,D). To date, no persuasive suggestion has been made, but conceivably there is such a domain. There is no particular reason to expect that there is such a domain, and one can only be surprised at the dogmatic view, commonly expressed, that language learning proceeds by application of general learning capacities . . . The proposal that language learning is simply an instance of 'generalized learning capacities' makes about as much sense, in the present state of our knowledge, as a claim that the specific neural structures that provide our organization of visual space must be a special case of the class of systems involved in language use. This is true, so far as we know, only at a level so general as to give no insight into the character of functioning of the various systems" (Chomsky 1975: 21).

Wenngleich die Ermittlung nicht nur linguistischer, sondern auch kognitiver Aspekte des Spracherwerbs ein lohnenswertes Forschungsgebiet ist, so scheint mir jedoch der Versuch, derartige kognitive Aspekte als Erklärung für linguistische auszugeben, beim derzeitigen Forschungsstand weitgehend müßig zu sein.

12. Zur Bedeutung des Alters im Zweitsprachenerwerb

Unter der Vielzahl von Variablen, über deren Bedeutung und Einfluß im Zweitsprachenerwerb immer wieder spekuliert worden ist, nimmt das Alter aus vielerlei Gründen eine Sonderstellung ein. Nicht zuletzt durch die Arbeit von Lenneberg (1967), der sich mit den biologischen Grundlagen des menschlichen Spracherwerbs auseinandersetzte, geht man heute vielfach von der Auffassung aus, der Mensch verliere spätestens mit dem Einsetzen der Pubertät jene gattungsspezifische Fähigkeit, die es ihm im Kleinkindalter gestattet, seine Muttersprache ohne steuernde Hilfe von außen allein durch den Kontakt mit sprachlichen Daten zu erwerben.

Somit nimmt es nicht wunder, daß Monographien und Aufsätze, die sich mit dem Erlernen einer zweiten Sprache durch Jugendliche oder Erwachsene befassen, in der Mehrzahl einerseits als bekannte Erfahrungstatsache, andererseits als empirisch und theoretisch abgesicherte Erkenntnis die These vertreten, der Mensch sei ab einem bestimmten Alter nicht mehr in der Lage, eine zweite Sprache akzentfrei zu erlernen. (cf. Burgschmidt & Götz 1974, Chastain 1975, Hüllen 1976, Solmecke 1973, Wienold 1973).

Diese Aussage ist jedoch derart global und undifferenziert, daß ihr kaum ein ernsthafter Erkenntniswert beigemessen werden kann. Was heißt 'akzentfrei'? Wenn mit dem Begriff 'akzentfrei' angedeutet werden soll, daß der Mensch im Pubertätsalter generell die Fähigkeit zum Spracherwerb verliert, so ist diese Aussage unzweifelhaft falsch. Sicherlich lernen mehr Menschen im Erwachsenenalter eine Zweitsprache als im Kindesalter. Wäre die These eines generellen Verlustes der Spracherwerbsfähigkeit zutreffend, so würde sich – als praktische Konsequenz – jeder Fremdsprachenunterricht, soweit er nicht die frühen Gymnasialklassen betrifft, verbieten. Es steht völlig außer Zweifel, daß der Mensch auch noch im postpubertären Alter imstande ist, eine zweite Sprache zu erwerben. Ist mit 'akzentfrei' lediglich gemeint, daß auf der phonologischen Ebene keine *native speaker competence* mehr erreichbar sei, so ist dies – mit Einschränkungen – sicher zutreffend; nur: damit ist eben nicht viel mehr gesagt als just dieses. Die allgemeine Fähigkeit des Menschen, eine zweite Sprache zu erwerben, geht offenbar mit der Pubertät nicht verloren, sondern sie wird bestenfalls dahingehend eingeschränkt, daß die Phonologie zumeist nicht mehr zur vollen Kompetenz hin erlernt werden kann. Hier sei nochmals der in diesem Zusammenhang immer wieder als Musterbeispiel genannte ehemalige amerikanische Außenminister Henry Kissinger zitiert. Zweifellos läßt sich die deutsche Abstammung von Kissinger bei keiner seiner Äußerungen leugnen; dennoch würde wohl niemand dem ehemaligen Außenminister absprechen wollen, der englischen Sprache auf syntaktischer, morphologischer, semantischer und stilistischer Ebene in vorzüglichem Maße mächtig zu sein. Die Erfahrungstatsache einer verminderten Spracherwerbsfähigkeit nach der Pubertät betrifft also zunächst anscheinend nur die Phonologie. Diese scheint im erwachsenen L2-Erwerb eine Sonderstellung einzunehmen. Während also Syntax, Morphologie, Semantik, etc. unter bestimmten Bedingungen auch im späteren Alter noch bis hin zur vollen Kompetenz gemeistert werden können, scheint dies bei der Phonologie – wenn unsere allgemeine Erfahrung richtig ist – in der Mehrzahl der Fälle nicht mehr möglich zu sein.

Damit stellt sich natürlich die Frage, warum dies so ist. Welche besonderen Eigenschaften trägt die Phonologie im Gegensatz etwa zur Syntax und Morphologie, daß ein 'ausländischer Akzent' im Erwachsenenalter nicht mehr vermeidbar zu sein scheint?

Diese Frage ist bei unserem derzeitigen Wissensstand nicht eindeutig zu beantworten. Wir wissen lediglich, daß die Phonologie auch im Muttersprachenerwerb hinsichtlich der involvierten Prozesse und Strategien eine Sonderstellung einnimmt. So vertritt etwa Smith (1973) die These, daß das Kind im phonologischen Bereich – etwa im Gegensatz zur Syntax oder Morphologie – zu keinem Zeitpunkt in seiner Entwicklung über ein eigenständiges System verfügt; vielmehr lassen sich nach Smith die frühkindlichen Äußerungen phonologisch auf systematische Reduktionen zielsprachlicher phonologischer Ketten zurückführen. Hiermit ist natürlich nichts erklärt; die Sonderstellung der Phonologie im L2-Erwerb findet lediglich eine Parallele im Muttersprachenerwerb. Gleichzeitig dürften jedoch auch Lennebergs Thesen Wesentliches ihres Erklärungsgehaltes verlieren. Wenn sich aufgrund physiologischer Veränderungen im Gehirn zur Pubertätszeit die biologischen Grundlagen für die menschliche Spracherwerbsfähigkeit wandeln, so bleibt zu fragen, warum dies primär die Phonologie und nicht auch andere sprachliche Strukturbereiche betrifft.

Der Begriff 'akzentfrei' und die damit verbundenen Aussagen sind weitgehend nichtssagend und daher unbrauchbar. Das Problem ist weitaus differenzierter anzugehen. Es ist die Frage zu stellen, inwieweit sich die natürliche menschliche Spracherwerbsfähigkeit im Laufe des Lebens in welchen Bereichen verändert. Auch für diesen Fragenkomplex besitzen wir derzeit nicht annähernd das notwendige Rüstzeug, um eine halbwegs befriedigende Antwort zu formulieren. Letztlich handelt es sich hier um einen Problemkreis, der sicherlich nicht auf der Basis alltäglicher Erfahrungen und Intuitionen, wie sie dem Begriff 'akzentfrei' zugrundeliegen, in den Griff zu bekommen ist. Hier bedarf es umfangreicher empirischer Untersuchungen. Diese stehen derzeit kaum zur Verfügung.

Wenden wir uns zunächst der Phonologie zu. Auch hier ist die Problemlage weitaus vielschichtiger als es auf den ersten Blick den Anschein haben mag. Einerseits wird wohl niemand ernsthaft bestreiten, daß die Phonologie eines erwachsenen L2-Sprechers in der Regel Rückschlüsse auf seine L1 ermöglicht, d.h. es gelingt dem erwachsenen Sprecher zumeist nicht, die L2-Phonologie bis zur vollen Kompetenz hin zu meistern. Diese Beobachtung fordert zunächst zu der Frage heraus, an welchen phonologischen Merkmalen sich der Hörer bei der Zuordnung eines L2-Sprechers zu einer bestimmten L1 orientiert. Werden sämtliche Abweichungen von der L2-Phonologie gleichermaßen gewichtet? "Wieviel" Phonologie muß falsch sein, um eine L1-Zuordnung zu erlauben? Werden Abweichungen im Vokalbereich und im Konsonantenbereich gleich empfunden? Auch zu diesem Fragenkomplex stehen befriedigende Antworten noch aus.

Warum nimmt nun die phonologische Lernfähigkeit im postpubertären Alter anscheinend ab? Eine Erklärungsmöglichkeit läge in der Annahme, daß die natürlichen spracherwerblichen Strategien und Prozesse bzw. deren neurophysiologischen Korrelate ab der Pubertät in irgendeiner Form Schaden nehmen, so daß der dem Kleinkind bei der Verarbeitung sprachlicher (phonologischer) Daten zur Verfügung stehende Mechanismus dem Erwachsenen genommen ist. Dies ist Lennebergs These, der allerdings von Krashen (1975) widersprochen wurde. Die Schwierigkeit einer solchen Erklärungshypothese liegt darin, daß a priori kein plausibler Grund vorliegt, warum dies nun nur die Phonologie, aber nicht andere linguistische Bereiche betreffen sollte. Eine andere Möglichkeit wäre, daß das Problem nicht im Spracherwerbsmechanismus, d.h. der Verarbeitung sprachlicher Daten, liegt, sondern in der mit dieser zu koordinierenden Motorik. D.h. der Spracherwerbsmechanismus funktioniert weiterhin, jedoch ist der Mensch nicht mehr in der Lage, seine Artikulationsmotorik so zu koordinieren wie es das Kleinkind kann. Die Problematik dieser These liegt nun aber wieder darin, daß hier die Artikulationsmotorik eine nicht ohne weiteres erklärbare oder plausible Sonderstellung einnimmt. Es liegt keinerlei Evidenz für die Annahme vor, daß die motorischen Fähigkeiten des Menschen ab der Pubertät generell abnehmen. Im Gegenteil. Bestimmte komplexe motorische Abläufe scheinen überhaupt erst im Jugendalter erlernbar zu sein. Andererseits ist bekannt, daß dem Kinde in der sprachlichen Hauptentwicklungszeit (also bis etwa zum 5. Lebensjahr) wichtige motorische Fähigkeiten noch fehlen. Es wäre also zu erklären, warum das Kind allein im Bereich derArtikulationsmotorik über größere Fähigkeiten als ältere Kinder bzw. Jugendliche verfügen soll.

Es ist beim derzeitigen Stand der Forschung keineswegs eindeutig, daß der Mensch nach der Pubertät tatsächlich generell unfähig ist, eine L2-Phonologie zu meistern. Neufeld (1980) führte mehrere Experimente durch, bei denen er bei 20 kanadischen College Studenten (19–22 Jahre alt) die Fähigkeit testete, die prosodischen und artikulatorischen Merkmale von drei nicht-indogermanischen Sprachen (Japanisch, Chinesisch und Eskimo) korrekt zu reproduzieren. Der entscheidende Unterschied zwischen Neufelds Experiment und anderen mit ähnlicher Zielsetzung lag darin, daß die Vps die drei Sprachen allein phonologisch, d.h. ohne Angaben zu Lexematik oder Grammatik "lernen" sollten. Es ging also ausschließlich um die Reproduzierbarkeit vorgegebenen lautlichen Materials.

Der Versuchsaufbau ist recht komplex. Ich fasse hier nur einige wichtige Merkmale zusammen. Das Material umfaßte 18 auf Band aufgezeichnete einstündige Lektionen. Insgesamt wurden die Vps mit 100 verschiedenen Äußerungen in einer Länge zwischen 1 und 8 Silben konfrontiert.

Es handelte sich also ausschließlich um sehr kurze Äußerungen, die mehrheitlich aus dem Standardrepertoire von Begrüßungen, Entschuldigungen, Danksagungen, etc. der betreffenden Sprache stammten. Die diesen Äußerungen zugrundeliegende phonische Struktur sollte nun in einem drei Grundphasen umfassenden Prozeß gelernt werden. In Phase I durfte die Vps die Äußerungen sich lediglich anhören, sie aber nicht nachsprechen. Die Vps sollte sich in dieser Phase zunächst rein rezeptiv auf die Lautung der L2 einstellen. Auch in Phase II durften die Vps die Äußerungen noch nicht nachsprechen, sondern mußten verschiedene Diskriminationsaufgaben durchführen, jedoch ohne auf verbale Antworten rekurrieren zu müssen. Phase III galt der Reproduktion. Zunächst durften die Äußerungen nur geflüstert wiederholt werden. Im letzten Teil von Phase III waren die Äußerungen dann mit normaler Stimme zu reproduzieren. Diese Reproduktionen wurden aufgezeichnet und entsprechend drei Japanern bzw. drei Chinesen (aus technischen Gründen konnten die Eskimo-Daten nicht beurteilt werden), die alle über Erfahrung im Lehren ihrer Sprache verfügten, zur Beurteilung vorgelegt. Dabei war folgende Bewertungsskala vorgegeben:

1. Heavily accented with nearly all English-like sounds
2. Noticeably foreign with many English-like sounds
3. Near native with frequent English-like sounds
4. Appears native with occasional English-like sounds.
5. Unmistakably native with no signs of interference.

Bei dieser Beurteilung ergaben sich folgende Ergebnisse. Ich übernehme direkt die Tabelle aus Neufeld (1980: 147):

Subject Number	*Japanese*	*Chinese*
4	5	4
8	5	5
23	5	4
2	4	3
5	4	4
12	4	4
15	4	3
16	4	4
17	4	4
1	3	3
21	3	3
10	3	4
11	3	3
19	3	3
20	3	3
6	2	2
22	2	3
14	2	2
25	2	1
7	1	2

Dieses Ergebnis ist zweifellos überraschend und widerspricht den üblichen Erfahrungswerten über die Erlernbarkeit einer L2-Phonologie im Erwachsenenalter. Bei den japanischen Daten fielen immerhin fast 50% der Vps in die Kategorien "appears native" oder "unmistakably native"; d.h. jeder zweite war auf Grund seiner phonologischen Leistung nicht als ausländischer Sprecher zu erkennen. Bei den chinesischen Daten ist der Prozentsatz nicht ganz so hoch. Erstaunlich auch, daß für beide Sprache jeweils nur eine einzige Vp als "heavily accented" kategorisiert wurde. Neufelds Ergebnisse sind im Augenblick äußerst schwierig zu interpretieren. Das im Verhältnis zu unseren normalen Erfahrungen überdurchschnittlich gute Abschneiden seiner Vps mahnt jedoch zumindest zur Vorsicht bei der These, der Mensch könne in der postpubertären Phase die Phonologie einer L2 nicht mehr voll erwerben. Nun ist jedoch Neufelds Testaufbau in hohem Maße artifiziell. Das Ausschalten von Grammatik und Lexikon entspricht sicher nicht dem üblichen Verfahren beim Erlernen oder Unterrichten von Fremdsprachen. Aber vielleicht liegt darin gerade der Grund für das Ergebnis. Neufelds Experiment gründet sich auf eine rigorose Trennung von Phonologieerwerb und – dem dann allerdings nicht mehr durchgeführten – Grammatikerwerb. Die Phonologie wird dem übrigen Erwerbsprozeß sozusagen vorgeschaltet. Eine solche rigorose Trennung tritt beim natürlichen Spracherwerb sicher nicht auf. Allerdings wissen wir aus dem L1-Erwerb, daß ein Gutteil phonologischer Strukturen erworben ist, bevor das Kind die ersten syntaktischen Strukturen bildet (cf. Olmsted 1970, Smith 1973, Moskowitz 1973).

Auch Neufeld selbst ist sehr vorsichtig bei der Evaluation seiner Ergebnisse: ". . . all we have demonstrated is that highly motivated university students, accustomed to the routine and paraphernalia of psychological experimentation, can acquire native-like proficiency in the sound patterns of another language in an artificial learning situation" (S. 149). Dennoch scheint der eigentliche Wert Neufelds Arbeit darin zu liegen, daß "we seem to have found the means to tap an ability which is believed by many to be virtually non-existent in most adults" (S. 149). Mir scheint es in diesem Zusammenhang letztlich belanglos zu sein, ob Neufelds Lernsituationen typisch oder artifiziell waren, ob seine Vps besonders motiviert waren oder nicht. Entscheidend scheint mir: es ist möglich, daß Erwachsene die Lautstruktur einer L2 bis zur annähernd vollen Kompetenz erwerben, d.h. es gibt keine prinzipiellen, etwa biologische Gründe im Sinne Lennebergs (1967), die diese Möglichkeit generell ausschließen. Somit stellt sich die Frage: wenn es möglich ist, warum geschieht es so selten? Dies ist nun in der Tat eine Frage, die einer detaillierten empirischen Überprüfung wert ist. Im Augenblick müssen wir uns für die Phonologie mit diesem bescheidenen Ergebnis zufrieden geben.

Im Bereich des natürlichen L2-Syntaxerwerbs im Erwachsenenalter ist die Datenlage äußerst spärlich. Die Mehrzahl der Forscher hat sich mit Kindern im vorpubertären Alter befaßt. Neben einer Reihe von Querschnittsstudien, wie Syngle (1975), Larsen-Freeman (1975a), Heckler (1975) und Anderson (1976) bieten sich für unsere Fragestellung vor allem zwei Longitudinaluntersuchungen an, die auf umfangreichen Datenerhebungen basieren: Butterworth (1972) und Schumann (1975a). Butterworth analysierte den Erwerb des Englischen durch den 13-jährigen Kolumbianer Ricardo. Dieses Alter ist für unsere Fragestellung insofern äußerst ungünstig, als es just in jene Zeit, i.e. die Pubertät, fällt, die als Grenze zwischen kindlichem und erwachsenem L2-Erwerb gilt. Eindeutiger ist die Sachlage in Schumanns Dissertation. Er beschreibt den Englischerwerb des 33-jährigen Kostarikaners Alberto. Ich werde mich daher im folgenden in erster Linie auf Schumanns Daten stützen und diese durch eigenes Material ergänzen.

Die grundlegende Frage – dies sei nochmals betont – ist nicht, ob Erwachsene besser oder schlechter lernen, sondern, ob sie anders lernen, und wenn ja, wie und in welchen Bereichen.

Ich verzichte auf eine detaillierte Beschreibung von Schumanns Datenerhebungsverfahren und verweise auf die Originalarbeit. Schumanns Datenmaterial umfaßt einerseits spontane Äußerungen von Alberto, andererseits elizitierte Testdaten, die insbesondere aus der Untersuchung der Auxiliarkomponente sowie bestimmter Flektionsendungen stammen. Zum sozioökonomischen Hintergrund von Alberto macht Schumann folgende Angaben:

> "Alberto (age 33) had been in the United States for 4 months when the study began. He was single and lived in an apartment with another Costa Rican couple. He worked as a polisher in a local frame manufacturing factory. Alberto lived in a largely Portuguese section of Cambridge and socialized mainly with a small group of Costa Rican friends. In the factory he worked with other non-English speakers (mainly Greeks) and also several Americans. There were a few other Spanish speakers working in the factory, but he was the only one in his department. He had graduated from high school in Costa Rica. There he had studied English 2 or 3 hours a week for 6 years. At the beginning of the study he could speak only a few English words and phrases." (S. 5–6)

Die zweifellos bemerkenswerteste Tatsache an Albertos L2-sprachlicher Entwicklung – Schumann stellt diese Beobachtung gleich an den Anfang seiner Arbeit – ist, daß eine solche in der Tat überhaupt nicht stattfand. Während der 10-monatigen Beobachtungszeit konnte Schumann keinen signifikanten Fortschritt bei Alberto feststellen. Im wesentlichen benutzte der Kostarikaner gegen Ende der Untersuchungsperiode die gleichen Strukturen, die auch am Anfang auftraten. Hierin zeigt sich in der Tat ein gravierender Unterschied zum Datenmaterial der bereits beschriebenen Kinder. Bedenkt man, daß beispielsweise Wodes ältester Sohn Heiko (cf. Wode 1981) nach einer Periode von etwas mehr als 6 Monaten hinsichtlich seiner spontanen (L2-) sprachlichen Leistung nur mit Mühe von einem gleichaltrigen amerikanischen Kind zu unterscheiden war, so ist das Fehlen eines L2-sprachlichen Fortschritts bei Alberto umso auffälliger.

Hier deutet sich bereits an, daß der Spracherwerb bei Erwachsenen vermutlich weitaus langsamer vonstatten geht als bei Kindern. Allerdings ist bei einer solch generellen Aussage Vorsicht geboten. Es liegt keinerlei Evidenz dafür vor, daß zunehmendes Alter generell zu langsamer L2-sprachlicher Entwicklung führt. Ervin-Tripp (1974) kommt aufgrund ihrer Daten zu dem Schluß, daß ältere Kinder schneller lernen als jüngere Kinder. Dies scheint darauf hinzudeuten, daß in einer noch näher zu spezifizierenden Kindheitsperiode der L2-Erwerb mit zunehmendem Alter sich beschleunigt, während im Erwachsenenalter der Erwerbsprozeß dann wieder langsamer verläuft als bei Kindern.

Die wesentlichen Merkmale in Albertos L2-sprachlicher Produktion faßt Schumann folgendermaßen zusammen:

> "It was felt that by attempting to account for his lack of learning, significant insight could be gained on what is involved in successful second language acquisition in general. Alberto spoke a reduced and simplified form of English in which the negative particle was held external to the verb, questions were

> uninverted, inflectional morphemes tended to be absent and auxiliary development was minimal. Three causes for his lack of development were considered: ability, social and psychological distance from English speakers and age. Performance on a Piagetian test of adaptive intelligence indicated that he had no gross cognitive deficits that would have prevented him from acquiring English more fully. Therefore lack of ability did not seem adequate to explain his acquisition pattern." (S. VII–VIII)

Schumanns Ergebnisse scheinen vor allem darauf hinzudeuten, daß der Spracherwerb ab einer bestimmten Altersgrenze verzögert wird bzw. sich in starkem Maße verlangsamt. Die Frage, ob die L2-sprachliche Entwicklung in dieser Altersgruppe zu einem bestimmten Zeitpunkt ganz abbricht und im Sinne von Selinker (1972) fossilisiert wird, läßt sich anhand von Schumanns Daten nicht beantworten. Eine Untersuchungsperiode von 10 Monaten ist hierfür wohl offensichtlich viel zu kurz. Wenn der L2-Erwerb im Erwachsenenalter erheblich langsamer verläuft als bei Kindern, so müssen die Beobachtungen zweifellos für einen weitaus längeren Zeitraum als 10 Monate angesetzt werden. Insofern scheint mir Schumanns Feststellung eines "lack of learning" bei Alberto etwas voreilig zu sein. Am Ende der Untersuchungszeit war der Kostarikaner insgesamt 14 Monate in den USA, wobei sein Kontakt mit der einheimischen Bevölkerung äußerst begrenzt gewesen zu sein scheint. Schaut man sich die zahlreichen verschiedenen Äußerungstypen von Alberto im Anhang zu Schumanns Arbeit an, so läßt sich beim besten Willen kein "lack of learning" konstatieren. Das eigentliche Problem liegt darin, daß Schumanns Daten keinerlei Auskunft darüber geben, a) welche Englischkenntnisse Alberto bereits in die USA mitbrachte und b) welche Strukturen er während der – nicht beobachteten – ersten vier Monate erwarb. Ob Alberto in den 14 Monaten unter den gegebenen Bedingungen viel oder wenig gelernt hat, ist letztlich relativ. Das Problem scheint mir weniger bei Albertos tatsächlichem oder vermeintlichem "lack of learning" zu liegen, als vielmehr bei Schumanns unzureichender Untersuchungsdauer, die keinerlei Aussagen zu diesem Themenkreis zuläßt.

Während das Alter vermutlich – in einer noch näher zu bestimmenden Weise – die Geschwindigkeit des Spracherwerbsprozesses beeinflußt, ist die entscheidende Frage, ob und inwieweit der 33jährige Alberto die englische Sprache nicht nur langsamer, sondern grundsätzlich anders erwirbt als kindliche L2-Erwerber in einer vergleichbaren Situation. Es ist also zu klären, ob in Albertos Äußerungen Strukturen auftreten, die sich im Datenmaterial der bereits beschriebenen Kinder fanden.

Schumann untersucht in seiner Arbeit vor allem drei Strukturbereiche: die Negation, die Interrogation und die Auxiliarkomponente. Aus Gründen der Vergleichbarkeit mit dem zuvor beschriebenen Datenmaterial des kindlichen L2-Erwerbs beschränken wir uns hier auf die Darstellung der Negation und der Interrogation.

Alberto verwendete im wesentlichen nur zwei Typen von Negationsbildung:

1. *No* + Verb
2. *Don't* + Verb.

Nach Schumanns Auszählung der entsprechenden Belege: "No + V was clearly the more dominant of the two and consistently achieved a higher frequency of use until the very last sample" (S. 17). Bemerkenswert ist fernerhin – vor allem im Vergleich zu den Daten unserer frühkindlichen L2-Erwerber, daß "Alberto had virtually no *aux-neg* and analysed *don't* constructions" (S. 17).

Leider enthält Schumanns Arbeit kaum Beispiele für Albertos Äußerungen im Bereich der Negation. Wir müssen uns daher mit den angegebenen Strukturbeschreibungen begnügen. Vergleichen wir Schumanns Aussagen mit dem entsprechenden Datenmaterial zum kindlichen L2-Erwerb, so ist eine verblüffende Parallelität nicht zu übersehen. Alberto benutzt im wesentlichen die gleichen Strukturtypen, die sich auch etwa bei Wodes (1981) Kindern finden. Entscheidend ist vor allem, daß sich Albertos modellabweichende L2-Produktionen sehr präzis entwicklungsspezifisch einordnen lassen. Obwohl Schumanns Daten nur geringen Einblick in den Verlauf der L2-sprachlichen Entwicklung bei Alberto geben, läßt sich aus den verwendeten Strukturtypen im Negationsbereich in etwa ableiten, in welchem Entwicklungsstadium sich Alberto befindet. Die Struktur *no* + Verb deutet auf eine relativ frühe – wenngleich nicht die früheste – Entwicklungsphase des L2-Erwerbs hin. Alberto benutzt bereits die satzinterne Negation, während das erste Stadium des Negationserwerbs im allgemeinen durch die satzexterne Negation gekennzeichnet ist. Dennoch scheint sich anzudeuten, daß diese Periode der satzinternen Negation mit *no* ihrem Ende entgegengeht, wobei in der sich nun abzeichnenden folgenden Phase wiederum die gleiche Struktur wie bei Kindern verwendet wird. *No* wird zunehmend durch *don't* ersetzt, wobei *don't* hier noch monomorphematisch zu werten ist. Alberto ist sich offensichtlich noch nicht darüber im klaren, daß *don't* aus dem flektierbaren Verb *do* + dem Negativmorphem *not* besteht, sondern er verwendet *don't* als Variante zu *no*. Nach der Evidenz aus dem kindlichen L2-Erwerb wären in diesem Stadium allerdings auch Belege der Form *not* + Verb zu erwarten, die Schumann jedoch nicht erwähnt. Auf dem Hintergrund der bislang bekannten Entwicklungen im L2-Erwerb ist vor allem erstaunlich, daß die Struktur *aux + neg* nicht auftaucht. Wodes Kinder benutzten bereits sehr früh negierte Kopulasätze. In der Tat traten diese negierten Kopulasätze früher auf als entsprechend negierte Vollverbsätze. Allerdings wird aus Schumanns Ausführungen nicht ganz klar, welchen Bereich die *aux + neg*-Konstruktion abdecken soll. Umfaßt *aux* hier nur die modalen Hilfsverben in Strukturen *aux + neg* + Verb oder ist damit auch die Kopula in Äquationalsätzen gemeint? Aufgrund fehlender Beispiele ist diese Frage nicht zu beantworten. Schumann führt insgesamt nur zwölf Äußerungen von Alberto auf, von denen fünf negierte Äquationalsätze darstellen:

(a) This is not a cassette.
(b) He isn't married.
(c) This isn't a supper, is a lunch.
(d) I am not a bartender.
(e) Do not is a table. (als Verneinung von *This is a table.*)

Diese Daten lassen vermuten, daß Alberto zwar Äquationalsätze negieren konnte, aber aus irgendwelchen nicht klar erkennbaren Gründen in negierten Äußerungen vornehmlich Vollverbstrukturen verwendete. Möglicherweise spielen hier situationelle Faktoren eine Rolle. Aufschlußreich sind die oben angeführten Beispiele (a) – (e) aus einem weiteren Grund. Die ersten vier Äußerungen sind hinsichtlich der Negation korrekt, während das letzte Beispiel *do not is a table* in deutlicher Weise modellabweichend ist. Die Frage ist, welcher dieser beiden Strukturtypen früher erscheint. Aufgrund unserer bislang verfügbaren Evidenz zum Negationserwerb vermute ich, daß der Typ *do not is a table* relativ spät auftaucht, zumindest später als der Strukturtyp, der durch die ersten Beispiele exemplifiziert wird. Die Verneinung von Auxiliaren mit Hilfe von *do not* bzw. *don't* ist auch im Datenmaterial der kindlichen L2-Erwerber belegt. Allerdings verwenden die Kinder diese Struktur erst, nachdem sie zuvor die zielgerechte Verneinung der Auxiliare durch *not* verwendet haben. Mit anderen Worten: beim Erwerb von *don't* geben die Kinder eine im Sinne der Zielsprache korrekte Struktur zugunsten einer inkorrekten Struktur auf. Es sieht so aus, als sei bei Alberto Ähnliches aufgetreten.

Die vorliegenden Daten aus Albertos Negationserwerb – wenngleich außerordentlich spärlich – liefern keine Evidenz für die Annahme, daß der Kostarikaner aufgrund seines Alters sich prinzipiell anderer Erwerbsstrategien bedient als Kinder. Albertos Äußerungen zeigen in allen wesentlichen Punkten die gleichen Strukturmerkmale, die vom kindlichen L2-Erwerb her bekannt sind, wenngleich Unterschiede in einigen Bereichen nicht zu übersehen sind. Vor allem läßt sich in diesem Kontext Albertos Entwicklungsstand recht präzis bestimmen. Grob gesprochen: Alberto befindet sich hinsichtlich der Negation in einem fortgeschrittenen Frühstadium. Es zeichnet sich hier die Erkenntnis ab, daß Albertos Alter zwar zu einem wesentlich langsameren L2-sprachlichen Fortschritt führt, nicht jedoch den Ablauf des Erwerbsprozesses verändert.

Schumanns Daten zu Albertos Interrogationserwerb sind in vielen Fällen nicht schlüssig interpretierbar. Insgesamt erscheint es, daß Alberto auch im Bereich der Interrogation während der Beobachtungszeit keinen wesentlichen L2-sprachlichen Fortschritt gemacht hat. Ich werde zunächst den Entwicklungsstand des Kostarikaners referieren und dann versuchen, diesen entwicklungsspezifisch einzuordnen.

Beim Erwerb der englischen Interrogation muß der Lernende vor allem folgende Strukturmerkmale erkennen:

1. Englische Fragen werden durch die Inversion von Subjekt und der ersten finiten Verbalkonstituenten markiert; ja/nein-Fragen können darüber hinaus auch rein intonatorisch als solche gekennzeichnet werden.
2. Vollverbsätze werden mit Hilfe der *do*-Periphrase interrogiert, Kopula- bzw. Auxiliarsätze lediglich durch die Inversion.

Schumann konzentriert sich bei der Beschreibung des Interrogationserwerbs primär auf die Frage, wann und in welchen Bereichen die Inversion erworben wird. Für den Bereich der ja/nein-Fragen stellt Schumann fest, daß sowohl invertierte, als auch nicht invertierte Formen gleichzeitig auftreten, wenngleich die Zahl der nichtinvertierten Formen erheblich höher liegt. Eine chronologische Abfolge dieser beiden Strukturen läßt sich aus Schumanns Daten nicht ableiten.

Bei den wh-Fragen tritt die Inversion in Äquationalsätzen von Anfang an modellgerecht auf, während bei Vollverbsätzen sowohl invertierte, als auch nicht-invertierte Strukturen belegt sind. Schumann zieht auch den Erwerb der eingebetteten Fragen, die im Modell stets nicht invertiert sind, in seine Betrachtungen mit ein. Hier stellt er fest, daß Alberto auch eingebettete Fragen teilweise invertiert, teilweise nicht invertiert. Für den Erwerb der Inversion in einfachen und eingebetteten wh-Fragen stellt Schumann folgende Entwicklungssequenz auf (Schumann 1975a: 21).

Stage I: Undifferentiation: Learner does not distinguish between simple and embedded wh-questions.
  a. Uninverted: Both simple and embedded wh-questions are uninverted.
  b. Variable inversion: Simple wh-questions are sometimes inverted, sometimes not.

c. Generalisation: Increasing inversion in wh-questions with inversion being extended to embedded questions: "I know where are you going".

Stage II. Differentiation: Learner distinguishes between simple and embedded wh-questions.

Trotz der Kargheit der Daten scheint sich diese Entwicklungssequenz bei Alberto im wesentlichen mit bekanntem Material aus dem kindlichen L2-Erwerb zu decken. Auch Kinder durchlaufen zunächst eine Phase, in der Fragen generell nicht invertiert werden. Die obige Aufstellung liefert keine Evidenz dafür, daß der Kostarikaner einen grundsätzlich anderen Weg einschlägt als kindliche L2-Erwerber.

Schumanns Daten reichen allerdings nicht aus, um einen detaillierten Vergleich mit dem L2-Material der zuvor genannten Kinder zu gestatten. Zunächst erhebt sich die Frage, ob auch Alberto zunächst Fragen ausschließlich intonatorisch als solche markiert.

Eine entsprechende Erwerbsabfolge ist bei Schumann zwar nicht belegt, jedoch deutet das starke Auftreten nicht-invertierter Sätze darauf hin, daß in der Frühphase der ja/nein-Fragebildung die Intonation als Kennzeichnung der Interrogation zumindest nicht ausgeschlossen ist. Interessant wäre weiterhin die Frage, ob die Inversion in ja/nein-Fragen bei Äquationalsätzen früher auftritt als bei Vollverbsatzstrukturen. Schumanns Material gibt hierüber keine Auskunft. Im Bereich der wh-Fragen scheinen Kopula- Sätze von Anfang an invertiert worden zu sein, so daß man davon ausgehen kann, daß – ähnlich wie beim kindlichen Zweitsprachenerwerb – die Äquationalsätze eine Sonderstellung einnehmen. Ob dies in gleicher Weise für die ja/nein-Fragen gilt, muß ungewiß bleiben.

Ebensowenig läßt Schumanns Material Schlüsse darüber zu, wie Alberto die *do*-Periphrase in ja/nein- und wh-Fragen erworben hat. An den wenigen Belegbeispielen, die in der Arbeit genannt werden, fällt auf, daß die ersten Äußerungen mit modellgerechter *do*-Periphrase bereits zu einem sehr frühen Zeitpunkt (Tag 2) erscheinen. Da in den entsprechenden Sätzen jedoch stets die Verben *know* und *like* auftreten, ist die Möglichkeit stereotyper Bildungen nicht auszuschließen. In geringer Zahl finden sich entsprechende Äußerungen – vor allem *I don't know* – auch in Huangs (1971) und Ravems (1974) Material. Dennoch sollte das frühe Auftreten von *do* in Albertos Sprachentwicklung zu einer erneuten Überprüfung dieses Strukturkreises Anlaß geben.

Über den Erwerb der wh-Pronomina selbst liegen in Schumanns Arbeit keinerlei Daten vor. Allerdings handelt es sich bei den aufgeführten Belegbeispielen bis Tape 15 ausschließlich um *what*-Fragen. Danach erscheinen zwei Belege für *how*. Der frühe Erwerb von *what* ist aufgrund der Evidenz aus der kindlichen L2-Entwicklung durchaus erwartungsgemäß.

Überraschender ist das frühe Auftreten von *how;* man würde eher *where*-Fragen erwarten. Da Schumanns Daten in diesem Bereich jedoch nicht vollständig sind, läßt sich nicht klären, wann die ersten Lokativfragen tatsächlich auftraten. Fassen wir Schumanns Ergebnisse zum Interrogationserwerb zusammen, so erscheinen mir trotz der lückenhaften Evidenz zwei Schlußfolgerungen gerechtfertigt. Auch im Bereich der Interrogation ist Albertos sprachlicher Entwicklungsstand recht präzis lokalisierbar. Er läßt sich in etwa als ein frühes Endstadium bezeichnen. Die Inversion ist zu einem gewissen Anteil bereits in seiner sprachlichen Kompetenz verankert; Rudimente der *do*-Periphrase treten auf ; im wesentlichen scheint er bereits nach Vollverb-, Äquational- und Auxiliarsatztypen zu unterscheiden. Was ihm im Bereich der Interrogation vor allem noch fehlt, ist die formale Distinktion zwischen einfachen und eingebetteten Fragen, die Tempusmarkierung im Bereich der *do*-Periphrase (d.h. die Unterscheidung zwischen *do* und *did*), als auch die Markierung der Person (d.h. die Unterscheidung *do* gegenüber *does*). Weiterhin scheint Alberto noch nicht die volle Zahl der englischen wh-Pronomina erworben zu haben, falls Schumanns Material zu diesem Bereich annähernd vollständig aufgeführt ist.

Vergleichen wir Albertos Erwerbsstand im Bereich der Interrogation mit dem der Negation, so zeigt sich, daß er in der Fragebildung bereits fortgeschrittener ist als in der Negation. Hinsichtlich der Negation befindet sich der Kostarikaner noch in einem relativ frühen Stadium, während bei der Fragebildung nahezu sämtliche Grundstrukturen in Ansätzen bereits vorhanden sind. Ob dieser unterschiedliche Erwerbsstand in den beiden angesprochenen Strukturbereichen auch bei kindlichen L2-Erwerbern zu verzeichnen ist, muß derzeit offen bleiben, da wir über keine systematischen Vergleichsuntersuchungen Interrogation vs. Negation verfügen.

Nach meiner Kenntnis der verfügbaren Daten tritt jedoch eine derart starke Diskrepanz zwischen Interrogations- und Negationserwerb bei kindlichen L2-Erwerbern nicht auf (cf. Felix 1978b).

Hinsichtlich der ursprünglichen Frage, inwieweit das Alter den L2-Erwerbsprozeß beeinflußt, läßt sich abschließend feststellen, daß Schumanns Arbeit keinerlei Evidenz dafür vorbringt, daß Erwachsene in ihrer L2-sprachlichen Entwicklung einen grundsätzlich anderen Weg einschlagen als Kinder. Schumanns Daten deuten zwar darauf hin, daß die Geschwindigkeit des Erwerbsprozesses in einer noch näher zu spezifizierenden Weise mit dem Alter korreliert. Prinzipiell unterschiedliche Erwerbsstrategien, -prozesse und Verarbeitungsmechanismen lassen sich aus Schumanns Material nicht ableiten. Die Frage, inwieweit externe Faktoren den Spracherwerbsprozeß verändern, läßt sich im Hinblick auf den Faktor Alter nunmehr weitaus präziser fassen, als dies in der Vergangenheit geschehen ist. Zweifellos spielt die Altersvariable im L2-Erwerb eine Rolle, aber sie verändert offenbar nicht den Ablauf des Erwerbsprozesses, sondern nur die Geschwindigkeit des Ablaufs (cf. auch Fathman 1975a).

Im Zusammenhang mit dem Alter muß somit auch die Frage des Beginns des Spracherwerbsprozesses überhaupt gesehen werden. Vermutlich beeinflußt das Alter nicht nur die Geschwindigkeit der Sprachentwicklung, sondern bei Erwachsenen darüber hinaus den Zeitpunkt, an dem der Erwerbsprozeß erstmalig einsetzt. Erwachsene Sprecher können sich in diesem Sinne sozusagen als "resistent" gegen den L2-sprachlichen Input erweisen. Mit anderen Worten: bevor erwachsene Sprecher überhaupt damit beginnen, aktiv L2-sprachliche Strukturen aufzunehmen und zu verarbeiten, muß ein längerer Zeitraum des sprachlichen Kontaktes vorhanden sein als bei Kindern.

Erwachsene Sprecher können sich offenbar mehr oder minder willentlich vom L2-sprachlichen Input distanzieren. Dieses Phänomen bezeichnet Schumann als *psychological distance.* Entscheidend scheint mir jedoch zu sein, daß dieser "Abschirmungsmechanismus" zwar den L2-Erwerb hinauszögern kann, auf die Dauer ihn jedoch weder zu verhindern, noch die interne Struktur seines Ablaufes zu verändern vermag.

Schumann diskutiert drei Faktoren, die möglicherweise für die – wie er es sieht – mangelnde Englischkompetenz Albertos verantwortlich sein könnten: Intelligenz, soziale bzw. psychologische Distanz und Alter.

Nach Schumanns Aussage lieferten die Tests keinerlei Evidenz dafür, daß intellektuelle oder kognitive Mängel Albertos L2-sprachliche Entwicklung hemmten: " . . . we can assume that Alberto was normal and that he had no gross cognitive deficits that would prevent him from acquiring a second language" (S. 55).

Schumann macht vor allen Dingen den Faktor der psychologischen und sozialen Distanz dafür verantwortlich, daß Alberto noch nicht über fortgeschrittenere Englischkenntnissse verfügt. Unter sozialer Distanz versteht Schumann primär mangelnden Kontakt mit der L2-sprachlichen Bevölkerung aufgrund sozialer Barrieren. Diese können dazu führen, daß darüber hinaus die Einstellung des L2-Erwerbers zur Zielsprache negativ beeinflußt wird, d.h. der Lernende hat keinerlei Anreiz, sich mit der L2 bzw. der L2-sprachlichen Bevölkerung zu identifizieren.

Es ergibt sich die Frage, ob Variablen wie soziale und psychologische Distanz in der Tat einen interessanten Erklärungsgehalt bezüglich spracherwerblicher Prozesse haben. Es ist unverkennbar, daß soziale und psychologische Distanz im Sinne Schumanns zunächst einmal zu einem verminderten L2-sprachlichen Input führen. Konkret ausgedrückt: Wenn der L2-Erwerber aufgrund sozialer Barrieren sich von der L2-sprachlichen Gemeinschaft fernhält, so führt dies automatisch zu einem verminderten sprachlichen Kontakt. Unbestreitbare Voraussetzung für einen erfolgreichen L2-Erwerb ist jedoch, daß der Lernende mit L2-sprachlichen Daten konfrontiert wird (*exposure*). Schlagwortartig kann man sagen: No output without input. Es scheint weiterhin plausibel anzunehmen, daß Output und Input proportional zueinander steigen bzw. abnehmen, d.h. mangelnder oder verminderter Input führt notwendigerweise zu einem verminderten Output, d.h. zu einem verlangsamten Ablauf des Spracherwerbsprozesses. Die Variablen soziale und psychologische Distanz korrelieren jedoch unzweifelhaft mit der Variablen *exposure*. Ich vermute, daß soziale und psychologische Distanz ausschließlich über die Variable des Inputs auf den Spracherwerbsprozeß Einfluß nehmen, d.h. psychologische und soziale Distanz führen zu vermindertem Kontakt und verminderter Kontakt führt wiederum zu einer Verlangsamung des Spracherwerbsprozesses. Psychologische und soziale Distanz wirkt nicht direkt auf den Spracherwerb ein, sondern lediglich über den Umweg des Inputs. Entsprechend ließe sich die Hypothese formulieren, daß all diejenigen Faktoren, die die Quantität des Inputs verändern, gleichzeitig zu einer Herabsetzung der Geschwindigkeit des Erwerbsprozesses führen werden. In diesem Sinne kommt der psychologischen und sozialen Distanz keinerlei Erklärungsgehalt hinsichtlich spracherwerblicher Prozesse zu; vielmehr erklären die beiden Faktoren lediglich Unterschiede in der Voraussetzung des Spracherwerbs, i.e. *exposure.*

Ein Test über Albertos Motivation in bezug auf das Englische zeigt, daß er im wesentlichen eine positive Haltung einnahm und gut motiviert war, so daß für ihn keine entscheidende psychologische Distanz anzusetzen ist (S. 103). Somit läßt sich auch die psychologische Distanz bei Alberto kaum als entscheidender Faktor für seine mangelnde Englischkompetenz ansetzen. Bezüglich des Alters kann Schumann lediglich konstatieren, daß Erwachsene offensichtlich langsamer lernen als Kinder. Darüber hinausgehende Aussagen gestattet sein Material nicht.

Leider stehen derzeit nur sehr wenige longitudinale Aufzeichnungen zum erwachsenen

Zweitsprachenerwerb zur Verfügung. Aufgrund des mit diesem Untersuchungstyp verbundenen recht erheblichen Zeitaufwandes haben zahlreiche Autoren der Querschnittsstudie den Vorzug gegeben. Dennoch stimmen die Ergebnisse dieser Arbeiten – soweit überhaupt vergleichbar – in allen wesentlichen Punkten mit Schumanns Beobachtungen überein.

Syngle (1975) übernimmt in erweiterter Form den methodischen Rahmen der L1-Studie von C. Chomsky (1969), um die L2-sprachliche (= englische) Leistung von Kindern und 198 Erwachsenen zu untersuchen. Die Kinder umfassen Altersgruppen zwischen 5.5 und 9.3 Jahren, die Erwachsenen zwischen 26.1 und 30.1 Jahren. Insgesamt stellten die Vps ein breites Spektrum von Muttersprachen dar, u.a.: Spanisch, Persisch, Arabisch, Portugiesisch, Türkisch, Japanisch, Thai, Chinesisch, Französisch, Italienisch. In Anlehnung an C. Chomsky umfaßt die Testbatterie die *easy/eager-* und die *ask/tell*-Distinktion sowie die Pronominalisierung. Bei den Kindern wurden darüber hinaus Tests zur Negation, wh-Fragebildung und Flektion durchgeführt. Syngles Fragestellung zielt weniger auf eine Gegenüberstellung von kindlichen und erwachsenen L2-Erwerbern ab, als vielmehr auf einen Vergleich von L1- und L2-Erwerb:

> "All this evidence points in the same direction: children and adults learning English as a foreign language have much in common with native children learning English as a first language . . . the evidence in this study is consistent with the hypothesis that learning English as a second language by children and adults is not 'essentially' different from learning English as a native language" (Syngle 1975: 159/162).

Wenngleich Syngle aufgrund seiner Fragestellung der Gegenüberstellung von kindlichen und erwachsenen L2-Erwerbern weniger Aufmerksamkeit schenkt, so konstatiert er dennoch bei der Auswertung wiederholt: "what is remarkable in these results is the similarity of pattern between children's scores and adults' " (S. 141). Dies gilt erstaunlicherweise auch für die verschiedenen L1-Sprachgruppen: "however, one thing seems clear: the differences in the linguistic backgrounds of these subjects did not show up in their performance in any of the tests" (S. 160).

Anderson (1976) untersucht die englische Sprachkompetenz bei 180 Puertorikanern im Alter zwischen 17 und 39 Jahren. Vermutlich ist Andersons Studie eher dem Typ des gesteuerten L2-Erwerbs zuzuordnen. Die Vps waren ausschließlich Studenten eines Englischkurses in Puerto Rico. Die Tests – überwiegend Übersetzungen vom Spanischen ins Englische – wurden schriftlich durchgeführt, "because the majority of the subjects in this study were not accustomed to hearing native English pronunciation" (S. 49). Anderson untersucht primär komplexere Strukturen im Bereich der Satzergänzungen *(sentential complementation)*. Die Autorin orientiert sich streng an der generativen Sprachtheorie und ist vermutlich eher unter linguistischen als unter psycholinguistischen Aspekten aufschlußreich. Andersons Arbeit zielt weniger auf einen Vergleich zwischen verschiedenen Erwerbs- bzw. Erwerbertypen ab, als vielmehr auf die Frage, ob ihre Vps die betreffenden Strukturen in einer geordneten Abfolge erwerben, und wie sich diese Abfolge erklären läßt. In ihrem Schlußkapitel stellt sie fest: "an invariant order was found to exist in the acquisition of sentential complements by the subjects in this study. Derivational complexity was not found to have any empirical validity for the set of structures investigated" (S. 90).

Das Problem L1 vs. L2-Erwerb bzw. kindlicher vs. erwachsener Spracherwerb wird nur kurz an einer Stelle der Arbeit aufgegriffen: "a recent study by Limber (1973) on the production of complex sentences (relative clauses, coordinate sentences and sentential complements) by children acquiring English as their first language somewhat agrees with the order established in my study" (S. 72).

Heckler (1975) überträgt in erweiterter Form die Methodik der nunmehr klassischen Berko-Studie auf die Untersuchung von 36 arabischen, japanischen und spanischen College-Studenten. Im Gegensatz zu Berko geht es Heckler weniger um die Nominal- als vielmehr um die Verbalflektion. Die Auswertung der Testdaten führt zu der Erwerbsabfolge: 1. Infinitiv; 2. Tempus; 3. Passiv; 4. Perfekt; 5. Modalverb; 6. Progressive Form; 7. Gerundium. Heckler schließt: "this preliminary investigation on the acquisition of English verb morphology by non-native speakers indicates an orderly progression of learning" (S. 145). Für die hier anstehende Frage bezüglich der Rolle des Alters ist Hecklers Arbeit nur in sehr begrenzter Weise verwendbar, da die Mehrzahl methodisch vergleichbarer Untersuchungen sich auf die Nominalflektion konzentrierte. Für die Bereiche, in denen Überschneidungen auftreten (z.B. *-s* in der Pluralflektion und in der 3 pers. pres.) stellt Heckler fest: "this finding agrees with most previous Berko-type studies" (S. 140). Im Gegensatz zu den zuvor genannten Arbeiten findet Heckler überzeugende Evidenz für eine L1-abhängige Leistungsgruppierung: "the Spanish gave the fewest correct responses while the Japanese gave the most; the Arab responses fell in the middle" (S. 142).

Larsen-Freemans (1975a) Dissertation fällt in die Tradition der *morpheme order studies* à la Dulay & Burt. Sie untersucht 24 arabische, japanische, persische und spanische Erwachsene im Durchschnittsalter von 25 Jahren. Der Wert von Larsen-Freemans Arbeit liegt vor allem in der kritischen Auseinandersetzung mit der Methodik der *morpheme order studies.* Bezüglich der Gegenüberstellung von erwachsenen und kindlichen L2-Erwerbern kommt die Autorin zu dem gleichen Resultat wie zuvor bereits Bailey & Madden & Krashen (1974): es liegt keinerlei Evidenz dafür vor, daß Erwachsene gegenüber Kindern die fraglichen Morpheme in einer entscheidend anderen Abfolge erwerben. Larsen-Freeman bezwifelt allerdings, ob die Ergebnisse von *morpheme order studies* in der Tat als *order of acquisition* interpretiert werden können. Sie zieht den Terminus *order of difficulty* vor.

> ". . . the results of this study have demonstrated that adult learners do produce a sequence of morphemes similar to that of children . . . It has also been shown that adult learners regardless of native language background exhibit similar morpheme accuracy orders, although to say that the morpheme rankings are invariant for all language groups is an exaggeration since native language background does have some effect on the orders" (S. 143).

Im folgenden referiere ich einige Aspekte des erwachsenen L2-Erwerbs aus eigenen Aufzeichnungen. Die Daten stammen von der 47-jährigen Ella B. Ellas Muttersprache ist Deutsch. Die Daten wurden während eines 3-wöchigen Aufenthalts von Ella in verschiedenen Teilen der Vereinigten Staaten aufgezeichnet. Es handelt sich überwiegend um handschriftliche Notizen über Ellas englischsprachige Äußerungen, sowie um einige wenige Tonbandaufzeichnungen.

Ella erhielt während ihrer Schulzeit insgesamt 5 Jahre Englischunterricht. Aus beruflichen Gründen hat sie derzeit umfangreichen Kontakt mit englischsprachigen Personen, mit denen sie jedoch nahezu ausschließlich in deutscher Sprache kommuniziert. In unregelmäßigen Abständen ist sie jedoch englischen Gesprächen ausgesetzt.

In der Vergangenheit hat Ella hin und wieder versucht, mit ihren englischen bzw. amerikanischen Berufskollegen Englisch zu sprechen, jedoch reichten ihre Kenntnisse nicht für ein kontinuierliches Gespräch aus. An englischem Unterricht hat sie seit ihrer Schulzeit nicht mehr teilgenommen. Auf diesem Hintergrund mag Ella als typisch für jene Personen gelten, die in ihrer frühen Jugendzeit zwar einmal Englischunterricht erhalten hatten, die damals erworbenen Kenntnisse jedoch weder weiter ausbauen noch regelmäßig anwenden konnten. Ellas Reise in die Vereinigten Staaten führte zu ihrem ersten Aufenthalt in einem englischsprachigen Land. Hinsichtlich der Verwendung und des Erwerbs einer zweiten Sprache zeigte sich Ella überdurchschnittlich motiviert. Sie zeigte keinerlei Hemmungen, ihre unzureichenden Englischkenntnisse in der Praxis anzuwenden. Sie mied auch keinesfalls – wie dies bei anderen Sprechern häufig zu beobachten ist – den Kontakt mit der einheimischen Bevölkerung, sondern war stets geneigt und gewillt, den Umgang mit den Amerikanern zu pflegen, und versuchte, ihre mangelnden Englischkenntnisse durch Gestenreichtum zu kompensieren.

Im folgenden beschränke ich mich auf die Darstellung dreier Strukturbereiche, und zwar Interrogation, Negation und Präteritalbildung. Ein Vergleich der frühen und späten Daten zeigt, daß Ella in den drei Wochen ihres Aufenthaltes in den genannten Bereichen durchaus sprachlichen Fortschritt verzeichnen konnte, wenngleich dieser nicht unbedingt als spektakulär zu bezeichnen ist. Hinsichtlich ihrer allgemeinen Sprachfähigkeit lassen sich nur schwer konkrete Angaben machen. Nach meiner subjektiven Einschätzung sprach Ella nach ihrem 3-wöchigen Aufenthalt jedoch mehr, besser und flüssiger. Während sie in den ersten Tagen ihres Kontaktes mit der englischsprachigen Bevölkerung nur wenig verstand, und sich ihre eigenen Äußerungen in der Regel auf formelhafte Begrüßungen sowie kurze einfache Sätze beschränkten, war sie am Ende ihres Aufenthaltes durchaus in der Lage, Gesprächen einfachen Inhaltes zu folgen und längere Sätze einschließlich eingebetteter Sätze in bestimmten Bereichen zu bilden.

Negation

Im Bereich der Negation zeigt Ella zu Beginn ihres Aufenthaltes im wesentlichen den gleichen Erwerbsstand, den auch Schumann bei Ricardo in der frühen Phase aufzeichnete. Sie produziert negierte Strukturen in der Regel mit Hilfe der Negativmorpheme *no/not* in präverbaler Stellung:

(1) I no understand.
(2) I not need it.
(3) I not go there.
(4) I no see.

Auf der Basis dieser Äußerungstypen läßt sich Ellas Erwerbsstand recht präzis entwicklungsspezifisch einordnen: die genannten Strukturen kennzeichnen in etwa ein Frühstadium der satzinternen Negation an. Ella hat bereits erkannt, daß englische Sätze durch satzinterne Stellung des Negativmorphems negiert werden; sie hat allerdings noch nicht die *do*-Periphrase erworben. Die Frage erhebt sich, warum Ella bereits in ein relativ spätes Stadium der Entwicklungssequenz “einsteigt”. In den ersten Tagen ihres Aufenthalts hätte man nach den bisherigen Vergleichsdaten eher Strukturen mit satzexterner Negation erwartet. Für eine derartige Negationsstruktur liegt nur ein einziger Beleg vor:

(5) Beim Betreten eines Hotelzimmers.
No this is good (= this is not good).

Diese Äußerung ist insofern etwas unklar, als nicht eindeutig auszumachen ist, ob die Kopula vorhanden ist oder nicht. Möglicherweise ist (5) richtiger wiederzugeben als: *No this good.* Diese Äußerung fiel am zweiten Tage von Ellas Amerikaaufenthalt. Da Ellas Sprachproduktion nicht vollständig aufgezeichnet werden konnte, ergibt sich die Möglichkeit, daß ein Stadium mit satzexterner Negation zwar durchaus vorhanden war, dieses jedoch nur so kurz andauerte, daß es in den Daten nicht mehr seinen Niederschlag findet. Andererseits wäre durchaus denkbar, daß Ella aufgrund ihrer vorhandenen L1-Kenntnisse sowie der – wenngleich weit zurückliegenden – Englischausbildung bestimmte Frühphasen des Erwerbsprozesses überspringen kann.

Entscheidend scheint mir jedoch vor allem zu sein, daß sich Ellas Erwerbsstand entwicklungsspezifisch einordnen läßt. Sie produziert Strukturen, die sowohl zu Albertos Äußerungen als auch zu Daten des kindlichen L2-Erwerbs eine auffällige Parallelität zeigen, so daß keinerlei Hinweis dafür vorliegt, daß erwachsene Sprecher die Inputdaten grundsätzlich zu anderen Strukturtypen verarbeiten als Kinder.

Neben der satzinternen Negation mit präverbalem *no/not* tritt ein einziger Äußerungstyp mit modellgerechtem *don't* auf: *I don't know.* Es ist anzunehmen, daß diese Äußerung *I don't know* als stereotype Wendung gespeichert wurde und nicht etwa nach produktiven Regeln gebildet wurde (cf. Huang 1971).

Gegen Ende der folgenden Woche nimmt der Gebrauch von *don't* in negierten Äußerungen rasch zu. Nur noch vereinzelt tauchen Belege für präverbales *no/not* auf. Allerdings ist zu bezweifeln, ob *don't* zu diesem Zeitpunkt von Ella bereits als eine Verbindung aus *do* und *not* erkannt wird. Plausibler scheint zu sein, daß Ella *don't* als monomorphematische Variante zu *no* bzw. *not* interpretiert. Auch hierzu bietet sich eine Parallele aus dem kindlichen L2-Erwerb. Bereits Ravem (1969) wies bei der Beschreibung des englischen L2-Erwerbs seiner beiden Kinder darauf hin, daß Formen wie *don't* zunächst monomorphematisch benutzt wurden. Hierzu einige Beispiele aus Ellas Daten:

(6) I don't understand you.
(7) I don't find it.
(8) I don't saw.
(9) You don't must go tomorrow.

An diesen Belegen sind eine Reihe von Merkmalen bemerkenswert, die wiederum bekannte Phänomene des kindlichen L2-Erwerbs widerspiegeln. Äußerung (9) zeigt den übergeneralisierten Gebrauch von *don't*, d.h. Ella beschränkt die Verwendung von *don't* nicht etwa – modellgerecht – auf Vollverben, sondern negiert auch Hilfsverben in gleicher Weise. Dies ist umso erstaunlicher, als etwa eine Woche, bevor die Äußerung (9) fiel, zwei Belege den modellgerechten Gebrauch von *not* nach Hilfsverben zeigen:

(10) I cannot come today.
(11) He must not forget this.

Hier zeigen sich Strukturphänomene, die allenthalben aus dem kindlichen L2-Erwerb bekannt sind. Äußerungen wie (9) finden sich gleichfalls in großer Zahl in Wodes (1981) Daten zum englischen L2-Erwerb seiner Kinder. Auch Wodes

Kinder übergeneralisieren den Gebrauch von *don't, nachdem* sie zuvor Hilfsverben bereits modellgerecht negierten.

Äußerungen (7) und (8) sind vor allem deswegen aufschlußreich, weil die Negation hier von der Präteritalbildung überlagert wird. Während ihres gesamten Aufenthaltes benutzt Ella – mit einer Ausnahme – ausschließlich die Form *don't. Doesn't* und *didn't* werden offensichtlich nicht mehr produktiv erworben. Lediglich am vorletzten Tag ihres Aufenthaltes wird eine Äußerung mit *didn't* aufgezeichnet:

(12) Because I didn't find the key.

Äußerung (7) *I don't find it* war – wie sich aus dem Situationskontext ergibt – offensichtlich präterital intendiert und entsprach daher einem erwachsenensprachlichen *I didn't find it.* (7) gab Ella als Antwort auf die Frage einer Bekannten: *Did you find your way to the Empire State?* An diesem Beispiel zeigt sich, daß Ella in negierten Äußerungen formal nicht zwischen Präsens und Präteritum unterscheidet. Auf Gesetzmäßigkeiten beim Erwerb der Präteritalbildung werde ich im folgenden noch näher eingehen.

Verblüffend an diesen Daten ist wiederum, daß Ella offensichtlich eine Entwicklung durchmacht, die völlig parallel zu der im kindlichen L2-Erwerb verläuft. Nach der satzinternen Negation mit *no/not* wird zunächst *don't* als invariantes Negativmorphem erworben. Erst nach dem invarianten Gebrauch von *don't* beginnt der L2-Erwerber nach und nach weitere Formen wie *doesn't* und *don't* in seine Sprachkompetenz zu integrieren (cf. Bahns & Wode 1980).

Es soll hinzugefügt werden, daß Ella in dieser Zeit mehrfach über den Gebrauch von *don't, didn't* und *doesn't* informiert wurde. Soweit erkennbar war, schien sie das Prinzip der Verteilung durchaus zu verstehen. Auf ihren spontanen Sprachgebrauch hatten derartige Erklärungen offensichtlich jedoch keinen Einfluß. Es ist anzunehmen, daß Ella zu diesem Zeitpunkt noch nicht den Entwicklungsstand erreicht hatte, der notwendig ist, um die verschiedenen Formen von *do + not* in ihre eigene Sprachkompetenz zu überführen. Auch hier zeigt sich, daß Lehren bzw. Verstehen sprachlicher Prinzipien nicht notwendigerweise zur aktiven Verwendung führt. Vielmehr sind offenbar bestimmte strukturelle Voraussetzungen notwendig, um die erfolgreiche Aufnahme neuer Sprachstrukturen zu gewährleisten (cf. Schumann 1976).

Die bislang beschriebene Entwicklung bezieht sich auf negierte Sätze, die ein Vollverb enthalten. In Äquationalsätzen plaziert Ella von Beginn an das Negativmorphem *not* modellgerecht hinter der Kopula:

(13) I am not ready.
(14) This is not Bill.
(15) My daughter is not teacher.

Auch Wode (1981) beobachtete beim englischen L2-Erwerb seiner Kinder, daß die modellgerechte Negierung von Äquationalsätzen fürher erworben wurde als bei Vollverbsätzen. In Felix (1978b) habe ich in verschiedenem Zusammenhang auf die Sonderstellung der Äquationalsätze auch im Bereich der Negation hingewiesen.

Insgesamt bestätigen Ellas Äußerungen aus dem Negationsbereich weitgehend die bisher gewonnenen Erkenntnisse zum L2-Erwerb. Ella folgt im wesentlichen dem gleichen Erwerbsablauf wie Schumanns Alberto bzw. die bislang beobachteten kindlichen Erwerber. Es liegt somit keinerlei Evidenz dafür vor, daß das Alter zu einer Veränderung von Entwicklungssequenzen führt, wenngleich Ella scheinbar einige Frühphasen überspringt und aufgrund ihres kurzen Aufenthaltes zahlreiche Grundstrukturen im Negationsbereich nicht mehr erwerben kann.

Interrogation

Im Bereich der ja/nein-Fragen ergibt sich wiederum ein Unterschied zwischen Vollverbsätzen und Äquationalsätzen. Äquationalsätze werden von Beginn an modellgerecht invertiert:

(16) Are you ready?
(17) Is the meat good?
(18) Is he in the room?

Evidenz für die frühe modellgerechte Inversion in Äquationalsätzen findet sich ebenfalls bei Wode (1981) und Felix (1978b). Andererseits ist die Möglichkeit nicht auszuschließen, daß sich Ella in bezug auf die ja/nein-Fragebildung am deutschen Modell orientiert, d.h. direkt die deutsche Inversionsregel auf das Englische überträgt. Entsprechende Evidenz hierfür findet sich auch in Wodes Daten.

Eine Interpretation dieses Phänomens im Sinne positiven Transfers wird dadurch unterstützt, daß z.B. der von Huang (1971) beobachtete taiwanesische Paul in den frühesten interrogierten Äquationalsätzen die Inversion nicht anwendet. Das Chinesische selbst kennt eine solche Inversion von Subjekt und Prädikat zum Zwecke der Interrogation nicht. Hier ließe sich als allgemeine Strategie etwa annehmen: Wenn sich zwei Sprachen L1 und L2 in bezug auf eine bestimmte Struktur gleichen, so wird die entsprechende L2-Struktur früher erworben, als wenn sich L1 und L2 in diesem Bereich unterscheiden.

Im Bereich der Vollverbsatzstrukturen benutzt Ella während ihres gesamten Aufenthaltes ausschließlich die Intonationsfrage, d.h. ja/nein-Fragen werden allein durch die Intonation markiert. Ella überträgt weder die im Deutschen übliche Inversion von Subjekt und Vollverb auf das Englische, noch erwirbt sie während ihres Aufenthaltes die Umschreibung mit *do:*

(19) You rent a car?
(Did you rent a car?)

(20) You see the musical?
(Did you see the musical?)

(21) He come to you often?
(Does he come to your house often?)

(22) You have this book?
(Do you have this book?)

Auch in diesem Bereich läßt sich Ellas Erwerbsstand entwicklungsspezifisch recht präzis einordnen. Entsprechend der von Wode (1981) aufgestellten Entwicklungssequenz befindet sich Ella noch im frühesten Stadium der Intonationsfrage.

Als überraschend mag hier gelten, daß Ella während ihres gesamten Aufenthaltes im Bereich der ja/nein-Fragen keinen Fortschritt zeigt. Auch gegen Ende ihres

Aufenthaltes markiert sie ja/nein-Vollverbfragen ausschließlich intonatorisch. Demgegenüber zeichnen sich etwa im Negationsbereich deutliche Fortschritte im Erwerb verschiedener Strukturen ab. Dieser Unterschied läßt sich derzeit nur schwer erklären. Offensichtlich kann die Entwicklung in verschiedenen Bereichen unterschiedlich schnell vonstatten gehen. Wichtig in diesem Zusammenhang scheint mir darüber hinaus zu sein, daß Ella im Bereich der Negation bereits die Grundzüge der *do*-Periphrase erwirbt, während bei der Fragebildung dieses Stadium nicht erreicht wird. Offensichtlich wird die *do*-Periphrase demnach nicht unabhängig von den verschiedenen Anwendungsbereichen erworben, sondern ausschließlich in Abhängigkeit des jeweiligen Strukturbereiches. Auch bei den wh-Fragen zeichnet sich keinerlei sprachlicher Fortschritt bei Ella ab. In den aufgezeichneten Daten treten lediglich vier Fragepronomina auf: *where, what, who* und *how.* Auf Befragung konnte Ella allerdings korrekt angeben, daß den deutschen Fragewörtern *wann* und *warum* die englischen Morpheme *when* und *why* entsprechen. Bei den wh-Fragen fehlt durchgehend die Inversion. Die Satzstellung entspricht der von Deklarativsätzen, soweit es sich um Vollverbsätze handelt. In Äquationalsätzen tritt ebenso wie bei den ja/nein-Fragen von Beginn an die Inversion modellgerecht auf; allerdings verfügen wir nur über sehr wenige Belege für diesen Fragetyp.

(23) What time you have booked?
(24) How long you stand here in St. Croix?
(How long are you going to stay in St. Croix?)
(25) Where you see that?
(Where did you see that?)

Äußerungen wie (23) bis (25) sind hinreichend aus der Spracherwerbsforschung bekannt, sowohl im L1-Bereich (cf. Klima & Bellugi 1966) als auch im L2-Bereich (Felix 1978b, Wode 1981). Ähnlich wie bei den ja/nein-Fragen befindet sich Ella auch im Bereich der wh-Fragen in einem Frühstadium, das dem Erwerb der *do*-Periphrase unmittelbar vorangeht.

Präteritalbildung

Am deutlichsten läßt sich eine sprachliche Entwicklung bei Ella im Bereich der Präteritalbildung nachweisen. Auch hier zeichnen sich auffällige Parallelen zum kindlichen L2-Erwerb ab (cf. Wode 1976c, Wode et al. 1978). Ellas Entwicklung liefert weitere deutliche Evidenz für Wodes (1978c) Prinzip, nach dem freie Formen vor gebundenen Formen erworben werden.

Die Entwicklung bei der Präteritalbildung ist recht kompliziert. Es finden zahlreiche Überlappungen statt.

Zu Beginn ihres Aufenthaltes unterscheidet Ella formal nicht zwischen Präsens und Präteritalformen. Sie benutzt ausschließlich Präsensformen, die jedoch sowohl präsentisch, als auch präterital intendiert sein können. Hierzu einige Beispiele präsentischer Formen mit präteritaler Intention:

(26) Yesterday I find a big one.
(27) I see this before.
(I have seen this before.)
(28) You rent a car?
(Did you rent a car?)

(29) We eat Chinese restaurant.
(We had dinner in a Chinese restaurant.)

Gegen Ende der ersten Aufenthaltswoche treten zahlreiche unregelmäßige Präteritalformen auf, die modellgerecht mit präteritaler Intention verbunden sind. Gleichzeitig erscheinen Verben, die in der Erwachsenensprache eine regelmäßige Präteritalbildung haben, weiterhin ausschließlich in präsentischer Form.

(30) Last year I had a new car.
(Intention unklar, vermutlich: Last year I bought a new car.)
(31) Yes, he did that.
(32) When I was in Jugoslavia . . .
(33) You were here?

In der Mitte der zweiten Aufenthaltswoche wird der erste Beleg einer zusammengesetzten Präteritalform (Present Perfect) notiert. In den folgenden Tagen vermehren sich derartige Beispiele, jedoch wird diese Form der Präteritalbildung nach den vorliegenden Daten ausschließlich mit den Verben *see, eat, go, write* benutzt. Andere Verben wie z.B. *find, say, read* u.a. treten weiterhin ausschließlich in präsentischer Form auf, selbst wenn die Intention präterital ist:

(34) I have seen it before.
(35) I has seen it before.
(36) We have eat it.
(37) I have gone there.

In der dritten Aufenthaltswoche tritt eine Form der Präteritalbildung auf, zu der ich keine Parallelen aus dem kindlichen L2-Erwerb kenne. Ella bildet das Präteritum mit Hilfe von *did:*

(38) I did swim in the ocean.
(I swam in the ocean)
(39) I did say it before.
(40) He did come to Germany.
(41) I did bring it to him.

Bei diesen Äußerungen handelt es sich keineswegs um emphatische Präteritalbildungen; vielmehr repräsentieren diese Beispiele Ellas normale Formen der Vergangenheitsbildung. Es ist zu vermuten, daß diese Präteritalformen einen Reflex der *do*-Periphrase in der Interrogation und möglicherweise der Negation bilden. Kurioserweise besteht Ella in einem Gespräch darauf, daß die Präteritalbildung mit *did* die korrekte englische Form wiedergibt. Der Mitteilung, daß die Vergangenheitsform zu *swim swam* ist, bzw. zu *say said* ist, begegnet sie mit äußerster Skepsis. Sie behauptet, daß sie von Amerikanern ausschließlich Präterita mit *did* gehört habe.

Gegen Ende der drei Wochen ergibt sich im Bereich der Präteritalbildung ein äußerst komplexes Bild: Bei einigen Verben benutzt Ella modellgerecht die starke Präteritalform. Bei der Mehrzahl der Verben – sowohl starke als auch schwache – verwendet sie die Präteritalbildung mit *did.* Darüber hinaus finden sich jedoch auch noch einige wenige Belege für präsentische Form mit präteritaler Intention.

Bemerkenswert an dieser Entwicklung sind zwei Fakten. Während der gesamten Entwicklungszeit erwirbt Ella nicht einmal die Rudimente der gewiß nicht als übermäßig komplex zu bezeichnenden regelmäßigen Präteritalbildung des Englischen.

Vor allem aber erwirbt sie offensichtlich die unregelmäßigen Präterita früher als die regelmäßigen.

An der Präteritalbildung mit *did* läßt sich besonders deutlich der kreative Aspekt des L2-Erwerbs erkennen. Dieser Präteritaltypus geht zweifellos in irgendeiner Form auf die *do*-Periphrase zurück. Bemerkenswerterweise benutzt Ella dieses *did* jedoch nicht in den Bereichen, in die es gehört, nämlich bei der Interrogation und Negation, sondern sie verwendet *did* modellabweichend zur produktiven Präteritalbildung. Hier wird das Wode'sche Prinzip der Dekomposition deutlich. Aus verschiedenen Strukturen greift der L2-Erwerber verschiedene Strukturmerkmale auf (*did* aus der Fragebildung, die präsentische Verbform aus Deklarativsätzen) und bildet aus diesen Strukturmerkmalen eigenständige modellunabhängige Regeln, die dann produktiv verwendet werden. Offensichtlich hat Ella erkannt, daß die Verbform *did* in bestimmten Fällen als Träger des Vergangenheitstempus benutzt wird; allerdings ist ihr nicht klar, daß diese Verwendung von *did* auf Interrogation und Negation beschränkt bleibt. Sie verwendet demnach das Strukturmerkmal *did* als Tempusträger nunmehr außerhalb des sprachgerechten Bereichs und benutzt es zur regelmäßigen Präteritalbildung in Deklarativsätzen, deren modellgerechte Bildung sie noch nicht erworben hat.

Ellas Entwicklung bestätigt im wesentlichen die Ergebnisse aus Schumanns Untersuchung. Offensichtlich verändert das Alter nicht – in entscheidendem Maße – die Entwicklungssequenz. Nach den vorliegenden Daten produzieren Erwachsene weitgehend die gleichen Strukturtypen in der gleichen Abfolge wie Kinder. Allerdings scheinen Erwachsene unter bestimmten Umständen einige Frühstadien zu überspringen. Dies gilt jedoch auf der Basis der hier vorgelegten Daten nur für die Negation. Sowohl im Bereich der Interrogation, als auch der Präteritalbildung sind die Frühstadien von Ella die gleichen wie bei den bislang beobachteten Kindern. Wie diese Tatsache im einzelnen zu erklären ist, muß bei unserem derzeitigen Kenntnisstand noch offenbleiben. Die Frage ist nur zu beantworten, wenn umfangreichere Daten aus verschiedenen Strukturbereichen vorliegen.

Teil II

GESTEUERTER ZWEITSPRACHENERWERB

13. Terminologisches

Unter *gesteuertem Zweitsprachenerwerb* ist jener Typus von L2-Erwerb zu verstehen, bei dem der Lernprozeß durch verschiedene Arten formaler Lehrverfahren gesteuert werden soll. Es handelt sich also – grob gesprochen – um das, was traditionell als Fremdsprachenunterricht bezeichnet wird. Dabei verwenden wir hier den Terminus "gesteuerter Zweitsprachenerwerb" als Oberbegriff für jegliche Art des formal-kontrollierten Sprachenstudiums: der herkömmliche Fremdsprachenunterricht in Schulen, Hochschulen und Volksschulen ist ebenso gemeint wie etwa der Privatunterricht, in dem sich der Lehrer auf einen einzelnen Schüler konzentrieren kann; eingeschlossen ist ebenfalls das Selbststudium mittels Lehrbücher, Tonbandmaterial etc., aber unter Verzicht auf einen Lehrer.

Gegen den Terminus *gesteuerter L2-Erwerb* gelten naturgemäß die gleichen Vorbehalte, die bereits im Zusammenhang mit dem *natürlichen L2-Erwerb* (cf. § 1) angeführt wurden. Vermutlich werden die meisten Pädagogen zugestehen, daß die Intention einer direkten und präzisen Steuerung/Kontrolle des Lernprozesses weitgehend auf den Anfängerunterricht beschränkt ist. In fortgeschrittenen Klassen, in denen der vorwiegend erklärende Grammatikunterricht durch das Lesen von Texten oder das Diskutieren über ausgewählte Themen ersetzt wird, erfolgt eine Steuerung bestenfalls in einem sehr globalen Sinne durch Vergrößerung und Intensivierung des Inputs.

Die eigentliche Problematik des Terminus liegt jedoch m.E. in einem anderen Bereich: Ob und inwieweit der Lernprozeß im Fremdsprachenunterricht das Ergebnis einer geplanten Steuerung ist, sollte eher als Frage formuliert und nicht qua Terminus als Faktum vorausgesetzt werden. Trotz zahlreicher gegenteiliger Beteuerungen der Fremdsprachendidaktik (cf. Lübke 1975, Krumm 1973) ist derzeit noch völlig unklar, was eigentlich im Unterricht gesteuert wird, und wie sich der Lernprozeß verändern läßt. Auch solch kategorische Aussagen wie Heuers (1976: 98) "der fremdsprachliche Lernprozeß der Schule folgt geplanten und gesteuerten Lernzielen und Lernverfahren" bergen eher Ziel- und Wunschvorstellungen als faktisch erwiesene Erkenntnisse. Auf diesem Hintergrund fragte bereits Wode (1974a) in bewußt provozierender Weise: Lernt der Schüler wegen oder trotz des Unterrichts?

Ebenso wie der Begriff *natürlich* soll auch der Terminus *gesteuert* im Zusammenhang mit dem L2-Erwerb lediglich eine terminologisch differenzierende Funktion übernehmen und keineswegs eine inhaltliche Spezifizierung präjudizieren. Das entscheidende

Kriterium für den gesteuerten L2-Erwerb ist somit in der hier zugrundegelegten Definition der Einsatz formaler Lehrverfahren.

14. Fremdsprachenunterricht und Linguistik

Die Erkenntnis, daß sich Fremdsprachenunterricht und Fremdsprachendidaktik seit geraumer Zeit in einer tiefgreifenden Krise befinden, ist mittlerweile Gemeingut und ziert die Einleitungssätze zahlreicher einschlägiger Aufsätze. Beunruhigend an dieser Situation ist vor allem, daß sich derzeit keine Wege abzeichnen, wie diese Krise von Grund auf überwunden werden könnte. Eine gewisse Orientierungslosigkeit läßt sich allenthalben in der Literatur beobachten.

Trotz zahlreicher Neuansätze tut sich die Fremdsprachendidaktik nach wie vor schwer, ihren Gegenstandsbereich und ihre Fragestellungen von denen anderer Disziplinen präzis abzugrenzen. Die Tendenz, zunächst einmal so ziemlich alles, was im Fremdsprachenunterricht beobachtbar ist, zu "berücksichtigen" – wenngleich unklar ist, wie man methodisch über das Stadium der reinen Phänomenauflistung hinauskommen will – war in der Vergangenheit vielfach mit einer gewissen Linguistikgläubigkeit gekoppelt. "Die wesentliche Leistung der Fachdidaktik in den beiden letzten Jahrzehnten liegt in der Auseinandersetzung mit Erkenntnissen und in der Verarbeitung von Materialien, die die Linguistik bereitgestellt hat" (Möhle 1975: 5). Diese starke Orientierung an Nachbardisziplinen – vor allem der Sprachwissenschaft – ist vermutlich mit für das Theoriedefizit der Fremdsprachendidaktik verantwortlich. Trotz kommunikativer Kompetenz, pädagogischer Grammatik und vergleichbarer Vorstöße fehlt uns noch heute – auch ansatzweise – eine Theorie fremdsprach(enunterricht)lichen Lernens. Stattdessen hat die Fremdsprachendidaktik primär versucht, die jeweils vorherrschenden Sprachtheorien auf ihre "Anwendbarkeit" im Unterricht zu prüfen, bzw. aus den linguistischen Theorien methodisch-didaktische Anweisungen für das Fremdsprachenlehren abzuleiten. Gerade zwischen Mitte der 60er und Anfang der 70er Jahre erscheinen in den sich an der Unterrichtspraxis orientierenden Zeitschriften zahlreiche Aufsätze, die dem Leser neuere Strömungen der Linguistik nahezubringen versuchen. Im Zusammenhang mit der generativen Transformationsgrammatik schließt sich daran die Kontroverse um die Anwendbarkeit des Chomskymodells im Unterricht (cf. Spolsky 1966, Heeschen & Nehr 1974). Die Versuche der Fremdsprachendidaktik, auf der Grundlage linguistischer Theorien Methoden und Programme für den Unterricht zu entwickeln, sind bekanntlich insgesamt fehlgeschlagen, d.h. haben zu keiner erkennbaren Verbesserung schulischen Sprachenlernens geführt. Mit eher apologetischem Unterton weist die Fremdsprachendidaktik daher stets auf die ungünstigen Lernbedingungen im Unterricht hin; zum anderen macht sie vielfach die Linguistik für den Fehlschlag verantwortlich (cf. Butzkamm 1973, Schneider 1978).

Mir scheint das Problem der Anwendbarkeit linguistischer Theorien im Unterricht auf einem grundlegenden Mißverständnis zu beruhen. Eine Sprachtheorie macht zunächst einmal keinerlei Aussagen über das Lehren und Lernen von Sprache(n) im Unterricht. Aus diesem Grunde ist sie auch nicht in einem direkten Sinne auf den Unterricht "anwendbar"; und noch weniger lassen sich aus ihr methodische Anweisungen oder Prinzipien für den Unterricht ableiten. Wie, d.h. nach welchen Gesetzmäßigkeiten eine Fremdsprache im Unterricht gelernt/gelehrt wird, gehört zum Bereich einer Sprachlerntheorie/Sprachlehrtheorie. In welcher Beziehung Sprachtheorie und Sprachlehrtheorie zueinanderstehen, ist eine Frage, die derzeit auch nicht annähernd zu beantworten ist.

Ein vordringliches Desiderat in der Fremdsprachendidaktik scheint mir die Erarbeitung einer Theorie zu sein, die beschreibt und erklärt, wie Schüler unter Unterrichtsbedingungen eine Fremdsprache erlernen. Es dürfte klar sein, daß sich eine solche Theorie weder unmittelbar aus einer linguistischen Theorie ableiten läßt, noch sich auf eine Sammlung unterrichtsmethodischer Prinzipien beschränken kann. Vielmehr verlangt eine derartige Theorie ihre eigenen Fragestellungen und Untersuchungsverfahren.

Wenngleich sich die Didaktik gerade in jüngerer Zeit darum bemüht hat, den rein sprachtheoretischen Rahmen zu verlassen und den Unterricht in einen größeren Phänomenkontext einzuordnen (cf. Jones 1966, Estacio 1971, Dietrich 1973, Krumm 1973, Oller 1971b), so hat dieses Bemühen weder auf den praktischen Unterricht noch auf die traditionellen Vorstellungen über das, was fremdsprachliches Lernen ist, einen entscheidenden Einfluß ausgeübt. Der herkömmliche Fremdsprachenunterricht steht – wie die einschlägige Literatur deutlich zu erkennen gibt – fest in der Tradition behavioristischer Lerntheorien. Dies gilt letztlich auch für jene Variante des Fremdsprachenunterrichts, die sich unter dem Etikett *cognitive code learning theory* dem sog. kognitiven Lernen verpflichtet fühlt. Bezeichnenderweise wird die streng behavioristische Ausrichtung nur selten explizit formuliert oder angegeben:

> " . . . though I believe very few course-writers or teachers would fully accept Skinner's theory of verbal behavior . . . , yet most courses exhibit a conception of language teaching that reflects a basically Skinnerian view" (Law 1973: 231)

Auch für wissenschaftliche Disziplinen wie Sprachlehrforschung und Fremdsprachendidaktik scheint zu gelten, daß unterrichtliches Sprachenlernen vornehmlich im Bezugsfeld eines weitgehend orthodoxen Behaviorismus angesiedelt wird. Die gängigen Argumentationen zum Fremdsprachenunterricht geben zu erkennen, daß das Erlernen einer Fremdsprache implizit durchweg als eine durch (operante) Konditionierung erzielte verbale Verhaltensänderung angesehen wird, bei der ein äußerst komplexes Geflecht von Stimuli, Verstärkern und Einflußfaktoren ineinandergreift. Hauptaugenmerk liegt auf dem Erfassen und Beschreiben der Beziehung zwischen externen Einflußfaktoren und dem angestrebten Lernerfolg. Fremdsprachenlernen gilt hinsichtlich der zugrundeliegenden Mechanismen als eine unter vielen verschiedenen Formen menschlichen Lernens, als ein "Vorgang, durch den eine Aktivität im Gefolge von Reaktionen des Organismus auf eine Umweltsituation entsteht oder verändert wird" (Hilgard & Bower 1975: 16). Nach dieser Auffassung unterscheidet sich das Lernen einer Fremdsprache nicht grundsätzlich vom Erlernen anderer (geistiger) Fähigkeiten. Es wird angenommen, daß der Erwerb einer Fremdsprache im Unterricht prinzipiell den gleichen Gesetzmäßigkeiten folgt, die sich auch in nicht-sprachlichen Lernvorgängen manifestieren und die ihren Niederschlag in einer allgemeinen Lerntheorie finden. Die gerade in jüngster Zeit weit verbreitete Forderung nach einer lernpsychologischen bzw. lerntheoretischen Interpretation sprachlicher Fehlleistungen des Schülers im Unterricht spiegelt die Auffassung wider, daß "language learning is simply an instance of generalised learning capacities" (Chomsky 1975: 21). So schreibt Heuer (1976: 9): "Das Verfahren fremdsprachendidaktischer Erkenntnisgewinnung kann den Prinzipien der allgemeinen Lernforschung folgen. . . "

Die These, Fremdsprachenunterricht und Fremdsprachendidaktik orientierten sich generell an behavioristischen Lernprinzipien, mag bei all denjenigen auf Skepsis stoßen, die sich um eine differenzierte Fremdsprachenmethodik bemühen. Wie etwa die detaillierten Überblicksdarstellungen von Butzkamm (1973), Hüllen (1976) oder Hüllen & Jung (1979) zeigen, ist kaum zu leugnen, daß unser Jahrhundert eine Vielzahl widerstreitender Sprachlehrmethoden durchlebt hat, die von z.T. extrem unterschiedlichen Prämissen ausgingen. Dennoch zeigen gerade diese Darstellungen, daß der Methodenstreit kaum die grundsätzliche Auffassung über das, was sprachliches Lernen ist, berührte. Fremdsprachliches Lernen wird stets im Sinne von *habit formation* interpretiert. Zur Diskussion steht nicht die Frage, ob fremdsprachliches Lernen *habit formation* ist oder nicht, sondern durch welche praktischen Methoden der Prozeß der *habit formation* am effektivsten durchgeführt werden kann. Die widerstreitenden Methoden sind sich im Kern darüber einig, daß eine Sprache nur durch gezieltes Üben erlernt werden kann. Streitpunkt ist nicht, welcher Natur der sprachliche Lernprozeß ist, sondern lediglich, auf welche Art und Weise dieser sprachliche Lernprozeß am schnellsten durchlaufen wird. Die unbestreitbar orthodox-behavioristische Grundhaltung der Fremdsprachendidaktik durchdringt die gesamte Fachliteratur und ließe sich durch eine nahezu endlose Liste von Belegen nachweisen.

Unter der Überschrift "Lerntheorie und Fremdsprachenunterricht" stellt Solmecke (1973: 77) gleich an den Anfang seiner Überlegungen das Bekenntnis: "Sprache ist verbales Verhalten. Das Erlernen einer Sprache können wir daher auch als Änderung bzw. Verbesserung verbalen Verhaltens bezeichnen . . . " Noch deutlicher offenbart sich der Behaviorismus bei Lübke (1975), der in einer Graphik die Gleichung aufstellt: Spracherwerb = Konditionierung. Corder (1973: 127) ist einer der wenigen, der in ebenso dezidierter Form jede Art behavioristischer Erklärung von Sprachenlernen als inadäquat zurückweist: "We can start by ruling out of court any notion that language learning or acquisition is merely a question of memorizing a set of *associations* between all possible sentences in the language, and a corresponding set of contextual stimuli."

Während der praktische Unterricht unbeschadet der wissenschaftlichen Diskussion nach wie vor nach mehr oder minder strengen behavioristischen Prinzipien durchgeführt wird – wie die Lehrerexemplare der gängigen Schulbücher deutlich zeigen –, so erleben wir in der Fremdsprachendidaktik gerade in jüngster Zeit wieder eine Renaissance des Behaviorismus. Nach der Abkehr von der Sprachwissenschaft wird immer mehr die Forderung laut, den Fremdsprachenunterricht verstärkt unter psychologischen, speziell lerntheoretischen Fragestellungen zu betrachten. Diese Forderung wird nun – leider – jedoch nicht in dem Sinne verstanden, daß die Fremdsprachendidaktik nunmehr versuche, eine Fremdsprachenlerntheorie zu entwickeln; vielmehr werden bekannte Daten – zumeist fremdsprachliche Fehlleistungen – im Raster behavioristischer Klassifikationskategorien re-interpretiert. Es tauchen Begriffe auf wie Assoziation, Reizgeneralisierung, Verstärkungseffekt, reproduktive Hemmung, Konditionierung, Stimulusselektion, etc. Vielfach ließe sich der Terminus "lerntheoretisch" in der didaktischen Literatur präziser durch "behavioristisch" ersetzen. Beispiele für derartige lerntheoretische, sprich behavioristische Analysen fremdsprachenunterrichtlicher Phänomene finden sich etwa in Heuer (1976), Schneider (1978) oder Butzkamm (1973).

Wenngleich in der jüngeren Literatur offene Bekenntnisse zu Skinners Behaviorismus wie bei Carroll (1966) selten sind, so wird in der Regel die behavioristische Grundausrichtung nicht bestritten, eher schon quasi entschuldigt. Solmecke (1973: 93) sieht einen entscheidenden Grund darin, "daß bis heute der Behaviorismus die einzige in sich geschlossene Theorie des Lernens hervorgebracht hat". Daß die auf der Gestaltpsychologie aufbauenden kognitiven Lerntheorien sich in der Fremdsprachendidaktik kaum durchgesetzt haben, mag daran liegen, daß "die Vertreter der Gestalttheorie sich grundsätzlich wenig mit Sprache befaßt (haben), außerdem mehr mit Wahrnehmung als mit Erlernung" (Burgschmidt & Götz 1974: 111). Heuer (1976: 102) erklärt die behavioristische Ausrichtung der Fremdsprachendidaktik: "Die von der Stimulus-Response Psychologie beeinflußte behavioristische Sprachlernforschung erklärt einige beobachtbare Lernphänomene präziser als die kognitivistische und mentalistische Psycholinguistik."

Im gängigen Fremdsprachenunterricht beschränken sich die methodischen Bemühungen nicht auf die strukturierte Vorgabe eines Inputs, d.h. des sprachlichen Materials, sowie eventueller Regelexplizierungen, sondern das Lernen selbst soll möglichst kontrolliert und gesteuert ablaufen, in dem Sinne, daß in Äußerungen der Schüler von Beginn an keine oder nur wenige Fehler auftreten. Die Idealvorstellung des Unterrichts zielt auf eine Form des Lernens ab, wie sie im Modell II (S. 75) dargestellt ist. Es wird angestrebt, den Schüler in die Lage zu versetzen, von Beginn an ausschließlich im Sinne der Zielsprache fehlerfreie Äußerungen zu produzieren, d.h. die Kompetenz des Schülers soll zu jedem Zeitpunkt innerhalb der zweitsprachlichen Entwicklung einen deckungsgleichen Ausschnitt der Erwachsenenkompetenz abgeben. Modellabweichende Äußerungen, i.e. Fehler, als konstitutives Element des Lernprozesses werden in der traditionellen Didaktik (cf. Corder 1971, Wilkins 1974) nicht toleriert. Im Mittelpunkt der Bemühungen des traditionellen Fremdsprachenunterrichts steht also der Fehler und dessen Ausmerzung. Auch hier offenbart sich behavioristisches Grundverständnis: "Associated with the habit and re-inforcement theory is the rule that errors should not be allowed, that errors only breed further errors, and that if they arise they should be immediately checked by giving the pupil the correct form and calling for repetition" (Law 1973: 232).

Diese Grundauffassung gilt gleichermaßen für die unter dem Stichwort "kommunikative Kompetenz" (Piepho 1974) propagierte Lehrkonzeption. Diese Konzeption verlagert lediglich den Schwerpunkt der unterrichtlichen Bemühungen, verzichtet hingegen nicht auf die Forderung nach möglichst fehlerfreien Äußerungen auf seiten der Schüler. Wenngleich das Konzept der kommunikativen Kompetenz das primäre Lehrziel des Unterrichts darin sieht, den Schüler zur Bewältigung kommunikativer Situationen in der Fremdsprache zu führen, so soll dies dennoch nicht zu Lasten einer weitgehenden Wohlgeformtheit von Schüleräußerungen geschehen. Auch Piepho wäre sicherlich nicht mit einer Äußerung wie etwa *you please give sugar* zufrieden, wenngleich dieser Satz in einer entsprechenden Kommunikationssituation die Intentionen des Sprechers hinreichend deutlich macht.

In diesem Sinne basiert der herkömmliche Fremdsprachenunterricht auf der Dichotomie richtig vs. falsch in bezug auf die sprachlichen Produktionen der Schüler.

Entweder produziert der Schüler eine gegebene Sprachstruktur modellkonform, dann ist das Lernziel/der Lernerfolg erreicht; oder der Schüler produziert die angestrebte Zielstruktur noch in modellabweichender Form, dann gilt es, durch geeignete Methoden die auftretenden Fehler auszumerzen. Dabei geht man – ganz in der behavioristischen Tradition – von der Annahme aus, daß der ausbleibende Lernerfolg auf verschiedene störende Einflußfaktoren zurückgeht, wie z.B. inadäquate Lehrmethode, mangelnde Sprachbegabung, unzureichende Übungen, fehlende Motivation, etc. Entscheidend scheint mir zu sein, daß der Lernprozeß selbst, d.h. wie der Schüler sprachliche Strukturen verarbeitet, auf welchem Weg er zur modellgerechten Beherrschung der Zielstruktur gelangt, als Problem nicht thematisiert wird.

> "Surprisingly little fundamental research has been conducted into the processes of learning a second language . . . The discovery that learners do or do not learn, or learn better or worse, under certain conditions, does not tell us directly about the process of learning itself." (Corder 1973: 107/108)

Der Begriff "Lernprozeß" wird – im Bereich des Fremdsprachenunterrichts bzw. der Fremdsprachendidaktik – fast ausnahmslos im Sinne von Lern*erfolg* verwandt. Entweder ist eine Struktur gelernt oder nicht; der interne Mechanismus des Lernens selbst wird nicht problematisiert. Gerade in dieser fehlenden Problematisierung des Begriffes "Lernprozeß" – als Gegensatz zu Lernziel, Lernerfolg, Lernmethode, etc. – spiegelt sich in besonderer Weise die behavioristische Grundhaltung des Fremdsprachenunterrichts wider. Lernen ist nichts anderes als die Verknüpfung eines Stimulus mit einer Reaktion. Das Problem liegt im Stimulus und in der Reaktion, sowie ihren Auftretensbedingungen; der Mechanismus der Verknüpfung selbst ist kein untersuchungswertes Thema. Nach dieser Lernauffassung führt jeder Stimulus notwendigerweise zu einer bestimmten Reaktion. In konkreten Lernsituationen ist natürlich nicht ein einzelner Stimulus, sondern eine Vielzahl von Reizen vorgegeben. Das Problem liegt nun darin, die Palette vorhandener Stimuli so zu strukturieren, daß die gewünschte Reaktion eintritt. Auf den Fremdsprachenunterricht übertragen: Der Lehrer gibt einen bestimmten sprachlichen Stimulus vor, der dann im Idealfall zu der entsprechenden sprachlichen Reaktion des Schülers führt.

Findet diese Verknüpfung statt, so gilt die entsprechende Struktur als gelernt. Daß diese Verknüpfung nicht sofort gelingt, liegt daran, daß verschiedene intervenierende Faktoren eine solche spontane Verknüpfung verhindern können. Daher ist das didaktische Bemühen darauf gerichtet, derartige hemmende Faktoren soweit wie möglich zu eliminieren, bzw. durch repetierende Vorgabe des entsprechenden Stimulus diesem ein quantitatives Übergewicht gegenüber anderen (störenden) Stimuli einzuräumen. Lernen wird also ausschließlich als Produkt verschiedener zusammenwirkender Faktoren angesehen.

Die behavioristische Grundauffassung des Fremdsprachenunterrichts und der Fremdsprachendidaktik impliziert einerseits, daß der Zugriff zum Lernprozeß allein über die Lernbedingungen führt, und andererseits, daß der Lernprozeß grundsätzlich in allen Phasen beliebig über die Kontrolle der externen Lernbedingungen manipulierbar ist. Die Möglichkeit einer Eigengesetzlichkeit sprachlichen Lernens, d.h. eines von äußeren Einflüssen unabhängigen Prozeßablaufes wird entweder nicht problematisiert oder – ganz im Sinne der Skinner'schen Tradition – schlichtweg geleugnet. Die Verknüpfung zwischen Stimulus und Reaktion gilt entweder als vorhanden oder nicht vorhanden. Daß diese Verknüpfung selbst ein nach bestimmten Gesetzmäßigkeiten ablaufender Prozeß sein könnte, wird in der traditionellen Fremdsprachendidaktik nicht erwogen. Fehlende Verknüpfung wird stets auf eine im Sinne der Zielsetzung unzureichend günstig strukturierte Stimulipalette zurückgeführt, nicht etwa auf Gesetzmäßigkeiten im Prozeß der Verknüpfung selbst.

Das behavioristische Selbstverständnis der Sprachlehrforschung bestimmt weitgehend den Rahmen empirischer Untersuchungen (einige repräsentative Beispiele finden sich etwa in Solmecke (1976)). Die verschiedenen, potentiell relevanten lernsituationalen Variablen werden analysiert und mit dem Lernerfolg korreliert. Dabei geht man –weitgehend ungeprüft – von der Annahme aus, daß die das Lernen begleitenden Umstände auch stets die Art des Lernens verändern können. Dieses Verfahren führt zu einem primär quantitativen Erfassen des Lernens. Hier wird nicht untersucht, *wie* sondern *wieviel* unter bestimmten Bedingungen gelernt wird. Im Mittelpunkt steht also die Quantität, nicht die Qualität des Lernens. Nach dem behavioristischen Selbstverständnis des Fremdsprachenunterrichts ist eine qualitative Erfassung des Lernens, d.h. die Frage, wie gelernt wird, auch gar nicht möglich. Für den Fremdsprachendidaktiker muß die Frage nach dem *Wie* des Lernens weitgehend unverständlich sein; es sei denn, man verstehe – wie dies oft der Fall ist – unter diesem *Wie* die unterschiedliche Qualität externer Lernbedingungen. Für den Didaktiker umfaßt sprachliches Lernen vor allem zwei Dimensionen: die Bedingungen des Lernens auf der einen Seite und komplementär dazu den Erfolg bzw. fehlenden Erfolg des Lernens.

Die behavioristischen Auffassungen der Sprachunterrichtswissenschaften sind weitgehend axiomatischer Natur; sie sind nicht Ergebnis, sondern Grundlage empirischer Prüfung. Die Frage, ob das Lernen im Fremdsprachenunterricht nach einem behavioristischen S → R-Konditionierungsmodell abläuft oder nicht, ist m.W. in der traditionellen fremdsprachendidaktischen Literatur nie ernsthaft und ausführlich diskutiert worden. Der Grund hierfür scheint mir darin zu liegen, daß die Fremdsprachendidaktik – ebenso wie im linguistischen Bereich – auch hier keine eigenen theoretischen Ansätze erarbeitete, sondern vielmehr "fertige" Theorien übernahm und für ihre Zwecke nutzbar zu machen versuchte; und hier stand im Bereich des Lernens die behavioristische Theorie à la Skinner hinsichtlich der Präzision und Geschlossenheit ihrer Aussagen lange Zeit konkurrenzlos da.

Nun liegen a priori keinerlei Gründe vor, warum fremdsprachliches Lernen nicht nach behavioristischen Prinzipien erfolgen sollte. Zahlreiche Fähigkeiten des Menschen werden vermutlich nach einem S → R-Modell erworben; warum sollte die im Unterricht erlernte Zweitsprachigkeit nicht ebenso dazu gehören. Die Problematik der fremdsprachendidaktischen Position liegt nicht in der behavioristischen Grundeinstellung an sich, sondern darin, daß sich diese Einstellung ungeprüft in der Fachliteratur perpetuiert.

Eine Prüfung der fremdsprachendidaktischen Grundposition scheint derzeit schon allein deshalb besonders dringlich zu sein, als sich für andere Spracherwerbstypen, wie den Muttersprachenerwerb und den natürlichen Zweitsprachenerwerb deutlich abzeichnet, daß ein behavioristisches S → R-Konditionierungsmodell gänzlich inadäquat ist. Natürlicher Spracherwerb vollzieht sich einerseits in einem Geflecht unterschiedlicher Lernbedingungen mit z.T. unterschiedlichem Lernerfolg pro Zeiteinheit, andererseits zeigt die Analyse des vorhandenen empirischen Datenmaterials, daß dem Erwerbsprozeß – im Sinne von Verarbeitung sprachlicher Strukturen – eine bestimmte Eigengesetzlichkeit innewohnt, die auf spezifisch menschliche biologische Grundlagen des Spracherwerbs hindeutet und die im Gegensatz zu S → R-Prinzipien steht.

Daraus ergibt sich die entscheidende Frage: Stellen sich im natürlichen Spracherwerb einerseits und im gesteuerten Fremdsprachenerwerb andererseits zwei grundsätzlich unterschiedliche Typen von Lernen dar?

Und zwar unterschiedlich, nicht allein im Hinblick auf die externen Lernbedingungen, sondern auf die internen Verarbeitungsmechanismen; etwa in dem Sinne, daß natürlicher Spracherwerb einem biogenetisch verankerten Entwicklungsmuster folgt, während das Lernen im Fremdsprachenunterricht nach behavioristischen Prinzipien abläuft. Anders ausgedrückt: Verfügt der Mensch über zwei grundsätzlich unterschiedliche Spracherwerbsmechanismen? Einen, der beim natürlichen Spracherwerb zu dem führt, was Dulay & Burt als *creative construction process* bezeichnen, und einen anderen, dem behavioristische Lernprinzpien zugrundeliegen und der im gesteuerten Fremdsprachenerwerb zum Tragen kommt.

Diese Frage ist a priori nicht zu entscheiden. Es ist durchaus denkbar, daß die besondere Situation des Fremdsprachenunterrichts dazu führt, daß die natürliche menschliche Spracherwerbsfähigkeit, wie sie sich etwa beim Muttersprachenerwerb äußert, für den Fremdsprachenunterricht nicht brauchbar ist, so daß hier Lernstrategien auftreten, die von grundsätzlich unterschiedlicher Natur sind und die der Mensch nicht etwa nur beim Erlernen einer Sprache, sondern auch zum Erwerb anderer (geistiger) Fähigkeiten benutzt. Andererseits ist ebensowenig ausgeschlossen, daß die nicht-behavioristischen Prinzipien folgende menschliche Spracherwerbsfähigkeit nicht nur im natürlichen Spracherwerb zum Tragen kommt, sondern bei jeglicher Form des Sprachenlernens, einschließlich der des Fremdsprachenunterrichts.

Die Frage "ein oder zwei Spracherwerbsmechanismen?" ist also rein empirischer Natur. Es muß untersucht werden, ob sich auch im Fremdsprachenunterricht Regularitäten des Lernprozesses beobachten lassen, die sich weder im Sinne von Lernbedingungen, noch von Lernerfolg interpretieren lassen.

Das Problem liegt darin, daß diese Frage von der traditionellen Sprachlehrforschung bislang nicht gestellt wurde und aufgrund ihres behavioristischen Selbstverständnisses auch nicht gestellt werden konnte. Daß auch der Lernprozeß selbst nach bestimmten internen Gesetzmäßigkeiten ablaufen kann, ist eine Erkenntnis, die wir der L1- und natürlichen L2-Erwerbsforschung verdanken. Aufgrund dieser Erkenntnis drängt sich nunmehr die Frage auf, ob sich derartige Regularitäten ebenfalls im Fremdsprachenunterricht beobachten lassen. Die Beantwortung dieser Frage setzt empirische Untersuchungen voraus, die methodisch parallel zu den bisherigen Untersuchungen im natürlichen Spracherwerb verlaufen. D.h., es gilt zu untersuchen, wie sich die sprachliche Kompetenz der Schüler im Laufe des Unterrichts verändert; nicht in dem Sinne, ob der Schüler ein Mehr oder Weniger an Sprachkompetenz erworben hat, sondern vielmehr, ob sich in seinen sprachlichen Produktionen auf dem Hintergrund des Lehrer-Inputs Gesetzmäßigkeiten bezüglich der Verarbeitung der sprachlichen Daten feststellen lassen. Darüberhinaus ist zu fragen, wie hierbei eventuell beobachtete Gesetzmäßigkeiten zu entsprechenden Regularitäten im natürlichen Spracherwerb in Bezug gesetzt werden können. Die Frage ist also, wie verarbeitet der Schüler sprachliche Strukturen und welche Strukturen produziert er, *bevor* er das zielsprachliche Modell erreicht?

Leider liegen derzeit kaum empirische Untersuchungen vor, aus denen sich eine Beantwortung dieser Frage ableiten ließe. Die bisherige Sprachlehrforschung hat entweder Korrelationen zwischen externen Faktoren und Lernerfolg aufgestellt oder unter dem Stichwort "Fehleranalyse" nach behavioristischen/lernpsychologischen Kriterien fehlerhafte Äußerungen von Schülern untersucht. Aus diesen Daten lassen sich Aussagen über die sprachliche Entwicklung des Schülers im Sinne der oben angeschnittenen Frage nicht ableiten.

Der Datentyp, der hier benötigt wird, ist eine möglichst lückenlose Sammlung von Schüleräußerungen über einen angemessenen langen Zeitraum hinweg. Derartiges Datenmaterial gestattet einerseits die Untersuchung der Frage, ob sich in den Äußerungen der Schüler über die Klassifizierung richtig vs. falsch hinaus Gesetzmäßigkeiten beobachten und sich mögliche Parallelen zum natürlichen Spracherwerb feststellen lassen.

15. Zum Unterschied zwischen gesteuertem und ungesteuertem Zweitspracherwerb

Aufgrund ihrer primär behavioristischen Ausrichtung haben sich die traditionelle Sprachlehrforschung und die Fremdsprachendidaktik in der Vergangenheit von den Fragestellungen der psycholinguistisch-orientierten Spracherwerbsforschung weitgehend abgekapselt (cf. Felix 1976c, Wode 1977b). So wurden vielfach Untersuchungen über den Einfluß lernsituationaler Variablen einerseits und Studien, die auf eine Klärung der Gesetzmäßigkeiten im Ablauf des Lernprozesses abzielen, getrennt und ohne Bezug aufeinander betrieben. Wenngleich einige Autoren, wie z.B. Wienold (1973), Wilkins (1974), Jakobovits (1970), in diesem Bereich behutsam und mit gebührender Skepsis vorgehen, so wird diese strikte Abkapselung üblicherweise pauschal mit dem Hinweis auf die gänzlich unterschiedlichen Lernsituationen im Fremdsprachenunterricht und im natürlichen Spracherwerb begründet. Auf dem Hintergrund einer behavioristischen Lernkonzeption erscheint diese Begründung als sinnvoll. Man geht von der Annahme aus, daß unterschiedliche Lernsituationen notwendigerweise auch zu unterschiedlichem Lernen führen. Daß diese These nicht ganz unproblematisch ist, erkannte bereits Butzkamm (1976: 86), wenn er über den bekannten Methodenstreit schreibt:

> "Wir können nicht fraglos postulieren, daß der Schüler anders lernt, weil ihm der Lehrstoff anders dargeboten wurde . . . Dabei übersieht man die *blackbox,* die zwischen Input und Output steht, d.h. man übersieht, daß wir gar nicht wissen, wie das Lernen eigentlich abläuft."

Aufgrund der inzwischen hinreichend bekannten Ergebnisse der Spracherwerbsforschung setzen sich die meisten jüngeren Arbeiten zur Fremdsprachendidaktik mehr oder minder ausführlich mit der Beziehung zwischen natürlichem Spracherwerb und Fremdsprachenunterricht auseinander.

Dabei herrscht nahezu einhellig die Meinung, daß aufgrund der unterschiedlichen Lernsituationen weder Fragestellungen noch Ergebnisse der Spracherwerbsforschung unmittelbar für den Fremdsprachenunterricht relevant seien (cf. Simmet 1978). Man ist sich darüber einig, daß es sich beim Erwerb der Muttersprache und beim gesteuerten Erlernen einer Fremdsprache um zwei grundsätzlich unterschiedliche Prozesse handelt, so daß etwa Fragen der menschlichen Spracherwerbsfähigkeit oder der natürlichen Gesetzmäßigkeiten des Spracherwerbs für den Unterricht nicht von Belang sind. Unter der Überschrift "Die Andersartigkeit des Fremdsprachenlernens" schreibt etwa Solmecke (1973: 62):

> "So verlockend es im ersten Moment ist zu fordern, Kinder sollten die Fremdsprache in der Schule auf möglichst 'natürliche' Weise, d.h. wie ihre Muttersprache lernen, so scheinen doch beim näheren Hinsehen die Gemeinsamkeiten beider Lernvorgänge in Voraussetzungen und Verlauf eher oberflächlicher Natur zu sein und für den praktischen Unterricht nur relativ wenige Hinweise geben zu können."

Auch Burgschmidt & Götz (1974: 115) konstatieren: "Im allgemeinen wird anerkannt, daß Erstsprachen- und Zweitsprachenerlernung sich grundsätzlich unterscheiden." Die beiden Autoren begnügen sich allerdings nicht damit, allein die unterschiedliche Lernsituation anzuführen, vielmehr scheinen sie die These zu vertreten, daß es sich bei den beiden Erwerbstypen um Mechanismen unterschiedlichen Lernens handelt:

> "Gegenüber dem behavioristisch nicht überzeugend charakterisierbaren Erstsprachenerlernen ähnelt aber nun – was von der TG nicht genügend gewürdigt wird – das Bemühen um eine zweite Sprache viel eher dem Pattern der Verhaltenspsychologie" (S. 115).

Vogel & Vogel (1975: 42) sehen den Unterschied zwischen Erst- und Zweitsprachenerwerb vor allem im Bereich der unterschiedlichen Voraussetzungen:

> "Da beim Erwerb der Zweitsprache durch die Beherrschung der Muttersprache andere entwicklungsspezifische Voraussetzungen bestehen, als beim Erwerb der Erstsprache, kann man auch nicht von einer prinzipiellen Gleichsetzung beider Spracherwerbsprozesse ausgehen."

Vergleichbare Zitate lassen sich bei Durchsicht der einschlägigen Literatur beliebig vermehren. Bei der Beurteilung der Unterschiede zwischen natürlichem Spracherwerb und gesteuertem Fremdsprachenunterricht legen verschiedene Autoren zwar je nach Ausrichtung unterschiedliche Schwerpunkte, dennoch ist man sich grundsätzlich einig, daß – soweit überhaupt Gemeinsamkeiten zwischen den beiden Spracherwerbstypen bestehen – diese minimal sind und gegenüber der Fülle von Unterschiedlichkeiten insbesondere für die praktische Ausrichtung des Fremdsprachenunterrichts vernachlässigt werden können. Beim Vergleich der beiden Erwerbstypen wird in der einschlägigen Literatur vor allem immer wieder auf die folgenden Unterschiede hingewiesen:

1. Der Erwerb der Muttersprache erfolgt im Kindesalter, in einer Zeit also, in der der Mensch über die Fähigkeit verfügt, ohne formale Instruktion eine Sprache zu erwerben. Es wird in der Regel nicht bestritten (cf. Burgschmidt & Götz, 1974, Wienold 1973, Solmecke 1973), daß der Erwerb der Muttersprache einem entwicklungsspezifischen Mechanismus folgt, der – wenn überhaupt – nur schwer mit behavioristischen Lernprinzipien in Einklang zu bringen ist. Der Fremdsprachenunterricht hingegen zielt auf Jugendliche und Erwachsene ab, die – so scheint es – die natürliche Spracherwerbsfähigkeit weitgehend verloren zu haben scheinen, so daß das erfolgreiche Erlernen einer Fremdsprache ohne Einsatz formaler Lehrverfahren nicht möglich, oder zumindest nicht effektiv ist (Nickel 1971, Littlewood 1973).

Wienold (1973: 68) geht davon aus, daß ab einem bestimmten Alter das einigermaßen erfolgreiche Lernen einer Zweitsprache ohne formale Instruktion schlichtweg unmöglich ist:

> "Er (der erwachsene Lerner) erlernt sie (die Sprache) nicht schrittweise durch einfaches Aufnehmen, aus der Umgebung in der mehr oder weniger feststehenden Reihenfolge, die früher beschrieben worden ist, sondern er braucht häufig zusätzliche Steuerung durch Unterricht, durch Erklärung, durch Korrektur, die ihn trainieren will. Unter den Bedingungen der vollständigen Immersion in die Zweitsprache treten häufig nur rudimentäre Formen des Erwerbs dieser zweiten Sprache auf . . . "

2. Motivation und kommunikativer Kontext sind beim Kleinkind, das seine Muttersprache erwirbt und beim Erwachsenen, der eine Fremdsprache erlernt, grundsätzlich unterschiedlich (Ervin-Tripp 1974, Burgschmidt & Götz 1974). Während das Kleinkind seine Muttersprache als integrierten Bestandteil seiner geistig-kognitiven Gesamtentwicklung erwirbt und sich ein notwendiges Mittel zur Interaktion mit seiner Umwelt verschafft, verfügt der Erwachsene bereits über ein voll ausgebautes sprachliches Kommunikationssystem, auf das er bei Bedarf zurückgreifen kann. Die in bezug auf Motivation, Kommunikation, Alter usw. im Fremdsprachenunterricht insgesamt ungünstigere Lernsituation muß durch gezielte Lehrverfahren kompensiert werden.

   Die Tatsache, daß der L2-Erwerber bereits über ein Sprachsystem verfügt, wird vielfach als der entscheidende Unterschied zwischen den Erwerbstypen angesehen. Nicht zuletzt führt dieser Unterschied zum Problem der Interferenz, die im Erstsprachenerwerb naturgemäß unbekannt ist. Hieran schließt sich auch die ältere Bilingualismusforschung an, die unter den Begriffen *compound bilingual* und *coordinate bilingual* (cf. Schönpflug 1977) der Frage nachgeht, wie sich bei mehrsprachigen Sprechern die beiden Sprachsysteme gegenseitig beeinflussen bzw. wie sie getrennt gehalten werden.

   Die enge Verbindung von geistiger und sprachlicher Entwicklung beim Kleinkind führt auch Solmecke (1973: 62) als Hauptunterschied zum späteren Fremdsprachenunterricht an:

   > "Der Muttersprachenerwerb des Kindes ist aufs engste mit seiner übrigen Entwicklung verbunden. Mit Hilfe der Sprache hat es gelernt, die Eindrücke, die ihm seine Umwelt vermittelt, zu ordnen. Es kann mit seiner Muttersprache alle Kommunikationsbedürfnisse befriedigen, alle Situationen sprachlich bewältigen."

   Im Vorhandensein bzw. Nichtvorhandensein von Motivation sieht Corder (1967) den Hauptunterschied zwischen Erst- und Zweitsprachenerwerb. Auch Burgschmidt & Götz (1974: 115) betrachten das motivationshemmende Fehlen einer Umweltreaktion als eines der Hauptprobleme des Fremdsprachenunterrichts:

   > "Die Tatsache, daß meist auch viel weniger Zeit, viel geringere Motivation (eine Sprache zur Befriedigung des generellen und angeborenen Kommunikationsdranges ist schon vorhanden) und – besonders beim Unterricht im Muttersprachenland keine verstärkende Umwelt vorhanden ist, hat ebenfalls große Restriktionen in der Zweitsprachenbeherrschung zur Folge."

3. Gerade durch den Einsatz von Lehrverfahren unterscheidet sich der Lernprozeß im Fremdsprachenunterricht entscheidend vom Muttersprachenerwerb. Während

der Erwerbsprozeß des Kindes nach offenbar natürlichen Gesetzmäßigkeiten abläuft, wird der Lernprozeß des Schülers durch verschiedene Lehrmethoden gesteuert und kontrolliert. In diesem Bereich handelt es sich also nicht nur um Unterschiede in den lernsituationellen Variablen, sondern durch den Einsatz von Lehrverfahren, durch die Strukturierung des Unterrichtsmaterials und durch Korrekturen aufseiten des Lehrers wird der sprachliche Input im Unterricht gegenüber dem Muttersprachenerwerb entscheidend verändert.

Die in der einschlägigen Literatur aufgeführten Unterschiede hinsichtlich Lernsituation, Motivation, entwicklungspsychologischer Voraussetzungen, sprachlicher Vorkenntnisse etc. brauchen sicherlich nicht angezweifelt zu werden. Eine gewisse Problematik der Argumentation ergibt sich allerdings daraus, daß der Fremdsprachenunterricht zumeist mit dem Muttersprachenerwerb verglichen wird. Ein solcher Vergleich scheint mir wenig geeignet, die besonderen Merkmale des *gesteuerten* Zweitsprachenerwerbs sichtbar zu machen, da die für den Unterricht relevante Ebene des Didaktischen nicht hinreichend präzisiert werden kann.

Muttersprachenerwerb und Fremdsprachenunterricht unterscheiden sich auf zwei Ebenen: a) Erst- vs. Zweitsprachenerwerb und b) Steuerung vs. Nichtsteuerung des Lernprozesses. Diese beiden Ebenen sollten m.E. sorgsam getrennt beobachtet werden. Zahlreiche als typisch apostrophierte Begleitumstände des Fremdsprachenunterrichts, wie etwa künstliche Kommunikationssituation, Lerndruck, Präsenz einer Lehrperson, etc. gelten zunächst generell für den gesteuerten Spracherwerb, und sind unabhängig davon, ob eine Erst- oder Zweitsprache erworben wird. Andere Faktoren wiederum, z.B. sprachliches Vorwissen, höheres Alter, größere kognitive Reife und – im Vergleich zum Muttersprachenerwerb – geringere Motivation, die vielfach als Spezifika des Fremdsprachenschülers angesehen werden, gelten für den Zweitsprachenerwerberschlechthin und sind unabhängig davon, ob formale Lehrverfahren eingesetzt werden oder nicht. Um also die Auswirkungen von Lehrverfahren und von unterrichtsspezifischen Lernsituationen auf den Erwerbsprozeß des Schülers präziser bestimmen zu können, muß der Fremdsprachenunterricht mit dem *ungesteuerten* Zweitsprachenerwerb kontrastiert werden. Werden etwa – wie dies bei Burgschmidt & Götz (1974: 115) angedeutet wird – die im Fremdsprachenunterricht zu beobachtenden behavioristischen Lernstrategien darauf zurückgeführt, daß eben eine zweite und nicht die Erstsprache erworben wird, so ist diese Schlußfolgerung nur dann gültig, wenn Zweitsprachenerwerb generell – sei er gesteuert oder ungesteuert – behavioristischen Lernprinzipien folgt.

Auch das Problem der Motivation muß in diesem Kontext relativiert werden. Ist der Zweitsprachenerwerber aufgrund der Verfügbarkeit eines bereits vorhandenen Sprachsystems weniger motiviert, eine neue Sprache zu erlernen, so gilt dies wiederum gleichermaßen für den natürlichen und den gesteuerten Zweitsprachenerwerb. Ausbleibender Lernerfolg aufgrund fehlender Motivation hat also zunächst nichts damit zu tun, daß im Fremdsprachenunterricht eine zweite Sprache erworben wird; es sei denn, L2-Erwerb sei generell weniger erfolgreich als L1-Erwerb – eine zweifellos unhaltbare These. Vielmehr scheinen mangelnde Motivation und fehlender Lernerfolg damit zusammenzuhängen, daß im Fremdsprachenunterricht der Lernprozeß *gesteuert* wird. Zahlreiche aus der Perspektive des Fremdsprachenunterrichts heraus für den Zweitsprachenerwerb reklamierte Eigenschaften müssen unter Berücksichtigung jüngerer Ergebnisse zum *un*gesteuerten Zweitsprachenerwerb, wie ich ihn in Teil I dargestellt habe, revidiert werden. Bereits Wienold (1973: 35) äußert sich zu diesem Themenkomplex sehr vorsichtig:

> "Während also der Erstsprachenerwerb eine deutlich eingehaltene Reihenfolge im Erwerb von Eigenschaften der Sprache zeigt, läßt sich dergleichen für den Zweitsprachenerwerb nicht behaupten – eine Aussage, die derzeit allerdings nur mit gewissen Einschränkungen gemacht werden kann, da gewisse Befunde anzudeuten scheinen, daß es sich auch hier, v.a. wenn der Zweitsprachenerwerb nicht gesteuert ist, lohnt, nach Reihenfolgen zu suchen, in denen Sprecher Eigenschaften von zweiten Sprachen lernen."

Unter diesem Gesichtspunkt müssen zahlreiche der in der Vergangenheit aufgestellten Vergleiche von Muttersprachenerwerb und Fremdsprachenunterricht als zu unpräzis angesehen werden. Durch die Vermischung der beiden angeführten Ebenen bleibt völlig unklar, welche Merkmale Spezifika des Fremdsprachen*unterrichts* und welche Spezifika des *Zweit*sprachenerwerbs sind.

Die bisherige Evidenz deutet eher darauf hin, daß der natürliche Zweitsprachenerwerb vielfach den gleichen (= nicht-behavioristischen) Lernprinzipien folgt wie der Muttersprachenerwerb. Entwicklungssequenzen, Dekomposition, Erwerbsstadien, etc. lassen sich sowohl im Muttersprachenerwerb wie im natürlichen Zweitsprachenerwerb nachweisen. Zahlreiche der Charakteristika des Lernens im Fremdsprachenunterricht scheinen eher darauf zurückzuführen zu sein, daß der Lehrer steuernd in den Lernprozeß eingreift, und weniger darauf, daß eine Zweitsprache erworben wird.

M.E. liefert eine reine Auflistung lernsituationeller Variablen und Unterschiede zwischen Erst- und Zweitsprachenerwerb wenig Erkenntnis, solange diese nicht zu den spezifischen Gesetzmäßigkeiten des Lernprozesses selbst in Beziehung gesetzt werden, bzw. solange über den Lernprozeß nur wenig Verläßliches bekannt ist. Daß Faktoren wie Motivation, Lehrerverhalten, Steuerung durch formale Lehrverfahren usw. den Lernprozeß beeinflussen können, läßt sich kaum bestreiten. Entscheidend ist jedoch, wie dies geschieht, d.h. wie sich der Ablauf des Lernprozesses unter unterschiedlichen Bedingungen verändert. Wie bereits Wilkins (1974: 25) andeutet, liegt hier die Forschungslage im argen: "Actually there is very little that is known uncontrovertibly about language learning, although there are many strongly-held beliefs." Aus ihrem behavioristischen Selbstverständnis heraus hat die bisherige Fremdsprachendidaktik den Begriff "Lernprozeß" vielfach gleichgesetzt mit den lernsituationellen Bedingungen. Lernprozeß und Lernbedingungen werden nicht differenziert, sondern als Varianten des gleichen Phänomens angesehen. Hier erweist sich m.E. die behavioristische Grundauffassung als Hemmschuh für weitergehende Fragestellungen. Abseits des behavioristischen bzw. behavioristisch-beeinflußten Lagers ist das Phänomen des Lernprozesses – im Sinne von Gesetzmäßigkeiten bei der Verarbeitung sprachlicher Strukturen – als analysewürdiges Phänomen erkannt worden. Für den Muttersprachenerwerb und den natürlichen Zweitsprachenerwerb liegen – wie bereits berichtet – ansatzweise Erkenntnisse darüber vor, wie ein Lernender auf bestimmte sprachliche Strukturen reagiert und wie er diese verarbeitet. Dem unvoreingenommenen Beobachter drängt sich natürlich die Frage auf, wie nunmehr ein Schüler auf zweitsprachliche Strukturen reagiert, wenn er mit diesen in einer formalen Unterrichtsituation konfrontiert wird. Nach welchen Prinzipien verarbeitet der Lernende unter Unterrichtsbedingungen das ihm angebotene Sprachmaterial und wie verändert sich seine Kompetenz über einen längeren

Zeitraum? Inwieweit korreliert der Ablauf des Erwerbsprozesses mit der durch das jeweilige Lehrverfahren intendierten Lernprogression? Treten auch im Fremdsprachenunterricht Entwicklungssequenzen auf, wie wir sie im natürlichen Spracherwerb beobachten konnten?

Durch derartige Fragestellungen eröffnet sich die Möglichkeit, abseits von Lernbedingungen und Lernerfolg den Lern*prozeß* als eigenständige Größe zu thematisieren und somit seine Beeinflußbarkeit durch die jeweiligen lernsituationellen Variablen weitaus präziser zu bestimmen, als dies in der Vergangenheit vielfach geschah. Konkret: durch systematische Beobachtungen von Gesetzmäßigkeiten im Lernprozeß lassen sich dessen Eigenschaften und Merkmale in Relation zu lern- bzw. lernprozeßexternen Faktoren setzen. Auf dieser Basis läßt sich eine erheblich präzisere und aussagekräftigere Korrelation zwischen Lernprozeß und Lernbedingungen erreichen. Es scheint klar zu sein daß eine erfolgreiche Steuerung des Lernprozesses nur dann möglich ist, wenn die Gesetzmäßigkeiten des Lernprozesses selbst bekannt sind. Über dieser Perspektive läßt sich sodann für den Fremdsprachenunterricht die Frage prüfen, welche spracherwerblichen Eigenleistungen bzw. Voraussetzungen der Schüler in den Unterricht mit einbringt und in welchem Umfang der Lernprozeß beim Einsatz formaler Lehrverfahren in den verschiedenen Phasen steuer- und manipulierbar ist.

Letztlich geht es bei unseren Bemühungen darum, einen Brückenschlag zwischen zwei Disziplinen bzw. Fragestellungen zu versuchen, die in der Vergangenheit zumeist isoliert betrieben wurden. Der Fremdsprachenunterricht soll unter dem Aspekt der spezifisch-menschlichen Spracherwerbsfähigkeit und deren Regularitäten erneut problematisiert werden; das Phänomen Spracherwerb soll aus der traditionellen Gleichsetzung mit dem Muttersprachenerwerb gelöst und durch Einbeziehung externer Lernbedingungen (z.B. L1 vs. L2, gesteuert vs. ungesteuert) in seiner Systematik präzisiert werden.

16. Entwicklungssequenzen im Fremdsprachenunterricht?

Die bisherigen empirischen Untersuchungen zeigen übereinstimmend, daß sowohl im Muttersprachenerwerb als auch im natürlichen L2-Erwerb der Lernende die sprachlichen Strukturen in einer überaus systematischen Weise rezipiert und verarbeitet, die ich durch das Konstrukt der Entwicklungssequenz zu beschreiben versucht Daraus ergibt sich die Frage, ob auch der Lernprozeß im Fremdsprachenunterricht in vergleichbarer Weise über geordnete Entwicklungssequenzen abläuft. Man ist versucht, diese Frage spontan mit nein zu beantworten. Aussagen erfahrener Lehrer bestätigen für den Fremdsprachenunterricht keinesfalls eine Entwicklung, wie sie im natürlichen Zweitsprachenerwerb nachgezeichnet werden kann. Dennoch ist Vorsicht geboten. Zweifellos unterliegt der Lernprozeß auch im Fremdsprachenunterricht einer Entwicklung. Schließlich bedarf es eines erheblichen Zeitaufwandes, bis der Schüler das Lernziel in den verschiedenen Bereichen erreicht hat, d.h. bis er die angestrebte Sprachstruktur modellgerecht verwendet. Die Frage ist also nicht: Treten im Fremdsprachenunterricht sprachliche Entwicklungen auf oder nicht – natürlich treten sie auf –, sondern vielmehr ist diese Entwicklung in einer Weise geordnet/systematisch, die eine Parallele zum natürlichen Spracherwerb erkennen läßt. Daß die Entwicklung im Fremdsprachenunterricht völlig ungeordnet ist, d.h. willkürliche und beliebige Bahnen nimmt, ist höchst unwahrscheinlich. Jeder Lehrer weiß von sogenannten typischen Fehlern zu berichten, die immer wieder aufzutreten und weitgehend unabhängig von den spezifischen Bedingungen des einzelnen Unterrichts zu sein scheinen. Darüberhinaus sind bestimmte Fehler offenbar "typisch" für den Anfängerunterricht, d.h. für eine Frühphase des Lernprozesses, während andere Modellabweichungen in der Regel erst in einem fortgeschrittenen Erwerbsstadium auftreten. Ließen sich Fehler grundsätzlich mit den externen Lernbedingungen korrelieren, bzw. aus diesen ableiten, so dürften bei der Vielfalt tatsächlich auftretender Situationskonstellationen derartige typische, quasi konstante Fehler kaum auftreten.

Mir scheint daher sinnvoll zu sein, nicht nur anzunehmen, daß im Fremdsprachenunterricht überhaupt eine (längere) sprachliche Entwicklung abläuft, sondern auch, daß diese Entwicklung einer noch im einzelnen zu spezifizierenden Ordnung/Systematik unterliegt. Eine völlig andere Frage ist jedoch, ob diese geordnete sprachliche Entwicklung im Fremdsprachenunterricht identisch ist mit jener, die wir im natürlichen Zweitsprachenerwerb beobachten. Man kann wohl sicher sein, daß diese Frage zu verneinen ist. Bereits der Vergleich zwischen Erstsprachenerwerb und natürlichem Zweitsprachenerwerb zeigt, daß die jeweils ermittelten Entwicklungssequenzen trotz zahlreicher Parallelen weit davon entfernt sind, identisch zu sein. Somit kann – bis zum Beweis des Gegenteils – angenommen werden, daß eine im Fremdsprachenunterricht auftretende geordnete Entwicklungssequenz ebensowenig mit Entwicklungssequenzen des natürlichen Zweitsprachenerwerbs identisch sein wird. Neben diesen mehr spekulativen Überlegungen sprechen jedoch einige konkrete Gründe dafür, daß sich die sprachlichen Entwicklungen im gesteuerten und ungesteuerten Zweitsprachenerwerb hinsichtlich der formalen Merkmale ihres Ablaufs unterscheiden werden. Nach meiner Kenntnis der Literatur wird bei den üblichen Auflistungen von Unterschieden zwischen Fremdsprachenunterricht und anderen Erwerbstypen vielfach just jener Faktor vernachlässigt und unterbewertet, der m.E. zentral für die zu erwartende sprachliche Entwicklung, d.h. die Verarbeitung sprachlicher Daten ist: der Input. Fremdsprachenunterricht und natürlicher Spracherwerb heben sich nicht nur hinsichtlich der externen Lernbedingungen voneinander ab, sondern vor allem dadurch, daß das sprachliche Material, mit dem der Lernende konfrontiert wird, völlig unterschiedlicher Natur ist.

Im Muttersprachenerwerb und natürlichen L2-Erwerb wird der Lernende von Beginn an mit einer enormen Vielfalt sprachlicher Strukturmöglichkeiten konfrontiert, wenngleich Evidenz dafür vorliegt, daß sich Gesprächspartner im direkten Dialog hinsichtlich der von ihnen verwendeten Verbalisierungen in etwa auf das sprachliche Niveau des Lerners einstellen (cf. Ferguson & Snow 1978). Mütter scheinen im Gespräch mit ihren Sprößlingen auf bestimmte (komplexe) Sprachstrukturen zu verzichten, sich jedoch im Laufe der sprachlichen Entwicklung dem steigenden Niveau der Kinder anzupassen (das sog. *motherese;* cf. Snow 1977, Ferguson & Snow 1978). Dennoch ist offenkundig, daß sich der Lernende im natürlichen Spracherwerb von Beginn an einer überaus großen Vielfalt sprachlichen Materials gegenübergestellt sieht. Allein diese sprachliche Vielfalt gestattet es dem Lernenden, Strukturen im Sinne der Dekomposition (cf. § 8) zu zerlegen und bestimmte Merkmale auszuwählen. Auswahl setzt naturgemäß eine gewisse Breite des Angebots voraus.

Völlig anders liegen die Verhältnisse im Fremdsprachenunterricht. Der Fremdsprachenschüler verbringt zumeist längere Zeit, bevor er jemals auch nur mit den grundlegendsten sprachlichen Strukturen konfrontiert wird. Der Lehrer führt jeweils eine stark reduzierte Zahl von Strukturen ein und ist nach gängiger didaktischer Auffassung angehalten, keinerlei neues sprachliches Material anzubieten, bevor er nicht hinreichend sicher ist, daß die alten Strukturen "gelernt" sind. Eigene Beobachtungen zeigten, daß die Schüler während der ersten zwei Monate Englischunterricht mit weniger als 20 verschiedenen Strukturtypen konfrontiert wurden. Das sprachliche Angebot im Fremdsprachenunterricht ist somit – wenngleich aus didaktischen Gründen völlig bewußt – extrem eingeschränkt. Der Fremdsprachenschüler hat – wenn überhaupt – eine weitaus geringere Palette an Strukturen, aus denen er auswählen kann, zur Verfügung.

Darüberhinaus äußert sich im Fremdsprachenunterricht das Prinzip der Steuerung ja gerade darin, daß dem Schüler nicht freigestellt ist, aus dem sprachlichen Angebot eine beliebige Auswahl zu treffen. Modellabweichende Äußerungen, wie sie sich in den verschiedenen Erwerbsstadien des natürlichen Spracherwerbs manifestieren, werden im Fremdsprachenunterricht vom Lehrer nach Möglichkeit durch konsequentes Eingreifen verhindert und in Richtung auf eine modellkonforme Produktion korrigiert. Darüberhinaus werden auch – wie im folgenden noch gezeigt wird – grammatisch korrekte Äußerungen zurückgewiesen, soweit sie sich nicht in das jeweils zu übende Pattern einfügen. Fremdsprachenschüler und natürliche Spracherwerber sind somit einem grundsätzlich unterschiedlichen Input ausgeliefert.

Nun ist in der Spracherwerbsforschung hinreichend bekannt, daß Entwicklungssequenzen ganz entscheidend vom jeweiligen Input abhängen. Diese Abhängigkeit übersteigt bei weitem das Niveau spekulativer Vorüberlegungen. Sie äußert sich einerseits in der trivialen Tatsache, daß ein chinesisches Kind Chinesisch und ein englisches Kind Englisch lernt und nicht umgekehrt. Andererseits führen gerade unterschiedliche Strukturen im Input zu unterschiedlichen Strukturen im Output; man denke etwa an das finnische *ko/kö* vs. die englische Intonationsfrage (cf. Wode 1976a).

Daher wird man im Fremdsprachenunterricht aufgrund des veränderten Inputs und der verringerten Möglichkeit zur freien Produktion auf seiten der Schüler auf andere Phänomene stoßen als im natürlichen Spracherwerb. Unter Berücksichtigung dieser Unterschiede ist die entscheidende Frage jedoch: Führt der veränderte Input und die verringerte Produktionsfreiheit im Fremdsprachenunterricht zur Aufgabe bzw. zur Unterdrückung all jener Verarbeitungsmechanismen und Lernprinzipien, die den natürlichen Spracherwerb charakterisieren? Oder bleiben die Verarbeitungsmechanismen/Lernprinzipien grundsätzlich auch im Unterricht bestehen, führen jedoch im Einzelfall zu verändertem Output? Um die Frage nach möglichen Gesetzmäßigkeiten in der sprachlichen Entwicklung bei Fremdsprachenschülern beantworten zu können, müssen vor allem spontane Äußerungen der Schüler in die Betrachtung mit einbezogen werden. Gerade spontane Verbalisierungen sind jedoch namentlich im Anfängerunterricht äußerst selten. Steuerung des Lernprozesses wird vielfach vom Lehrer in dem Sinne verstanden, daß freie Äußerungen, sobald sie nicht vollständig modellkonform sind, sofort abgeblockt werden. Dennoch entzieht sich der Schüler der vollständigen Kontrolle. Fehler sind trotz größter Vorsichtsmaßnahmen auf seiten des Lehrers offensichtlich unvermeidbar. Zahlreiche entwicklungsspezifische Phänomene treten auf, weil der Lehrer gewohnt ist, sein Augenmerk ausschließlich auf "Fehler" zu richten.

Um mögliche Gesetzmäßigkeiten bei der Verarbeitung sprachlicher Strukturen durch den Schüler zu entdecken, mag man zunächst versucht sein, die Forderung aufzustellen, nur solche Äußerungen in die Betrachtung einzubeziehen, die auf spontanen Verbalisierungen und nicht etwa auf Imitation bzw. Reproduktion vorgegebener Lehreräußerungen beruhen. Diese Forderung ist in der Praxis jedoch nicht zu erfüllen. Zweifelsfrei spontane Verbalisierungen sind äußerst rar. Ebenso selten finden sich eindeutig identifizierbare Imitationen bzw. Reproduktionen. In der Mehrzahl der Fälle läßt sich nicht entscheiden, ob ein Schüler zu einer gegebenen Äußerung aufgrund der Anwendung internalisierter Regeln gekommen ist oder ob er lediglich eine Vorlage imitiert. Der Beobachtung L2-sprachlicher Entwicklungen im Fremdsprachenunterricht stehen somit erhebliche technische Schwierigkeiten im Weg. Um den tatsächlichen Erwerbsstand eines Schülers im Laufe des Fremdsprachenunterrichts ermitteln zu können, wäre es notwendig, den Schüler in regelmäßigen Abständen freien Kommunikationssituationen auszusetzen, um dann herauszufinden, welche Strukturen der Schüler bereits voll erworben hat und welche Strukturen sich noch im Stadium der Entwicklung befinden. Es braucht nicht weiter betont zu werden, daß aus vielerlei Gründen ein solches Unternehmen in der Praxis kaum durchführbar ist.

Unsere primäre Informationsquelle zur Ermittlung fremdsprachenunterrichtlicher Lernprozesse sind daher einerseits Modellabweichungen, die der Lehrer nicht rechtzeitig hat korrigieren können, und darüber hinaus Entwicklungen, die im Bereich des Modellgerechten verlaufen. Es ist nicht zu erwarten, daß wir im Fremdsprachenunterricht auf eine ebenso detaillierte Entwicklungssequenz stoßen werden, wie dies im natürlichen L2-Erwerb möglich ist. Dennoch ist zu fragen, ob die Analyse von L2-Äußerungen im Fremdsprachenunterricht dafür Evidenz liefert, daß die Schüler ähnliche Mechanismen wie im natürlichen Spracherwerb verwenden, um die angebotenen Inputdaten zu verarbeiten.

17. Entwicklungsphänomene im gesteuerten Zweitsprachenerwerb

17.1. Fragestellung

Um den in den vorangegangenen Abschnitten skizzierten Problemkreis empirisch in den Griff zu bekommen, wurde im Schuljahr 1976/77 der Englischanfangsunterricht einer Kieler Sexta beobachtet. Dieses Unternehmen trug zunächst eher die Züge einer Pilotstudie, da wir in der damaligen Zeit nicht sicherzugehen vermochten, ob unsere primär aus der psycholinguistischen Spracherwerbsforschung abgeleiteten Fragestellungen überhaupt sinnvoll an den Erwerbstyp Fremdsprachenunterricht herangetragen werden können. Die bisherigen Ergebnisse der Untersuchungen rechtfertigen unser Vorgehen. Auch im Fremdsprachenunterricht lassen sich Entwicklungen beobachten, die einer spracherwerblichen Interpretation, wie sie bislang weitgehend auf den natürlichen Spracherwerb beschränkt wurde, zugänglich sind. Ausgehend von dieser Erkenntnisgrundlage ist derzeit eine Wiederholungsstudie – diesmal im bayerischen Raum – in Vorbereitung.

Im Hintergrund unserer Bemühungen stand als übergeordnetes Ziel die Frage: Liefert das schulische Datenmaterial in irgendeiner Form Evidenz dafür, daß der Lernprozeß im Fremdsprachenunterricht durchweg nach grundsätzlich anderen Lernprinzipien und Lernstrategien abläuft, als dies im natürlichen Spracherwerb der Fall zu sein scheint? Oder lassen sich im verbalen Verhalten von Schülern Parallelen zum verbalen Verhalten von natürlichen L2-Erwerbern beobachten, die vermuten lassen, daß das angebotene Sprachmaterial ganz oder teilweise nach den gleichen oder nach ähnlichen Strategien verarbeitet wird?

Die in der Literatur vielfach untersuchte Frage nach der Beziehung zwischen Muttersprachenerwerb und Zweitsprachenerwerb soll nunmehr auf den Vergleich gesteuerter gegenüber ungesteuertem Zweitsprachenerwerb übertragen werden.

Aufgrund der Erfahrungen der Spracherwerbsforschung wurde von vornherein als sicher angenommen, daß sich gesteuerter und ungesteuerter Zweitsprachenerwerb nicht in allen Punkten decken werden. Wie ich bereits in Felix (1978a) gezeigt habe, treten im natürlichen Zweitsprachenerwerb vielfach andere Entwicklungssequenzen auf als im Muttersprachenerwerb, wenngleich für beide Erwerbstypen zu gelten scheint, daß sie geordneten Entwicklungssequenzen unterliegen und daher in gleicher Weise als *creative construction process* (Dulay & Burt 1974a) gekennzeichnet werden können.

Die Frage lautet also weniger: lassen sich im Fremdsprachenunterricht exakt die gleichen Entwicklungssequenzen oder Mechanismen der Strukturerkenntnis auffinden wie im natürlichen Zweitsprachenerwerb?; vielmehr geht es darum, festzustellen, ob auch Schüler im Fremdsprachenunterricht das angebotene sprachliche Material etwa im Sinne von Wodes Dekomposition zunächst in einzelne Strukturelemente auflösen, um in einer *geordneten* Abfolge von Erwerbsstadien diese zur Zielstruktur hin wieder zu re-integrieren. Anders ausgedrückt: Sind auch im Fremdsprachenunterricht Mechanismen jener menschlichen Spracherwerbsfähigkeit zu beobachten, die im natürlichen Spracherwerb die spezifischen Merkmale der Strukturverarbeitung und -erkenntnis charakterisieren? Oder folgt der Fremdsprachenunterricht ausschließlich behavioristischen Lehrprinzipien, wie sie in den gängigen Lehrmaterialien und Lehrmethoden inkorporiert sind? Es sei nochmals betont, daß es sich bei unserem Vergleich von gesteuertem und ungesteuertem Zweitsprachenerwerb nicht um eine kontrastive Aufstellung von Lernbedingungen handelt.

Die externen und z.T. auch internen Unterschiede zwischen Fremdsprachenunterricht und natürlichem Spracherwerb sind in der Literatur hinlänglich beschrieben worden. Unsere Frage ist vielmehr: Wie verändern diese externen Faktoren den Lernprozeß im Sinne von Strukturverarbeitung und Strukturerkenntnis? Wir vermuten, daß diese Faktoren einen erheblichen Einfluß dort haben, wo nach behavioristischen Lernprinzipien, d.h. nach einem Reiz-Reaktion-Modell gelernt wird. Falls jedoch über diesen rein behavioristischen Lernrahmen hinaus noch weitere spracherwerbsspezifische Lernstrategien auftreten und nachweisbar sind, so wird hier die Frage nach der Abhängigkeit des Lernprozesses von externen Faktoren erneut zu prüfen sein. Im Sinne dieser Zielsetzung richtete sich bei der Analyse des Datenmaterials unsere Aufmerksamkeit vor allem auf drei Fragenkomplexe:

1. Treten im Fremdsprachenunterricht Fehlertypen auf, die in irgendeiner Form mit produktiven Strukturen des Erst- bzw. natürlichen Zweitsprachenerwerbs korrelieren? Hierbei geht es zunächst weniger um eine *Erklärung* von Fehlern, als vielmehr um eine klassifizierende Bestandsaufnahme. Die Analyse von Feh-

lern ist selbstverständlich nicht neu. Nur werden in der Literatur zumeist Fehler dargestellt, die sich auf inter- und intra-lingualen Transfer zurückführen lassen. Uns geht es weniger um die Erklärung von derartigen Fehlern auf dem Hintergrund behavioristischer Lernprinzipien, als vielmehr um den Versuch, auftretende Fehler spracherwerblich zu lokalisieren. Daraus ergibt sich die Frage, ob neben inter- und intralingualen Fehlern weitere modellabweichende Bildungen auftreten, die sich mit entsprechenden Phänomenen im natürlichen Spracherwerb in Beziehung setzen lassen.

2. Unterliegen die im Fremdsprachenunterricht auftretenden Fehlertypen irgendeiner systematischen zeitlichen Entwicklung? Der Akzent liegt hier auf "systematisch". Daß Fehler im Fremdsprachenunterricht Entwicklungen unterliegen, scheint nach der bisherigen Evidenz unbestreitbar zu sein. Schließlich sind Lehrer in der Regel in der Lage, Fehler danach zu beurteilen, ob sie typisch für den frühen oder späten Unterricht bzw. die frühe oder spätere Lernphase sind. Ist aber diese Entwicklung in dem Sinne systematisch, daß sich Regularitäten beobachten lassen, die zu einer erwerbsspezifischen Abfolge von Zwischenstadien führen? Tragen diese Gesetzmäßigkeiten gemeinsame Züge mit Entwicklungen im natürlichen Zweitsprachenerwerb? Hierbei geht es u.a. um die Frage, ob Wodes Konzept der "Dekomposition von Zielstrukturen" auch auf den Fremdsprachenunterricht übertragbar ist.

3. Lassen sich im Fremdsprachenunterricht Entwicklungsprozesse beobachten, die nicht mit der durch die jeweilige Lehrmethode vorprogrammierten Lernprogression korrelieren? Lernen die Schüler systematisch anders, als es die didaktische Konzeption des Lehrers vorsieht? Verarbeiten die Schüler Sprachstrukturen nach Prinzipien, die sich nicht aus der Unterrichtstechnik ableiten lassen? Hierbei geht es nicht nur um fehlerhafte, sondern auch durchaus um modellgerechte Äußerungen. Die bisherige Sprachlehrforschung und Fremdsprachendidaktik hat sich in ihren Analysen vorwiegend mit Fehlern beschäftigt. Unter praktischen Gesichtspunkten ist diese Beschränkung durchaus verständlich. Schließlich sind es die Fehler, die dem angestrebten Lernerfolg zuwiderlaufen. Modellgerechte Äußerungen werden in der Regel kritiklos akzeptiert, ohne daß hier geprüft wird, ob sich in ihnen entwicklungssepzifische Regularitäten manifestieren. Bei diesem Fragekomplex gilt es zu prüfen, ob sich die Schüler ausschließlich von der didaktischen Intention des Lehrers leiten lassen oder ob sie das angebotene Sprachmaterial nach eigenständigen Kriterien filtern und verarbeiten. Im Hintergrund steht letztlich die entscheidende Frage: In welchem Umfang ist der Lernprozeß im Fremdsprachenunterricht überhaupt steuer- und manipulierbar?

Im folgenden sollen mögliche Antworten auf die hier skizzierten Fragenkomplexe angedeutet werden. Nach der Darstellung des Datenerhebungsverfahrens werde ich zunächst wiederum auf die Strukturbereiche Negation und Interrogation eingehen, da hierzu das umfangreichste Vergleichsmaterial aus dem natürlichen Spracherwerb vorliegt. Danach werde ich an verschiedenem Datenmaterial auf die Frage nach strukturellen Parallelen zwischen Fremdsprachenunterricht und natürlichem L2-Erwerb, nach chronologisch differenzierbaren Entwicklungen und nach unterrichtsunabhängigen Entwicklungsprozessen eingehen.

17.2. Datenerhebungsverfahren

Über einen Zeitraum von 8 Monaten beobachteten wir den englischen Anfangsunterricht bei 34 Sextanern eines Kieler Gymnasiums. Sämtliche Unterrichtsstunden wurden in voller Länge auf Band aufgezeichnet; ausgenommen jene Stunden, in denen Klassenarbeiten geschrieben bzw. zurückgegeben wurden. Zusätzlich notierten zwei bis drei Beobachter, die in der letzten Reihe des Klassenzimmers saßen, Besonderheiten des situationellen und kommunikativen Kontextes, sowie impressionistisch Phänomene, die für die Analyse relevant sein könnten. Dieses Datenmaterial wurde durch schriftliche Leistungen (Übungs- und Klassenarbeiten) der Schüler ergänzt.

Die 34 Schüler – 18 Jungen und 16 Mädchen – waren 10 und 11 Jahre alt. Detaillierte Angaben über den sozio-ökonomischen Hintergrund der Kinder bzw. deren Elternhaus ließen sich aus technischen Gründen nicht ermitteln; jedoch schienen die Kinder überwiegend der Mittelschicht anzugehören.

Der Unterricht erfolgte 5mal wöchentlich je 45 Minuten. Als Lehrbuch wurde verwendet *English for Today,* I, Dortmund 1971. Die verwendete Lehrmethode präzis im Raster gängiger Begriffe zu orten, bereitet einige Schwierigkeiten. Es handelte sich um ein eher traditionelles Lehrverfahren, das deutlich mehr audiolinguale Züge trug und weniger nach den Prinzipien der *Cognitive Code Learning Theory* ausgerichtet war. Neue Strukturen wurden weitgehend ohne detaillierte grammatische Erklärungen eingeführt; Übungen wiesen teilweise starke Merkmale von Pattern Practice auf. Neben der routinemäßigen Einübung von neuen Strukturen wurden Situationsspiele durchgeführt, in denen die Schüler ihre Kenntnis spezifischer Strukturen vertiefen sollten. Soweit dies im Anfängerunterricht überhaupt möglich ist, wurde dem Prinzip der Einsprachigkeit zu folgen versucht. Neue Begriffe wurden nach Möglichkeit englisch eingeführt; für den Bereich des nominalen Lexikons brachte der Lehrer Gegenstände mit in den Unterricht, die er den Schülern zeigte und dazu die entsprechenden englischen Bezeichnungen vorgab. Als Kontrolle wurden im Anschluß an diese Darstellungen jedoch die deutschen Übersetzungen mitgeliefert. Herausragendes Kennzeichen war jedoch die rigorose Kontrolle, die der Lehrer auf jegliche fremdsprachliche Produktion der Schüler ausübte. Fehler wurden umgehend korrigiert; Verbalisierungen, die nicht dem einzuübenden Pattern entsprachen, sofort abgebrochen. Nur gelegentlich erhielten die Schüler Gelegenheit zu freien Verbalisierungen.

Eine besondere Problematik bei Schulbeobachtungen liegt sicherlich darin, dem Lehrer den Zweck der Untersuchung zu verdeutlichen. Es ließ sich nur mit Mühe dem Eindruck des Lehrers entgegentreten, die Qualität seines Unterrichts und seine didaktischen Fähigkeiten sollten einer Prüfung unterzogen werden. Wenngleich wir immer wieder versicherten, unser Interesse läge bei den Schülern und nicht beim Lehrer, so zweifle ich doch an der Überzeugungskraft unserer Argumente. Dauerbesucher im Unterricht stellen zweifellos für den Lehrer eine psychische Belastung dar. Insofern bleibt die Frage offen, ob unsere Präsenz in irgendeiner Form den sonst üblichen Unterricht veränderte. Wir selbst haben niemals in das Unterrichtsgeschehen aktiv eingegriffen, wenngleich Diskussionen über den Unterricht zum Abschluß der Stunde vom Lehrer initiiert wurden. Ebenso offen bleibt die Frage, ob der von uns beobachtete Unterricht in irgendeiner Form typisch war. Einer der Beobachter, der selbst auf mehrjährige Unterrichtserfahrung zurückblikken konnte, bestätigte, daß der beobachtete Unterricht keine über das normale Maß an Variationen hinausgehenden Besonderheiten aufwies.

18. Der Erwerb der Negation

Bereits bei der Entwicklung negativer Satzstrukturen stoßen wir auf das Problem des im Vergleich zum natürlichen Spracherwerb veränderten Inputs. Während für den natürlichen Spracherwerb anzunehmen ist, daß der Lerner von Beginn an mit einer Vielzahl unterschiedlicher Negationsstrukturen (*no, not, do*-Periphrase, Aux + *n't*, etc.) konfrontiert wird, aus denen er einzelne Elemente auswählt, werden im Fremdsprachenunterricht einzelne Negationsstrukturen bzw. Negationselemente in einer didaktisch begründeten Abfolge eingeführt. Daher gilt namentlich für die frühen Phasen des Fremdsprachenunterrichts, daß dem Schüler keinerlei Grundlagen für genuine Auswahlmöglichkeiten gegeben sind. Nicht der Schüler soll entscheiden, was er an sprachlichem Material aufgreift, sondern der Lehrer trifft vorab auf der Grundlage seiner didaktischen Konzeption eine Auswahl, die bereits zu einem "bereinigten" Input führt. Der Lernende kann bestenfalls auf die eingeführten Strukturen in dem Sinne unterschiedlich reagieren, daß einige bevorzugt aufgenommen werden, während andere "Lernschwierigkeiten" bereiten. Beobachtet man z.B. im natürlichen Spracherwerb, daß in den frühen Negationsstrukturen stets *no* bzw. *not,* aber nicht *don't* bzw. *doesn't* auftreten, so handelt es sich hierbei um ein spracherwerblich signifikantes Phänomen, das Rückschlüsse auf die Verarbeitung sprachlichen Materials gestattet. Zwar gilt ebenso für den Fremdsprachenunterricht, daß in den frühen negierten Sätzen *don't/doesn't* nicht belegt sind, jedoch ist dies auf die triviale Tatsache zurückzuführen, daß die Schüler zu diesem Zeitpunkt noch nicht mit negierten Vollverbsatzstrukturen konfrontiert werden.

Bevor wir also auf die Äußerungen der Schüler im Negationsbereich eingehen, ist es notwendig, zunächst einen kurzen Abriß über die Reihenfolge zu geben, in der Negationsstrukturen im Unterricht eingeführt werden.

In den ersten Wochen besteht der Unterricht vornehmlich aus einem Frage-Antwort-Dialog zwischen Lehrer und Schülern. Der Lehrer stellt Fragen des Typs *what's that?,* auf die die Schüler mit *that's a N.* antworten. Auf diese Weise werden die Schüler mit einem nominalen Grundwortschatz vertraut gemacht. In der Regel verbindet der Lehrer die Frage mit einer Demonstration verschiedener Objekte, die die Schüler dann in englischer Sprache zu identifizieren haben. Bereits in der dritten Unterrichtsstunde beginnt der Lehrer mit den ersten ja/nein-Fragen. Hierbei ergibt sich dann die erste Möglichkeit für die Negation:

(1) Lehrer: Is it a flag?
Schüler: No, it's a dog.

Dieses Antwortschema wird etwa 3 Unterrichtsstunden lang eingeübt. Danach führt der Lehrer eine Modifikation ein. Die Schüler werden angehalten, an *no* bzw. *yes* einen elliptischen Satz anzuhängen.

(2) Lehrer: Is it a flag?
Schüler: No, it isn't, it's a dog.

Dieses Antwortschema wird sodann über den verneinten Äquationalsatz hinaus auch auf andere neu eingeführte Satzstrukturen ausgedehnt:

(3) Lehrer: Is there a seat for me?
Schüler: No, there isn't.

(4) Lehrer: Can you see a cat in Peter's room?
Schüler: No, I can't.

Nicht-elliptische Negationsstrukturen werden kurz danach im Zusammenhang mit der Verlaufsform und bestimmten Typen von Äquationalsätzen eingeführt:

(5) Lehrer: Is Mac in the blue bus?
Schüler: Mac is not in the blue bus.

(6) Lehrer: Are they standing?
Schüler: No, they are not standing.

Hier gilt festzuhalten, daß das Negativmorphem *not* zuerst in seiner Kurzform *n't* – nämlich in elliptischen Nachsätzen – eingeführt wird, bevor die Kinder mit der Vollform *not* konfrontiert werden. Nach ca. 5 Wochen Unterricht sollten die Kinder daher im Kopulabereich beide Formen zur Verfügung haben, also *isn't* und *is not, aren't* und *are not.* Das Auxiliar *can* wurde während der gesamten Beobachtungszeit jedoch stets in der Kurzform *can't* benutzt, während die Form *cannot* unerwähnt blieb. Bis etwa zu Beginn des dritten Unterrichtsmonats wurde somit die Negation bei Hilfsverben (*can*), Kopulaformen (*is, are*) – in Äquationalsätzen und in der Verlaufsform – sowie bei *have got* eingeführt. In zwei Unterrichtsstunden gegen Mitte des zweiten Unterrichtsmonats trat darüber hinaus die Struktur *no + N* auf: *I have got no button on my pullover.*

Dieser Stand gilt in etwa für die ersten 5 Unterrichtsmonate. Erst danach wird die Negation von Vollverbsätzen mit Hilfe der *do*-Periphrase eingeführt. Diese Verzögerung wird mit didaktischen Argumenten begründet. Nach Aussagen des Lehrers ist es unbedingt notwendig, den Schülern zum Erlernen der angebotenen Strukturen ausreichend Zeit zu geben, bevor neues Sprachmaterial präsentiert wird. Die Darstellung der *do*-Periphrase beschränkte sich zunächst ausschließlich auf Präsensformen, i.e. *don't* und *doesn't.* Präteritalformen sowohl in negierter als auch nichtnegierter Form wurden erst zu einem Zeitpunkt eingeführt, als unsere Beobachtungen bereits abgeschlossen waren. Gleiches gilt für die Auxiliare *shall* und *will.* Das erste Negationsmorphem, mit dem die Kinder konfrontiert werden, ist somit *no.* Soweit erkennbar, hatten die Kinder keinerlei Schwierigkeiten, *no* bzw. *yes* modellgerecht und situationsangemessen zu verwenden. Es liegen keine Belege dafür vor, daß die Kinder etwa *yes* oder *no* verwechselten, wie dies etwa beim Erlernen der neugriechischen Morpheme nɛ und ɔçi zu erwarten wäre. Allerdings zeigen die Schüler eine starke Tendenz, *yes* und *no* in Antworten isoliert zu verwenden. Der Lehrer fordert die Kinder immer wieder auf, "ganze Sätze" zu bilden:

(7) Lehrer: Is it a hen?
Schüler: No.
Lehrer: Ganzer Satz!
Schüler: No, is a dog.
Lehrer: No, it's a dog.

Dieses Phänomen dürfte den meisten Lehrern bekannt sein.

Ein weiterer früher Fehlertyp betrifft die modellgerechte Identifikation von ja/nein-Fragen und wh-Fragen. Die Kinder zeigen die deutliche Tendenz, auf jeden Typus von Frage zunächst einmal mit *no* zu antworten. Dies gilt auch für jene Fälle, in denen unter kommunikationspragmatischen Gesichtspunkten eine solche Antwort völlig sinnlos erscheint:

(8) Lehrer: Who is Sandra?
Schüler: No, it's a girl.

(9) Lehrer: Where is Anke?
Schüler: No, she is a Kiel.

(10) Lehrer: Where is Lars?
Schüler: No, he is a boy.

(11) Lehrer: Are you a girl?
Schüler: No, I am Kiel.

(12) Lehrer: Who is that boy?
Schüler: No.

Diese Daten deuten offensichtlich auf eine Identifikationsschwierigkeit im Bereich der Interrogation hin. Die Kinder sind offensichtlich noch nicht in der Lage, modellgerecht zwischen ja/nein- und wh-Fragen zu unterscheiden. Dieses Phänomen betrifft nur am Rande den Negationserwerb. Dennoch zeigt sich, daß das Negativmorphem *no* in dieser Frühphase offensichtlich in einem weitaus breiteren Rahmen benutzt wird als das Modell es gestattet. Dieses Phänomen ist auch im natürlichen Spracherwerb nicht unbekannt. Vergleichbare Dekodierungsschwierigkeiten finden wir sowohl im natürlichen Zweitsprachenerwerb (cf. Felix 1978b), als auch im Muttersprachenerwerb (cf. Felix 1980c). Bei der Darstellung des Negationserwerbs des 5-jährigen David (cf. § 5.1) wiesen wir darauf hin, daß isoliertes *no* in der Frühphase eine breite Palette von Bedeutungen umfaßt. Ebenso wie die Fremdsprachenschüler antwortet David mit *no* auf wh-Fragen. Darüber hinaus benutzte er dieses Negativmorphem weiterhin zur Abwehr unerwünschter Handlungen bzw. Situationen. Ob der Gebrauch von *no* als Antwort auf wh-Fragen bei David und den Fremdsprachenschülern in gleicher Weise zu interpretieren ist, läßt sich derzeit nur schwer feststellen. Bemerkenswert ist allerdings, daß dieser fremdsprachenunterrichtliche Fehlertyp eine deutliche Parallele zu den Frühphasen des natürlichen L2-Erwerbs zeigt.

Die erste gravierende "Lernschwierigkeit" taucht bei der Einführung elliptischer Nachsätze mit *isn't* bzw. *can't* auf. Trotz immer wiederkehrender Erklärungen von seiten des Lehrers, als auch der semantisch-kommunikativ eindeutigen Situation verwechseln die Schüler fortlaufend positive und negative Nachsätze:

(13) Lehrer: Is this a pin?
Schüler: Yes, it isn't.

(14) Lehrer: Where is Dolly?
Schüler: Yes, it isn't.

(15) Lehrer: Is this bus blue?
Schüler: Yes, it isn't.

(16) Lehrer: Is there a seat for Britta?
Schüler: No, there is, he must stand.

(17) Lehrer: Is there a dog in Peter's room?
Schüler: No, I can.

(18) Lehrer: Is there a flag in Peter's room?
Schüler: No, there is.

Diese Beispiele machen deutlich, daß die Kinder offensichtlich noch nicht erkannt haben, daß *isn't* die Negation von *is* bzw. *can't* die Negation von *can* ist. Die Verwendung von *yes* und *no* in den oben angeführten Beispielen ist stets modellgerecht, d.h. situationsangemessen; *yes, it isn't* ist also stets zu interpretieren als *yes, it is* und nicht etwa als *no, it isn't.*

Die Frage stellt sich: Läßt sich dieser Fehlertyp, d.h. die Verwechslung positiver und negativer elliptischer Nachsätze, spracherwerblich interpretieren? Zweifellos kann man die Meinung vertreten, dieser Typ von elliptischem Nachsatz sei relativ komplex und überfordere somit die Kinder in diesem Lernstadium in gewisser Weise. Die Schüler brauchten eine längere und intensivere Übungszeit, bis sie diesen Strukturtyp meistern. Diese Auffassung ist zweifelhaft richtig, nur wird so lediglich der beobachtete Sachverhalt konstatiert (im Sinne von Chomskys *observational adequacy*). Im übrigen sind die Kriterien, nach denen *n't* komplexer ist als *not,* keineswegs klar. Die Frage ist weniger, ob ein bestimmter Strukturtyp Lernschwierigkeiten bereitet oder nicht; (was heißt überhaupt "Lernschwierigkeit" in diesem Zusammenhang?) vielmehr ist zu klären, warum diese Fehlertypen just zu diesem Zeitpunkt im Lernprozeß auftreten. Verbergen sich hier möglicherweise allgemeinere Prinzipien, die sich auch in anderen Typen des Spracherwerbs wiederfinden? Gibt es Parallelen im natürlichen Spracherwerb? Mir sind keinerlei Daten aus dem englischen Muttersprachenerwerb bzw. natürlichen Zweitsprachenerwerb bekannt, die direkte strukturelle Parallelen zu diesem Fehlertyp aufweisen. Dies ist insofern nicht verwunderlich, als im natürlichen Spracherwerb – zumindest im Mutterspracherwerb – elliptische Nachsätze des oben beschriebenen Typs einem sehr späten Entwicklungsstadium angehören (cf. Bellugi 1967). Bevor natürliche Spracherwerber elliptische Nachsätze produzieren, haben sie alle wesentlichen Negationsstrukturen einschließlich der *do*-Periphrase gemeistert. Im Fremdsprachenunterricht hingegen werden diese elliptischen Nachsätze sehr früh eingeführt, in der Tat als *erste* negierte Satzstruktur. Der natürliche Spracherwerber hat die Möglichkeit, den Erwerb elliptischer Nachsätze sozusagen zurückzustellen, bis er zuvor andere Negationsstrukturen gemeistert hat. Diese Möglichkeit ist dem Fremdsprachenschüler versagt. Er kann nicht wählen, ob er eine vorgegebene Struktur lernen will oder nicht; er muß!

Die Entwicklungssystematik im natürlichen Spracherwerb hinsichtlich des hier angeschnittenen Problemkreises läßt sich zu einem großen Teil durch Wodes (1978c) Prinzip *free forms before bound forms* erklären, das nicht nur im Bereich der Negation, sondern etwa auch bei der Nominalflektion und der Verbmorphologie gültig zu sein scheint. Dieses Prinzip besagt, daß für diejenigen Funktionen, bei denen dem Sprecher sowohl gebundene als auch freie Formen zur Verfügung stehen, zunächst die freien Formen aufgegriffen werden. Dementsprechend treten *no, is not, are not, will not,* etc. früher auf als *isn't, aren't, won't,* etc.. Übertragen wir dieses Prinzip auf den Fremdsprachenunterricht, so lassen sich damit naturgemäß keinesfalls entsprechende Entwicklungssequenzen aufstellen, da die für eine Auswahl notwendige Angebotsbreite fehlt. Neben zahlreichen Verwechslungen zwischen positiven und negativen elliptischen Nachsätzen treten natürlich auch modellgerechte Strukturen auf, wobei auch hier die Möglichkeit reiner "Zufallstreffer" nicht ganz auszuschließen ist. Entscheidend scheint mir jedoch zu sein: die Fremdsprachenschüler werden mehr oder minder gezwungen, zu einem Zeitpunkt in ihrer Gesamtentwicklung negierte elliptische Nachsätze zu produzieren, an dem in der entsprechenden Entwicklung natürlicher Spracherwerber diese Struktur noch nicht auftritt. Wodes Prinzip mag auf die relativ großen Schwierigkeiten deuten, die die Schüler beim Erlernen dieser Struktur zeigen. Das Prinzip läßt erwarten, daß die Schüler stets dann Schwierigkeiten mit den elliptischen negierten Nachsätzen haben, wenn diese eingeführt werden, bevor andere Negationsstrukturen erworben wurden. Der Erwerb der gebundenen Form setzt offensichtlich voraus, daß andere Negationsstrukturen bereits vorhanden sind. Die Lernschwierigkeiten bei dem angesprochenen Strukturtyp werden hier nicht im Sinne eines allgemeinen Komplexitätsprinzips erklärt, sondern sie werden im Rahmen spracherwerblicher Gesetzmäßigkeiten identifiziert.

Es scheint, daß allgemeine Spracherwerbsprinzipien, wie z.B. das von Wode formulierte, bestimmte strukturelle Voraussetzungen für den Erwerb einer Struktur festlegen. Sind diese strukturellen Voraussetzungen zu einem gegebenen Erwerbspunkt nicht vorhanden, treten im Fremdsprachenunterricht Lernschwierigkeiten auf.

Die Schwierigkeit der Schüler, zu diesem frühen Entwicklungszeitpunkt die Negation mit *not* bzw. *n't* modellkonform zu handhaben, zeigt sich besonders deutlich an den wenigen spontanen Negationsbildungen, die wir aufzeichnen konnten. Hier benutzen die Schüler – in völligem Widerspruch zum Modell – das Morphem *no* in satzinterner Stellung:

(19) This is no my comb.
(20) Britta no this . . . no have . . . this (Lehrer unterbricht)

Es ist völlig eindeutig, daß die Schüler Strukturen wie in (19) und (20) weder vom Lehrer kopiert, noch aus dem Deutschen entnommen haben können. Vielmehr ist die satzinterne Stellung von *no* im frühen Negationserwerb ein typisches und quasi universales Merkmal des natürlichen Spracherwerbs. Es zeigt sich also, daß die Schüler bei der Möglichkeit spontaner Verbalisierungen allen didaktischen Bemühungen zum Trotze den gleichen Weg einschlagen, der auch vom natürlichen Erwerber her bekannt ist.

Bemerkenswert ist ebenfalls der Zeitpunkt, zu dem die Verwechslungen zwischen positiven und negativen Nachsätzen im Datenmaterial nicht mehr belegt sind. Trotz intensiven Übens und vielfältigen Nachdrucks von seiten des Lehrers wiederholen sich diese Verwechslungen bis ca. Ende des 5. Unterrichtsmonats konstant in den Daten, wenngleich die Zahl der Verwechslungen ab dem 3. Unterrichtsmonat allmählich abnimmt. Erst nachdem die Vollverb-Satznegation mit *do*-Periphrase eingeführt wurde, fehlen weitere Belege für die genannten Verwechslungen. Zwar zeigen die Kinder nach wie vor eine Vorliebe für isoliertes *no* bzw. *yes*; wählen sie allerdings einen Nachsatz, so ist dieser bezüglich der Negation korrekt. Auch dieser Befund stimmt mit Wodes Erwerbsprinzip überein. Es scheint so, daß nach dem Erwerb der verschiedenen Satznegationen die strukturellen Voraussetzungen gegeben sind, um auch negierte elliptische Nachsätze erwerben zu können. Neben dem modellgerechten Bildungen im Bereich der elliptischen Nachsätze, sowie den bereits angeführten Verwechslungen erscheinen darüber hinaus einige Fehlbildungen, die den Versuch der Schüler verdeutlichen, trotz mangelnder zielsprachlicher Kompetenz die gewünschte Intention zu verbalisieren. Möglicherweise sind die entsprechenden Äußerungen als semi-spontane Verbalisierungen zu bezeichnen. Der Schüler weiß, was er sagen will, es fehlen ihm jedoch die korrekten sprachlichen Mittel zur modellgerechten Verbalisierung. Aus diesem Grunde versucht er, auf der Grundlage seiner bisherigen Kompetenz in Abweichung von der Zielsprache seine Absicht zu übermitteln:

(19) It's Anke's not dog.

(20) She not standing.

(21) Mr. and Mrs. Scott not getting on this bus.

(22) They standing . . . they next bus.

(23) Mac is not blue bus, Mac is not in blue bus.

(24) Peggy not this bus.

(25) Mr. and Mrs. Scott are not getting in the bus.

(26) Lehrer: Can you see a cat in Peter's room?
Schüler: No, I can see not . . .
(Lehrer unterbricht)

Einige dieser Äußerungen sind außerordentlich schwierig zu interpretieren, da nicht eindeutig festgestellt werden kann, präzis in welchem Bereich die Modellabweichung zu lokalisieren ist. Einige dieser Äußerungen sind hinsichtlich der Plazierung des Negativmorphems völlig sprachgerecht, in anderen fehlt lediglich die Kopula. Die Äußerung *no, I can see not* ließe sich möglicherweise als Interferenz aus dem Deutschen erklären, während die Struktur *Peggy not this bus* eine auffällige Parallelität zum natürlichen Spracherwerb zeigt. Worauf es mir bei diesen Strukturen ankommt, ist, daß die Schüler die volltonige Form *not* in einer Art und Weise zu bevorzugen scheinen, die sich nicht aus der Lehrmethode bzw. aus der Intensität vorausgegangener Übungen herleiten läßt. In den Vorgaben des Lehrers ist dieses volltonige *not* außerordentlich selten; in der Tat verwendet der Lehrer – weniger aus didaktischen Überlegungen als vielmehr seiner normalen Sprachkompetenz folgend – überwiegend kontrahierte Formen. Auf der anderen Seite läßt sich die Bevorzugung des volltonigen *not* aufseiten der Schüler durchaus mit Wodes Prinzip *free form before bound form* vereinbaren.

In der Tat würden wir nach diesem Prinzip erwarten, daß die Schüler zunächst *not,* und nicht etwa die unbetonte Form *n't* erwerben. Jedoch muß einschränkend angemerkt werden, daß die Evidenz in diesem Bereich lückenhaft ist.

Die Einführung der Vollverbnegation mit Hilfe der *do*-Periphrase erfolgt nicht ausschließlich durch Präsentation entsprechenden Datenmaterials, sondern durch ausführliche Erklärungen des zugrundeliegenden Strukturprinzips. Der Lehrer macht die Schüler darauf aufmerksam, daß Vollverben nicht durch *not,* sondern durch *don't* bzw. *doesn't* negiert werden. Dabei sei darauf zu achten, daß *don't* bzw. *doesn't* vor dem Verb erscheinen. Der Lehrer verzichtet auf den Hinweis, daß es sich bei den fraglichen Negatoren um bimorphematische Verbindungen einer Form von *to do* und dem Negator *not* handelt. Erhebliche Zeit wird für die Erklärung des Unterschieds zwischen *don't* und *doesn't* aufgewendet. Dabei geht der Lehrer von der Morphologie des Vollverbs aus. Immer dann, wenn in positiven Sätzen das Vollverb ein *-s* aufweist, müsse bei der Verneinung *doesn't* benutzt werden, wobei das *s* der Vollverbform anschließend verschwinde. Im Anschluß an diese Erklärungen führt der Lehrer das Paradigma anhand von Satzbeispielen vor: *You eat an* *apple every day – you don't eat an apple every day. She needs three bottles of milk – she doesn't need three bottles of milk.*

Im Anschluß an diese Erklärung werden die entsprechenden Satzstrukturen von den Schülern eingeübt. Dabei treten folgende Typen von Fehlern auf:

Zunächst verwechseln die Schüler erwartungsgemäß *don't* und *doesn't.* Dabei wird *don't* jedoch keineswegs übergeneralisiert. Es tritt *don't* nicht nur in der dritten Person Singular auf, sondern auch *doesn't* erscheint in Verbindung mit der ersten und zweiten Person:

(27) He don't stand behind the counter.

(28) She don't hang out the towels.

(29) You doesn't eat an apple every day.

(30) The children doesn't catch a lion.

Darüberhinaus treten vielfach Beispiele auf, in denen auch in negierten Sätzen das Vollverb in der 3. Person Singular markiert ist:

(31) She doesn't buys ten eggs.

(32) She doesn't needs three bottles of milk.

Gleichfalls häufig lassen sich Verwechslungen zwischen der Verlaufsform und der Normalform beobachten, wenngleich die Vorlage des Lehrers in allen Fällen eindeutig ist:

(33) The man isn't smoke a pipe.

(34) He doesn't kicking the apples.

(35) Yo don't eating an apple every day.

Nach Aussagen des Lehrers sind diese Fehler für den Anfängerunterricht typisch. Es scheint, als ließen sich alle drei Äußerungstypen darauf zurückführen, daß die Kinder bestimmte morphologische Distinktionen noch nicht gemeistert haben, sondern übergeneralisieren. *Don't* und *doesn't* werden im wesentlichen als Varianten des gleichen Morphems verwendet, der Unterschied zwischen finiter und nichtfiniter Verbform ist noch nicht hinreichend erkannt, und die Unterscheidung zwischen progressiver Form und Normalform ist noch nicht voll etabliert. Wenngleich dieses als Erklärungsprinzip hinreichend sein mag, so muß doch wiederum darauf hingewiesen werden, daß Strukturen wie die oben angeführten auch im natürlichen Spracherwerb – wenngleich zu einem relativ fortgeschrittenen Stadium – nicht unbekannt sind. Dies gilt insbesondere für die Struktur *doesn't + Vs.* Ebenso ist die Mischung von progressiver Form und Normalform im natürlichen Spracherwerb vielfach belegbar (cf. hierzu Klima & Bellugi 1966, Ravem 1969, Wode 1981, Bahns & Wode 1980). Insgesamt scheint, daß morphologische Distinktionen stets relativ spät erworben werden. Während natürliche Spracherwerber das Prinzip der *do*-Periphrase recht zügig erkennen, lassen die dazugehörigen morphologischen Unterscheidungen (*do* vs. *does* vs. *did* vs. *done*) noch eine Weile auf sich warten. Unser Datenmaterial zeigt, daß sich die Fremdsprachenschüler nicht wesentlich anders verhalten als natürliche Spracherwerber.

Neben den angeführten Strukturtypen treten im gleichen Zeitraum zwei Fehlertypen auf, die – soweit mir bekannt – im natürlichen Spracherwerb nicht belegt sind. Zunächst tilgen die Schüler bei der Negation der vorgegebenen Sätze das Vollverb:

(38) You don't an apple every day.
(= you don't eat an apple every day)

(39) He doesn't a glass of milk.
(= he doesn't drink a glass of milk)

(40) He doesn't his homework.
(= he doesn't do his homework)

(41) I don't a jar of jam.
(I don't want a jar of jam)

Zunächst sei die Aufmerksamkeit auf die Äußerung *He doesn't his homework* gelenkt. Isoliert betrachtet, sieht diese Äußerung wie Interferenz aus dem Deutschen aus. In der Tat interpretierte der Lehrer sie auch so. Im Kontext der übrigen Beispiele wird jedoch klar, daß diese Form keineswegs auf deutschen Transfer zurückgeht. In dieser Äußerung wurde nicht etwa nach dem deutschen Modell der Negator an das Vollverb gehängt, sondern das Vollverb selbst wurde getilgt. Hier zeigt sich, wie vorsichtig mit dem Etikett Interferenz umzugehen ist (cf. Felix 1980a).

Als Erklärung für diesen Typ mag zunächst angeführt werden, daß die Mechanismen, die zur Verneinung von Vollverbstrukturen führen, für die Kinder am Anfang noch zu komplex sind, um auf Anhieb zu modellgerechten Strukturen zu gelangen. Doch damit läßt sich die spezifische Form der Modellabweichung nicht erklären. Es wäre denkbar, daß die Schüler aufgrund der kognitiven Überforderung den Satz modellgerecht beginnen, dann aber irgendwo mitten im Satz aufhören, weil sie z.B. den Rest des Satzes vergessen hätten. Ebenso denkbar wäre, daß nicht das Vollverb, sondern das folgende Objekt getilgt würde. Beide Typen von Fehlern traten jedoch nicht auf. Getilgt wurde stets das Vollverb. Welches Prinzip diesen Modellabweichungen zugrundeliegen könnte, wird deutlich, wenn wir uns den 5. Fehlertyp anschauen. Ich gebe zunächst die entsprechenden Beispiele:

(42) Doesn't she eat an apple.

(43) Doesn't the people watch a lion.

(44) Doesn't I drink a cup of tea.

(45) Doesn't he pick the apples.

Abgesehen vom modellabweichenden Gebrauch von *doesn't* scheinen diese Beispiele durchaus modellgerecht zu sein. Entscheidend ist jedoch, daß es sich bei den angeführten Äußerungen keinesfalls um negierte Fragesätze handelt, sondern um negierte Aussagesätze. Den oben angegebenen Äußerungen entsprechen daher die folgenden Intentionen:

(42a) She doesn't eat an apple.

(43a) The people don't watch a lion.

(44a) I don't drink a cup of tea.

(45a) He doesn't pick the apples.

Diese Modellabweichungen sind mir in dieser Form nicht aus dem natürlichen Spracherwerb bekannt. Dennoch mag die linguistische Analyse dieser Strukturen

Aufklärung geben. Was hier passiert, ist nichts anderes, als daß die Kinder das vom Lehrer vorgegebene und eingedrillte Negativmorphem *doesn't* bzw. *don't* an den Satzanfang stellen und den Rest des Satzes unverändert belassen. Für die angegebenen Äußerungen ließe sich daher folgende Strukturbeschreibung ansetzen: Neg + S, wobei S die Form NP + V + NP hat. Diese Strukturbeschreibung ist jedoch wiederum hinlänglich aus dem natürlichen Spracherwerb bekannt und kennzeichnet dort die frühe Phase der Satznegation. Der Unterschied zwischen den natürlichen Spracherwerbern und den Fremdsprachenschülern besteht darin, daß erstere für Neg das Morphem *no* wählen, während die Fremdsprachenschüler den Negator *doesn't/don't* benutzen. Dieser Unterschied scheint mir jedoch schlichtweg darauf zurückzuführen zu sein, daß in den betreffenden fremdsprachenunterrichtlichen Stunden der Lehrer immer wieder darauf hinwies, daß zur Verneinung der betreffenden Strukturen eben nicht *no* bzw. *not* zu verwenden seien, sondern die Morpheme *don't* bzw. *doesn't.* Bemerkenswert ist folgendes: Die Schüler sind mit der Aufgabe, die vorgegebenen Vollverbsatzstrukturen zu negieren, in dieser frühen Lernphase offensichtlich überfordert. Um dennoch die betreffende Vorlage in irgendeiner Form verneinen zu können, tun sie genau das, was natürliche Spracherwerber in einer vergleichbaren Situation in der frühen Erwerbsphase tun: Sie stellen den Negator in Satzanfangsposition und lassen den Rest des Satzes unverändert. Sie lösen daher die ihnen gestellte Aufgabe durch Rückgriff auf Mechanismen, die ein frühes Stadium des Spracherwerbs markieren.

In diesem Mechanismus scheinen ebenso die Vollverbtilgungen hineinzupassen. Den entsprechenden Äußerungen liegt folgende Strukturbeschreibung zugrunde:NP + Neg + NP. Diese Strukturbeschreibung stellt die negierte Form der aus dem L1-Erwerb hinreichend bekannten N + N-Konstruktionen dar. Auch diese N + N-Strukturen stellen im natürlichen Spracherwerb ein sehr frühes Entwicklungsstadium dar. Die Überforderung der Schüler führt somit auch hier nicht zu irgendwelchen beliebigen Tilgungen von Elementen, sondern es scheint nach dem gleichen Prinzip getilgt zu werden, das auch im frühen Muttersprachenerwerb (cf. Bloom 1970) wirksam ist. Überforderung führt daher nicht zu einer linearen Reduzierung der Äußerung, sondern zu *spracherwerblich* elementaren Satzstrukturen. Die bevorzugte Tilgung von Verben in frühen Entwicklungsstadien scheint nicht nur für den L1-Erwerb (Bloom 1970, Brown 1973, Bowerman 1973) zu gelten, sondern ebenso für den natürlichen L2-Erwerb. So schreibt L. Fillmore (1976: 214/215).

> "Verbs gave the children more difficulty in general than nouns . . . two of the children omitted verbs altogether in most of their sentences during the early stages . . . while his (Jesus') recollection of the nouns was not at all affected by his absence, his memory of the verbs used in the task was wiped nearly clean."

Die Liste der in diesem Kapitel angeführten Fehlertypen ist vollständig. Während unserer Beobachtungszeit traten im Bereich der Negation keine weiteren Fehlertypen auf. Für den erfahrenen Pädagogen liegt die Frage nahe: liefern keinerlei Belege Evidenz für Interferenz? Die Antwort lautet: Nein. Allerdings muß einschränkend gesagt werden, daß mit Interferenz im Negationsbereich in der Regel die postverbale Stellung von *not* gemeint ist. Während unserer Beobachtungszeit traten derartige Strukturtypen in der Tat nicht auf. Allerdings mußte die Beobachtung kurz nach Einführung der *do*-Periphrase abgebrochen werden. Es ist anzunehmen, daß in den Folgemonaten entsprechend den Erfahrungen der meisten Lehrer durchaus postverbale Stellung von *not* vorkam.

Doch auch hier zeigt sich ein wichtiges Prinzip des Spracherwerbs, auf das bereits Wode (1977) aufmerksam gemacht hat. Zweifellos ist im Zweitsprachenerwerb mit negativem Transfer aus der Muttersprache zu rechnen. Nur Interferenzen scheinen nicht an beliebiger Stelle des Entwicklungsprozesses aufzutreten. Bevor Kinder auf ihre Muttersprache zurückgreifen können, müssen bestimmte strukturelle Voraussetzungen gegeben werden. Unser Datenmaterial scheint diese Auffassung zu bestätigen. Während der insgesamt 22 Tage, an denen wir das Einüben von negierten Vollverbsatzstrukturen beobachten konnten, ist negativer Transfer aus dem Deutschen im Bereich der Negation nicht belegt. Vielmehr greifen die Kinder in dieser frühen Phase zunächst auf spracherwerbliche Frühstrukturen zurück. Erst danach scheinen sie in der Lage zu sein, auf muttersprachliche Strukturen zurückzugreifen. Dieses Phänomen stimmt mit Wodes Beobachtung vollständig überein. Beim natürlichen Zweitsprachenerwerb seiner Kinder fand Wode (1981), daß Interferenzen im Sinne von postverbaler Stellung des Verbs erst auftraten, nachdem die Phase der satzinternen Stellung von *no* bzw. *not* durchlaufen war. Erst mit dem ersten Auftauchen der *do*-Periphrase griffen die Kinder gelegentlich auf muttersprachliche Wortstellungen zurück.

Wenngleich wir während unserer 8-monatigen Beobachtungszeit nur einen geringen Teil des Negationserwerbs verfolgen konnten, so zeigt sich dennoch, daß sich die Schüler in zahlreichen Fällen in einer Art und Weise verhielten, die der natürlicher Spracherwerber verblüffend ähnlich ist. Auf der Basis der Evidenz zum Negationserwerb läßt sich kaum nachweisen, daß Schüler, wenn sie vom vorgegebenen Modell abweichen, grundsätzlich andere Verarbeitungsmechanismen verwenden als natürliche Spracherwerber.

19. Der Erwerb der Interrogation

Unter dem Gesichtspunkt der Inputfrequenz ist der Interrogativsatz jener Strukturtyp, mit dem die Schüler am häufigsten konfrontiert werden. Eine stichprobenartige Auszählung dreier aufeinanderfolgender Stunden in der 2. Unterrichtswoche ergab 486 englisch-sprachige Äußerungen des Lehrers. Davon entfielen auf den Interrogativsatz 224, auf Imperative 58 und auf Aussagesätze (negiert und nicht-negiert) 204 Äußerungen. Inwieweit diese Häufigkeitsverteilung überhaupt einen Einfluß auf den Lernprozeß ausübte, ist nicht erkennbar. Trotz des Übergewichts an Fragesätzen zeigten sich bei den Schülern weder eine Bevorzugung von Fragesätzen, noch irgendwelche systematischen Verwechslungen zwischen interrogierten und nicht-interrogierten Strukturen, etwa im Sinne von Stimulusübergeneralisierungen. Die Häufigkeit von Inputsstrukturen hat in diesem Bereich offensichtlich keine entscheidende Bedeutung für die Äußerungstypen der Schüler. Im Gegensatz zum L1-Erwerber (cf. Felix 1980c), aber übereinstimmend mit dem L2-Erwerber haben die Schüler zu Beginn des Lernprozesses die Dichotomie Erfragen vs. Mitteilen von Informationen nicht nur kognitiv gemeistert, sondern scheinen auch davon auszugehen, daß diese Dichotomie irgendwie sprachlich-formal markiert wird. Lediglich ein einziger Beleg in der vierten Unterrichtswoche zeigt eine interrogierte Struktur mit der Intention eines Aussagesatzes:

(46) Lehrer: Is it a black dog?
Schüler: Yes, is it a black dog.

Wie bereits im Zusammenhang mit der Negation erwähnt, treten Verwechslungen vor allem bei der Identifizierung von ja/nein- vs. wh-Fragen auf. Namentlich in den ersten Unterrichtswochen zeigen die Kinder erhebliche Schwierigkeiten, diese beiden Interrogationstypen auseinanderzuhalten. Dabei zeigt sich allerdings, daß wh-Fragen vielfach als ja/nein-Fragen interpretiert werden, während der umgekehrte Fall nur sehr selten auftritt:

(47) Lehrer: What's that?
Schüler: Yes, it is.

(48) Lehrer: Who is Silvia?
Schüler: No, it's a girl.

(49) Lehrer: What's that?
Schüler: Yes, it is a girl

(50) Lehrer: Who is Silvia?
Schüler: Yes, it's a girl

(51) Lehrer: Who is this girl?
Schüler: Yes, it is.

(52) Lehrer: Who is that boy?
Schüler: No.

Diese Verwechslungen sind umso bemerkenswerter, als in einigen Fällen völlig unklar ist, woran sich die Kinder eigentlich orientieren. In (49) etwa hielt der Lehrer ein Buch in die Höhe und forderte die Schüler mit der Frage *What's that?* auf, das Buch mit *It's a book* zu identifizieren. Die Antwort des Schülers *Yes, it is* deutet daraufhin, daß er die Frage als *Is it a book?* verstanden hat. Phonologisch gesehen, sind jedoch *What's that?* und *Is it a book?* kaum zu verwechseln. Es scheint daher, daß die Schüler auf einer sehr elementaren Ebene Dekodierungsschwierigkeiten haben. Es werden nicht etwa ein einzelnes Wort oder auch Teile eines Satzes mißverstanden, sondern die Antwort des betreffenden Schülers deutet daraufhin, daß dieser Satz überhaupt nicht dekodiert wurde, mit der Ausnahme, daß der Schüler die Äußerung als Interrogativsatz auffaßt. Der Schüler weiß also, daß er eine Frage beantworten soll, und er tut dies mit einer – in diesem Falle falschen – Struktur aus seinem sehr begrenzten Antwortrepertoire. Wenn dies der Fall ist, so ergibt sich eine erhebliche Schwierigkeit bei der Analyse.

Sind die Schüler in diesem Stadium noch nicht in der Lage, Interrogativsätze der vorgegebenen Art modellgerecht zu dekodieren und wählen daher mehr oder minder zufällig eine der wenigen Strukturen aus ihrem Antwortrepertoire, so ist es denkbar, daß auch zahlreiche der oberflächlich modellgerecht aussehenden Antworten derartige "Zufallstreffer" sind. Wenngleich dieses Problem ohne entsprechende Tests kaum zu lösen ist, so bleibt doch festzuhalten, daß die Schüler am Anfang ihrer Entwicklung verschiedene Typen von Interrogationsstrukturen nicht zu unterscheiden vermögen, und zwar nicht etwa aus kognitiven, sondern aus rein formalsprachlichen Gründen. Wir können sicher sein, daß die Kinder aufgrund ihrer L1-Kenntnisse mit dem Konzept der Unterscheidung ja/nein- vs. wh-Fragen vollständig vertraut sind. Was ihnen Schwierigkeiten bereitet, ist die formal-sprachliche Markierung. Hierbei scheint den ja/nein-Fragen hierarchische Priorität zuzukommen. Kann eine Frage nicht vollständig oder nicht modellgerecht dekodiert werden, so wird sie – unter dem Druck der Unterrichtsverhältnisse – zunächst einmal als ja/nein-Frage aufgefaßt und entsprechend beantwortet. Diese Priorität fügt sich in die Beobachtung, daß auch im L1-Erwerb (Wode 1976a) und im natürlichen L2-Erwerb (Felix 1978b) sich ja/nein-Fragen im Englischen und Deutschen sehr früh entwickeln. Ebenso sind Verwechslungen zwischen ja/nein- und wh-Fragen wie wir sie im Unterricht beobachten, hinreichend im Muttersprachenerwerb belegt, wenngleich der Sachverhalt dort noch weitaus komplexer ist (Felix 1980c).

Während der Beobachtungszeit wurden 4 Standard-Fragepronomina eingeführt: *What, who, where* und *how many.* Darüber hinaus erschien ein Fragewort *what for* in der Bedeutung von *warum,* das jedoch stets isoliert gebraucht wurde und auf folgende Dialogsituation beschränkt blieb:

(53) Schüler A: Take the pencil to Tim.
Schüler B: What for?
Schüler A: It's Tim's pencil.

Abgesehen von der Tatsache, daß wh-Fragen vielfach als ja/nein-Fragen interpretiert wurden, war *what* das einzige Fragepronomen, das stets modellgerecht verstanden und benutzt wurde. Möglicherweise gilt dies auch für *how many,* jedoch liegen einige Belege vor, die nicht eindeutig erkennen lassen, ob der Schüler das Fragepronomen modellgerecht dekodiert hat:

(54) Lehrer: How many persons are in the bus?
Schüler: Mr. and Mrs. Scott are in the bus.

(55) Lehrer: How many books are on the desk?
Schüler: They are . . .
(Lehrer unterbricht)

Die Antwort in (54) ist im Sinne der Zielsprache durchaus modellgerecht, jedoch erwartete der Lehrer hier im Sinne des einzuübenden Patterns eine Zahlenangabe. In (55) ist die Sachlage unklar, da der Lehrer unterbrach, bevor der Schüler seine Äußerung beenden konnte.

Verwechslungen traten vor allem im Gebrauch von *who* und *where* auf. Die meisten Lehrer werden nicht weiter überrascht sein, daß die Kinder *who* oftmals als *wo* interpretieren, und *where* als *wer.*

(56) Lehrer: Where is Lars?
Schüler: Lars is a boy.

(57) Lehrer: Where is Anke?
Schüler: Anke is a girl.

(58) Lehrer: Where is Peggy?
Schüler: That's Peggy.

(59) Lehrer: Who is that boy?
Schüler: The boy is sitting in the big blue bus.

Wenngleich derartige, vermutlich auf Interferenz beruhende Verwechslungen hinreichend bekannt sind, so traten darüber hinaus auch andere Formen modellabweichender Dekodierung und Verwendung auf:

(60) Schüler: (auf einen Bus zeigend)
Who is that?

(61) Schüler: (auf ein Schiff zeigend)
Who is that?

(62) Lehrer: Who is that?
Schüler: Tom is wiping the board.

(63) Lehrer: Where are the books?
Schüler: One, two, three . . .
(Lehrer unterbricht)

(64) Lehrer: Where are the clowns?
Schüler: Two clowns are . . .
(Lehrer unterbricht)

Äußerungen (60) und (61) belegen zweifelsfrei eine Verwechslung von *who* und *what,* d.h. die Relevanz des Merkmals [± menschlich] ist von den Schülern noch nicht erkannt. Derartige fehlende Merkmaldistinktionen im Bereich der Fragepronomina sind typisch für bestimmte Frühphasen des Mutterspracheneerwerbs und des naütrlichen Zweitsprachenerwerbs (cf. Wode 1977h, Felix 1976b). Äußerung (62) ist schwer zu interpretieren. Die Antwort hätte eine Frage des Typs *What is Tom doing?* verlangt. Ich vermute, daß der Schüler die Frage nicht modellgerecht verstanden hat und sich daher an der Situation orientiert hat. Der Schüler Tom wurde an die Tafel geschickt, um diese auszuwischen; die Frage wurde unmittelbar zu einem Zeitpunkt gestellt, als der Schüler, auf den sich diese Frage bezog, die Tafel auswischte. Äußerung (63) scheint auf einer Verwechslung von *where* und *how many* zu beruhen. Äußerung (64) wäre möglicherweise modellgerecht gewesen, jedoch ist die Frage nicht zu entscheiden, da der Lehrer vorzeitig unterbrach.

Entscheidend an dem vorliegenden Datenmaterial scheint mir zu sein, daß Verwechslungen zwischen verschiedenen Fragepronomina keinesfalls stets auf Interferenz zurückzuführen sind. Unter diesem Aspekt scheidet negativer Transfer aus dem Deutschen als alleiniges Erklärungsprinzip für die angesprochenen Phänomene aus. In der Tat scheint Interferenz nur eine marginale Rolle zu spielen. Vielmehr scheinen die Fehler auf mangelnde Merkmaldifferenzierungen zurückzugehen und somit auf ein allgemeines entwicklungsspezifisches Phänomen hinzudeuten, wie es nicht nur im Fremdsprachenunterricht, sondern in gleicher Form im natürlichen Spracherwerb vorkommt.

Eine Erwerbsabfolge für Fragepronomina, wie sie in der Vergangenheit für verschiedene Formen des natürlichen Spracherwerbs aufgestellt wurde (cf. Wode 1977h, Felix 1976b), läßt sich aus dem vorliegenden Datenmaterial für den Fremdsprachenunterricht nicht ableiten, da die Beobachtungszeit zu kurz war. Es sei jedoch darauf hingewiesen, daß das einzige Fragepronomina, das von den Schülern von Beginn an durchweg modellgerecht dekodiert und produziert wird, *what* ist. Im natürlichen Zweitsprachenerwerb gilt *what* bzw. *was* üblicherweise als das zuerst erworbene Fragepronomen, während im L1-Erwerb *where/wo* zuerst erscheinen.

Die ja/nein-Fragebildung im Bereich von kopulahaltigen Sätzen (Äquationalsätzen im progressiver Form) bereitet den Schülern keine erkennbaren Schwierigkeiten. Die Inversion von Kopula und Subjekt wird in der Mehrzahl der Fälle modellgerecht ausgeführt. Aus diesem Grunde reichte es aus, daß der Lehrer ohne vielfältige Erklärungen diese Struktur an konkretem Datenmaterial einführen konnte. Auf dem Hintergrund des natürlichen Spracherwerbs wäre zu erwarten, daß die Schüler zumindest teilweise rein intonatorische ja/nein-Fragen, d.h. also ohne Inversion, bilden. Derartige Interrogationsstrukturen treten in der Tat auf, wenngleich äußerst selten.

Es sei jedoch hierbei darauf verwiesen, daß die Möglichkeit intonatorischer ja/nein-Fragebildung niemals während der Beobachtungszeit formal eingeführt wurde. Es ist anzunehmen, daß hier das deutsche Modell mit Pate stand. Dennoch ist bemerkenswert, daß die Schüler immer wieder just jene Strukturen besonders bereitwillig aufgreifen, die im natürlichen Spracherwerb frühen Entwicklungsphasen angehören.

(65) Schüler: It's big shoe?
(66) Schüler: It's a pencil big?
(= Is it a big pencil?)

Modellabweichungen im Bereich der ja/nein-Fragebildung kopulahaltiger Strukturen betreffen vornehmlich Segmentierungsprobleme bzw. doppelte Kopulasetzung. Hierzu einige Beispiele:

(67) Is that's a pig?
(68) Is it's a girl?

Von den inversionsrelevanten komplexen Verbalstrukturen des Englischen werden zunächst nur zwei in den Unterricht eingeführt, und zwar *can* + V und der Ausdruck *have got.* Das Erlernen der Inversion bei diesen beiden Strukturtypen bereitet den Schülern keinerlei Schwierigkeiten, wenngleich die Kinder das einfache *have* dem komplexeren *have got* vorzuziehen scheinen. Allerdings erscheint bei satzinitialem *can* das Vollverb vielfach in der progressiven Form:

(69) Can you taking a box to him?
(70) Can you drinking a cup of tea?
(71) Can you making a kite?

Im Bereich der wh-Fragen tauchen hier nun just jene Strukturen auf, die hinreichend aus dem natürlichen Spracherwerb bekannt sind: wh-Fragen mit fehlender Inversion:

(72) What the cat is doing?
(73) What they are picking?
(74) How many turkeys she is feeding?
(75) Where he is sitting?

Bemerkenswert ist vor allem die Beharrlichkeit, mit der die Schüler diesen Fehler immer wieder produzierten. Trotz intensiven Übens und Erläuterungen von seiten des Lehrers produzierten die Schüler immer wieder inversionslose wh-Fragen des angegebenen Typs. Eine Auszählung zweier aufeinanderfolgender Stunden ergab, daß von insgesamt 32 dieser wh-Fragen 17 im oben genannten Sinne fehlerhaft waren. Eine so hohe Fehlerrate des gleichen Typs konnten wir bei keiner anderen Struktur beobachten. Es scheint, daß hier ein spracherwerbliches Entwicklungsprinzip besonders deutlich durchschlägt. Derartige inversionslose wh-Fragen scheinen im Fremdsprachenunterricht durchaus typisch zu sein. So nennt Zydatiß (1975) in seiner Fehlertaxonomie folgende Parallelbeispiele:

(76) "Why you don't have thrown me off?"
(77) "Why you don't could wake up?"
(78) "Listen! When the train will be in Pittsburgh?"
(79) "Why you didn't throw me off at Pittsburgh?"

Etwa zum gleichen Zeitpunkt, an dem die *do*-Periphrase in der Negation eingeführt wird, wird die *do*-Periphrase auch auf die Interrogationsstrukturen übertragen. Dies geschieht in zwei Schritten. Zunächst beschränkt sich der Lehrer auf ja/nein-Fragen, erst danach wird die *do*-Periphrase in wh-Fragen eingeführt. Leider konnten wir den zweiten Schritt nicht mehr verfolgen, da die Beobachtung abgebrochen werden mußte. Im Bereich interrogierter Vollverbstrukturen besitzen wir daher nur Daten zu den ja/nein-Fragen. Die Fehler, die in diesem Bereich auftreten, sind zu einem großen Teil mit denen im Zusammenhang mit der Negation bereits beschriebenen identisch. Während der Einführungsstunde wurde die *do*-Periphrase intensiv gedrillt. Gegen Ende der Stunde konnten wir – ein seltener Zufall – zwei völlig spontane Äußerungen von Schülern aufzeichnen, die hier erwähnt seien:

(80) Lehrer: Does your father smoke the pipe, Christian?
Christian: (reagiert nicht)
Lehrer: Christian!! Does your father smoke the pipe?
Christian: (der sich mit einem Füllfederhalter beschäftigt, schreckt auf): My father smoke pipe?

(81) Lehrer: Sönke, take your book to Anke. (Sönke nimmt nicht sein eigenes Buch, sondern greift das Buch seines Nachbarn Frank).
Frank: (will ihm das Buch entreißen):
You take my book? Your book!

Es mag der Hinweis gestattet sein, daß derartige spontane Reaktionen für den psycholinguistisch-orientierten Beobachter zu den Perlen des Unterrichts gehören. Das Bemerkenswerte ist nicht so sehr, daß diese Strukturen überhaupt auftreten. Allein der Verlauf des Unterrichts unterstreicht die Sonderstellung dieser Äußerungen. 45 Minuten lang wurde die ja/nein-Fragebildung mit Vollverben intensiv und konzentriert geübt und gedrillt. Der wohlgesinnte Beobachter mußte den Eindruck haben, daß die Schüler wenigstens das Grundprinzip dieses Interrogationstyps verstanden hatten. Dennoch benützen die Kinder die erste Gelegenheit, die sich ihnen zu spontanen Verbalisierungen bietet, dazu, das "Gelernte" zu vergessen und Fragen nach ihrem eigenen Modus zu stellen. Dabei verwenden sie hierzu just jene Struktur, die auch im natürlichen Spracherwerb das früheste Stadium der ja/nein-Interrogation markiert: nämlich die Intonationsfrage (cf. Wode 1976a). Hinzu kommt, daß – wie bereits erwähnt – die intonatorische Markierung von ja/nein-Fragen im Unterricht nie formal eingeführt wurde. Die Möglichkeit intonatorischer Fragemarkierung ist natürlich einerseits dadurch vorgegeben, daß das Deutsche diesen Fragetyp ebenfalls kennt. Andererseits zeigt die Durchsicht der Unterrichtsprotokolle, daß der Lehrer in seinen spontanen Verbalisierungen – insbesondere bei elliptischen Äußerungen – die intonatorisch markierte Frage durchaus verwendete. Sollte etwa eine bestimmte Struktur von verschiedenen Schülern eingeübt werden, so rief der Lehrer die einzelnen Kinder vielfach unter Verwendung einer Intonationsfrage auf. Die entscheidende Frage ist hier nicht so sehr: wie sind die Schüler zu der Erkenntnis gelangt, daß Fragen allein durch Intonation als solche markiert werden können? Dies ist relativ klar! Sowohl ihre Kenntnis der Muttersprache als auch bestimmte Fragetypen in den spontanen Äußerungen des Lehrers und nicht zuletzt die Tatsache, daß auch ja/nein-Fragen mit *do*-Periphrase eine spezifische intonatorische Markierung besitzen, läßt den Ursprung dieser Erkenntnis nicht weiter als rätselhaft erscheinen. Bemerkenswert ist vielmehr die Tatsache, daß die Schüler in ihren spontanen bzw. semispontanen Äußerungen einen Strukturtyp verwenden, der weder eingedrillt noch überhaupt formal eingeführt wurde. Sobald die Kinder dem Druck des Unterrichtszieles halbwegs entwichen sind, verwenden sie einen Strukturtyp, den sie unter dem Aspekt des Inputs bestenfalls "am Rande" mitbekommen haben können, während das eigentlich Erlernte verschwindet. Hier wird deutlich, daß für die spontanen Verbalisierungen der Schüler offensichtlich weder die Intensität des Drills noch die Häufigkeit im Input ausschlaggebend sind. Welchen Strukturtyp sie verwenden, entscheiden die Schüler offensichtlich nach ganz anderen Kriterien. Und hier zeigt sich, daß die Präferenzen der Schüler just in die gleiche Richtung gehen wie die der natürlichen Spracherwerber zu Beginn des Entwicklungsprozesses.

Im Kontext spontaner Verbalisierung mag sich die Frage stellen, ob die berüchtigten Interferenzen aus der Muttersprache nicht ebenfalls belegt sind; d.h. verwenden die Schüler, bevor sie die *do*-Periphrase gemeistert haben, die aus dem Deutschen übernommene Inversion von Subjekt u. Vollverb? In der Tat sind einige solcher Strukturen belegt:

(82) Schüler: Kann man sagen "sit Peter . . . ?"
Lehrer: (unterbricht) Nein, das geht nicht. Warte ab, soweit sind wir noch nicht.

(83) Goes she shopping?

(84) Buy she a flower in . . .
(Lehrer unterbricht)

Äußerung (82) trat noch im ersten Unterrichtsmonat auf, zu einer Zeit also, die weit vor der Einführung der Interrogation bei Vollverbstrukturen lag. Die beiden Äußerungen (83) und (84) fielen unmittelbar während der Einführung der *do*-Periphrase bei der Interrogation. Diese drei Belege sind jedoch die einzigen für Subjekt -Vollverb-Inversion während der gesamten Untersuchungszeit. Interferenzen treten also in der Tat auf, jedoch sind sie im Verhältnis zu den übrigen Fehlertypen nur in verschwindend geringer Zahl vertreten. Dieser Typ von Interferenz kann nicht als ernsthaftes Lehrproblem bzw. Lernproblem in den frühen Unterrichtsphasen gelten. Bei der Einführung der *do*-Periphrase treten ebenso wie bei der Negation erwartungsgemäß Verwechslungen von *does* und *do* auf. Trotz intensiven Übens und ausführlicher Erklärungen des Lehrers scheinen die Schüler *does* und *do* als Varianten des gleichen Morphems zu betrachten.

(85) Does we, do we write a dictation every Friday?
(86) Do he sing song?
(87) Do she needs three bottles of milk?
(88) Does we sing a song every morning?
(89) Do they singing?

Eine informelle Befragung dreier Schüler, von denen wir in diesem Bereich besonders viele "Fehler" verzeichneten, ergab, daß sie das Prinzip der Unterscheidung von *does* und *do* durchaus verstanden hatten:

(90) Felix: Sag mal, Michael, wann muß man *does* und wann muß man *do* sagen?
Michael: Ja, *does* muß man sagen, wenn da ein *s* kommt.
Felix: Wenn wo ein *s* kommt?

Michael:	Ja, also, man muß sagen *Peggy eats an egg.* Und dann muß man sagen *Does Peggy eats an egg?* Und dann . . . Ja. . . Und dann kommt *does*.
Felix:	Und wenn man sagt *Peggy eat an egg?*
Tim:	(der sich in das Gespräch eingeschaltet hat) Ne, das kann man nicht sagen.
Michael:	Ne, das geht doch gar nicht.
Felix:	Wieso nicht?
Tim:	Ne, das geht nicht, man muß sagen *Peggy eats an egg,* ich zeige Ihnen das Buch.
Felix:	Das brauchst du nicht, ich glaub' dir das schon.
Michael:	Ja, und dann muß man sagen *Does Peggy . . . does Peggy eat . . . does Peggy eats an egg?*
Felix:	Und wann sagt man *do?*
Michael:	Ja, *do* sagt man . . . ja . . . das weiß ich noch nicht.
Tim:	Ja, *do* muß man sagen, wenn da kein *s* ist.

Wenngleich die Vorstellungen der befragten Schüler – aus der Perspektive des Lehrers – vielleicht noch die nötige Präzision vermissen lassen, so ist doch klar, daß den Schülern durchaus bewußt ist, daß man *does* und *do* nicht beliebig verwenden kann, sondern daß diese beiden Morpheme in Abhängigkeit von bestimmten syntaktischen Strukturmustern gebraucht werden müssen. Wenngleich die Schüler dies erkannt haben und – nach landläufiger Auffassung – das Schema somit "gelernt" haben, lassen ihre konkreten Äußerungen keine Rückschlüsse auf diese "Kenntnis" zu. In der Verwendung der betreffenden Strukturen benutzen die Schüler *does* und *do* als freie Varianten, ebenso wie dies im natürlichen Spracherwerb zu verzeichnen ist.

Diesem Problem ist m.E. auch nicht durch den behavioristischen Begriff des *Transfers* (z.B. Belasco 1971) beizukommen, indem behauptet wird, der Schüler sei "lediglich" noch nicht in der Lage, das bereits Erlernte auf neue Situationen oder Strukturtypen zu übertragen. Mir ist die innere Logik dieses Begriffes *Transfer* im Zusammenhang mit Spracherwerb völlig rätselhaft. Es scheint hier vielfach eher darum zu gehen, das eklatante Mißverhältnis zwischen Lehraufwand und Lernerfolg zu beschönigen. Wenn ein Lernender eine bestimmte sprachliche Regel konsequent nicht oder modellabweichend verwendet, so scheint mir die Behauptung, er habe diese Regel dennoch gelernt, nur noch nicht auf neue Bereiche übertragen, schlichtweg absurd. Sollte sich zeigen, daß der Schüler etwa in Tests oder Erklärungen die betreffende Regel korrekt wiedergeben kann, so bedeutet dies doch nur, daß solches Lernen und eine derartige Kenntnis zusammen mit den betreffenden Tests für kreative Sprachkompetenz, wie sie jeder Erwerber anstrebt, irrelevant und nutzlos sind.

Die bereits bei der Interrogation beobachtete Beibehaltung des Morphems *s* der 3. Person Singular am Vollverb tritt auch bei der Interrogation auf:

(91) Does he works in the garden?
(92) Does he eats an egg?
(93) Does she washes her blouse?

Darüber hinaus erscheinen hier nunmehr die ersten Belege für eine Verwechslung von progressiver Form und Normalform, die zu entsprechenden Kontaminationen führt:

(94) Is she washes her blouse?
(95) Do a man repairing the car?

(96) Is she hang out the towels?
(97) Do they singing?

Auf der Basis des natürlichen Spracherwerbs läßt sich dieser Entwicklungsstand recht präzis als frühes Stadium II klassifizieren (cf. Klima & Bellugi 1966, Wode 1980a). Die Schüler bilden ja/nein-Fragen, durch Satzinitialstellung eines (*dummy-*)Verbalelementes, und zwar *does, do, is,* und *are.* Weitergehende Differenzierungen treten noch nicht auf. Die Kinder haben weder die Beziehung zwischen *is/are* und der progressiven Form, noch die Distinktion hinsichtlich der grammatischen Person erkannt. Vereinfacht gesprochen, ließe sich der Erwerbsstand kennzeichnen: Das syntaktische Muster der ja/nein-Interrogation, d.h. die Satzanfangsstellung eines Verbalelementes, ist im wesentlichen gemeistert, die morphologische Distinktionen involvierenden Gesetzmäßigkeiten sind noch nicht erkannt.

Bei der Negation beobachteten wir teilweise eine Tilgung des Vollverbs. Vergleichbare Belege treten auch bei der Interrogation auf, wenngleich in weitaus geringerer Zahl:

(98) Do I at six o'clock (eat)?
(99) Does Mr. Atkinson behind the counter (stand)?
(100) Does Aunt Jane the turkeys (feed)?
(101) Does Mother three bananas (buy)?

Derartige Strukturen sind mir aus dem natürlichen L2-Erwerb nicht bekannt. Es scheint mir jedoch, daß diese Äußerungen parallel zu den entsprechenden Negationsstrukturen gebildet werden und Evidenz für die bevorzugte Tilgung von Verben liefern.

Der Erwerb der Interrogation zeigt in zahlreichen Bereichen erstaunliche Parallelen zu Entwicklungsphänomenen im natürlichen Spracherwerb. Dennoch sind bestimmte unterrichtsspezifische Strukturphänomene nicht zu übersehen. Diese sind teilweise auf die spezifische Lehrprogression zurückzuführen, als auch auf die Tatsache, daß den Kindern für freie spontane Äußerungen kaum Spielraum gegeben wurde. Bemerkenswert ist jedoch vor allem, daß trotz der rigiden Kontrolle durch den Lehrer das Durchschlagen bekannter spracherwerblicher Prinzipien nicht zu verhindern ist.

20. Tilgungen

Daß Tilgungen im fremdsprachenunterrichtlichen Lernprozeß – wie auch im natürlichen Spracherwerb – vorkommen, wird nicht weiter verwundern. Schließlich wird man davon ausgehen können, daß die Schüler oftmals bei der Produktion bzw. Reproduktion komplexer Strukturen in ihrer L2-sprachlichen Leistungsfähigkeit überfordert sind, so daß sie weniger wiedergeben als in der Vorlage enthalten ist. Die Frage ist also nicht: Treten Tilgungen auf oder sind Tilgungen häufig? Vielmehr geht es darum, *was* getilgt wird bzw. was nicht getilgt wird. Sind Tilgungen strukturabhängig und systematisch? Oder kann jedes beliebige Element eines Satzes getilgt werden? Unter diesem Gesichtspunkt ist nicht nur wichtig, festzustellen, welche Elemente in den aufgezeichneten Schüleräußerungen tatsächlich Tilgungen unterworfen sind, sondern gleichfalls, welche Typen denkbarer oder plausibler Tilgungen eben nicht belegt sind.

Die verfügbaren Daten deuten daraufhin, daß Tilgungen generell strukturabhängig sind, d.h. lineare Tilgungen treten nicht auf, bzw. sind äußerst selten. Unter linearer Tilgung verstehe ich den Abbruch einer Äußerung jeweils an einer bestimmten Stelle des Satzes. So wäre denkbar, daß ein Schüler nur Sätze mit maximal fünf Konstituenten (re)produzieren kann, und bei längeren Strukturen stets nach der fünften Konstituente abbricht. Von diesem Schüler wären modellgerecht Sätze zu hören wie *does Bill smoke* oder *does Bill smoke cigars,* aber *does your father like to smoke cigars* würde verkürzt zu *does your father like to.* Bei einem anderen Schüler wäre die Leistungsgrenze bereits bei vier Konstituenten erreicht, so daß der zuletzt genannte Satz erschiene als *does your father like.* Derartiges kommt nicht vor.

Nun ist in der Tat nicht zu bestreiten, daß Schüler oftmals während des Unterrichts eine Äußerung abbrechen; jedoch ist dieser Abbruch grundsätzlich anderer Natur als eine lineare Tilgung. Schüler beginnen oftmals eine Äußerung und finden sich dann in der Schwierigkeit, diese Äußerung modellgerecht zu beenden. Derartige Schwierigkeiten sind den Schülern jedoch in diesen Fällen voll bewußt. In der Regel handelt es sich um Performanzschwächen, wie sie auch von erwachsenen *native speakers* her bekannt sind. Die Schüler versuchen, sozusagen "in mehreren Anläufen" die Äußerungen vollständig zu produzieren. In vielen Fällen beginnen sie mehrmals mit der gleichen Konstituentenabfolge; es gelingt ihnen, die Äußerung jeweils ein Stück weiter zu vervollständigen, bis sie letztlich an ihrem eigenen Unvermögen scheitern. In allen Fällen zeigen jedoch die Reaktionen der Schüler, daß sie sich des Unvermögens deutlich bewußt sind. Im Gegensatz hierzu steht die Tilgung. Produziert ein Schüler etwa den Satz *Does Mr. Atkinson behind the counter?* anstatt des modellgerechten *Does Mr. Atkinson stand behind the counter?,* so deutet zunächst nichts darauf hin, daß er sich darüber bewußt ist, einen unvollständigen Satz produziert zu haben. Erst die Korrektur des Lehrers macht ihm klar, daß er einen "Fehler" begangen hat. Der Schüler äußert derartige Sätze in dem vollen Bewußtsein, Modellgerechtes produziert zu haben. Ähnliches gilt für Satzabbrüche nicht. Uns liegen keinerlei Daten darüber vor, daß ein Schüler etwa eine Äußerung *Does your father smoke the* als vermeintlich modellgerechten Satz anbietet.

Da Tilgungen – soweit erkennbar – stets strukturabhängig sind, ist anzunehmen, daß der Tilgungsmechanismus in einer im einzelnen noch zu spezifizierenden Form eine Strukturanalyse voraussetzt. Wenn Schüler etwa in einem bestimmten Bereich stets die gleichen Elemente tilgen, so ist dies nur möglich, wenn sie die Struktur des betreffenden Satzes zumindest teilweise erkannt haben. Damit ist natürlich keineswegs impliziert, daß die Strukturanalyse ebenso detailliert ist wie etwa bei einem erwachsenen kompetenten Sprecher. Wir werden an verschiedenen Beispielen sehen, daß Schüleräußerungen eine unzureichende Strukturanalyse zugrundeliegt. Entscheidend ist jedoch, daß die beobachteten Tilgungsmechanismen insgesamt strukturabhängig sind, und nicht etwa linear. Dies unterstützt im wesentlichen die Chomskysche These (cf. Chomsky 1975), daß Sprachen nur strukturabhängige Regeln kennen und daß Kinder – und wir können nunmehr auch sagen Fremdsprachenschüler – beim Erwerb einer Sprache die Möglichkeit strukturunabhängiger Regeln von vornherein ausschalten.

Im Zusammenhang mit Tilgungen wird vielfach die These vertreten, daß sich der Lerner weniger an der formalen syntaktischen Struktur des Satzes orientiert, als vielmehr an dem semantischen Gehalt der einzelnen Konstituenten. Getilgt werden demnach vorzugsweise Funktionswörter und solche Elemente, die ein geringes semantisches Gewicht haben. Dies ist in der Tat vielfach zutreffend, dennoch muß diese These als Erklärung für Tilgungsphänomene verworfen werden. Es sind nämlich nicht nur die Funktionswörter, die vorzugsweise getilgt werden, sondern ebenfalls Verben. Beispiele für die Tilgung von Verben haben wir bereits im Zusammenhang mit der Negation und Interrogation aufgeführt. Die Tilgung von Verben läßt sich nun kaum mit dem Hinweis auf geringes semantisches Gewicht erklären. In zahlreichen Fällen kommt den Verben eine Schlüsselstellung in der Interpretation des Satzes zu.

Man denke etwa an den Satz: *Does Mr. Atkinson behind the counter.* Das Fehlen des Verbs in diesem Satz führt zu einer erheblichen semantischen Lücke. Was macht Mr. Atkinson hinter dem Tresen? Steht er nur dort, verkauft er, liest er, ruht er sich aus? Trotz des quasi-Zusammenbruchs der Kommunikation scheinen gerade Verben besonders tilgungsgefährdet zu sein (cf. L. Fillmore 1976). Dafür gibt es ebenso zahlreiche Belege aus dem natürlichen Spracherwerb. Man denke nur an Blooms (1970) ausführliche Analyse der N + N-Konstruktionen im Muttersprachenerwerb. Demgegenüber erweisen sich Nomina nach unseren Fremdsprachendaten als ausgesprochen resistent gegenüber Tilgungen. Bei der Reproduktion des Satzes *They are playing football in the garden* finden wir in unseren Daten vier Belege für *they (are) football in the garden.* Unter dem Aspekt semantischer Bedeutsamkeit hätte man eher Tilgungen wie *they are playing football* oder *they are playing in the garden* erwartet. Derartige Tilgungen traten jedoch nicht auf.

Neben den Verben werden namentlich in den ersten Wochen des Unterrichts, in denen verschiedene Typen von Äquationalsätzen eingeführt werden, Kopula und Artikel getilgt. Auch unter dem Gesichtspunkt des natürlichen Spracherwerbs sind diese Tilgungen zu erwarten. Kopula, Artikel, Präpositionen und andere Funktionswörter werden im natürlichen Spracherwerb erst zu einem relativ späten Zeitpunkt gemeistert (cf. Felix 1978b). Im Gegensatz zum natürlichen Spracherwerb beschränken sich jedoch die Fremdsprachenschüler weitgehend auf die Tilgung eines Elementes. Äußerungen wie etwa *that letter* oder *this boy* im Sinne von *that's a letter* bzw. *this is a boy,* die im natürlichen Spracherwerb die Anfangsphase darstellen, sind im Fremdsprachenunterricht, wenngleich hin und wieder belegt, doch äußerst selten.

Besonders häufig wird erwartungsgemäß der Artikel getilgt, in den ersten Unterrichtswochen vor allem der unbestimmte Artikel *a:*

(1) Peter is boy.
(2) I am boy.
(3) That's ship.
(4) That's flag.
(5) That's handbag.
(6) That's blue big bus.
(7) Is there seat for me?
(8) Dick is good boy.
(9) I have got ruler.
(10) That's big ruler.
(11) I waiting for taxi.
(12) It's American jet.

Bemerkenswert an diesen wie auch an den noch zu besprechenden Tilgungen ist, daß sie nicht allein auf den mündlichen Gebrauch beschränkt sind. Auch beim Lesen im Übungsbuch lassen die Schüler vielfach den unbestimmten Artikel aus, wenngleich dieser visuell vorgegeben ist. Auch hierin äußert sich der Unterschied zum performanzbedingten Satzabbruch. Auffällig ist weiterhin, daß der bestimmte Artikel *the* in weitaus geringerem Maße tilgungsgefährdet zu sein scheint als der unbestimmte Artikel. Insgesamt finden wir hierfür in unserem Datenmaterial nur die folgenden Belege:

(13) He is in bus.
(14) Then is coming off bus.
(15) Marion is looking out window.
(16) I am going to door.
(17) Mr. Atkinson stand behind counter.

Für diese Verteilung fehlt mir jede Erklärung. Parallelen zum natürlichen Spracherwerb sind mir in diesem Bereich nicht bekannt. Möglicherweise hängt dieser Unterschied in irgendeiner Form mit der Lehrprogression zusammen.

In den ersten Unterrichtswochen wurden nahezu ausnahmslos Sätze eingeführt, die den unbestimmten Artikel verlangen. Erst gegen Ende des ersten Unterrichtsmonats wurden in größerem Umfange Sätze mit bestimmtem Artikel verwendet. Bis zu diesem Zeitpunkt hatte sich der Gebrauch des unbestimmten Artikels bei den meisten Schülern weitgehend etabliert, so daß möglicherweise die entsprechende Regel auch auf den bestimmten Artikel übertragen wurde. Daher erscheint dieser aufgrund der späten Einführung weniger tilgungsgefährdet.

Mit etwa gleicher Häufigkeit wie der Artikel wird in den Anfangswochen die Kopula getilgt:

(18) His name Robert.
(19) His name Jens.
(20) He in London.
(21) Who that girl?
(22) That a cap.
(23) This a letter.
(24) That a pig.
(25) It a cap.

Für diese Tilgungen gilt das Gleiche wie für die Artikelbildung: Sie treten nicht nur im mündlichen Gebrauch, sondern auch beim Lesen von Übungsstücken im Buch auf. Fraglich ist hingegen, ob Äußerungen des Typs *That a letter, It a cap* in die Kategorie der Kopulatilgungen fallen. Es liegt einige Evidenz dafür vor, daß die Schüler *it's* und *that's* monomorphematisch werteten, d.h. nicht erkannten, daß es sich um Kontraktionen eines Pronomens mit der Kopula handelt. Vor allem *that's* taucht vielfach in Kontexten auf, in denen das Modell *that* verlangt:

(26) What's that's?
(27) What that's?
(28) I am wipe it's.
(29) What's colour is your father's eyes?

Im Vergleich zu den bislang besprochenen Modellabweichungen im Bereich von Negation und Interrogation ist die Tilgung vor allem der Kopula im Bereich der Äquationalsätze von erstaunlich kurzer Dauer. Der letzte Beleg für eine kopulalose Äquationalstruktur ist mit dem 2. Tag der 4. Unterrichtswoche datiert. Der Gebrauch der Kopula scheint sich somit etwa innerhalb von 3 Wochen stabilisiert zu haben. Etwa zu diesem Zeitpunkt wird als erste Vollverbsatzstruktur die progressive Form eingeführt. Dabei zeigt sich, daß in den entsprechenden Formen die Kopula besonders häufig getilgt wird:

(30) She not standing.
(31) Dollie standing at the bus-stop.
(32) Mr. and Mrs. Scott standing at the bus-stop.
(33) Ben coming off the bus.
(34) Who getting on?
(35) I sitting in the big blue bus.
(36) Ben and his sister getting on the bus.
(37) Torsten looking out.
(38) He doing his homework.
(39) Peter writing.
(40) I taking the dog to Marianne.

Entscheidend an diesen Daten ist, daß der Gebrauch der Kopula offensichtlich in Abhängigkeit von bestimmten Strukturen erworben wird, d.h. die Kopula bzw. ihre syntaktische Funktion wird nicht zu einem bestimmten Zeitpunkt ein für allemal erworben. Vielmehr entwickelt sie sich in Äquationalsätzen und in der progressiven Form unabhängig voneinander. Im Bereich der Äquationalsätze treten zunächst kopulalose Formen auf, bis sich dann nach ca. 4 Wochen der Gebrauch der Kopula stabilisiert. Die gleiche Erwerbsabfolge, wenngleich mit erheblicher zeitlicher Verzögerung, finden wir im Bereich der progressiven Form.

Auch hier tritt zunächst die kopulalose Form auf, bis sich allerdings nach etwa erst 2 Monaten auch hier die Kopula stabilisiert. Während die Kinder also etwa zu Beginn der 4. Unterrichtswoche in Äquationalsätzen die Kopula modellgerecht verwenden, wird sie in der progressiven Form weitgehend getilgt. Die gleiche Erwerbsabfolge kopulalos vor kopulahaltig wird also wiederholt. Ich habe an anderer Stelle (cf. Felix 1977a) dieses Phänomen *repetitive orders of acquisition* genannt. Derartige Sequenzwiederholungen sind im natürlichen Spracherwerb, insbesondere im Zweitsprachenerwerb, hinreichend belegt (cf. Felix 1978b). Es scheint sich hierbei um ein recht allgemeines Phänomen der Verarbeitung sprachlicher Daten zu handeln.

Daraus ergibt sich vor allem eine methodische Konsequenz bei der Analyse von Spracherwerbsdaten. Offensichtlich kann man bei der Analyse entsprechenden Datenmaterials nicht von einzelnen Wortklassen bzw. Wortformen ausgehen. Zu berücksichtigen ist vielmehr der jeweilige strukturelle Kontext. Würden wir z.B. für unsere Daten lediglich die Frage stellen, ab welchem Zeitpunkt die Kopula in allen obligatorischen Kontexten modellgerecht auftaucht, so ließe sich während unserer Beobachtungszeit lediglich schlußfolgern, daß die Kinder den modellgerechten Gebrauch der Kopula in diesem Zeitraum nicht erworben haben. Dies gilt jedoch nur, wie bereits angedeutet, für die progressive Form. Im Bereich der Äquationalsätze wird die Kopula relativ schnell modellgerecht gemeistert. Hierbei ist einschränkend zu bemerken, daß „modellgerecht" hier lediglich das Vorhandensein bzw. Nicht-Vorhandensein der Kopula bedeutet. Fehler in der Distinktion zwischen *am, is, are* treten während der gesamten Untersuchungszeit auf.

In geringerem Umfange erscheinen Tilgungen auch bei NPs in Subjektposition, jedoch nur, wenn diese durch ein Pronomen manifestiert sind. Komplexe NPs oder nominale NPs werden nach unseren Datenunterlagen niemals getilgt. Pronominaltilgungen treten grundsätzlich in allen Satztypen gleichermaßen auf. Allerdings sind sie in Äquationalsätzen besonders häufig. Dies hängt u.a. mit bestimmten Gesetzmäßigkeiten bei der Verwendung von Pronomina zusammen, auf die ich noch später ausführlich eingehen werde. Pronominaltilgungen sind zeitlich begrenzbar. Der letzte Beleg für diesen Strukturtyp ist mit dem achten Tag des 4. Unterrichtsmonats datiert. Folgende Typen von Pronominaltilgungen (in der Reihenfolge ihres Auftretens) sind belegt:

(41) No, is a boy.
(42) No, is a dog.
(43) No, is a girl.
(44) Is his box.
(45) Is big blue bus.
(46) Yes, can see him.
(47) No, must stand.
(48) No, I not . . . I not watching him.
(49) Look, is going in the classroom.
(50) Do help Mother?

Wenngleich die Tilgung von Pronomina – insbesondere in Subjektposition – auch aus dem natürlichen Spracherwerb hinreichend bekannt ist, so werden sich vermutlich nur vereinzelt parallele Beispiele zu den hier angeführten Strukturtypen im fortgeschrittenen Erwerbsstadium finden lassen. Insbesondere die letzten der oben angeführten Äußerungstypen weisen eine relativ hohe Strukturkomplexität auf. Für den natürlichen Spracherwerb hingegen scheint zu gelten, daß zu jenem Zeitpunkt, an dem derart komplexe Strukturen produziert werden, der Gebrauch der Pronomina weitgehend voll stabilisiert ist. Wir finden daher bereits auch bei der Negation und Interrogation, bei unseren Fremdsprachenschülern einen Rückgriff auf relativ frühe Erwerbstadien vor. Da die Schüler offenbar nicht in der Lage sind, den Satz in seiner gesamten strukturellen Komplexität modellgerecht wiederzugeben, tilgen sie just jene Elemente, deren Tilgung für die frühen Phasen des natürlichen Spracherwerbs kennzeichnend ist.

An dieser Stelle soll nochmals das Problem der Interferenz angesprochen werden. Tilgungen von Pronomina sind hinreichend in der gesamten Spracherwerbsliteratur belegt. Dementsprechend traten diese Tilgungen auch in den Daten, vor allem amerikanischer L2-Untersuchungen auf, deren Informanten als Muttersprache Spanisch hatten (cf. Butterworth 1972). In diesem Kontext werden die pronomenlosen Strukturen stets als Interferenz aus dem Spanischen interpretiert. So schreibt L. Fillmore (1976: 363): ". . . it is reasonable to say that these patterns (i.e. fehlende Subjekte) reflect first language structures – specifically, the Spanish preference for leaving the subject slots empty." Dieses scheint bei isolierter Betrachtung jener Materialsammlungen auch durchaus plausibel, da das Spanische zu jenen Sprachen gehört, in der die Subjekt-NP oberflächlich fakultativ ist. Unsere Daten zum gesteuerten und ungesteuerten Spracherwerb zeigen jedoch sehr deutlich, daß auch deutsche Kinder beim Erlernen des Englischen Pronomina in den Frühphasen vielfach tilgen, wenngleich das Deutsche in der Regel die Subjekt-NP auch oberflächenstrukturell verlangt. Pronominaltilgungen scheinen daher weniger auf Interferenz aus bestimmten Sprachen zurückzugehen, sondern vielmehr ein allgemeines spracherwerbliches Phänomen zu sein.

Hier deutet sich an, daß man bei der Beurteilung von Interferenzen äußerste Vorsicht walten lassen muß. Parallelität zwischen modellabweichenden L2-Bildungen und muttersprachlichen Strukturen rechtfertigt keineswegs die Annahme von Interferenz. Ob eine Struktur tatsächlich auf L1-Transfer zurückgeht, läßt sich nur dann mit einiger Sicherheit sagen, wenn umfangreiches Vergleichsmaterial aus anderen Spracherwerbstypen bzw. Sprachkombinationen vorliegt (cf. Felix 1980a).

Als letzter Tilgungstyp tritt – wie bereits angedeutet – das Auslassen von Verben auf. Da durch das Fehlen des Verbs die betreffenden Äußerungen ohne Kenntnis des Kontextes weitgehend unverständlich sind, gebe ich in Klammern die Intention bzw. die vermutlich angestrebte modellgerechte Äußerung an. Beispiele sind in der Reihenfolge ihres Auftretens aufgeführt:

(51) I have a duster in right hand.
(= I have got a duster in my right hand.)

(52) I am back to my seat.
(= I am going back to my seat.)

(53) I can five taxis.
(= I can see five taxis in the picture.)

(54) She is out of the window.
(= She is looking out of the window.)

(55) They are football in the garden.
(They are playing football in the garden.)

(56) The people are in the water.
(= The people are swimming in the water.)

Gerade diese Beispiele scheinen besonders deutlich die Systematik und Strukturabhängigkeit von Tilgungen unter Beweis zu stellen. Eine semantische Erklärung in dem zuvor angedeuteten Sinne scheidet für diese Strukturen m.E. aus. Zahlreiche Äußerungen wirken durch das Fehlen des Verbs unvollständig, andere, z.B. *the people are in the water*, ergeben eine von der eigentlichen Intention abweichende Bedeutung. Bemerkenswert ist weiterhin, daß Verben auch dann getilgt werden, wenn sie in der vorangegangenen Frage ausdrücklich vorgegeben waren. So erschien die Äußerung *the people are in the water* als Antwort auf die Frage des Lehrers *where are the people swimming?* Eine sinnvolle Erkläung dieser Tatbestände ist m.E. nur über spracherwerbliche Mechanismen möglich. Verben scheinen – im Verhältnis zu Nomina – innerhalb einer Tilgungshierarchie eine relativ hohe Stellung einzunehmen. Dies zeigt sich u.a. auch daran, daß im natürlichen Spracherwerb sich gerade die häufigen N + N-Strukturen aus der Tilgung entsprechender Verben ergeben. Auch hier zeichnet sich ab, daß die Schüler bei „Überforderung" sich im wesentlichen der gleichen Mechanismen bedienen, die natürliche Spracherwerber in den Frühphasen der Entwicklung zeigen.

Ein weiteres, relativ häufiges Fehlerphänomen mag nur unter Zögern in die Rubrik ‚Tilgungen' eingefügt werden. Es handelt sich hierbei um Verwechslung zwischen progressiver Form und Normalform, die dazu führen, daß bei der Verbindung Kopula + Verb das Verb nicht in der *ing*-Form erscheint bzw. daß *ing*-Formen ohne Kopula erscheinen.

(57) Bill is drive the tractor.
(58) I am repair the milk-cans.
(59) He is wipe the board.
(60) They are play football in the garden.
(61) He smoking a pipe.
(62) The man are smoke a cigarette.
(63) The boys having a picknick.
(64) The people are swim in the water.
(65) She is hang out the towels.

Derartige Verwechslungen sind sowohl unter spracherwerblichen Gesichtspunkten, als auch auf der Grundlage bekannter didaktischer Erfahrungen nicht weiter erstaunlich. Parallelen bieten sich allerorts an. Die Schwierigkeit liegt vor allem darin, daß unsere Beobachtungszeit zu kurz war, um diese Strukturen sachgerecht zu beurteilen. Die Vollverbstrukturen wurden erst im 6. Unterrichtsmonat eingeführt, so daß auch erst ab diesem Zeitpunkt entsprechende Verwechslungen auftreten konnten. Bis zum Ende unserer Beobachtungszeit zeichneten sich keinerlei Veränderungen hinsichtlich einer Distinktion progressiver Form/Normalform ab, so daß wir über die weitere Entwicklung und die hier evtl. zugrundeliegende Gesetzmäßigkeit nichts aussagen können. Interessant wäre hier vor allem die Frage, wann und in welcher Entwicklung die semantische Distinktion zwischen den beiden Formen von den Schülern erkannt wird. Aus dem natürlichen L2-Erwerb wissen wir (cf. Huang 1971), daß die Kinder von Beginn an kaum Schwierigkeiten in der semantisch modellgerechten Verwendung der progressiven Form haben. Im Gegensatz dazu klagen Lehrer zumeist über die Schwierigkeit, ihren Schülern diese Distinktion klar zu machen. Um diese Schwierigkeiten in den Griff zu bekommen, werden vielfach Schlüsselwörter, wie z.B. *every month, every Friday,* etc. eingeführt, an denen sich die Schüler orientieren sollen. Diesem Verfahren liegt natürlich im wesentlichen eine assoziationstheoretische Vorstellung zugrunde. Wirksam ist diese Hilfe – nach allem, was bekannt ist – nicht, denn Fehler treten weiterhin in großer Zahl auf.

Im übrigen wird natürlich dadurch die unrichtige Vorstellung gefördert, die Wahl zwischen den beiden Strukturtypen hinge von oberflächlich vorhandenen Strukturelementen ab. Es ist nicht ausgeschlossen, daß diese vermeintliche Hilfestellung die Lernschwierigkeiten eher fördert als vermindert.

21. Satztypen

Während in den zuvor besprochenen Strukturbereichen Fehlertypen notiert wurden, die größtenteils aus dem natürlichen Spracherwerb hinlänglich bekannt sind und sich daher weitgehend entwicklungsspezifisch einordnen lassen, soll nunmehr ein Typus modellabweichender Bildung dargestellt werden, der – soweit ich die Datenlage kenne – keinerlei Parallele im natürlichen Spracherwerb findet. Es scheint sich hier um ein rein fremdsprachenunterrichtsspezifisches Phänomen zu handeln. Trifft diese Annahme zu, so müßten sich hinter diesem Fehlertyp Mechanismen verbergen, die sich direkt aus der Unterrichtstechnik, bzw. dem Phänomen der kontrollierten Steuerung von Lernprozessen, ableiten lassen. Ich werde zunächst die Daten präsentieren und anschließend den Versuch einer Interpretation hinsichtlich der Gegenüberstellung gesteuerter vs. ungesteuerter Spracherwerb unternehmen.

Die von uns beobachteten Schüler verwechselten in ihren Antworten Satztypen, bzw. wählten modellabweichend ein anderes als das in der Frage vorgegebene Satzmuster. Diese Satztypenverwechslung ist – mit einigen Ausnahmen, die im Anschluß zu diskutieren sein werden – auf den Frage/Antwort-Dialog beschränkt, soweit in der Antwort ein elliptischer Nachsatz verlangt wird. Die Datenlage ist insgesamt recht eindeutig und wenig komplex.

Um das Phänomen der Satztypenverwechslung angemessen würdigen zu können, ist eine kurze Darstellung der Abfolge notwendig, in der die Satztypen vom Lehrer in den Unterricht eingeführt wurden. Der erste Satztyp war – wie bereits erwähnt – der Äquationalsatz in seinen verschiedensten Ausprägungen. Im wesentlichen handelt es sich um die Strukturen: *it's* + NP, *this/that is* + NP, und NP *is* + X. Hierbei können unter X verschiedene Konstituenten auftreten. Als zweiter Satztyp wurde die Struktur *there is* + NP eingeführt. In der 4. Unterrichtswoche kam als 3. Satztyp hinzu: *You can* + V + NP + X. Hierbei war V zunächst auf das Verb *see* beschränkt. Auf der Basis dieser drei Satztypen konnte der Lehrer Fragen nach dem folgenden Muster stellen:

a) Is it a dog?
Yes, it is; no, it isn't.

b) Is there a dog in the room?
Yes, there is; no, there isn't.

c) Can you see a dog in the room?
Yes, I can; no, I can't.

Die Daten zeigen nun, daß die Schüler in ihren elliptischen Antworten aus dem Repertoire bereits eingeführter Strukturen einen anderen Satztyp als den in der Frage vorgegebenen benutzen:

(1) Lehrer: Is it a good dog?
Schüler: Yes, there is.

(2) Lehrer: Is it a stamp?
Schüler: No, there isn't.

(3) Lehrer: Is the door open?
Schüler: No, there isn't.

(4) Lehrer: Is it a good dog?
Schüler: Yes, I can't.

(5) Lehrer: Is it Mike's pencil-case?
Schüler: Yes, I can.

(6) Lehrer: Is there a flag in Peter's room?
Schüler: Yes, it is.

(7) Lehrer: Is there a book on the tray?
Schüler: No, he isn't.

(8) Lehrer: Is there a dog in his room?
Schüler: No, I can.

(9) Lehrer: Is there a bed in her room?
Schüler: No, I can't.

(10) Lehrer: Is there a board in the class-room?
Schüler: Yes, I can.

(11) Lehrer: Can you see a sofa in Peter's room?
Schüler: No, it is.

(12) Lehrer: Can you see a bed in Peter's room?
Schüler: Yes, there is.

(13) Lehrer: Can you see a vase in the room?
Schüler: No, there isn't.

Zunächst gilt festzuhalten, daß dieser Satztypenverwechslung keine erkennbare Systematik zugrundeliegt. Jeder Satztyp kann mit jedem anderen Satztyp verwechselt werden. Darüberhinaus treten Fehler in der Wahl positiver bzw. negativer elliptischer Nachsätze auf, über die bereits ausführlich im Zusammenhang mit der Negation berichtet wurde. Wie bereits angedeutet, beschränkt sich dieser Typ von Verwechslung auf die weitgehend in Antworten geforderten elliptischen Nachsätze. Dies bedeutet, daß im wesentlichen nur Antworten auf ja/nein-Fragen hiervon betroffen sind. Antwortet der Schüler mit einem vollen Satz auf eine ja/nein-Frage, bzw. antwortet er auf eine wh-Frage, so wurden – mit Ausnahme der folgenden zwei Äußerungen – derartige Verwechslungen nicht verzeichnet:

(14) Lehrer: What have you in your right hand?
Schüler: I am a girl.

(15) Lehrer: Is he wiping the board with a sponge
Schüler: No, he has a duster in his right hand.

Ich bin versucht, die Äußerung (14) der Klasse der *"pop, goes the weasel"*-Phänomene zuzuordnen (cf. Brown 1970: 79). Es sieht so aus, als habe der Schüler in dieser betreffenden Situation nicht auf die spezifische Frage des Lehrers geantwortet, sondern eine beliebige Äußerung aus seinem Satzrepertoire angeboten, um allein der Aufforderung einer verbalen Reaktion genüge zu tun. Ob die Äußerung (15) der gleichen Kategorie zuzurechnen ist, muß fraglich bleiben. Zwar handelt es sich nicht um die erwartete modellgerechte Antwort, dennoch läßt sich die Äußerung des Schülers aus der spezifischen Unterrichtssituation erklären. Geübt wurden in diesem Kontext zwei Satztypen, und zwar: *he/she is wiping the board with a sponge/duster* und *he/she has a duster/sponge in his/her right/left hand.* Diese beiden Satztypen wurden vom Lehrer als Fragen vorgegeben, wobei die Schüler jeweils mit einem entsprechenden Satz antworten sollten. Aus der Perspektive der Erwachsenensprache wäre die Antwort des Schülers pragmatisch/semantisch durchaus angemessen, wenn man sie etwa paraphrasieren wollte als *no, he is not wiping the board with a sponge, because he has a duster in his right hand.* Der Schüler verneint also die vorgegebene Frage und fügt hinzu, daß der Betreffende die Tafel nicht mit einem Schwamm auswischen kann, da er ja einen Lappen in der rechten Hand hält. Es ist jedoch zu bezweifeln, ob der Schüler in der Tat versuchte, einen derart relativ komplexen Sachverhalt zu äußern.

Im Vergleich zu den übrigen zu diesem Zeitpunkt angebotenen Verbalisierungen wäre dies eine herausragende Einzelleistung. Unter Berücksichtigung des Unterrichtsgeschehens scheint mir die Annahme plausibler, daß der Schüler auch hier einen Satz aus seinem Äußerungsrepertoire anbietet, der – und darin liegt die Modellabweichung – nicht unmittelbar auf die vorgegebene Satzstruktur rekurriert. Die

Frage erhebt sich, wie sich die geschilderten Modellabweichungen, i.e. der willkürliche Austausch von Satzmustern untereinander, in elliptischen Äußerungen erklären und in den Gesamtkontext der L2-sprachlichen Entwicklung einordnen lassen. Man könnte antworten, die Daten deuten daraufhin, daß die Schüler das betreffende Frage/Antwort-Muster noch nicht gemeistert haben. Dies ist sicherlich zutreffend; nur wird damit nicht mehr als eine Beschreibung des beobachteten Sachverhalts geliefert. Die Frage ist vielmehr: warum haben die Schüler ausgerechnet bei diesem Muster so erhebliche Lernschwierigkeiten?

Zunächst scheint mir die Annahme plausibel, daß die aufgeführten Satztypenverwechslungen in einer noch näher zu spezifizierenden Form auf *syntaktische* Dekodierungsschwierigkeiten bei den Schülern zurückzuführen sind. Die Schüler haben offensichtlich die syntaktischen Strukturverhältnisse der involvierten Sätze noch nicht hinreichend erkannt. Dies bedeutet nun keineswegs, daß die Schüler die betreffenden Strukturen in toto nicht verstehen. Im Gegenteil. Die zumeist kontextuell angemessenen Antworten *yes* bzw. *no* zeigen, daß sich die Schüler durchaus darüber im klaren sind, welche Information der Lehrer abverlangt. Was offenbar noch fehlt, ist die genaue Kenntnis der formalen Beziehungen, die diesen Sätzen zugrundeliegen. Die Schüler erkennen nicht den formalen Strukturunterschied zwischen *it is, there is, I can* und den entsprechenden Fragen.

Es handelt sich bei diesen Konstituentenabfolgen offensichtlich für den Schüler um irgendwelche Satzstrukturen, mit denen er nichts Rechtes anzufangen weiß. Unter pragmatischen Gesichtspunkten antwortet er jeweils modellgerecht mit *yes* bzw. *no;* was dann kommt, ist für den Schüler lediglich ein mehr oder minder unstrukturiertes Ganzes. Da er die syntaktische Struktur der elliptischen Nachsätze nicht durchschaut, ist es ihm auch nicht möglich, modellgerecht den syntaktischen Aufbau dieses Nachsatzes mit der vorangegangenen Frage zu korrelieren. Diese Deutung wird m.E. auch gestützt durch die Verwechslung zwischen positiven und negativen Nachsätzen, die bereits bei der Darstellung der Negation besprochen wurde. Aufgrund mangelnder Strukturkenntnis wählt der Schüler aus dem bislang gespeicherten Repertoire elliptischer Nachsätze einen beliebigen aus und stellt ihn der Antwort gegenüber. Dies mag grundsätzlich auch für solche Antworten gelten, die scheinbar modellgerecht sind. Da der Schüler in seinem Repertoire nur drei Typen von elliptischen Nachsätzen zur Verfügung hat, nämlich *it is, there is,* und *I can,* sowie deren negative Entsprechungen, ist die Chance, daß er sozusagen zufällig den im Sinne der Erwachsenensprache modellgerechten Antworttyp wählt, keineswegs gering.

Weiterhin stellt sich die Frage, ob sich die mangelnde Strukturkenntnis des Schülers auf die elliptischen Nachsätze beschränkt, oder ob ebenfalls die Frage des Lehrers nicht bzw. nur unzureichend in ihrer syntaktischen Struktur erkannt wird. Diese Frage ist auf der Basis des vorliegenden Datenmaterials kaum eindeutig zu beantworten. Ich vermute, daß die Schüler zumindest den Äquationalsatz sowie den *there is* . . . -Typ in ihrem strukturellen Aufbau weitgehend erkannt haben. Gleiches gilt jedoch wohl nicht für die Struktur *can you see* . . . , wie die folgenden Belege zeigen:

(16) Lehrer: Can you see her?
Schüler: Yes, can you see her?

(17) Lehrer: Can you see him?
Schüler: Yes, I can you see him.

Gerade dieser letzte Antworttyp ist besonders häufig belegt. Hier zeichnet sich ab, daß die Schüler bestimmte Äußerungstypen nicht auf der Grundlage grammatischer, d.h. syntaktischer Regeln dekodieren bzw. produzieren, sondern vielmehr vollständige Sätze oder auch längere Teile von Sätzen unanalysiert als Ganzes speichern und bei Bedarf abrufen. Da diese Sätze bzw. Teilsätze in ihrer syntaktischen Struktur nicht erkannt werden, haben die Schüler auch nicht die Möglichkeit, die strukturellen Beziehungen zwischen Frage- und Antwortsatz modellgerecht zu bestimmen. Wer die Struktur von *can you see* . . . oder *there is* . . .-Sätzen nicht erkannt hat, hat keine Orientierungshilfe zu entscheiden, ob der elliptische Nachsatz *it is, I can* oder *there is* sein muß. Er ist vielmehr darauf angewiesen, sich mehr oder minder dem Zufall preiszugeben, und eine beliebige Struktur aus seinem Repertoire abzurufen, in der Hoffnung, diese genüge den Anforderungen des Lehrers.

Daß Schüler in zahlreichen Fällen ohne zugrundeliegende Strukturerkenntnis Äußerungen reproduzieren und dabei nicht-analysierte Teilsätze als Ganzes anbieten, läßt sich auch aus den folgenden Daten erkennen:

(18) Lehrer: What is she doing?
Schüler: She is doing . . . nein . . . she is reading.

(19) Lehrer: What is he doing?
Schüler: He is doing back to his seat.

Wie Schüler Strukturen nicht nach grammatischen Regeln generieren, sondern vielmehr eingedrillte Satzpattern miteinander verbinden, zeigt sich auch an folgenden Äußerungen:

(20) Lehrer: How many boys can you see in the picture?
Schüler: I can see three boys are in the picture

(21) Lehrer: How many boys and girls are standing on the bridge?
Schüler: There are twelve boys and girls are standing on the bridge.

Was an diesen Strukturen als bemerkenswert gelten kann, ist weniger ihre Fehlerhaftigkeit selbst. Vielmehr zeigt sich bei der Produktion derartiger fehlerhafter Äußerungen – und darin unterscheiden sie sich von anderen Fehlern –, daß hier ein grundlegendes Prinzip freier kommunikationsgerichteter Sprachverwendung verletzt bzw. nicht angewandt wird: die Kreativität im Sinne der Chomsky'schen Sprachtheorie. Auch wer sich dieser Theorie nicht in vollem Umfange anschließen mag, wird doch kaum der grundlegenden Beobachtung widersprechen, daß Sprachverwendung in dem Sinne als kreativ zu bezeichnen ist, daß der Mensch aufgrund eines wie auch immer im einzelnen ausgestalteten Regelapparates (seiner Kompetenz) u.a. eine unbegrenzt große Zahl von Sätzen/Äußerungen dekodieren und produzieren kann. Unter diesem Aspekt ist Spracherwerb eben der Erwerb jener Kompetenz, die den *kreativen* Gebrauch von Sprache ermöglicht. Nun gilt auch für den (natürlichen) Spracherwerbsprozeß selbst, daß die jeweils erlangte Teilkompetenz einen kreativen Sprachgebrauch gestattet. Auch das Kleinkind, das seine Muttersprache erwirbt, kann – wenngleich in vergleichsweise beschränktem Maße – Sätze produzieren und dekodieren, die es noch nicht gehört hat. D.h. auch die kindliche Teilkompetenz führt nicht etwa zu einem Sprachgebrauch mittels Abrufens zuvor gespeicherter Äußerungen, sondern gestattet – ebenso wie beim Erwachsenen – eine kreative Erzeugung von Sprachstrukturen durch Regeln.

Betrachten wir unter diesem Aspekt die aufgeführten fehlerhaften Äußerungen der Schüler, so wird klar, daß sich in ihnen nicht etwa eine *kreative* Kompetenz äußert, indem nach erworbenen Regeln Äußerungen – und sei es auch fehlerhaft – generiert werden, sondern hier liegt offensichtlich ein gänzlich anderes Formationsprinzip zugrunde. Die Schüler haben offenbar in dem hier angesprochenen Bereich eine sehr begrenzte Zahl von Satzmustern bzw. konkreten Sätzen gespeichert, die dann auf Aufforderung des Lehrers abgerufen und miteinander verbunden werden. Sätze werden hier also nicht durch Regeln erzeugt, sondern nach einem vorgegebenen Schema reproduziert. Will man Krashens (1975) Dichotomie von *acquisition* und *learning* zugrundelegen, so würde dies auf den angesprochenen Problemkreis angewandt bedeuten, daß die Schüler nichts erworben, sondern bestenfalls gelernt habe. D.h. sie haben die Reproduzierbarkeit vorgegebener sprachlicher Strukturen erlernt, jedoch nicht Sprache erworben.

Mir scheint an dieser Stelle das behavioristische Lernprinzip bzw. Lehrprinzip des Fremdsprachenunterrichts voll durchzuschlagen. Hier geschieht nichts anderes, als daß die direkte Verknüpfung bestimmter Stimuli mit bestimmten Reaktionen eingedrillt wird. Mit Spracherwerb hat dies relativ wenig zu tun. Man kann vermuten, daß sich durch entsprechend intensiveres Üben die angestrebte modellgerechte Verbindung bei einem beschränkten Repertoire von nur drei Satztypen durchaus erreichen läßt. Die Frage ist, bis zu welcher Größenordnung dieses behavioristische Prinzip funktioniert. Es ist zu bezweifeln, daß langfristig auf Strukturerkenntnis im Sinne kreativer Kompetenz verzichtet werden kann.

Wie bereits im Zusammenhang mit entsprechenden Verwechslungen elliptischer Nachsätze im Bereich der Negation angedeutet wurde, meistern Kinder diese elliptischen Strukturen im natürlichen Spracherwerb erst zu einem relativ späten Zeitpunkt. Die modellgerechte Handhabung elliptischer Nachsätze setzt offensichtlich bestimmte andere Strukturerkenntnisse voraus. Nach der bislang verfügbaren Datenbasis scheint sich abzuzeichnen, daß elliptische Nachsätze erst dann erworben werden können, wenn entsprechende Vollsatzstrukturen bereits gemeistert sind. Handelt es sich hierbei um ein generelles Prinzip, so lassen sich dadurch auch die beobachteten Schwierigkeiten bei der Satztypenverwechslung erklären. Offensichtlich sind die strukturellen Voraussetzungen für die Handhabung elliptischer Nachsätze bei den Schülern noch nicht vorhanden. Möglicherweise fehlen darüberhinaus auch die Voraussetzungen für den Erwerb von Sätzen des Typs NP + Aux + V + X. Aus diesem Grunde sind die Schüler nicht in der Lage, die den elliptischen Nachsätzen zugrundeliegende Struktur zu erkennen.

Aufgrund des Unterrichtsdrucks sind sie natürlich nicht in der Lage, das zu tun, was natürliche Spracherwerber vermutlich tun würden: bei der Produktion auf elliptische Nachsätze vollständig zu verzichten. Die Schüler *müssen* in den Antwortsätzen Ellipsen verwenden. Hierbei zeigt es sich nun, daß sie unter diesem Druck weitgehend behavioristischen Prinzipien folgen. Da ihnen die notwendige Struktur*kenntnis* fehlt, speichern sie die entsprechenden Strukturen als Ganzes und rufen sie dann bei Bedarf ab. Der Konflikt wird also durch Reproduktion vorgegebener Stimuli gelöst. Es scheint, daß sich auf einer sehr rudimentären Ebene Verbalisierungen durchaus nach behavioristischen Prinzipien erlernen lassen, nur geschieht dies auf Kosten des Erlangens einer *kreativen* Kompetenz.

Die These, die unanalysierte Speicherung vollständiger Sätze, bzw. komplexer Satzteile sei direkt auf die behavioristischen Prinzipien des Fremdsprachenunterrichts zurückzuführen, muß allerdings eingeschränkt werden. Speicherungen ganzer Sätze oder längerer Satzteile sind auch im natürlichen Spracherwerb nicht unbekannt.

Vor allem im natürlichen *Zweit*sprachenerwerb scheinen sie in bestimmten Entwicklungsphasen besonders häufig zu sein, während sie im Muttersprachenerwerb vermutlich nur eine geringere Rolle spielen. Huang (1971) beobachtete bei dem 5-jährigen Taiwanesen Paul, der Englisch als L2 unter natürlichen Bedingungen erwarb, bereits in den ersten Wochen der sprachlichen Entwicklung eine Reihe modellgerechter Sätze, deren relativ hoher Komplexitätsgrad Pauls übrige Sprachkompetenz bei weitem zu übersteigen schien:

(22) Get out of here.
(23) It's time to eat and drink.
(24) Don't do that.
(25) Are you ready?

Huang charakterisiert diese Äußerungen als *sentence imitation* und schreibt:

> "It is likely that he learns such a string of sounds as a whole unit, and knows very little about its internal structure, but considerably more about the situations where it can be said. It seems reasonable to say that Paul, at his earliest stage of second language learning, was able to imitate as well as first language learners, or even to imitate better because of his greater physical and mental maturity." (S. 16)

Paul scheint in dieser Beziehung kein Sonderfall zu sein, entsprechende Typen von Satzimitationen finden sich auch in anderen Datensammlungen (cf. Ravem 1974, Felix 1978b). Während derartige Satzimitationen unbestreitbar in den frühen Phasen des natürlichen L2-Erwerbs auftreten, ist die Frage, welche Funktion sie im Lernprozeß übernehmen, noch unklar. L. Fillmore (1976) vertritt die Auffassung, daß sämtliche Satzstrukturen zunächst über einen Satzimitationsphase erlernt werden:

> "Instead of learning grammatical rules first and then generating sentences based on them, it was found that the learner, largely by imitation, adopts some ways of speaking first; next, he figures out the principles by which the utterances he already knows how to use are structured; and only after that, he begins to create novel utterances of his own." (S. vii)

Fillmores Beobachtungen deuten daraufhin, daß die Lerner zunächst einen "formulaic sentence frame" aufgreifen, den sie stereotyp verwenden, und mit beliebigen weiteren Konstituenten verbinden. Hierzu zwei weitere Beispiele aus Fillmores Dissertation:

I got it marble.	Gimme dese.
I got it champion.	Gimme dese one.
I got it here.	Gimme one for dese.
I got it you.	Gimme you telephone.
I got it me.	Gimme see dese.
I no got it.	Gimme have da Indian.

M.E. ist die Evidenz für Fillmores These nicht ganz so eindeutig. Vor allem ist zweifelhaft, ob tatsächlich sämtliche Sprachstrukturen generell zuerst in Satzimitationen auftreten, bevor die Kinder sie nach produktiven Regeln erzeugen. Wenngleich das Vorhandensein stereotyper, formelähnlicher Äußerungen in den frühen Phasen des L2-Erwerbs nicht zu leugnen ist, so scheint mir Fillmore jedoch deren Bedeutung und Stellenwert im Erwerbsprozeß überzubetonen. Insbesondere bleiben Fillmores Kriterien unklar, nach denen sie "formulaic sentence frames" und regelproduktive Bildungen unterscheidet. Letztlich scheint alles als formelhaft qualifizierbar zu sein, was mit hinreichender Häufigkeit auftritt. Da die Sprache von L2-Erwerbern naturgemäß in den frühen Stadien arm an Variationen ist, verbirgt sich hinter jeder Konstituentengruppe eine potentielle Formel im Fillmore'schen Sinne. Dadurch, daß etwa ein Ausdruck wie *gimme* als "formulaic sentence frame" klassifiziert wird, besteht aber die Gefahr, die Leistung des Kindes im Bereich der Strukturerkenntnis zu verschleiern.

Wenngleich *gimme* für das Kind offenbar *eine* Konstituente mit einer vom Erwachsenenmodell abweichenden Bedeutung ist, so zeigen die obigen Beispiele doch durchaus Gesetzmäßigkeiten in ihrer Bildung, die kaum als formelhafte Übernahmen aus der Zielsprache erklärbar sind.

Unabhängig von ihrem Stellenwert im Gesamterwerbsprozeß zeigen die Satzimitationen oder stereotypen Bildungen im natürlichen L2-Erwerb grundsätzlich andere Merkmale als die entsprechenden Beispiele der Fremdsprachenschüler. Satzimitationen im natürlichen Spracherwerb scheinen dadurch zustande zu kommen, daß der Lernende eine bestimmte Situation mit einer in dieser Situation gehörten Äußerung assoziiert. Diese Äußerung wird in ihrer Gesamtheit gespeichert und sodann abgerufen, sobald die entsprechende Situation erneut auftritt. Satzimitierungen entstehen somit aus einer weitgehend konstanten Verbindung Situation/Verbalisierung. Vergleichbares läßt sich jedoch kaum für die Fremdsprachenschüler postulieren. Eine kommunikative Situation wie im natürlichen L2-Erwerb, mit der eine bestimmte Äußerung assoziiert werden könnte, ist nicht vorhanden. Die Fremdsprachenschüler speichern Strukturen wie *can you see . . .* oder *yes, it is* nicht etwa in Verbindung mit einer speziellen Situation oder Handlung, sondern sie greifen diese Äußerungen auf, weil der Lehrer dies fordert. Stereotype Bildungen im Fremdsprachenunterricht scheinen in keiner erkennbaren Form kommunikative Funktionen zu übernehmen. Während im natürlichen Spracherwerb die Satzimitation offensichtlich ein erstes, möglicherweise vorbereitendes Stadium zur Strukturerkenntnis ist, läßt sich diese Funktion für den Fremdsprachenunterricht nicht postulieren. Vielmehr scheint im Fremdsprachenunterricht die Speicherung von Sätzen bzw. Teilsätzen eine Ausweichstrategie zu sein, die gewählt wird, um den Anforderungen des Lehrers zu genügen, und die der Strukturerkenntnis kaum förderlich ist.

22. Personalpronomina

Wenngleich die Datenlage nicht ganz eindeutig ist, scheinen Personalpronomina im Muttersprachenerwerb einem relativ späten Entwicklungsstadium anzugehören, während sie im natürlichen Zweitsprachenerwerb bereits sehr früh auftreten. Bei der Analyse des deutschen L2-Erwerbs durch englische Kinder (cf. Felix 1978b) fiel auf, daß die Kinder mit Hilfe von Personalpronomina gerade in den Anfangsphasen ihren mangelnden nominalen Wortschatz kompensierten.

Im Bereich der Personalpronomina lassen die Daten zum Fremdsprachenunterricht zwei Typen von entwicklungsspezifischen Phänomenen erkennen. Zunächst ergaben sich dadurch fehlerhafte Bildungen, daß die Schüler die verschiedenen Personalpronomina unzureichend nach Genus und Kasus differenzierten. Darüberhinaus zeichneten sich Gesetzmäßigkeiten ab, die darauf hindeuten, daß die Schüler den Gebrauch von Personalpronomina nach Möglichkeit vermieden. Derartige *avoidance strategies* sind in der psycholinguistischen Litersatur hinreichend bekannt (cf. Schachter 1974, Kleinmann 1978).

In der frühen Lernphase (ab der 2. Unterrichtswoche) wurden die Schüler mit folgenden Personalpronomina konfrontiert: *I, you, he, she, it, his, her, my* und *your.* Die Daten zeigen nun, daß die Schüler zunächst diese verschiedenen Personalpronomina verwechseln. Wenngleich nicht alle mathematisch denkbaren Verwechslungsmöglichkeiten belegt sind, so zeichnet sich doch ab, daß grundsätzlich jedes Personalpronomen durch jedes andere Personalpronomen ersetzt werden kann. Im Bereich der Personalpronomina in Subjektposition treten folgende Verwechslungen auf:

(1) Lehrer: Is he in London?
Schüler: Yes, it is.

(2) Lehrer: Are you a girl?
Schüler: No, he is a boy. (I am)

(3) Schüler: Is she sitting? (he)
Schüler: No, he is a girl.

(4) Schüler: He has a pointer in her hand. (she)

(5) Lehrer: Is there a seat for Mrs. Turner?
Schüler: Yes, there is; you can sit here.

(6) Lehrer: Where is Sönke sitting?
Schüler: I am sitting . . . (he is)

Um die Vielfalt der auftretenden Verwechslungen zu illustrieren, seien hier einige typische Beispiele aufgeführt. Die Angaben in Klammern beziehen sich auf die verbale Intention der Schüler:

(7) He am a boy. (I)
(8) She is a dog. (It's her dog.)
(9) That's she dog? (her)
(10) Lehrer: Is Peggy standing?
Schüler: Yes, her is.

(11) Lehrer: Is there a seat for Dolly?
Schüler: No, there isn't, her must stand.

(12) I can see he.

(13) No, it's he cat.

(14) Lehrer: Where is Susan?
Schüler: He is in her room.

(15) Peter has a pen in her hand.

(16) It's you purse.

(17) There is a boy; her name is Peter . . . he name is Peter . . . she name is Peter . . . his name is Peter.

(18) She has a duster in his right hand.

(19) Lehrer: Is it my purse?
Schüler: Yes, it's her purse.

(20) I am going to your seat. (my)

(21) She have got eight button on his coat.

(22) I have got no button on her pullover.

(23) Lehrer: Are they waiting for a bus?
Schüler: No, I waiting for a taxi. (they)

(24) Has you got an egg on his tray?

(25) The stewardess is giving Bill your tray. (his)

(26) Lehrer: Can you sing an English song?
Schüler: Yes, he can't.

Daß Pronomina miteinander verwechselt werden, ist sicherlich nicht verwunderlich, dennoch erstaunt die Beliebigkeit, mit der Pronomina durcheinander ersetzt werden. Die Schüler differenzieren die verschiedenen Nomina weder nach Genus, noch nach Person vs. Possessor, noch nach ihrer syntaktischen Funktion. Prinzipiell kann jedes Pronomen jede Pronominalfunktion übernehmen. Pronomina zeigen daher in dieser frühen Phase nur ein einziges Merkmal, und zwar [+ Pronomen]. Diese Situation hält unverändert über die ersten vier Unterrichtsmonate an. Danach werden diese Verwechslungen plötzlich relativ seltener. Im 5. Unterrichtsmonat verzeichnen wir nur noch 11 Belege für Pronominalverwechslungen, im 6. Monat einen einzigen Beleg und zwar: Lehrer: *Can they help their mother?* Schüler: *Yes, she can.* Danach treten Pronominalverwechslungen nicht mehr auf. Aus diesen Beobachtungen ergibt sich, daß die Zahl der Verwechslungen keineswegs allmählich abnimmt, etwa als Folge intensiven Übens. Im Gegenteil. Während der ersten vier Monate bleibt die Zahl der Verwechslungen – projiziert auf die Gesamtzahl der Schüleräußerungen – weitgehend konstant. Im 5. Unterrichtsmonat sinkt die Zahl der Verwechslungen etwa auf die Hälfte ab, um danach nur noch sehr selten aufzutreten.

Während der gesamten Zeit wurde der Gebrauch der Pronomina gleichermaßen intensiv geübt. Dennoch hatte dieses Üben offenbar während vier Monaten kein erkennbares Resultat. Vielmehr erledigt sich der Fehler zu einem bestimmten Zeitpunkt quasi wie von selbst. Dies legt die Vermutung nahe, daß der Erwerb der Pronomina nicht etwa von der Intensität des Übens abhängt, sondern daß erst nach ca. 4–5 Monaten die Voraussetzungen für den erfolgreichen Erwerb gegeben sind. Welcher Art diese Voraussetzungen sind, wird im einzelnen empirisch nachzuweisen sein.

Verwechslungen im pronominalen Bereich sind auch aus dem natürlichen L2-Erwerb bekannt, wenngleich nicht in dieser extremen Form. In den einschlägigen L2-Erwerbsstudien finden sich fast überall in mehr oder minder ausführlicher Form Parallelbeispiele zu den genannten Verwechslungen. L. Fillmore (1976: 192/238) führt die folgenden Äußerungen an:

(27) She's finish she milk.
(28) Las hijas, she's finish she milk.
(29) She's drinking you milk. (= her)
(30) Father feeding she cat. (= his)

Die Datenlage bei Fillmore weicht insofern von unserem Unterrichtsmaterial ab, als das Kind, von dem die obigen Äußerungen stammen, in einer frühen Erwerbsphase ausschließlich das Morphem *she* in allen pronominalen Funktionen verwendete. Eine derart krasse Form der Übergeneralisierung läßt sich für die Fremdsprachenschüler nicht nachweisen. Ob Schüler übergeneralisieren oder vielmehr Pronomina beliebig gegeneinander austauschen, läßt sich anhand unseres Datenmaterials nicht eindeutig bestimmen.

Überlagert wird das Problem der Pronominalverwechslungen von der Tatsache, daß die Schüler den Gebrauch von Pronomina, soweit es ihre Möglichkeiten zuließen, zu vermeiden versuchten. Hier zeichnete sich eine *avoidance strategy* ab, wie sie bereits für die Phonologie von Ferguson & Farwell (1973) und für die Syntax von Kleinmann (1978) beschrieben wurde. In den frühen Unterrichtsstunden wurden die Schüler systematisch vom Lehrer aufgefordert, in bestimmten Äußerungen Nomina durch Pronomen zu ersetzen. Produzierte ein Schüler etwa den Satz *Peter is in the room,* so fragte der Lehrer in der Regel "Was kann man noch sagen?" mit der Implikation, der Schüler solle *he is in the room* produzieren. Diese Aufforderungen, Nomina durch Pronomina zu ersetzen, erfolgten durchweg regelmäßig und mit klarer didaktischer Zielsetzung. Abgesehen von den bereits erwähnten Verwechslungen fanden die Schüler keine erkennbaren Schwierigkeiten in der Substitution von Nomina durch Pronomina. Dies erscheint in der Tat nicht weiter verwunderlich, da die Schüler das gleiche Prinzip auch aus ihrer Muttersprache kennen.

Bemerkenswert ist jedoch, daß die Schüler in den ersten Monaten stets zum Gebrauch der Pronomina *aufgefordert* werden mußten; von sich aus verwendeten sie Pronomina mit einigen wenigen Ausnahmen nicht. Diese Tendenz, Pronomina zu vermeiden und stattdessen Nomina zu setzen, wurde besonders in solchen – relativ seltenen – Unterrichtssituationen deutlich, in denen die Schüler Gelegenheit erhielten, semi-spontan Gegenstände bzw. Sachverhalte zu beschreiben. So sollten die Kinder etwa ein Bild im Lehrbuch beschreiben, in dem ein Junge (Peter) am Schreibtisch saß. In dem Zimmer waren verschiedene Gegenstände verstreut, die von den Kindern zu benennen waren. Ausgehend von dieser Situation benutzten die Schüler in ihren semi-spontanen Äußerungen stets die Formulierung *there is an X in Peter's room.* Spontan ersetzten die Kinder nie *Peter's room* durch *his room;* lediglich wenn der Lehrer dazu aufforderte, wurde das Pronomen gewählt. Das gleiche gilt für die Beschreibung verschiedener Handlungen ein und derselben Person. So kamen etwa Folgen zustande wie *Peter is in the room, Peter is doing his homework, Peter is looking out of the window, Peter is writing, Peter is reading,* etc.

Die aus der Sicht der Erwachsenensprache naheliegende Ersetzung von *Peter* durch *he* fand in den spontanen Äußerungen nicht statt. Soweit die Möglichkeit gegeben war, hielten sich die Schüler an die Nomina und vermieden Pronomina. Das systematische Vermeiden von Pronomina zugunsten eines verstärkten Gebrauchs von Nomina scheint keineswegs ein typisches Phänomen des Fremdsprachenunterrichts zu sein. In ihrer naturalistischen L2-Erwerbsstudie berichtet Fillmore (1976: 204) über ein vergleichbares Verhalten der von ihr untersuchten spanisch-sprechenden Kinder:

> "... although the sentences were modeled with pronominalized subjects as well as with fully specified noun phrases as subjects, all but one of the 5 children avoided the use of pronouns as subjects in their non-imitated sentences, although they did use them in imitated ones. Either the children switched to a fully specified noun phrase in the non-imitated sentences or they simply added a noun phrase, as in the following performance by Juan:
>
> Observer: This is the mother and this is the girl. They're making cookies.
> Juan: They're making cookies.
> Observer: Fine. This one now.
> Juan: Mother and boy they're making cookies. Father and girl the making cookies. Father and boy they making cookies.
> Observer: ¿Qué quiere decir "Father and boy they making cookies"?
> Juan: Están haciendo cookies."

Die Parallelität in der Datenlage ist in der Tat verblüffend. Sowohl Fillmores spanische Kinder, als auch unsere Fremdsprachenschüler sind durchaus in der Lage, Pronomina zu verwenden. Allerdings offenbar nur auf ausdrückliche Aufforderung. Diese Aufforderung ergibt sich bei Fillmore aus den Imitationstests, im Fremdsprachenunterricht aus der Aufgabenstellung des Lehrers. Sobald der Aufforderungsdruck nicht vorhanden ist, vermeiden Schüler wie natürliche L2-Erwerber den Gebrauch der Pronomina und greifen auf nominale Ausdrücke zurück.

Eine weitergehende Analyse des Datenmaterials zum Fremdsprachenunterricht zeigt, daß – soweit spontane Substitutionen stattfanden – diese stets in Richtung auf Nomina geschahen. In der Regel orientierten sich die Schüler an der Vorlage des Lehrers. Enthielt die Frage oder Aufforderung des Lehrers ein Nomen, so benutzten auch die Schüler in der Antwort ein Nomen; enthielt die Äußerung des Lehrers ein Pronomen, so benutzten auch die Schüler zumeist in der Antwort ein Pronomen. Hier zeigt sich ein weitgehend imitatives Verhalten. Wenn die Kinder jedoch von der Lehreräußerung abwichen, so stets in dem Sinne, daß sie eine pronominale Vorgabe in der Lehreräußerung durch ein Nomen ersetzten. Verwendete der Lehrer also ein Pronomen, so enthielt die Schülerantwort oftmals ein Nomen. Der umgekehrte Fall trat jedoch nicht auf. Auf eine nominale Vorgabe des Lehrers reagierten die Schüler in den ersten Monaten nie mit einem Pronomen. Dieser Sachverhalt gilt etwa für die ersten 10–12 Unterrichtswochen. Er unterstreicht die Tendenz der Schüler, nach Möglichkeit in spontanen oder semi-spontanen Äußerungen auf Pronomina zu verzichten.

In der Regel hat die Wahl Nomen oder Pronomen für die Grammatikalität des Satzes keine Konsequenzen. Bestenfalls ist die Stilistik hiervon berührt. Nur in einigen Fällen führt die Bevorzugung des Nomens gegenüber dem Pronomen in der Tat zu einer im Sinne der Intention ungrammatischen Äußerung. Hierzu sei ein Dialog aus der 5. Unterrichtswoche angeführt. Trotz seiner Länge ist dieser Dialog in vollem Umfange wiedergegeben, um die didaktische Konzeption des Lehrers zu verdeutlichen. Die entscheidende Äußerung tritt am Ende des Dialogs auf und ist unterstrichen:

(31) Lehrer: Now, please, go to the board and wipe the board. Tim!
What are you doing now?

Tim: I am going . . . to . . . the board.
Lehrer: . . . to the board and what are you doing now?
Tim: I am wiping the board.
Lehrer: What is he doing? What is he doing?
Claudia!
Claudia: He is wiping the board.
Lehrer: He is wiping the board. That's fine. Now, please, go back to your seat. Go back to your seat. That's your seat. Go back to your seat. What are you doing?
Tim: I am getting . . .
Lehrer: . . . going . . .
Tim: . . . going back to your seat.
Lehrer: No, it's not my seat, go back to your seat.
Tim: Go back . . .
Lehrer: Say it again. I am going back to my seat.
Tim: I am going back to my seat.
Lehrer: What is he doing? Lars!
Lars: He is getting . . .
Lehrer: No, he is going . . .
Lars: He is going back to your seat.
Lehrer: No, it's not my seat.
He is going back to . . .
Lars: He is going back to Tim's seat.
Lehrer: Lars, du solltest lieber aufpassen.
He is going back to . . .
Lars: Tim's seat. He is going back . . .
Lehrer: Nein. His seat. Once more, please, Lars.
Lars: He is going seat back . . . he is back seat . . . he is going back . . . back to his seat.

Dieser Dialog illustriert auf sehr anschauliche Weise die Schwierigkeiten, mit denen die Schüler beim Umgang mit den Pronomina zu kämpfen haben.

Die direkte Vorgabe des Lehrers *I am going back to my seat* kann Tim korrekt imitieren, an der eigenständigen Setzung der Pronomina scheitert er ebenso wie sein Mitschüler Lars. Der Satz *he is going back to Tim's seat* selbst ist oberflächlich zweifellos korrekt. Nur stimmt er nicht mit der Intention des Schülers überein. In der vorgelegten Äußerung müssen sich nach der Syntax des Englischen *he* und *Tim* auf zwei verschiedene Personen beziehen. Dies soll jedoch gerade nicht ausgesagt werden, vielmehr sollen das Subjekt des Satzes und der Possessor von *seat* sich auf die gleiche Person beziehen. Dies erfordert jedoch im Englischen die Struktur *Tim is going back to his seat.* Es sei bemerkt, daß diese Regel gleichermaßen für das Deutsche gilt; die Schüler haben es also keineswegs mit einer Besonderheit des Englischen zu tun. Wie entsteht nun diese fehlerhafte Äußerung? Der Teilsatz *he is going back* ist vorgegeben; der Schüler übernimmt ihn direkt vom Lehrer. Nach den Regeln des Englischen müßte nun vor *seat* obligatorisch das Possessivpronomen *his* erscheinen; jedoch zeigen die Kinder die Tendenz, nach Möglichkeit Nomina statt Pronomina zu setzen. Dementsprechend verwendet Lars das Nomen *Tim* anstatt des korrekten Possesivpronomens *his.* Aus der Reaktion des Schülers läßt sich schließen, daß ihm in keiner Weise klar ist, worin sein Fehler eigentlich besteht. Auch auf den Hinweis *Du solltest lieber aufpassen* wiederholt der Schüler nochmals *Tim's seat.* Die in diesem Falle syntaktisch signifikante Unterscheidung zwischen Nomen und Pronomen scheint ihm in keiner Form einzuleuchten. Die erneute Ermahnung des Lehrers führt nicht etwa direkt zur Produktion des modellgerechten Satzes, sondern der Schüler scheint nunmehr völlig verwirrt zu sein und versucht mehr oder minder verzweifelt, in dem letzten zitierten Satz die einzelnen Konstituenten, deren Relation er offensichtlich nicht versteht, in irgendeiner Form in die richtige Reihenfolge zu bringen.

Was mir am Erwerb der Pronomina als besonders wichtig erscheint, ist, daß man bei der Betrachtung fremdsprachenunterrichtlicher Lernprozesse sich nicht nur auf die Analyse von Fehlern beschränken sollte. Das Phänomen der Vermeidung von Personalpronomina führt – mit Ausnahme des soeben zitierten Beispiels – in der Regel nicht zu fehlerhaften Bildungen. Dennoch stoßen wir hier auf eine signifikante Gesetzmäßigkeit des Erwerbs. Dieser Umstand verdeutlicht vor allem die Notwendigkeit, den Fremdsprachenunterricht über einen längeren Zeitraum ausführlich zu beobachten. Allein zu einem bestimmten Zeitpunkt durch Tests erhobene Äußerungen vermögen zahlreiche Gesetzmäßigkeiten des Lernprozesses nicht zu erfassen. Vor allem sollte auch vor der Analyse isolierter Äußerungen gewarnt werden. Der Satz *he is going back to Tim's seat* ist in seiner Bedeutung nur auf dem Kontext der gesamten sprachlichen Entwicklung der Schüler zu verstehen. Eine reine auf das Einzelbeispiel abzielende Fehleranalyse kann diesen Regularitäten nicht beikommen.

23. Interferenz

Der aufmerksame Beobachter mag sich darüber wundern, daß in der bisherigen Datenanalyse das bekannte Phänomen der Interferenz kaum gewürdigt wurde. Jeder erfahrene Fremdsprachenlehrer weiß, daß die Übertragung muttersprachlicher Strukturen auf L2-Produktionen eines der wesentlichen Lehrprobleme darstellt. Sollten die von uns beobachteten Fremdsprachenschüler außergewöhnliche Lerner sein, die auf einen L1-Transfer völlig verzichteten?

Während in den 60er Jahren bei Diskussionen um den Fremdsprachenunterricht die Interferenz eine beherrschende Stellung einnahm, ist in jüngerer Zeit die gängige Auffassung über den Stellenwert der Interferenz im Lernprozeß in Zweifel gezogen worden. Maßgeblich beteiligt an dieser Neueinschätzung sind u.a. Dulay & Burt (1974a), die bei einer syntaktischen Analyse von Äußerungen englischer L2-Erwerber (mit Spanisch als L1) nur 4,7% der Fehler auf muttersprachliche Interferenz zurückführen konnten. Im Zusammenhang mit dem natürlichen L2-Erwerb des Deutschen habe ich an anderer Stelle (Felix 1980a) zu zeigen versucht, daß syntaktische Interferenzen im Erwerbsprozeß nur eine untergeordnete Rolle spielen. Insgesamt deuten die derzeit verfügbaren empirischen L2-Studien darauf hin, daß in der Vergangenheit die Rolle der Interferenz im Verhältnis zu anderen Fehlerquellen bei weitem überschätzt wurde. Ist die Interferenz also eine Fiktion? Sicherlich nicht. L. Fillmore (1976) weist zu Recht darauf hin, daß verschiedene Autoren den Begriff ‚Interferenz' unterschiedlich eng fassen. Fillmore gibt an, daß "the principal reason for Dulay & Burt's failure to find evidence of first language interference in their data can be seen in their extremely narrow definition of interference. To them, interference takes the form of word-for-word translation. Apparently only sentences which were clear cases of second language lexicon in first language structures counted as instances of interference." (S. 31)

Nun wird von niemandem bestritten, daß das Erlernen einer zweiten Sprache stets auf dem Hintergrund der Muttersprache erfolgt. Es wäre verwunderlich und entgegen aller Erfahrung und Intuition, wollte man annehmen, daß L2-Erwerber – sei es in natürlichen Erwerbssituationen oder im Fremdsprachenunterricht – ihre muttersprachlichen Kenntnisse völlig vergessen bzw. sozusagen "abstellen" und die Zielsprache unter den gleichen linguistisch-kognitiven Voraussetzungen angehen wie das Kleinkind seine Muttersprache. In der Tat liegt ausreichende Evidenz dafür vor, wie sich die Muttersprache bzw. die muttersprachlichen Kenntnisse im Verlauf des L2-sprachlichen Lernprozesses abbilden. Nur muß dies nicht notwendigerweise durch direkten Transfer von L1-Strukturen auf L2-Produktionen geschehen. Es gibt weitaus subtilere und abstraktere Beeinflussungen. In Felix (1978b) habe ich versucht zu zeigen, wie die vom Muttersprachenerwerb abweichenden Anfangsphasen des natürlichen L2-Erwerbs ein direkter Reflex linguistischen Vorwissens auf seiten der Lerner sind. Konkret: die muttersprachlichen Kenntnisse des L2-Erwerbers gestatten ihm, die für den L1-Erwerb typische präsyntaktische Phase zu überspringen.

L. Fillmore hält der Position von Dulay & Burt entgegen:

> "By Dulay & Burt's arguments we would predict that one could not guess at the first language backgrounds of second language learners from their speech; Yet this is obviously not true. Even among second language learners as young as 5 years of age, it is possible to tell from a sample of recently acquired English whether their first language is French, Cantonese, Spanish or German. It is possibly true that there is not much of the word-for-word translation type of interference thought of by Dulay & Burt; but it is equally true that first language interference is a problem even for young second language learners – at least for a time." (p. 31/32)

Nun ist Fillmores Argumentation allerdings so global, daß damit wenig ausgesagt und schon gar nicht die Position von Dulay & Burt widerlegt wird. Für den mehr oder minder geschulten Hörer reichen in der Regel einige wenige "typische" Fehlleistungen aus, um einen L2-Sprecher als *non-native speaker* zu identifizieren und möglicherweise Rückschlüsse auf seine L1 zu gestatten. Man denke an die vielen Amerikaner, die sich trotz sonst hervorragender Deutschkenntnisse nicht von ihrem retroflexen /r/ trennen mögen. Dulay & Burt behaupten nun jedoch keineswegs, daß Interferenz im L2-Erwerb überhaupt nicht vorkomme, sondern lediglich, daß Interferenzen im Verhältnis zu anderen Fehlertypen eine marginale Rolle einnehmen. Dennoch scheint mir auch diese Position angesichts des umfangreichen verfügbaren Datenmaterials nicht unproblematisch zu sein. Fast alle mir bekannten L2-Erwerbsstudien liefern Beispiele für tatsächliche oder vermeintliche Interferenz (cf. Felix 1980a), wenngleich in unterschiedlichem Umfange. Es scheint mir zunächst notwendig, bei der Diskussion um Interferenz zwischen verschiedenen sprachlichen Ebenen zu unterscheiden. Soweit erkennbar, treten Interferenzen auf der phonologischen Ebene weitaus häufiger als auf der syntaktischen auf. Im Gegensatz dazu sind morphologische Fehlleistungen zwar auch für fortgeschrittene Erwerber typisch, gehen jedoch ausgesprochen selten auf Interferenzen zurück; wohl nur dann, wenn die Morphologie der involvierten Sprachen sehr ähnlich ist. So führen etwa das spanische Paradigma *yo cantaba, tu cantabas, él cantaba* und das italienische Paradigma *io cantavo, tu cantavi, lui cantava* vielfach zu Interferenzen im Bereich der ersten Person. Aufgrund der Ähnlichkeit dieser Paradigmata sind Spanier häufig versucht, *io cantava* zu sagen, während Italiener im Spanischen *yo cantabo* verwenden.

Wenngleich allgemein Übereinstimmung darüber besteht, daß das linguistische Vorwissen aus L1 Einfluß auf den Verlauf des L2-Erwerbsprozesses nimmt, so erscheint es mir kaum sinnvoll, den Begriff der Interferenz entsprechend Fillmores Anregung auf jede L1-L2-Beeinflussung auszudehnen. Nach meiner Kenntnis der Dinge wird im Rahmen der Sprachlehrforschung und Fremdsprachendidaktik der Begriff 'Interferenz' eher enger gefaßt und weitgehend auf solche Phänomene beschränkt, bei denen L2-sprachliche Produktionen erkennbar nach L1-sprachlichen Strukturregeln gebildet werden. So würde sicherlich die Äußerung eines deutschen Schülers *he goes not to school* als klarer Fall von Interferenz identifiziert, weil hier offensichtlich eine syntaktische Strukturregel des Deutschen im Englischen angewandt wurde. Demgegenüber würde man nach landläufiger Auffassung die Verwechslung primärer Fragewörter wie z.B. *where, why, when* etc. (cf. Felix 1976b) kaum dem Typ der Interferenzerscheinungen zuordnen, da ihnen kein entsprechender Strukturunterschied im Englischen und Deutschen zugrundeliegt. Dennoch läßt sich nachweisen (cf. Felix 1976b, 1978b), daß diese für den L2-Erwerb typischen Verwechslungen auf linguistisches Vorwissen in L1 zurückgehen. Interferenzen werden üblicherweise als Übertragung konkreter Strukturregeln von L1 auf L2 interpretiert, nicht jedoch als durch L1-Kenntnisse bedingte Veränderungen der linguistisch-kognitiven Voraussetzungen und deren Ausweitungen im L2-Erwerb. Diese relativ enge Definition von Interferenz scheint mir auch durchaus sinnvoll, da sich hierdurch offensichtlich unterschiedliche Lernphänomene abgrenzen lassen.

Entscheidend scheint mir vor allem zu sein, daß der Begriff 'Interferenz' weniger eine vergleichende Strukturbeschreibung, sondern vielmehr eine Aussage über bestimmte Lernstrategien impliziert.

Interferenz bedeutet eine spezifische Charakterisierung des Lerners in bezug auf bestimmte Verbalisierungen. Interferenz impliziert, daß sich der Lernende bei der Produktion einer Äußerung nicht am L2-, sondern am L1-Modell orientiert hat. Dennoch werden diese Aussagen über Lernstrategien in der Mehrzahl der Fälle allein auf den deskriptiven Vergleich vorliegender Äußerungen gegründet. Bereits in Felix (1980a) habe ich davor gewarnt, von einer strukturellen Parallelität zwischen L2-Äußerung und L1-Regel automatisch auf Interferenz zu schließen. Vieles, was auf den ersten Blick wie Interferenz aussieht, ist auf weitaus allgemeinere Verarbeitungsmechanismen zurückzuführen. Besonders deutlich läßt sich dies an der bereits erwähnten Äußerung *he doesn't his homework* illustrieren. Isoliert betrachtet, scheint dieser Satz ein deutliches Beispiel für Interferenz zu sein. Das Negativmorphem *not* folgt in seiner kontrahierten Form dem Vollverb *does.* Da die Negationstruktur V + Neg typisch für das Deutsche ist, ist man versucht anzunehmen, daß der Schüler hier eine deutsche Strukturregel auf das Englische übertragen hat. Eine genauere Analyse des Lernverlaufes und die Einbeziehungen weiterer Strukturen zeigt jedoch, daß Interferenz hier vermutlich nicht im Spiel ist. Was an dieser Äußerung falsch ist, ist nicht die Position des Negativmorphems, sondern das Fehlen des Vollverbs *do.* Die übrigen fehlerhaften Äußerungen aus dieser

Lernphase zeigen, daß die Schüler die Form *doesn't* zu diesem Zeitpunkt noch nicht als bi-morphematisch, d.h. *does + not* erkannt haben, sondern sie vielmehr als ein monomorphematisches Negativmorphem werten.

Die beherrschende Stellung der Interferenz in der fremdsprachendidaktischen Literatur scheint mir weniger darauf zurückzugehen, daß L1-Transfer nachgewiesenermaßen das entscheidende Lernproblem darstellt. Vielmehr lassen sich Interferenzen besonders einfach als Fehlererklärung anbieten. Der offenkundige Anklang an die behavioristische Lerntheorie vermittelt darüber hinaus das Gefühl, einen Fehler psychologisch gedeutet und somit an der Wurzel erfaßt zu haben. Wird ein Lehrer mit einer Schüleräußerung wie z.B. *there are eight lamp in class-room,* konfrontiert, so kann er kaum mehr als konstatieren, daß der Schüler eine fehlerhafte Struktur produziert und somit das erforderliche Strukturprinzip noch nicht erkannt hat. Warum der Schüler just jenen Fehler zu dieser Zeit gemacht hat, bleibt zunächst unerklärlich. Anders hingegen bei der Interferenz. Produziert ein Schüler z.B. *goes she shopping?,* so kann der Lehrer nicht nur feststellen, daß der Schüler einen Fehler gemacht und das Prinzip der englischen Fragebildung noch nicht erkannt hat, sondern er kann gleichzeitig eine Erklärung für diesen spezifischen Lernfehler vorweisen: negativer Transfer aus der Muttersprache.

Das unbestreitbare Auftreten von Interferenzen im L2-Erwerb – gesteuert wie auch ungesteuert – besagt natürlich nichts über die Stellung, die Interferenzen im Gesamtkontext des Lernprozesses einnehmen. Ist die Interferenz in der Tat das zentrale Problem des Fremdsprachenunterrichts, d.h. sind auf Interferenzen zurückführbare Modellabweichungen die häufigsten Fehler im Fremdsprachenunterricht? Können Interferenzen zu jeder beliebigen Zeit im Lernprozeß auftreten? Reicht für das Auftreten von Interferenzen die Bedingung aus, daß sich L1 und L2 in einem gegebenen Strukturbereich unterscheiden? Nach meiner Kenntnis der Dinge liegen nur wenige Untersuchungen vor, die auf diese Fragen eine befriedigende Antwort geben und die Stellung der Interferenz im gesamten Lernprozeß klären helfen. Die meisten didaktisch orientierten Untersuchungen begnügen sich anhand ausgewählter Beispiele mit der Feststellung, daß Interferenzen auftauchen und daß der Lehrer in jenen Bereichen, in denen L1 und L2 voneinander abweichen und die somit interferenzgefährdet sind, besonders intensiv üben lassen muß. Andere Studien versuchen, Interferenzerscheinungen nach verschiedenen zumeist linguistischen Kriterien zu klassifizieren.

Natürlich lassen sich auch in unserem Datenmaterial Beispiele für Interferenzen zeigen. Im Bereich der Interrogation tritt erwartungsgemäß die Inversion von Subjekt und Vollverb auf:

(1) Kann man sagen: Sit you . . .
(Lehrer unterbricht)

(2) Goes she shopping?

(3) Fetch the boys the chairs?

Daneben erscheinen Interferenzen in hinreichend bekannten Strukturen wie etwa bei Artikel, Präpositionen und Inversionen:

(4) He is policeman in London.

(5) He has a sponge in the right hand.

(6) A lot of people are in the plane.

(7) In a supermarket can I buy . . .

Trotz der Interferenzen in den erwarteten Bereichen mag die geringe Zahl derartiger Modellabweichungen erstaunen. Im Verhältnis zu den übrigen belegten Fehlertypen fallen Interferenzen kaum ins Gewicht. Es läßt sich kaum die Feststellung vermeiden, daß das Ausmerzen von interferenzbedingten Fehlern während der ersten 8 Monate in der von uns beobachteten Klasse kein ernstes didaktisches Problem darstellte. Es lassen sich zahlreiche verschiedene Fehlertypen belegen, die dem Lehrer erhebliches didaktisches Geschick abforderten; Interferenzen spielten hierbei so gut wie keine Rolle.

Dies gilt selbstverständlich nur für die von uns beobachteten 8 Unterrichtsmonate. Wenn man der Erfahrung von Pädagogen glauben kann, so ist anzunehmen, daß in einer späteren Unterrichtszeit Interferenzen dennoch zu einem gravierenden Lernproblem werden. Doch gerade hieraus ergibt sich eine interessante Fragestellung. Wenn Interferenzen im Anfangsunterricht so eine geringe Rolle spielen, warum treten sie dann erst viel später auf? Man müßte annehmen, daß mit fortschreitender Kompetenz die modellgerechte Verbalisierungsfähigkeit der Schüler steigt. Offensichtlich – hierauf weist bereits Wode (1977c) hin – treten Interferenzen nur unter ganz bestimmten Bedingungen auf. Für den natürlichen L2-Erwerber stellte Wode fest, daß er erst dann auf muttersprachliche Strukturen zurückgreift, wenn ein bestimmtes Erwerbsstadium erreicht ist. Ähnliches scheint auch für den Fremdsprachenunterricht nicht unmöglich zu sein. Da in den ersten 8 Monaten Interferenzen so gut wie nicht auftauchten, und somit offensichtlich einem späteren Lernstadium vorbehalten sind, scheint auch der Fremdsprachenschüler zunächst eine gewisse Kompetenz erreichen zu müssen, bevor er unter noch näher zu bestimmenden Bedingungen auf seine Muttersprache zurückgreift.

Das bislang Gesagte gilt naturgemäß nur für den syntaktischen bzw. morphosyntaktischen Bereich. Soweit bislang erkennbar, verhalten sich die Dinge auf der phonologischen Ebene völlig anders. Es ist nicht zu leugnen, daß nahezu in jeder Äußerung, die ein Schüler produzierte, die lautliche Struktur des Deutschen durchschimmerte. Dabei traten allerseits bekannte Phänomene auf, wie z.B. die Substitution der interdentalen durch eine alveolare Spirans, Stimmlosigkeit sämtlicher Verschlußlaute und Frikative am Wortende, sowie unzureichend retroflexe Qualität des /r/. Über die phonologische Entwicklung in der von uns beobachteten Klasse läßt sich im Augenblick nur wenig Präzises aussagen, da die Auswertung erst vor kurzer Zeit begonnen wurde.

Jedoch zeichnen sich einige interessante Phänomene ab, die – mit der notwendigen Vorsicht und Vorläufigkeit – schon hier erwähnt werden sollen. Sehr grob gesprochen zeigt sich, daß die Aussprache mit zunehmendem Unterricht immer schlechter wurde. Bei der Analyse der ersten drei Unterrichtsstunden fiel auf, daß – von zwei Ausnahmen abgesehen – die Schüler kaum Schwierigkeiten mit der Reproduktion stimmhafter Verschlußlaute am Wortende hatten. Ebenso artikulierten sie ein annähernd modellgerechtes retroflexes /r/. Im Bereich der interdentalen Spiranten treten zwar Substitutionen durch die alveolare Spirans auf, jedoch nach einem Assimilationsprinzip, das auch vom muttersprachlichen Phonologieerwerb (cf. Smith 1973) her nicht unbekannt ist. Diese Prinzip besagt, daß in einer gegebenen Äußerung sämtliche relevanten Frikative entweder interdental oder alveolar realisiert werden. Dabei orientierten sich die Schüler überwiegend – wenngleich nicht ausschließlich – an der zuerst auftretenden Spirans. Ein Satz wie etwa *this is a sock* wurde vielfach wiedergegeben als [ðiθiθəθɔk]. In einigen Fällen trat jedoch auch auf [ðiθiθəsɔk]. Bei der entsprechenden Fragebildung *Is this a sock?* erschienen überwiegend Realisierungen nur mit der alveolaren Spirans: [izisəsɔk] und nur in einigen Fällen Realisierungen durchwegs mit der interdentalen Spirans [iðiθəθɔk]. Im Bereich der Verschlußlaute in Satzendstellung fanden wir bereits ab der 2. Unterrichtswoche die erwartete Interferenz aus dem Deutschen. Ähnliches gilt für das /r/. Es häuften sich nach und nach Fälle, in denen das retroflexe /r/ durch ein uvulares /r/ ersetzt wurde, wenngleich einige Schüler mit dem /r/ von Beginn an überhaupt keine Schwierigkeiten zu haben schienen. Darüber hinaus beobachteten wir Substitution /r/ durch /w/ (cf. Wode 1977a).

Insgesamt scheint es mir wichtig zu sein, das Phänomen der Interferenz mit weitaus größerer Vorsicht zu betrachten, als dies vielfach in der Vergangenheit geschehen ist. Niemand wird bestreiten wollen, daß beim Erlernen einer zweiten Sprache die Muttersprache einen Einfluß ausüben wird und daß daher Interferenzen zwischen den beiden Sprachsystemen zu erwarten sind. Ich vermute jedoch, daß aus recht naheliegenden Gründen der Interferenzfrage in der vergangenen fremdsprachendidaktischen Diskussion ein Stellenwert zugeordnet wurde, der den tatsächlichen Verhältnissen im Unterricht keineswegs entspricht. Mir scheint es daher vordringlich, in zukünftigen empirischen Untersuchungen Interferenzfehler nicht isoliert zu betrachten, sondern im Kontext sämtlicher aufgezeichneter Fehlertypen und spracherwerblicher Gesetzmäßigkeiten.

24. Abschlußbemerkungen

Auf dem Hintergrund der Beobachtungen zum natürlichen (L2-) Spracherwerb führt das von uns im Fremdsprachenunterricht erhobene Datenmaterial zu der entscheidenden Frage: Ist der Lernprozeß des Schülers, der unter gängigen Unterrichtsbedingungen eine Fremdsprache erlernt oder zumindest gelehrt bekommt, gleich dem Erwerbsprozeß des Kindes, das sich ohne formale Instruktion allein durch die Kommunikation mit Freunden und Nachbarn, Spielkameraden, etc. eine zweite Sprache aneignet?

Wenngleich unsere Beobachtungsergebnisse aufgrund der noch relativ schmalen Datenbasis mit gebührender Vorläufigkeit zu betrachten sind, so deuten sie dennoch recht überzeugend darauf hin, daß diese Frage wohl mit einem klaren Nein beantwortet werden muß. Gesteuerter und ungesteuerter Zweitsprachenerwerb scheinen ebensowenig identisch miteinander zu sein wie etwa L1-Erwerb und L2-Erwerb. Andererseits legt das Datenmaterial die Vermutung nahe, daß auch jene weitverbreitete Auffassung aufzugeben ist, die gesteuerten und natürlichen L2-Erwerb pauschal zwei nicht miteinander kompatiblen Erfahrungs- bzw. Lernwelten zuordnet, deren Merkmale und Gesetzmäßigkeiten jeglicher Gemeinsamkeiten entbehren. Was für die Relation L1- vs. L2-Erwerb gilt (cf. Felix 1978b), scheint in ähnlicher Form für den gesteuerten vs. ungesteuerten Zweitsprachenerwerb zu gelten: beide Prozesse sind in toto weder identisch noch ungleich. Vielmehr ist es eine empirische Aufgabe, Gemeinsamkeiten zu spezifizieren und Unterschiedlichkeiten gegenüberzustellen. Vor allem dürfte klar sein, daß mit einem enumerativen Auflisten von Unterschieden in den situationellen Bedingungen dem Phänomen "Lernprozess" nicht beizukommen ist. Was den unvoreingenommenen Leser bei einem Vergleich der Daten in Teil I und Teil II verblüfft, ist nicht so sehr ihre Unterschiedlichkeit – dies hätte man wohl erwartet – als vielmehr die Fülle der Gemeinsamkeiten und struktureller Parallelen zwischen den Äußerungen der Fremdsprachenschüler und denen natürlicher L2-Erwerber.

In nahezu allen untersuchten Strukturbereichen produzierten die Schüler Äußerungen, die dem mit der Spracherwerbsforschung Vertrauten wie alte Bekannte vorkommen müssen. Dies gilt vor allem – aber nicht nur – für den Bereich der Negation und der Interrogation. In der Tat lassen sich zahlreiche Äußerungen – betrachtet man sie isoliert – keinesfalls eindeutig einem bestimmten Erwerbstyp zuordnen. *That's no my comb* oder *What Bill is doing in the room?,* die aus unserem Unterrichtskorpus stammen, könnten ebensogut Äußerungen natürlicher L2-Erwerber sein. Gleiches gilt für zahlreiche systematische Modellabweichungen im Bereich der Pronominalverwendung. Die Schüleräußerung *She has a duster in your hand* (= *he has a duster in his hand*) und die Struktur *She's drinking she milk* (= *they're drinking their milk*) (Fillmore 1976) weisen keinerlei Merkmale auf, die ohne Kenntnis des gesamten Entwicklungskontextes eindeutig auf eine bestimmte Erwerbstypenzugehörigkeit schließen lassen.

Mit der Betonung der Gemeinsamkeiten soll nun keineswegs die Tatsache verwischt werden, daß einerseits – in beiden Erwerbstypen – individuelle Variationen auftreten und andererseits im Unterricht Strukturphänomene zu verzeichnen sind, die dem natürlichen L2-Erwerb fremd sind und vice versa. Nur: das eigentlich Verblüffende und somit auch Erklärungsbedürftige ist nicht die Unterschiedlichkeit, sondern die strukturelle Parallelität in den Daten der beiden Erwerbstypen. Wohlgemerkt: hier handelt es sich keineswegs um einige wenige Einzelbeispiele, die – so könnte man vermuten – quasi "zufällig" sowohl im Unterricht als auch im natürlichen L2-Erwerb auftreten, sondern die strukturelle Parallelität zieht sich – trotz ebenso offenkundiger Unterschiede – systematisch durch alle bislang beobachteten Bereiche. Verwendet man die strukturellen Merkmale der Lernäußerungen – insbesondere jener, die in der Grammatikalität vom Modell abweichen – als Indiz für die Strategien und Mechanismen, mit denen ein Erwerber sprachliches Material verarbeitet, so drängt sich die Schlußfolgerung auf, daß Fremdsprachenschüler sich hinsichtlich dieser Verarbeitungsmechanismen bzw. -prozesse in vielerlei Hinsicht ähnlich oder gleich verhalten wie natürliche L2-Erwerber.

Um Mißverständnissen vorzubeugen, soll nochmals betont werden: wir behaupten nicht, daß Fremdsprachenschüler und natürliche L2-Erwerber insgesamt und ausschließlich den gleichen Verarbeitungsprozessen unterliegen. Es geht nur darum festzuhalten, daß es offenkundig eine nicht unbeträchtliche Anzahl von Strategien und Prozessen gibt, die beiden Lerntypen gemeinsam ist und die dann an der Oberfläche zu strukturell parallelen Äußerungen führen. Diese Parallelität, die sich eindeutig nicht aus den ja extrem unterschiedlichen Lernbedingungen ableiten läßt, muß im Rahmen einer Spracherwerbstheorie erklärt werden. Entscheidend ist weiterhin vor allem, daß die Verarbeitungsstrategien und -prozesse im Falle der Schüler keinesfalls ein Reflex der didaktischen Bemühungen des Lehrers bzw. der Lehrmethode sind. Wie könnten sie dann beim natürlichen L2-Erwerber auftreten? Es scheint sich hier also um weitaus allgemeinere Phänomene zu handeln, die über den speziellen Erwerbstyp hinausgehen.

Wenn sich in der Art und Weise, in der Schüler und natürliche Erwerber sprachliche Daten verarbeiten und internalisieren, gewisse Parallelen aufzeigen, so bedeutet dies zunächst, daß die zweifelsfrei extrem heterogenen Lernbedingungen und Situationskontexte bei beiden Erwerbstypen nur in beschränktem Maße die Mechanismen der Verarbeitung sprachlicher Daten beeinflussen. Offenbar gibt es bestimmte sprachspezifische mentale Prozesse, die gegen den Einfluß externer Faktoren ganz oder doch zumindest teilweise resistent sind. Die Konsequenz dessen ist vor allem, daß der Manipulierbarkeit des Lernprozesses durch den Lehrer bzw. die Lehrmethode enge Grenzen gesetzt werden. Offensichtlich ist nicht alles zu jedem beliebigen Zeitpunkt lernbar und somit auch nicht sinnvollerweise lehrbar.

Intensives Üben führt nur bedingt zum Erfolg. In dieses Bild fügt sich die Beobachtung, daß bestimmte Strukturphänomene von den Schülern sofort aufgenommen und weitgehend beherrscht wurden, während andere Strukturen erhebliche Lernschwierigkeiten bereiteten und trotz ständigen Repetierens gar nicht oder nur unvollkommen gemeistert wurden. Wie lassen sich diese auf bestimmte Strukturphänomene beschränkten Lernschwierigkeiten erklären? Der Praktiker mag antworten: bestimmte Strukturen sind eben leichter als andere. Nur: Was ist leicht und was ist schwer? Ist leicht das, was keine Lernschwierigkeiten bereitet, und schwer jenes, das nicht sofort zum Lernerfolg führt? Der Zirkularität dieser Argumentation ist kaum zu entrinnen. Das Problem läßt sich auch dadurch nicht in den Griff bekommen, daß man Strukturen, die Lernschwierigkeiten bereiten, aus linguistischer Sicht als komplexer ausweist. In welchem Sinne ist etwa ein elliptischer Antwortsatz wie *No, he can't* komplexer als eine Frage *Can you see a sofa in Peter's room?* Inwieweit erfordert die Distinktion zwischen *he, she, I, her, his* etc. die Kenntnis komplexerer Strukturzusammenhänge als etwa die Distinktion zwischen Vollverben, Hilfsverben und Kopula, oder Fragen, Aussagesätzen und Imperativen? Auf dieser Ebene lassen sich die tatsächlich auftretenden Lernschwierigkeiten offenbar nicht schlüssig erklären. Am wenigsten tauglich für eine Erklärung des angesprochenen Problemkreises scheint der Hinweis auf L1-Einfluß zu sein, wie er den meisten Formen von Interferenztheorien zugrundeliegt. Wie immer die Lernschwierigkeiten in den besprochenen Bereichen zu erklären sind, negativer Transfer aus L1 scheidet weitgehend aus. Im pronominalen Bereich etwa, wo die Schüler die deutlichsten Schwierigkeiten hatten, zeigen das Deutsche und Englische weitgehende Parallelität.

Wie immer eine plausible Erklärung der Lernschwierigkeiten aussehen mag, so fällt bei der Analyse des Datenmaterials auf, daß die Schüler just dort die meisten Schwierigkeiten hatten, wo sie aufgefordert waren, Strukturen zu lernen, die im natürlichen Erwerbsprozeß einem relativ späten Entwicklungsstadium angehören, d.h. wo der Unterricht in gravierendem Maße von der im natürlichen L2-Erwerb beobachteten Erwerbsabfolge abwich. Dies zeigte sich besonders deutlich bei den elliptischen Nachsätzen in Antworten, aber auch bei der Inversion im interrogativen Bereich. Der gesamte morphologische Bereich wie Pluralbildung, Tempuswahl, Genusdistinktion einschließlich des Pronominalbereiches, überforderte die Schüler zu diesem frühen Zeitpunkt offenbar und führte zu gravierenden Lernschwierigkeiten, die sich auch mit didaktischem Geschick kaum überwinden ließen. Bekanntlich sind es gerade morphologische Strukturen, die in modellgerechter Form erst sehr spät im Entwicklungsprozeß erscheinen und in sehr komplexen Einzelschritten gemeistert werden. Auch in dieser Korrelation Lernschwierigkeit – spätes

Entwicklungsstadium äußert sich eine verblüffende Parallele zwischen Fremdsprachenunterricht und natürlichem Spracherwerb.

Vonseiten der Fremdsprachendidaktik und Sprachlehrforschung wird nun immer wieder der Einwand erhoben, strukturelle Parallelen in der Sprachproduktion rechtfertigten keineswegs die Annahme, daß die Strategien/Mechanismen, die diesen Sprachproduktionen zugrundeliegen, ebenfalls gleich sein müßten. Dieser Einwand ist berechtigt, solange er auf Einzelbeispiele beschränkt bleibt. Ebensowenig wie aus dem Einzelbeispiel span. *mirar* und jap. *miru* (beide bedeuten *sehen*) auf die Verwandtschaft der beiden Sprachen geschlossen werden darf, gestattet etwa *allein* das Fehlen der Inversion in wh-Fragen bei Schülern und natürlichen L2-Erwerbern nicht den Schluß, beide würden nach den gleichen Mechanismen Sprache verarbeiter

Nur handelt es sich bei der aufgezeigten Parallelität keineswegs um Einzelbeispiele, sondern um ein nahezu alle Bereiche umfassendes Phänomen. Dies alles dem Zufall anlasten zu wollen, hieße aus Dogmatismus die Augen vor der Datenevidenz zu verschließen. Es ist klar, daß die mentalen Prozesse und Verarbeitungsmechanismen selbst sich unserer direkten Beobachtung entziehen. Insofern können wir stets nur durch den Input-Output Vergleich auf diese Prozesse schließen. Dies ist das hinreichend bekannte *blackbox*-Problem. Hier muß aber – bei ausreichender Datenbasis – grundsätzlich das Prinzip gelten: gleiche Ursache, gleiche Wirkung. Im Rahmen einer Theorie bzw. Erklärungshypothese müssen wir davon ausgehen, daß eine systematische Datenübereinstimmung grundsätzlich auf die gleichen den Daten zugrundeliegenden Prozesse schließen läßt. Wollte man von diesem Prinzip abgehen, so wäre Erkenntnis über den Gegenstand schlechterdings unmöglich. Räumt man aus dieser Position ein, daß systematische Datenübereinstimmung trotzdem auf unterschiedlichen Prozessen beruhen kann, so muß logischerweise auch gelten, daß unterschiedliche Daten auf gleiche Prozesse zurückgehen können. Somit ließen sich auch strukturell verschiedene Äußerungen von Schüler und L2-Erwerber als "Beweis" für gemeinsame Verarbeitungsstrategien anführen. Hier wird der Boden wissenschaftlicher Beweisführung verlassen und ein Raum von unüberprüfbaren Glaubensbekenntnissen betreten. Wir kommen nicht umhin, bis zum Nachweis des Gegenteils für strukturelle Parallelität in Lerneräußerungen gemeinsame Ursachen, sprich Verarbeitungsmechanismen anzunehmen.

Trotz der hier betonten systematischen Parallelität zwischen wesentlichen Aspekten fremdsprachenunterrichtlichen Lernens und natürlichen Spracherwerbs sollen die gravierenden Unterschiede in den Sprachproduktionen und vermuteten Verarbeitungsmechanismen beider Erwerbstypen keineswegs unterschätzt werden. Inwieweit diese Unterschiede der Sprachverarbeitung mit welchen externen lernkontextuellen Faktoren korrelieren, ist derzeit alles andere als klar, zumal die tatsächlichen verbalen Verhaltensunterschiede zwischen verschiedenen Typen von Erwerbern empirisch bislang kaum erfaßt sind.

Wer eigene Erfahrungen in der Beobachtung der L2-sprachlichen Entwicklung von Schülern und natürlichen Erwerbern gemacht hat, dem fällt intuitiv zunächst folgender Unterschied auf: der natürliche L2-Erwerber zeichnet sich von Beginn seiner Entwicklung an durch eine gewisse Wendigkeit und Adaptabilität in seiner Kommunikationsfähigkeit aus. Wenngleich sein Repertoire an Wörtern und Strukturen zunächst noch sehr beschränkt ist, so ist er dennoch entsprechend seinem Temperament und seinen sprachlichen Fähigkeiten in der Lage, aktiv in das Kommunikationsgeschehen einzugreifen und sich daran zu beteiligen. Dies mag verstärkt durch die Kombination von Verbalisierung und Gestik erfolgen, jedoch erweist sich der natürliche L2-Erwerber von Beginn an als genuiner Kommunikationspartner. Was er gelernt hat, wendet er an, erprobt es in der Kommunikation. Daher ist es in der Regel auch relativ leicht, durch Beobachtung den jeweiligen sprachlichen Leistungsstand zu ermitteln.

Eine ähnliche – wenn auch nur rudimentäre – Kommunikationsfähigkeit läßt der Fremdsprachenschüler in der Anfangsphase nahezu völlig vermissen. Nicht etwa, weil ihm die zu einer elementaren Kommunikation erforderlichen Strukturen nicht bekannt seien, oder weil sich ihm die Gelegenheit dazu nicht böte, sondern offenbar, weil er zu spontanen Verbalisierungen nicht fähig ist. Wenngleich sich etwa durch Tests scheinbar nachweisen läßt, daß der Schüler eine bestimmte Struktur "gelernt" hat, so ändert dies nichts an der Tatsache, daß er – im Gegensatz zum natürlichen L2-Erwerber – das "Gelernte" nicht anzuwenden vermag.

Dieses Phänomen ist seit langem unter dem behavioristischen Begriff "Transfer" in der einschlägigen Literatur bekannt. Der Schüler habe – so wird argumentiert – das an einem Einzelfalle Gelernte noch nicht generalisiert, also nicht auf neue Anwendungsfälle übertragen. Nun ist mit dieser Aussage eigentlich nichts erklärt, sondern es wird lediglich ein Sachverhalt beschrieben – und dies auch noch recht ungenau. Der Schüler ist nämlich in der Anfangsphase vielmals nicht nur unfähig, das Gelernte auf *neue* Anwendungsbereiche zu übertragen, sondern er erweist sich oftmals als ebenso unfähig, die "gelernten" Einzelbeispiele in entsprechenden Situationen spontan zu verwenden. Hier stellt sich vor allem die Frage, warum diese Unfähigkeit offenbar dem Fremdsprachenschüler vorbehalten bleibt, während der natürliche L2-Erwerber mit vergleichbaren Schwierigkeiten kaum oder zumindest weit weniger zu kämpfen hat. Die Fremdsprachendidaktik lastet dieses Faktum – wie vieles andere auch – den widrigen Umständen an. Sicher leuchtet ein, daß jemand unter ungünstigen Bedingungen weniger oder langsamer lernt; auch daß er hin und wieder Gelerntes teilweise vergißt, scheint plausibel zu sein. Warum jemand jedoch "nachweislich Gelerntes" anzuwenden sich konsequent als unfähig erweist, ist kaum mit schlechten Bedingungen zu erklären. Es scheint vielmehr, daß das, was der Fremdsprachenschüler im Unterricht lernt, und das, was der natürliche Erwerber sich im Laufe der Entwicklung aneignet, (zumindest teilweise) Fähigkeiten völlig unterschiedlicher Natur sind. Es ist nicht zu leugnen, daß auch der Schüler im Unterricht etwas gelernt hat. Tests beweisen, daß der Schüler Sätze imitieren, Sprachstrukturen manipulieren und Regeln reproduzieren kann. Nur scheint das, was er im Bereich dieser Fähigkeiten gelernt hat, für den Zweck spontaner und kreativer Kommunikation weitgehend nutzlos zu sein.

Es ist sicherlich fraglich, ob man so weit gehen muß wie Seliger (1978: 18), der von "an illusion of learning" spricht, jedoch gehen die im Unterricht primär erlernten Fähigkeiten offensichtlich am Ziel einer kreativen Sprachkompetenz vorbei, wenngleich just dieses Ziel angestrebt wird. Daß die durch traditionellen Unterricht erreichte Sprachkompetenz von anderer Natur ist als die, die sich im natürlichen Erwerb entwickelt, zeigt die Erfahrung, die Schumann (1977b) mit dem 33-jährigen Kostarikaner Alberto machte. Nachdem Albertos L2-sprachliche Entwicklung über einen längeren Zeitraum beobachtet worden war, wurde der Kostarikaner 7 Monate lang intensiv im Bereich englischer Negationsstrukturen unterrichtet. In einem anschließenden Test produzierte Alberto 64% korrekte Negationsstrukturen und konnte damit einen scheinbar recht beachtlichen Kompetenzzuwachs unter Beweis stellen. In seinem spontanen Sprachgebrauch waren jedoch nur 20% der Negationsstrukturen korrekt, eine Prozentzahl, die sich kaum von den 22% vor der Unterrichtsphase unterscheidet. Schumann (1977b: 404) schließt daraus:

> "This indicates that instruction has radically improved his performance in an artificial, highly monitored elicitation task, but that it had virtually no effect on his spontaneous speech which he uses in normal communication with native speakers of English."

Der Befund, daß im Unterricht grundsätzlich andere Sprachfähigkeiten ausgebildet werden als sie sich im natürlichen Spracherwerb entwickeln, nützt allein – sowohl unter praktischen als auch theoretischen Gesichtspunkten – wenig. Vielmehr ergeben sich hieraus eine Reihe wichtiger Fragen. Wenn natürliche L2-Erwerber und Fremdsprachenschüler teilweise die sprachlichen Daten nach den gleichen Mechanismen und Strategien verarbeiten, warum sind die resultierenden Fähigkeiten so unterschiedlich? Wenn – wie vielfach behauptet wird – die natürliche menschliche Spracherwerbsfähigkeit erst nach der Pubertät abgebaut wird, warum hatten unsere 10 bis 11-jährigen Schüler so erhebliche Schwierigkeiten mit dem Englischen? Wenn sich die im Unterricht und im natürlichen Erwerb entwickelten Sprachkompetenzen so grundsätzlich unterscheiden, worin liegt ihr Wesensunterschied begründet?

Ich möchte versuchen, diese Fragen im folgenden Teil genauer zu betrachten.

Teil III

PSYCHOLOGISCHE ASPEKTE DES ZWEITSPRACHENERWERBS

25. Vorbemerkungen

Die Gegenüberstellung des Datenmaterials zum gesteuerten und ungesteuerten Zweitsprachenerwerb läßt trotz zahlreicher offenkundiger Unterschiede eine kaum zu leugnende Homogeneität und Parallelität in den Strukturen der Äußerungen erkennen. Offenkundig ist beiden Erwerbstypen ein Kern an Gesetzmäßigkeiten gemeinsam; d.h. die auftretenden Strukturen variieren nicht beliebig, sondern lediglich innerhalb bestimmter Grenzen und Grundmuster. Vergleichen wir diesen Befund mit den Erkenntnissen zum Erstsprachenerwerb (cf. Bellugi 1967; Bloom 1970, 1973; Menyuk 1969, 1971) und zu Pidgin- und Kreolsprachen (Schumann 1977b), Wode 1981), so deutet auch die aus diesen Bereichen stammende empirische Evidenz eher auf eine gleichbleibende Systematik sprachlicher Erwerbsprozesse als auf beliebig durch externe Faktoren gesteuerte Variabilität hin. Der Eindruck einer zugrundeliegenden strengen Systematik wird besonders dann noch verstärkt, wenn man seltenere Formen des Spracherwerbs in die Betrachtung miteinbezieht, etwa solche, die mehr als zwei Sprachen involvieren (cf. Kadar i. Vorb.).

Die strenge Systematik und die strukturellen Parallelen in verschiedenen Typen sprachlicher Erwerbsprozesse sowie die Beobachtung, daß offenbar kein Tier in der Lage ist, auch nur annähernd ein so komplexes Kommunikationssystem wie natürliche Sprachen zu meistern, führt zu der Frage: worauf läßt sich die spezifische Fähigkeit des Menschen zurückführen, Sprache zu erwerben und zu verwenden? Wie läßt sich erklären, daß der Mensch unter jedweden (nicht-pathologischen) Umständen – seien sie aus einer allgemeinen Lernperspektive heraus nun günstig oder ungünstig – allein aus den angebotenen Daten seine Muttersprache erwirbt, und die dabei erprobten Strategien offenkundig teilweise auch beim Erwerb einer zweiten Sprache verwendet? Was zeichnet jene Strategien und Prozesse aus, die – soweit erkennbar ist – bei jeder Form des Spracherwerbs auftreten, denen aber in unterschiedlichen Spracherwerbstypen offenbar verschiedene Funktionen zukommen?

Bezüglich dieses Fragenkomplexes sind in der Vergangenheit vor allem aus zwei extrem divergierenden Richtungen Antworten hervorgebracht bzw. Modelle entworfen worden. Die insbesondere mit den Namen Chomsky, McNeill und Lenneberg verbundene, vielfach als "nativistisch" bezeichnete Position sieht eine artspezifische Fähigkeit des Menschen zum Spracherwerb und Sprachgebrauch in seiner biogenetischen Struktur verankert. Ebenso wie der Mensch im motorischen oder perzeptuellen Bereich über bestimmte Fähigkeiten verfügt, die anderen Arten nicht gegeben sind und die daher ihren Ursprung in der biologischen Ausstattung des Menschen finden müssen, stellt auch die Sprache in Erwerb und Gebrauch einen artspezifischen Bereich dar, für den der Mensch eine besondere Anlage besitzt. Die

Gegenposition, die vor allem von Forschern wie Skinner, Hull, Osgood und Mowrer formuliert wurde und vielfach als “empiristisch” apostrophiert wird, leugnet eine solche biogenetisch verankerte Sprachfähigkeit des Menschen. Sie sieht Sprache vielmehr als *eine* unter vielen Manifestationen einer allgemeinen Lernfähigkeit bzw. Verhaltensänderung von Organismen. Der Erwerb und der Gebrauch von Sprache ist ein Reflex des Menschen auf unterschiedliche Reize seiner Umwelt. Sprache ist in diesem Sinne nichts “Besonderes”, sondern reiht sich in die Vielzahl jener Phänomene ein, die aus dem Zusammenwirken von Stimuli und Reaktionen entstehen.

Diese beiden gegensätzlichen Positionen kennzeichnen eine Kontroverse, die sich nahezu durch die gesamte psychologische Literatur zieht und dort unter dem Begriff *nature-nurture-conflict* firmiert. Dieses für die Psychologie sicherlich als klassisch zu bezeichnende Problem ist in die moderne Linguistik vor allem durch die Arbeiten von Chomsky und seinen Mitarbeitern hineingetragen worden. Dabei spiegelt sich die Kontroverse weniger in den frühen, mehr technisch orientierten Arbeiten von Chomsky wider, als vielmehr in den späteren, mehr philosophisch-psychologisch ausgerichteten Überlegungen (Chomsky 1968, 1975; Fodor & Bever & Garrett 1974).

Es sollte nicht übersehen werden, daß der *nature-nurture*-Konflikt in der modernen Linguistik und Spracherwerbsforschung unter zum Teil gänzlich anderen Vorzeichen ausgetragen wurde als in der Psychologie. In der psychologischen Literatur zeigt sich eine weitaus extremere Polarisierung der Positionen als in vergleichbaren sprachwissenschaftlichen Arbeiten. Die für zahlreiche ältere psychologische Studien typische Suche nach Fähigkeiten, die nachweislich nicht erlernt, sondern angeboren sind, ist nicht auf die Linguistik übertragbar, da Sprache offenkundig *nicht* zu diesen angeborenen Fähigkeiten gehört. Sprache muß zweifelsfrei erlernt werden und ist nicht etwa bei der Geburt schon vorhanden. Dennoch sind vielfach Argumente, die sich aus psychologischen Einsichten zu diesem Problemkreis ergaben, unvermittelt auf die entsprechende Diskussion in der Sprachwissenschaft übertragen worden. So hat man der Chomsky’schen Position vorgehalten, daß der Nativismus in der Psychologie nicht mehr als ernstzunehmende Position gilt und durch zahlreiche Experimente widerlegt wurde. Dabei übersieht man, daß diejenige extreme Form des Nativismus, die für die meisten Psychologen nicht mehr diskussionswürdig ist, von Chomsky und seinen Mitstreitern nie vertreten wurde.

Der Versuch, spracherwerbliche Phänomene in einen größeren psychologischen Kontext einzuordnen, kann sich nicht darauf beschränken, eine Handvoll gängiger psychologischer bzw. lerntheoretischer Kategorien und Parameter zur Erklärung von Gesetzmäßigkeiten im Sprachenlernen heranzuziehen. Aus diesem Grunde werde ich in den folgenden Abschnitten mit einer für eine Spracherwerbsstudie sicher ungewöhnlichen Ausführlichkeit auf Ergebnisse der psychologischen Forschung – vor allem in den Bereichen Perzeption, Motorik und Kognition – eingehen.
Diese detaillierte Darstellung verfolgt zwei Ziele. Nach meiner Durchsicht der relevanten Literatur ist man sich besonders in der Wahrnehmungspsychologie weitgehend darüber einig, daß das Erlernen komplexer perzeptueller Fähigkeiten gattungsspezifische Mechanismen voraussetzt, die selbst nicht das Ergebnis von Lernprozessen sind. Für andere psychologische Bereiche scheint Vergleichbares zu gelten. Unter diesem Aspekt ist die These, Spracherwerb baue auf einem System von

Mechanismen und Prinzipien auf, die in der gattungsspezifischen biologischen Ausstattung des Menschen verankert sind, aus psychologischer Sicht weder ungewöhnlich noch übermäßig kontrovers. Vielmehr folgt aus dieser These, daß es sich mit dem Spracherwerb nicht grundsätzlich anders verhält als mit der Wahrnehmung oder der Motorik. Andererseits scheint die gattungsspezifisch-biologische Grundlage für perzeptuelle oder motorische Entwicklungsprozesse eine Forschungsperspektive zu rechtfertigen, nach der den einzelnen Bereichen eine relative Autonomie zugestanden wird. Wenngleich auf einer höheren Ebene die verschiedenen menschlichen Fähigkeiten zweifellos ineinandergreifen, so werden doch bei der Betrachtung der kindlichen Entwicklung motorische Mechanismen in der Regel nicht aus perzeptuellen Mechanismen abgeleitet oder vice versa. Ebensowenig scheint es üblich zu sein, etwa Gesetzmäßigkeiten der perzeptuellen Entwicklung des Kleinkindes als Ausdruck einer allgemeinen Lernfähigkeit anzusehen; vielmehr werden motorische, perzeptuelle oder kognitive Entwicklungsprozesse zunächst jeweils als Phänomen sui generis betrachtet. Die in der jüngeren Spracherwerbsforschung verbreitete Forderung, Gesetzmäßigkeiten des sprachlichen Lernens aus *allgemeinen*, d.h. übergeordneten kognitiven Fähigkeiten abzuleiten, scheint somit im Kontext weiterer psychologischer Bereiche recht isoliert dazustehen.

26. Der *Nature-Nurture*-Konflikt

Seit der Mensch begann, die Gesetzmäßigkeiten seines Verhaltens einer systematischen Beobachtung und Analyse zu unterziehen, ist in diesem Bereich kaum ein Problem so leidenschaftlich und kontrovers diskutiert worden wie die Frage, ob das Verhaltensrepertoire des Menschen ebenso zu seiner biologischen Struktur gehört wie etwa die Form seiner Arme und Beine, die Zahl seiner Zähne, die Art seiner Behaarung, oder ob Verhaltensweisen nicht vielmehr als Reaktion auf wechselnde Umweltbedingungen entstehen, als extern gesteuerte Anpassung des Organismus an die jeweiligen Erfordernisse der Umgebung. Dieses klassische Problem der Entwicklungspsychologie firmiert in der englischsprachigen Literatur zumeist unter der Bezeichnung *nature-nurture-conflict,* zeigt sich jedoch je nach Perspektive auch in anderem terminologischen Gewand, wie z.B. Nativismus vs. Empirismus, Kognitivismus vs. Environmentalismus oder Mentalismus vs. Behaviorismus. Wenngleich zahlreiche Forscher, etwa Hebb (1953) oder Anastasi (1958), schon frühzeitig darauf hinwiesen, daß eine Polarisierung *heredity or environment?* zu einer an sich unzulässigen und im Kern auch unsinnigen Fragestellung führt, so läßt sich dennoch die Fülle der theoretischen Spekulationen und experimentellen Untersuchungen just zu dieser Alternative kaum mehr übersehen. Wie Endler et al. (1976: 14) feststellen: "... the *nature-nurture*-issue is at the core of developmental psychology. Virtually all other issues derived from it."

Die Komplexität des Problems und die zum Teil recht differenzierten Einschätzungen einzelner Forscher erschweren eine kurze, aber dennoch präzise Darstellung der nativistischen bzw. empiristischen Position. Die folgende Charakterisierung beschränkt sich daher auf jene Grundsätze, denen sich vermutlich die meisten Vertreter der entsprechenden Richtungen anschließen würden.

Die Empiristen betonen die Beziehung zwischen Umwelt *(environment)* und Verhalten, insbesondere die Abhängigkeit menschlicher Verhaltensweise von externen

Bedingungen. Für sie ist der Mensch in seinem Wesen, seinem Wissen, seinen Fähigkeiten allein durch die Umwelt geprägt. Nach empiristischer Auffassung entwickelt sich menschliches Wissen und Verhalten als selektiver Reflex auf bestimmte Begebenheiten und Bedingungen der Umwelt. Ohne Anreize von außen befindet sich der Organismus in einem Zustand der Ruhe; erst externe Stimuli führen dazu, daß er den Ruhezustand aufgibt und sein Verhalten in Richtung auf eine Anpassung an die Umweltgegebenheiten verändert. Hier wird der Mensch offenkundig primär als *reagierender* Organismus gesehen; Verhalten ist stets Antwort und Reaktion auf ein vorheriges Geschehen in der Umwelt.

Entscheidendes Merkmal der empiristischen Position ist die Auffassung, daß komplexe Verhaltensmuster als eine Kombination bzw. Akkumulation einfacher Verhaltensschemata gelten können. Diese einfachen, grundlegenden Verhaltensschemata sind im wesentlichen stets Reiz-Reaktions-Assoziationen. An der zentralen Bedeutung der Verknüpfung von Reiz und Reaktion als Grundlage der Entstehung von Verhalten zeigt sich die primär lerntheoretische Ausrichtung der empiristischen Position. Menschliche Verhaltensweisen, menschliche Fähigkeiten, menschliches Wissen gelten als erlernt, wobei Lernen als eine systematische Reaktion des Organismus auf Umweltreize definiert ist. Vertreter des Empirismus versuchten daher stets, durch Beobachtung und Experimente zu zeigen, daß das Verhalten eines Organismus in Abhängigkeit externer Umweltbedingungen variiert und daß spezifische Verhaltensweisen überhaupt nur dann entstehen können, wenn der Organismus zuvor ausreichend Gelegenheit hat, auf bestimmte Stimuli konstante Reaktionsweisen zu entwickeln und somit einen Lernprozeß zu durchlaufen. In diesem Bereich spielt der Begriff der Konditionierung eine zentrale Rolle. Hierunter versteht man eine dauerhafte, aber dennoch instabile Verknüpfung von Reizen und Reaktionen, die ursprünglich in keinem kausalen Zusammenhang stehen. Eine solche dauerhafte Verknüpfung, zu deren Voraussetzung naturgemäß eine bestimmte Auftretenshäufigkeit des betreffenden Reiz-Reaktions-Schemas gehört, gilt im empiristischen Lager als Lernprozeß schlechthin.

White (1970) faßt die grundlegenden Annahmen des Empirismus in folgenden Punkten zusammen (zitiert nach Endler et al. 1976: 4):

"(1) The environment may be unambiguously characterised in terms of stimuli.

(2) Behaviour may be unambiguously characterised in terms of responses.

(3) A class of stimuli exists such that, if one (or more) is applied contingently and immediately following a response, the response probability is increased or decreased in some measurable fashion; such stimuli are re-inforcers.

(4) Learning may be completely characterised in terms of various possible couplings among stimuli, responses and re-inforcers.

(5) Unless there is definite evidence to the contrary, all classes of behavior may be assumed to be learned, manipulable by the environment, trainable and extinguishable."

Die Nativisten hingegen gehen von der Auffassung aus, daß zur biologischen Ausstattung des Menschen nicht nur bestimmte physische, sondern ebenso psychische bzw. verhaltensmäßige Eigenschaften und Fähigkeiten gehören. Ebenso wie sich der Mensch durch bestimmte körperliche Merkmale, wie Farbe und Form der Augen, Proportionen der Gliedmaßen etc. charakterisieren und von anderen Lebewesen unterscheiden läßt, kann er ebenso durch bestimmte artspezifische oder individuenspezifische Eigenschaften seines Verhaltenspotentials gekennzeichnet werden. Aufgabe der Psychologie ist es unter anderem, diese angeborenen, d.h. in der biogenetischen Struktur des Menschen angelegten Fähigkeiten aufzudecken.

Die Nativisten sehen den Menschen eher als einen *agierenden* und weniger als einen *reagierenden* Organismus. Die Beziehung zwischen Mensch und Umwelt beschränkt sich nach nativistischer Auffassung nicht darauf, daß die Umwelt Reize bereitstellt, auf die der Organismus reagiert; vielmehr hat der Organismus aktiven Anteil an der Bildung und Bestimmung der Umwelt. Es liegt in der Natur der Sache, daß die Nativisten weniger an einzelnen konkreten Verhaltensweisen von Menschen interessiert sind, als vielmehr daran, welche Verhaltensweisen beim Menschen überhaupt möglich sind. Daher spielt hier der Begriff des Verhaltenspotentials *(behavioral potentialities)* eine zentrale Rolle. Der Nativist fragt nicht, wie der Mensch in einer gegebenen Situation reagiert, sondern vielmehr, welche Reaktionsmöglichkeiten ihm überhaupt zugänglich sind. Vereinfacht: der Nativist fragt nicht, was der Mensch tut, sondern, was er tun kann.

In dieser Fragestellung spiegelt sich offenkundig die Auffassung wider, daß es bestimmte artspezifische Verhaltensweisen und Fähigkeiten gibt, d.h. solche, die beispielsweise der Mensch, aber nicht ein bestimmtes Tier erlangen kann et vice versa. Zwar leugnet der Nativist keinesfalls, daß bestimmte Verhaltensweisen des Menschen erlernt sind bzw. sein können, jedoch sieht er derartige Lernvorgänge nicht allein als Reiz-Reaktions-Verbindung, sondern er betrachtet sie auf dem Hintergrund jener artspezifischen biogenetischen Voraussetzungen, die den Kontext für das Erlernen von Fähigkeiten bereitstellen. Die Existenz just jener biogenetischer Voraussetzungen wird jedoch vom Empiristen geleugnet. Für ihn ist im Verhaltensbereich nichts vorgegeben. Was immer entsteht, ist das Ergebnis einer Reiz-Reaktions-Verbindung.

Da der Nativist davon ausgeht, daß bestimmte Fähigkeiten in der biologischen Struktur des Menschen angelegt sind, muß er annehmen, daß sich derartige Fähigkeiten weitgehend unabhängig von den jeweiligen Umweltkonstellationen entwikkeln, d.h. interne, nicht externe Faktoren bestimmen primär den Gang der Entwicklung. In diesem Bereich spricht man vielfach – im Gegensatz zum Lernen – vom Reifen, bzw. vom Reifeprozeß *(maturation)*. Die Gesetzmäßigkeiten derartiger Reifeprozesse stehen daher oftmals im Mittelpunkt nativistischer Überlegungen. Die Bedingungen und Gesetzmäßigkeiten artspezifischen Verhaltens sollen als Grundlage für die Frage dienen, zu welchen Ergebnissen das Zusammenwirken von Umwelt und biogenetischen Anlagen des Menschen führt. Im Gegensatz zu den Empiristen, für die jeder Entwicklungsprozeß durch externe Faktoren beliebig manipulierbar ist, nehmen die Nativisten an, daß die in der biologischen Struktur des Menschen angelegten Entwicklungsprozesse nicht oder nur in engen Grenzen durch Umwelteinflüsse veränder- bzw. manipulierbar sind. Es ist klar erkennbar, daß sich die nativistische Position sehr stark an biologische Gedankengänge anlehnt. Die Vorstellung, daß ein Organismus unabhängig von Umwelteinflüssen über bestimmte fundamentale Eigenschaften verfügt, trägt stark biologistische Züge. Nicht zuletzt aus dieser Perspektive heraus betont Chomsky (1975) immer wieder, daß keinerlei Argumente dagegen sprechen, mentale, d.h. psychische Vorgänge unter ähnlichen Fragestellungen zu betrachten wie physische:

> "But human cognitive systems, when seriously investigated, prove to be no less marvellous and intricate than the physical structures that develop in the life of the organism. Why, then, should we not study the acquisition of a cognitive structure such as language more or less as we study some complex organ" (S. 10).
>
> ". . . I see no reason why cognitive structures should not be investigated rather in the way that physical organs are studied. The natural scientist will be primarily concerned with the basic, genetically determined structure of these organs and their interaction, a structure common to the species in the most interesting case, abstracting away from size, variation in rate of development, and so on" (S. 18).

Über lange Zeit wurde die Nativismus-Empirismus-Kontroverse allein auf der Basis theoretischer Spekulationen und nach Vorstellungen geführt, die eher wie Glaubensbekenntnisse anmuten. "With little constraint on speculation, it is no wonder that theories about the nature of the human infant abounded and gave rise to fierce controversy that was quite innocent of any empirical constraint" (Bower 1974: 1). In diesem Umfeld wurden den jeweiligen Positionen vielfach bestimmte religiöse und sozialpolitische Vorstellungen angelastet, die einer Lösung der Problematik kaum zuträglich waren. Erst mit der Etablierung der Psychologie als einer experimentierenden Wissenschaft war das Handwerkszeug gegeben, die Frage nach dem Ursprung menschlicher Verhaltensweisen und Fähigkeiten auf einer breiten Basis empirisch anzugehen. Aufbau und Anlage der Experimente, die den angesprochenen Fragenkomplex zu klären helfen sollen, zeigen deutlich, daß man jeweils von einer sehr extremen Form des Nativismus bzw. Empirismus ausging. In der Tat sind gerade die frühen Experimente durch eine weitgreifende Polarisierung der Positionen gekennzeichnet, wie sie in der linguistischen Theoriebildung später so nicht wiederzufinden ist.

Im *nature-nurture*-Streit gingen die Nativisten zunächst in die Offensive und bemühten sich durch geeignete Experimente nachzuweisen, daß bestimmte Fähigkeiten des Menschen nicht erlernt, sondern angeboren sind. Die Empiristen versuchten ihre Position weniger durch Gegenexperimente zu stützen; vielmehr konzentrierten sie sich darauf, methodische Schwächen der nativistisch-orientierten Versuche darzulegen. Insbesondere wurde den Nativisten immer wieder entgegengehalten, daß ihr experimenteller Aufbau die Möglichkeit unbemerkt ablaufender Lernprozesse nicht ausschließt. Das Betätigungsfeld psychologischer Experimente im *nature-nurture*-Streit war vor allem die Wahrnehmung und die Motorik. Nativisten versuchten darzulegen, daß bereits Neugeborene über bestimmte motorische und perzeptuelle Fähigkeiten verfügen, die sie nicht im Sinne der empiristischen Auffassung – also qua Konditionierung – gelernt haben können.

26.1. Empirische Evidenz aus Tierexperimenten

Aus naheliegenden Gründen ist die Experimentierfähigkeit mit menschlichen Neugeborenen beschränkt. Daher wich man – eigentlich ganz im Einklang mit der empiristischen Tradition – überwiegend auf Experimente mit Tieren, vor allem Affen und Ratten, aus. Insgesamt ist die Evidenz aus dem Bereich der tierischen Entwicklung weitaus umfangreicher und in seiner Beweiskraft auch schlüssiger als jene aus der perzeptuellen und motorischen Entwicklung des Menschen.

Bevor ich auf die relevanten empirischen Untersuchungen im einzelnen eingehe, soll die gedankliche Basis dieser Experimente kurz angesprochen werden. Bei der Frage nach angeborenen Fähigkeiten im perzeptuellen und motorischen Bereich ging man von der Erkenntnis aus, daß bestimmte Fähigkeiten sich nur dann entwickeln können, wenn der Organismus in der Lage ist, auf einer abstrakten Ebene essentiell unterschiedliche Phänomene bzw. Größen zueinander in Beziehung zu setzen. Die betreffende Fähigkeit ist also nicht allein durch die ihr zugrundeliegenden physikalischen Stimuli erklärbar, sondern allein durch die Annahme einer abstrakten Ebene, auf der z.B. zeitliche und räumliche Phänomene in Beziehung zueinander gesetzt werden. Läßt sich nachweisen, daß bereits Neugeborene zu derartigen abstrakten Operationen fähig sind, so wird dies in der Regel als Evidenz zugunsten der nativistischen Hypothese gewertet.

Eine Vielzahl von Tierexperimenten basiert auf Manipulationen, denen das Tier in seinem Entwicklungsprozeß ausgesetzt ist. Dabei läßt sich die Vielfalt der Stimuli, die diese Umgebung kennzeichnen, entweder vergrößern *(enriched environment)* oder verkleinern *(stimulus deprivation).* In den sog. Deprivationsexperimenten (cf. Endler et al. 1976: 315) werden Tiere, vorzugsweise Ratten und Affen, beispielsweise unmittelbar nach der Geburt in einem völlig verdunkelten Behälter aufgezogen, so daß sie bis zum Beginn des Experiments keinerlei visuellen Stimuli ausgesetzt sind. Einen ähnlichen Effekt erhält man, wenn das Experiment unmittelbar nach der Geburt durchgeführt wird (cf. Walk & Gibson 1961).

Derartige Experimente gestatten vor allem zwei Typen von Beobachtungen. Zunächst kann untersucht werden, wie sich die Stimulireduktion auf die weitere Entwicklung des Tieres auswirkt. Hierzu vergleicht man das Verhalten von Tieren, die in normalen und in stimuli-reduzierten Umgebungen aufwachsen (cf. Harlow 1962). Zum anderen läßt sich der Frage nachgehen, wie das Tier auf das erstmalige Erscheinen eines Stimulus reagiert und inwieweit es in der Lage ist, die mit diesem Stimulus verbundene Information adäquat zu verarbeiten. In welchem Umfange vermögen Tiere etwa erstmalig empfangene perzeptuelle Reize mit motorischen Leistungen angemessen zu koordinieren?

In einem für dieses Genre typischen Experiment gehen Lashley & Russell (1934) der Frage nach, ob die den meisten höheren Lebewesen verfügbare Fähigkeit, visuelle Information motorisch umzusetzen, erlernt oder angeboren ist. Will etwa ein Tier oder Mensch einen Graben überspringen, muß zunächst die Breite des Grabens, d.h. die zu bewältigende Distanz abgeschätzt werden. Auf der Grundlage dieser Information muß der Springer die Muskelkraft festlegen, mit der der Sprung ausgeführt werden soll. Offenkundig müssen diese beiden Größen, also visuell wahrgenommene Entfernung und Spannung der Sprungmuskulatur, miteinander koordiniert werden: je größer die zu überwindende Distanz, desto größer die aufzuwendende Muskelkraft, et vice versa. Es geht hier also um die Umsetzung visueller Information in entsprechende Muskelspannung. Die Frage erhebt sich, wie ein Lebewesen zu dieser Fähigkeit gelangt. Erreicht es sie im Sinne der behavioristischen Auffassung auf der Basis von *trial and error,* indem es verschiedene Kombinationsmöglichkeiten – u.a. auch große Distanz und kleine Muskelkraft – durchprobiert und beim erfolgreichen Überspringen qua Verstärkung die "richtige" Lösung selektiert, oder gehört diese Koordinationsfähigkeit zu seiner biologischen Struktur?

Lashley & Russel (1934) benutzten zur Klärung dieser Frage eine Gruppe von Ratten, die die ersten 100 Tage ihres Lebens bis zum Testbeginn in völliger Dunkelheit aufgewachsen waren und somit bis dahin keinerlei Möglichkeiten hatten, die angesprochenen Umsetzungsprozesse durch Erfahrung zu erlernen. Die Ratten hatten die Aufgabe, die Distanz zwischen zwei Plattformen durch einen Sprung zu überwinden. Die Entfernung zwischen den Plattformen ließ sich variieren. Das Absprungbrett war derart ausgestattet, daß sich die Muskelkraft messen ließ, die das Tier für den Sprung aufwendete. Das Experiment lief über 3 Tage. Am ersten Tag mußten die Tiere über einen Zwischenraum von lediglich 5 cm hinweg*laufen*. Unmittelbar danach wurde die Distanz für 5 Versuche auf 20 cm erweitert, so daß die Tiere hier erstmals springen mußten. Am zweiten Tag sah die Versuchsanordnung 5 Sprünge über 20 cm, 3 Sprünge über 40 cm, 3 Sprünge über 20 cm, 3 Sprünge über 40 cm in der angegebenen Abfolge vor. Am letzten Tag hatte jede Ratte nur je *einen* Versuch zur Bewältigung von insgesamt neun verschiedenen Entfernungen zwischen 24 und 40 cm (Intervall jeweils 2 cm).

Die Experimente von Lashley & Russell führten zu folgenden Ergebnissen:
In zahlreichen Fällen schätzte das Tier beim ersten Sprungversuch die Entfernung falsch ein bzw. verfehlte die richtige Koordination von Distanz und Muskelkraft. Es sprang entweder zu weit oder nicht weit genug. Anderen Tieren gelang gleich beim ersten Mal ein erfolgreicher Sprung. Insgesamt schien es dem Zufall überlassen zu sein, ob das Tier beim ersten Versuch die gegenüberliegende Plattform erreichte oder nicht. Dieser Sachverhalt scheint zunächst die empiristische Hypothese zu unterstützen. Ohne die entsprechende Erfahrung ist das Tier nicht in der Lage, wahrgenommene Entfernungen und Muskelkraft beim Absprung zu koordinieren.

Entscheidend ist jedoch vielmehr, was beim jeweils zweiten Sprung geschah. Alle diejenigen Tiere, die beim ersten Mal zu weit gesprungen waren, reduzierten beim zweiten Versuch systematisch die Muskelkraft; diejenigen Ratten, die im ersten Versuch nicht weit genug gesprungen waren, vergrößerten beim zweiten Versuch die Muskelspannung. Dieses Ergebnis zeigt nun recht eindeutig, daß die – wohlgemerkt – abstrakte Beziehung zwischen perzipierter Entfernung und Muskelaufwand beim Sprung bereits beim zweiten Versuch das Verhalten der Tiere bestimmte; d.h. die Ratten wissen bereits: große Entfernung erfordert hohe Muskelkraft. Die Kenntnis dieser abstrakten Beziehung kann nun sinnvollerweise kaum das Ergebnis eines Lernprozesses sein, da sie bereits beim zweiten Versuch genutzt wurde. Müßten die Tiere diese Beziehung erst in einem *trial and error* Verfahren lernen, so wäre zu erwarten, daß einige Ratten, die beim ersten Mal zu weit sprangen, beim zweiten Mal ihre Muskelkraft weiterhin erhöhen; bzw. umgekehrt, daß Tiere, die das erste Mal die Distanz nicht bewältigten, ihre Muskelkraft reduzieren, statt sie zu erhöhen. Kurz: sämtliche Kombinationsmöglichkeiten von Distanz und Muskelkraft müßten belegt sein. Erst nach einer angemessenen Zahl von Versuchen hätten die Tiere erkennen können, in welcher Beziehung Muskelkraft und Distanz zueinander stehen. Dies war jedoch nicht der Fall. Die abstrakte Relation zwischen Entfernung und Muskelaufwand ist offensichtlich eine Kenntnis, die den Tieren angeboren ist. Lashley & Russel (1934: 143) schließen aus ihren Experimenten, daß "the visual perception of distance and gradation of force in jumping to compensate for distance are not acquired by learning, but are the product of some innately organized neural mechanism."

Dennoch darf nicht übersehen werden, daß die Tiere in zahlreichen Versuchen die jeweilige Distanz falsch einschätzten und somit das Versuchsziel nicht erreichten. Dieser Umstand deutet daraufhin, daß auch die Erfahrung bei der Bewältigung der gestellten Aufgabe eine entscheidende Rolle spielt. Das Tier muß offensichtlich erst durch Erfahrung lernen, exakt welche Muskelkraft für welche Entfernung notwendig ist. Mit anderen Worten, das Tier weiß aufgrund seiner angeborenen Fähigkeiten, daß es bei einer Vergrößerung des zu bewältigenden Abstandes seine Muskelkraft ebenfalls erhöhen muß. Durch Erfahrung muß das Tier hingegen lernen, um wieviel genau bei einer gegebenen Entfernung die Muskelkraft erhöht bzw. reduziert werden kann. Es zeigt sich also sehr deutlich an diesem Experiment, daß bestimmte abstrakte Repräsentationen, hier die Koordinierbarkeit von Entfernung und Muskelkraft, zu den angeborenen Fähigkeiten von Lebewesen gehören, während die Ausgestaltung bzw. Nutzbarmachung dieser Fähigkeit im wesentlichen durch Erfahrung in der Umwelt erlernt wird.

Zahlreiche Experimente in der entwicklungspsychologischen Literatur deuten in die gleiche Richtung. Fantz (1965) versucht an umfangreichem Datenmaterial aus dem menschlichen und tierischen Bereich nachzuweisen, daß bereits Neugeborene bestimmte Grundmuster im visuellen Bereich wahrnehmen können *(pattern vision)*. Derartige Fähigkeiten müssen demnach offensichtlich zur biologischen Ausstattung der betreffenden Lebewesen gehören:

> "The results refute the common opinion that the young infant is lacking in pattern vision or can see only vague masses of light and dark. The results imply that all parts of the visual mechanism, from cornea to cortex, function to some degree in the neonate, although further development of visual structures and functions during the first 6 months causes progressively more acute vision" (Fantz et al. 1962: 917).

Daß die Lernfähigkeit verschiedener Organismen von artspezifischen Voraussetzungen abhängt, versucht Bitterman (1965) in einer Reihe von Experimenten nachzuweisen. Sie vergleicht die Lernfähigkeit von Ratten und Fischen u.a. in einem sog. *habit reversal* Experiment:

> "Suppose an animal is trained to choose one of two stimuli; either for a fixed number of trials or to some criterion level of correct choice, and then the positive and negative stimuli are reversed; that is, the previously unrewarded stimulus now is rewarded, and the previously rewarded stimulus is unrewarded. After the same number of trials as were given in the original problem, or when the original criterion has been reached in the first reversal, the positive and negative are reversed again – and so forth" (S. 400)

Der Testaufbau in sich ist relativ komplex und involviert zahlreiche Apparaturen, so daß ich an dieser Stelle auf eine Darstellung verzichte und den interessierten Leser auf die Originalarbeit verweise. Ergebnis der Bitterman'schen Untersuchung ist, daß sich Fische und Ratten erheblich in ihrer Lernfähigkeit unterscheiden. Während die Ratten nach einer bestimmten Anzahl von Versuchen eine deutliche Steigerung in der geforderten Fähigkeit zeigten, blieben bei den Fischen derartige Steigerungen aus.

Evidenz für unterschiedliche Lernfähigkeit bei Tieren findet sich ebenfalls bei Lashley (1938). Ein Schimpanse und ein Spinnenaffe werden hinsichtlich ihrer Fähigkeit getestet, ein vorgegebenes rotes oder grünes Viereck zu identifizieren.

In dieser Fähigkeit zeigen sich nun entscheidende Unterschiede. Während der Schimpanse sehr schnell die Aufgabe begreift und jeweils das richtige Viereck auswählt, gelingt dies dem Spinnenaffen nur, wenn zwischen dem Modellviereck und dem auszuwählenden Viereck direkter Kontakt besteht. Liegen die Vierecke hingegen in einer fortlaufenden Reihe, so übersteigt die Anzahl der Treffer selbst bei tausend Versuchen nicht die Zufallsquote. Auch hier scheinen die artspezifischen Voraussetzungen für die Erlernung bestimmter Fähigkeiten unterschiedlich zu sein. Lashley (1938: 458) schließt: "It is not the fact of learning, but what is learned that differentiates animals in the evolutionary scale. The learning of higher animals involves a perception of relations which is beyond the capacity of the lower." Derartige Fähigkeiten scheinen selbst auch nicht erlernbar zu sein, sondern zur biologischen Ausstattung des Organismus zu gehören.

In eine ähnliche Richtung deuten die Untersuchungen von Mason et al. (1959) mit jungen Rhesusaffen. Die Autoren fragen nach "the origin, nature, and development of manipulatory responsiveness in the rhesus monkey during the first four months of life, using various age groups of infants on a variety of manipulatory tasks" (S. 555). In drei verschiedenen Experimenten werden die Tiere in ihrer normalen Umgebung mit verschiedenen Gegenständen (Ketten, Stricke und einem Knauf) konfrontiert, deren Manipulation zur Veränderung der Umgebung führen. Die Versuchsleiter zeichnen Zahl und Art der Manipulation auf.

Auch in diesem Bereich scheint die Beziehung zwischen Perzeption und Motorik von bestimmten artspezifischen, d.h. angeborenen Mechanismen abzuhängen. Mason et al. (1959: 558) schließen:

> "The early appearance, persistence, and orderly growth of manipulatory responses suggest that these activities are innate and increase in frequency through maturation probably augmented by self-reinforcement. The data indicate that they are not dependent upon, nor derive from association with satisfaction of hunger, thirst or other biological drives."

In dieser Aussage wird eine weitere empiristische These in Zweifel gezogen, nach der der Ursprung bestimmter Verhaltensweisen in einer Triebreduktion liegt. Man nimmt an, daß zahlreiche Verhaltensweisen junger Tiere dadurch bestimmt sind, daß Triebe bzw. Bedürfnisse, wie Hunger, Durst, Wärme, etc. befriedigt werden sollen. Von zahlreichen Experimenten, die Evidenz *gegen* eine solche Triebreduktionstheorie liefern, berichten Harlow & Zimmermann (1959). Versuchstiere waren zumeist Affen. Es ist bekannt, daß Kleintiere eine besonders enge Zuneigung zum Muttertier verspüren. Die Frage erhebt sich, worin liegt der Ursprung für diese Zuneigung? Ist sie angeboren, oder ist sie allein das Resultat der Erkenntnis, daß die Mutter für den Nahrungserhalt unentbehrlich ist? Um dieser Frage nachzugehen, wurden Kleinaffen in mehreren Experimenten mit zwei verschiedenen Formen von Ersatzmüttern konfrontiert. Beide "Mütter" hatten mit lebenden Tieren kaum Ähnlichkeit. Die eine Ersatzmutter bestand lediglich aus einem unansehnlichen Drahtgestell, an dessen oberem Ende sich als Kopfimitation ein ekkiger Holzklotz mit zwei schwarzen Punkten an der Vorderseite befand. Dieses Drahtgestell besaß jedoch eine Vorrichtung, durch die der Kleinaffe Nahrung erhalten konnte. Die andere Ersatzmutter bestand aus einem mit weichem flauschigem Tuch umwickelten länglichen Zylinder, an dessen Ende eine recht detaillierte, affenähnliche Kopfimitation befestigt war. Diese Ersatzmutter enthielt jedoch keinerlei Möglichkeit der Nahrungszufuhr. Jungaffen, die die Wahlmöglichkeit hatten, entweder zu der nahrungsspendenden Drahtmutter oder zu der nahrungslosen Ersatzmutter aus flauschigem Tuch Zuneigung zu entwickeln, verzichteten in nahezu allen Fällen auf die Möglichkeit des Nahrungserhalts und bevorzugten das flauschige Tuch.

Die Ergebnisse dieser und ähnlicher Experimente deuten darauf hin, daß eine streng empiristische Position, nach der sämtliche Fähigkeiten und Verhaltensweisen auf S-R-Lernprozesse zurückführen und, kaum haltbar ist. Nach der vorliegenden Evidenz muß angenommen werden, daß von den zahlreichen Fähigkeiten und Verhaltensweisen, die sich in einem Organismus manifestieren, einige grundlegende ihm von seiner biologischen Struktur her mitgegeben sind. Auf der Basis dieser biogenetischen Voraussetzungen entwickeln sich im Wechselspiel mit der Umwelt und durch Sammeln von Erfahrung Verhaltensweisen und Fähigkeiten höherer Ordnung.

Weitere Evidenz gegen eine streng empiristische Position liefert eine Form von Lernen, die unter dem Terminus *Prägung (imprinting)* bekannt ist und vor allem durch Forschungsarbeiten von K. Lorenz und E. Hess bekannt wurde. Ich werde auf das Phänomen der Prägung an späterer Stelle im Zusammenhang mit der *critical period hypothesis* noch näher eingehen. Vorweggenommen sei, daß Prägung offensichtlich eine Art des Lernens darstellt, das hinsichtlich ihrer Gesetzmäßigkeiten und ihres Ablaufes in der biogenetischen Struktur des jeweiligen Lebewesens verankert ist und nicht den Prinzipien empiristischer Lerntheorie folgt. Entscheidend hieran ist vor allem – und dies wird in der Diskussion vielfach übersehen – daß der Nachweis eines abgelaufenen Lernprozesses per se keinesfalls als Evidenz *für* empiristische Position angesehen werden muß. Der Vorgang des Lernens selbst ist als Phänomen hinsichtlich der Nativismus-Empirismus-Frage neutral. Es ist m.E. ein verhängnisvoller Irrtum zu glauben, daß die Aufdeckung eines Lernvorganges gleichzeitig die Annahme rechtfertigt, dieser Lernvorgang liefe nach einem Reiz-Reaktions-Schema ab.

26.2. Empirische Evidenz zur frühkindlichen Entwicklung

Bevor die Beobachtungen aus den geschilderten Tierexperimenten durch Untersuchungen zur Entwicklung des menschlichen Kleinkindes ergänzt werden, ist es notwendig, vorab einige eher methodische Probleme anzusprechen. Es sei daran erinnert, daß die Frage ansteht, ob bzw. welche perzeptuellen, motorischen oder kognitiven Fähigkeiten angeboren sind bzw. erlernt werden müssen. Die extremen Nativisten vertreten teilweise die Auffassung, daß die sich im Reifungsprozeß des Menschen manifestierenden Grundfähigkeiten in seiner biologischen Struktur angelegt sind, so daß diese Aspekte der psychischen Entwicklung nicht oder nur unwesentlich durch Umwelteinflüsse geprägt werden. Demgegenüber steht die extreme empiristische Auffassung, die generell die Existenz angeborener Fähigkeiten oder Verhaltensweisen bestreitet, und psychische bzw. psychologische Merkmale des Menschen auf Lern- bzw. Anpassungsprozesse zurückführt, die durch Umweltstimuli ausgelöst und gesteuert werden.

Nun ist allerdings nicht ohne weiteres ersichtlich, daß Lernen im empiristischen Sinne überhaupt beim Kleinkind stattfindet bzw. möglich ist. Wie Bower (1974) betont, scheinen sich die älteren Entwicklungspsychologen schwergetan zu haben, überhaupt eine Lernfähigkeit des Kleinkindes sichtbar zu machen. Hierbei ist zu bedenken, daß nach empiristischer Auffassung Lernen, d.h. die Veränderung von Verhaltensweisen, unmittelbar in Beziehung zur Auseinandersetzung mit der Umgebung steht. Gelernt wird durch Erfahrung von Erfolg und Mißerfolg bei dem Versuch, sich auf die Erfordernisse der Umwelt einzustellen.

> "It seemed a direct contradiction to empiricism that infants should develop manifestly while showing no change in behavior that could be related to the success or failure of the behavior. Learning – the adjustment of behaviour in accord with its success or failure – seemed to be beyond the capacities of infants in their first year; infants nonetheless develop an enormous amount during the course of their first year" (Bower 1974: 6).

Ebenso fragte bereits 1931 D. Marquis in einem bekannten Aufsatz "Can conditioned reflexes be established in the new-born infant?" In der Tat gelang es lange Zeit nicht, klassische Konditionierungsexperimente, die bei verschiedenen Tieren gute Ergebnisse gezeigt hatten, mit vergleichbarem Erfolg bei neugeborenen Kindern durchzuführen.

> "There have been many investigations in which attempts were made to show classical conditioning in new-born infants. These studies were uniformly unsuccessful or inconclusive" (Sameroff 1971: 1).

Dieses Urteil scheint jedoch zunächst nur für die *klassischen* Konditionierungsversuche zu gelten. Komplexere Experimente mit dem Ziel, Lernprozesse bei Neugeborenen in Gang zu bringen, zeigten insbesondere dann Erfolg, wenn Techniken der operanten Konditionierung angewandt wurden (Sameroff 1968, Siqueland 1968, Siqueland & Lipsitt 1966). Offenbar führen Lernexperimente dann zu einem negativen Ergebnis, wenn versucht wird, "to relate a previously neutral stimulus to an unconditioned stimulus and response" (Sameroff 1971: 3). Hingegen läßt sich ein Lernprozeß nachweisen, wenn zwischen dem betreffenden Reiz und der Reaktion bereits vorher eine natürliche Beziehung besteht, d.h. durch den Lernvorgang werden bereits existente Relationen verstärkt bzw. verändert, nicht hingegen zuvor neutrale Stimuli assoziiert. Lernen funktioniert im Neugeborenen demnach nur auf der Grundlage bereits vorhandener Strukturen, die wiederum nicht etwa das Resultat von Lernen sind, sondern offensichtlich zur biologischen Ausstattung des Kindes gehören. Sameroff (1971: 7) faßt die Situation wie folgt zusammen:

> "It is through the adaptation of this already existing reflex schemas that any demonstration of learning has been possible in the new-born. It is when one departs from these built-in schemas that difficulties arise. In the typical classical conditioning problem there is an attempt to relate to previously unrelated stimuli in different sensory modalities. For adults, both the CS and the US already are part of various schematic hierarchies. In the typical newborn study, only the US is part of the schema, e.g., tactural stimulation leading to head-turning. The 'newness' of the CS for the infant also means that it is unrelated to any of his activity schemas other than through the possibility of generalising a stimulation. As a consequence, there is no place for CS in the infant's cognitive structure."

Eine weitere Schwierigkeit bei Experimenten mit Kleinkindern ist vornehmlich methodischer Art und ergibt sich aus der mangelnden Verläßlichkeit üblicher Wahrnehmungsindikatoren. Ob ein Neugeborenes bzw. Kleinkind bestimmte visuelle oder auditive Stimuli bereits diskriminieren kann, läßt sich naturgemäß nicht direkt beobachten, sondern nur auf dem Umweg über Reaktionen des Kindes auf derartige Stimuli. Nun ist jedoch zweifellos nicht nur die perzeptuelle, sondern auch die motorische Fähigkeit des Kindes eingeschränkt. Es ist denkbar, daß ein Kind zwar Lichtsignale bereits danach unterscheiden kann, ob sie von rechts oder links kommen, aber noch unfähig ist, seine Muskeln derart zu koordinieren, daß es z.B. seinen Kopf oder seine Augen – als Reaktion auf die Stimuli – beliebig nach rechts oder links dreht. Dieses methodische Problem wird wohl nie ganz zu lösen sein, sondern kann durch geeignete Versuchsanordnungen lediglich minimiert werden.

In Experimenten, wie etwa dem von Siqueland & Lipsitt (1966), wird das Kleinkind typischerweise mit verschiedenen akustischen bzw. visuellen Stimuli konfrontiert. Beobachtet wird, ob das Kind auf derartige Reize systematisch reagiert, indem es z.B. seinen Kopf jeweils zur Reizquelle hin dreht. Im Laufe des Experiments werden die Stimuli variiert, um zu prüfen, ob die Reaktionen des Kindes – in diesem Fall das Drehen des Kopfes – mit den veränderten Stimuli korrelieren. Nun darf bei derartigen Experimenten nicht übersehen werden, daß in der Regel neben den testbedingten Stimuli noch zahlreiche andere visuelle bzw. akustische Reize vorhanden sind. Das Kind hört etwa neben den test-relevanten akustischen Stimuli auch die Stimmen der Experimentatoren, Geräusche aus dem Nebenraum etc. Innerhalb der visuellen Wahrnehmung ist die Vielfalt der für das Experiment nicht relevanten Stimuli vermutlich noch weitaus größer. Auch im Bereich der Motorik reagiert das Kind offenkundig nicht nur mit den für das Experiment relevanten Bewegungen, wie etwa dem Drehen des Kopfes, sondern hinzukommen das Strampeln der Beine, Bewegung der Arme und Hände etc. Unter diesem Aspekt ist es erstaunlich, mit welcher Sicherheit und Präzision das Kind in Lernexperimenten die test-relevanten Stimuli als solche identifiziert und mit einer ganz bestimmten Reaktion verknüpft. Die Verbindung von Reiz und Reaktion offenbart also schon eine strenge Systematik. Diese Überlegungen zeigen, daß das Kind über sehr feine und ausgeprägte Selektionsmechanismen verfügen muß, die es ihm gestatten, Stimuli und Reaktionen zu identifizieren und in Beziehung zueinander zu setzen. Ein Lernexperiment setzt also voraus, daß bestimmte Verarbeitungsfähigkeiten im Kinde bereits vorhanden sind. Da Lernprozesse schon sehr früh möglich sind, sind diese Fähigkeiten selbst nicht das Resultat von Lernen, sondern vielmehr das Ergebnis von Reifeprozessen. Lernen geht nicht von einem Nullpunkt aus, sondern Fähigkeit zum Lernen setzt bereits bestimmte Mechanismen voraus, über die der Lerner verfügen muß. Bower (1974: 12) schreibt: " . . . there is a tendency to see learning as a consequence of development rather than as a causal factor in development."

Neben diesen mehr theoretischen Überlegungen liegt einige Evidenz dafür vor, daß ganz spezifische Fähigkeiten aus dem Wahrnehmungsbereich bereits beim neugeborenen Kind vorhanden sind, ohne daß zuvor die Möglichkeit eines Lernprozesses gegeben ist. Einige sollen im folgenden kurz dargestellt werden. Am überzeugendsten in diesem Bereich scheinen mir solche Phänomene zu sein, in denen der Wahrnehmende zeitliche Informationen in Richtungsinformationen umsetzt. Am einfachsten läßt sich diese Phänomen am Beispiel der olfaktorischen Perzeption demonstrieren.

Jeder Mensch ist üblicherweise in der Lage, die Richtung, aus der ein Geruch kommt, annähernd exakt zu bestimmen. Verbindet man etwa einer Versuchsperson die Augen, und stellt eine Geruchsquelle vor ihr auf, so kann sie im allgemeinen angeben, ob der Geruch direkt von vorne, von links oder von rechts kommt. Es ist nicht ohne weiteres erkennbar, warum der Mensch über eine solche Fähigkeit verfügt, da in der Struktur der Geruchszellen eine Dichotomie zwischen links und rechts nicht vorhanden ist. Die Geruchszellen verteilen sich völlig gleichmäßig über die gesamte olfaktorische Oberfläche des Naseninnenraumes. Entsprechendes gilt für die Moleküle, die von der Geruchsquelle ausgehen. Auch sie diffundieren gleichermaßen in alle Richtungen. Weder die anatomische Struktur der Geruchsnerven, noch die physikalischen Eigenschaften der Geruchsquelle weisen also Merkmale auf, die es dem Menschen ermöglichen, die Richtung eines Geruchs zu determinieren.

Des Rätsels Lösung liegt natürlich in der Tatsache, daß wir zwar nur eine Nase, jedoch zwei Nasenhälften haben. Je nach dem relativen Standort der Geruchsquelle bezogen auf die Nase werden die beiden Nasenhälften zu verschiedenen Zeitpunkten stimuliert. Befindet sich die Geruchsquelle frontal zur Nase, so werden die Rezeptoren in beiden Nasenhälften gleichzeitig gereizt. Kommt der Geruch hingegen von rechts, so trifft er um Bruchteile von Sekunden früher auf die rechte als auf die linke Nasenhälfte. Bei einer links zur Nase sich befindlichen Geruchsquelle verhält es sich entsprechend umgekehrt.

Der Mensch vermag also im olfaktorischen Bereich zeitliche Differenz in Richtungsunterschiede umzusetzen. Diese Umsetzung ist – und dies sei hier ausdrücklich betont – eine abstrakte Operation. Temporale und direktionale Phänomene haben auf der konkreten Ebene keine gemeinsamen physikalischen Eigenschaften. Das Phänomen Zeit trägt keine Merkmale, die auf natürliche Weise zu erkennen geben, zu welchem Richtungsfaktor ein bestimmter Zeitfaktor in Beziehung zu setzen ist. Die Umsetzung kann also nur – losgelöst von den rein physikalischen Eigenschaften – durch eine abstrakte Regel vorgenommen werden.

Es stellt sich nunmehr die entscheidende Frage: Ist die abstrakte Fähigkeit, Zeit- und Richtungsfaktoren miteinander zu korrelieren, durch Erfahrung gelernt, oder handelt es sich hierbei um einen Umsetzungsmechanismus, der dem Menschen angeboren ist? Hier ist zu untersuchen, wie Kinder in einer entsprechenden Situation reagieren. Wäre die genannte Umsetzung eine erlernte Fähigkeit, so müßten Neugeborene bzw. Kleinkinder einen von rechts kommenden Geruch nicht etwa als solchen erkennen, sondern würden vielmehr zwei kurz nacheinander eintreffende Gerüche wahrnehmen. D.h. Kinder könnten Gerüche lediglich in ihrer zeitlichen, nicht jedoch in ihrer räumlichen Dimension identifizieren.

Wenngleich Untersuchungen aus dem Bereich der olfaktorischen Wahrnehmung nur in sehr geringer Zahl existieren, so deutet doch eine Studie von Engen et al. (1963) darauf hin, daß die Fähigkeit, zeitliche Differenz in direktionale Unterschiede umzusetzen, angeboren ist. Die Autoren beobachteten Neugeborene in den ersten Stunden ihres Lebens und stellten fest, daß die Kinder sehr wohl in der Lage waren, die Richtung von Gerüchen zu determinieren. Aufgrund der Komplexität und Abstraktheit der für diese Umsetzung notwendigen Operation ist kaum anzunehmen, daß die Kinder diese bereits in den ersten Stunden ihres Lebens lernen könnten. Wir können daher davon ausgehen, daß die Fähigkeit, die Richtung von Geruchsquellen zu determinieren, und die damit verbundenen Operationen nicht erlernt, sondern in der biologischen Ausstattung des Menschen verankert sind.

Was für die Lokalisierung von Geruchsquellen gilt, läßt sich in vergleichbarer Form auch für die Richtungsbestimmung von akustischen Reizen nachweisen. Weder die physikalischen Eigenschaften akustischer Wellen, d.h. der Druckveränderungen, noch die anatomische Beschaffenheit des menschlichen Ohres gestatten per se eine rechts-links-Orientierung. Der Mensch ist nur deshalb in der Lage, den Standort einer Schallquelle zu lokalisieren, weil er über *zwei* Ohren verfügt. Daraus ergibt sich, daß akustische Reize – analog zur Wahrnehmung von Gerüchen – mit einer Zeitdifferenz auf beide Ohren treffen. Befindet sich die Geräuschquelle frontal zum Gesicht, so erreichen die Schallwellen beide Ohren gleichzeitig. Kommt der Schall hingegen von links oder rechts, so trifft er auf eines der beiden Ohren früher als auf das andere. Wir erkennen im akustischen Bereich also prinzipiell den gleichen Umsetzungsmechanismus wie bei der Lokalisierung von Gerüchen. Entscheidend ist auch hier, daß sich die Lokalisierbarkeit eines Reizes nicht aus dessen physikalischen Eigenschaften oder aus der anatomischen Struktur des Wahrnehmungsorgans ergibt, sondern aus einer abstrakten Umsetzung temporaler in direktionale Werte.

Allerdings tritt bei der akustischen – im Gegensatz zur olfaktorischen – Wahrnehmung als zusätzlich komplizierendes Faktum die Tatsache hinzu, daß der Mensch zur Bestimmung des Standortes einer Geräuschquelle sich nicht allein an der genannten Zeitverschiebung, sondern ebenso an Intensitäts- und vor allem Phasenunterschieden orientiert (Stevens & Newman 1936). Es ist offenkundig, daß eine Schallwelle mit hinreichend niederer Frequenz an verschiedenen Punkten einer Phase auf die beiden Ohren trifft. So ist denkbar, daß etwa das linke Ohr von der Phasenspitze und das rechte Ohr vom Phasentiefpunkt getroffen wird. Die Information aus diesem Phasenunterschied wird mit zur Lokalisierung der Geräuschquelle genutzt. Derartige Phasenunterschiede können jedoch nur bis zu einer Frequenz von ca. 600 Hz als verläßlicher Paramater zur Standortbestimmung von Geräuschquellen gelten. Bei ca. 600 Hz entspricht die Wellenbreite in etwa der Entfernung zwischen den beiden Ohren. Daraus ergibt sich, daß bei höher frequenten Wellen durchaus beide Ohren vom gleichen Phasenpunkt getroffen werden können. Auf ihrem Weg etwa vom linken zum rechten Ohr durchläuft die Welle mehrere Phasen und kann daher unter bestimmten Bedingungen beim Auftreffen auf das rechte Ohr den gleichen Phasenpunkt wieder erreicht haben, mit dem zuvor das linke Ohr stimuliert wurde. Bei Schallwellen unter 600 Hz bedeutet jedoch das Auftreffen des gleichen Phasenpunktes auf beide Ohren notwendigerweise, daß die Geräuschquelle sich frontal zum Hörer befindet. Oberhalb von 600 Hz gilt diese Regel aus den genannten Gründen nicht mehr. Wie immer der Umsetzungsmechanismus zur Lokalisierung von Geräuschquellen aussieht, der kritische Wert 600 Hz, bei dem die Schallwellenbreite gleich der Entfernung zwischen den Ohren ist, muß in irgendeiner Form "eingebaut" sein.

Dieser Sachverhalt ist deshalb für unsere Überlegungen von besonderer Bedeutung, da sich bekanntlich die Entfernung zwischen den Ohren vom Kleinkind zum Erwachsenen erheblich verändert, und zwar um etwa das Doppelte. Diese Tatsache muß nun erhebliche Konsequenzen für die Fähigkeit des Kindes haben, den Standort einer akustischen Quelle zu lokalisieren. Da der Frequenzwert, bei dem Phasenunterschiede noch verläßlich zur Lokalisierung von Schallquellen benutzt werden können, von der Entfernung zwischen den Ohren abhängt, ist der Wert 600 Hz für den Heranwachsenden nicht nur unzutreffend, sondern das Kind muß den für sich gültigen Wert fortlaufend im Einklang mit den Wachstumsveränderungen revidieren. Der offenkundig sehr komplexe Mechanismus, der diesen Anpassungsvorgang besorgt, wird spätestens mit dem Ende des Wachstums überflüssig und kann daher abgebaut werden. Zahlreiche Entwicklungspsychologen (cf. Bower 1974) halten es kaum für plausibel, daß das Kind über einen solchen Anpassungsmechanismus "auf Zeit" verfügt. Aus dieser Skepsis ergibt sich die alternative Annahme, daß das Kind Phasenunterschiede noch nicht zur Lokalisierung von Geräuschquellen verwendet und daher in der Präzision der Standortbestimmung hinter dem Erwachsenen zurückstehen müßte. Es geht mir in diesem Zusammenhang vor allem um den Hinweis, daß eine scheinbar so einfache Sache wie die Lokalisierung einer Geräuschquelle die Verarbeitung vielschichtiger, komplexer und abstrakter Informationen verlangt.

Die entscheidende Frage ist wiederum: ist bereits das Kleinkind in der Lage, Schallquellen zu lokalisieren, und – wenn ja – mit welcher Präzision vermag es dies zu tun. Nach empiristischer Auffassung müßte das Kind die komplexen und abstrakten Umsetzungsoperationen erst erlernen, d.h. das Neugeborene müßte unfähig sein, eine Geräuschquelle zu lokalisieren, vielmehr würde es zwei verschiedene Schallwellen wahrnehmen, die entweder gleichzeitig oder mit zeitlicher Verzögerung eintreffen. Eine extrem nativistische Auffassung würde die Hypothese aufstellen, daß bereits das Kleinkind mit im wesentlichen der gleichen Präzision Geräuschquellen lokalisieren kann wie der Erwachsene. Der gesamte abstrakte Lokalisierungsapparat, einschließlich des beschriebenen Frequenzanpassungsmechanismus, wäre unter extrem nativistischer Perspektive Teil der biologischen Ausstattung des Menschen. Eine gemäßigte nativistische Position würde die Fähigkeit zur Groblokalisierung (vorn, hinten, rechts, links) als angeboren ansehen, präzisere Richtungsbestimmungen hingegen einem Lernprozeß anlasten.

Wertheimer (1961) gelang es, noch im Kreißsaal mit einem Neugeborenen ein entsprechendes Experiment durchzuführen. In willkürlicher Abfolge wurde das Neugeborene mit Schallgeräuschen aus verschiedenen Richtungen konfrontiert. Dabei zeigte sich deutlich, daß das Kind als Reaktion jeweils in die Richtung schaute, aus der das Geräusch eintraf. Dies galt allerdings nur für relativ kurze Zeit; somit ist anzunehmen, daß die Motivation für eine Geräuschlokalisierung recht schnell abnahm. Das Ergebnis dieses Experiments liefert eindeutige Evidenz *gegen* die empiristische Position. Es scheint unbestreitbar zu sein, daß bereits ein Neugeborenes in der Lage ist, ein Geräusch grob danach zu identifizieren, ob es von links, rechts oder vorn kommt. Wie bereits bei dem Geruchsexperiment unterstützt auch der Versuch von Wertheimer die Auffassung, daß die Fähigkeit, auf einer abstrakten Ebene Zeitdifferenzen in Richtungsdifferenzen umzusetzen, zu den angeborenen Fähigkeiten des Menschen gehört.

Nicht beantworten läßt sich hingegen auf der Basis des Experiments von Wertheimer die Frage, mit welcher Präzision das Neugeborene in der Lage ist, eine Geräuschquelle zu lokalisieren. Einerseits gibt Wertheimer über die Präzision der Lokalisierung keinerlei Auskunft, andererseits ist die Frage schon allein deshalb nicht zu entscheiden, weil hier das Problem der motorischen Koordination auftaucht. Es ist denkbar, daß das Kleinkind durchaus in der Lage ist, entsprechend der extremen nativistischen Hypothese eine Geräuschquelle exakt zu lokalisieren, jedoch im motorischen Bereich noch nicht über die notwendigen Fähigkeiten verfügt, den

Kopf bzw. die Augen präzis in die Richtung der Geräuschquelle zu drehen. Es hat verschiedene Versuche gegeben, diese Schwierigkeit zu überwinden (cf. Bower & Wishart 1973). Für unsere Fragestellung ist dieser Problemkreis jedoch nicht weiter von Bedeutung. Entscheidend ist vielmehr, daß auch im auditiven Bereich Evidenz dafür vorliegt, daß bestimmte Fähigkeiten offensichtlich nicht im Sinne der empiristischen Auffassung erlernt werden müssen, sondern bereits in der biologischen Struktur des Menschen vorgegeben sind.

Wir wenden uns nunmehr einem dritten Perzeptionstyp zu, und zwar der visuellen Wahrnehmung. Im Vergleich zur auditiven und olfaktorischen Perzeption stoßen wir in diesem Bereich auf enorm komplexe Sachverhalte und Beziehungen. Bower (1974: 34) schreibt:

> "The complexities of localization by ear and nose fade into insignificance when compared with the complex localizing capacities of the eye. The human eye can pick up location in three dimensions, with a precision beyond that of the other senses and with a set of structural peculiarities that would seem to contradict any precision in localisation."

Bevor wir der Frage nachgehen können, wie sich die visuelle Wahrnehmung beim Kinde entwickelt und ob gegebenenfalls bestimmte Fähigkeiten oder Teilfähigkeiten angeboren sind, gilt es zunächst zu klären, welche Grundmechanismen bei der visuellen Perzeption involviert sind.

Das menschliche Auge besteht bekanntlich u.a. aus der Netzhaut, auf der die wahrgenommenen Gegenstände abgebildet werden, und aus einem Fokussierungsapparat, der Linse und der Hornhaut. Das wahrgenommene Objekt wird seitenverkehrt auf die Netzhaut projiziert. Ein rechts vom Auge befindlicher Gegenstand wird auf der linken Seite der Netzhaut abgebildet, ein sich links befindender Gegenstand entsprechend auf der rechten Seite. Wird das Zentrum der Netzhaut stimuliert, so befindet sich das Objekt gradlinig frontal zum Auge. Dieser Sachverhalt ist recht einfach, da die Positionen der Gegenstände relativ zueinander direkt und exakt auf der Netzhaut abgebildet werden, wenngleich in seitenverkehrter Anordnung. Um dem Menschen die Standortbestimmung von Gegenständen zu ermöglichen, wäre ein äußerst einfacher Umsetzungsmechanismus nötig, der nichts anderes tut als eine Abbildung auf der linken Seite der Netzhaut mit einem rechten Objektstandort in Beziehung zu setzen. Dieser äußerst einfache Mechanismus würde jedoch nur dann funktionieren, wenn das Auge selbst unbeweglich wäre. Dies ist jedoch nicht der Fall. Drehen wir das Auge etwa nach rechts, so wird nunmehr ein extrem rechts befindliches Objekt nicht mehr auf der linken Seite der Netzhaut abgebildet, sondern vielmehr in deren Mitte; während Gegenstände, die sich links vom Beobachter oder frontal zu ihm befinden, beide auf der rechten Hälfte der Netzhaut abgebildet werden. Wäre der menschliche Wahrnehmungsapparat auf eine konstante Beziehung zwischen dem Standort eines Gegenstandes und dem Abbildungsort auf der Netzhaut angelegt, so würde ein seine Position nicht veränderndes Objekt fälschlicherweise in Abhängigkeit von der Augenstellung als links, rechts oder frontal zum Sehenden befindlich wahrgenommen. Glücklicherweise arbeitet unsere Wahrnehmungskapazität weitaus präziser. Der visuelle Perzeptionsmechanismus ist so angelegt, daß der Standort eines Objektes als unverändert empfunden wird, unabhängig davon, mit welcher Augenstellung der Gegenstand betrachtet wird. Die Position eines Gegenstandes wird also auch bei einem sich bewegenden Auge als konstant wahrgenommen.

Um dieses Phänomen zu erklären, reicht es offenkundig nicht aus, allein den tatsächlichen Standort eines Objektes und dessen Abbildung auf der Netzhaut in Beziehung zu setzen. Es scheint, daß weitere Informationen verarbeitet werden müssen, um die Fähigkeit, Gegenstände im Raum zu lokalisieren, in den Griff zu bekommen. Das Phänomen der konstanten Standortbestimmung erfordert offensichtlich, daß zwei Informationen miteinander verbunden werden: einerseits der Ort auf der Netzhaut, wo das wahrgenommene Objekt abgebildet wird, und andererseits die Stellung des Auges selbst. Unsere Wahrnehmung hängt also nicht allein von den objektiven Eigenschaften des wahrgenommenen Gegenstandes bzw. der physiologischen Struktur des Wahrnehmungsorgans ab, sondern von der Beziehung zwischen verschiedenen Typen von Information. Ähnlich wie im akustischen und olfaktorischen, spielt demnach auch im visuellen Bereich die abstrakte Informationsebene eine entscheidende Rolle.

In der Wahrnehmungspsychologie glaubte man lange Zeit, das Phänomen der Positionskonstanz sei hinreichend durch die Verknüpfung von Informationen über Augenstellung und Abbildungsort auf der Netzhaut erklärt (cf. Gibson 1950, Bower 1974). Es liegt jedoch einige Evidenz dafür vor, daß der Sachverhalt noch weitaus komplexer ist. Bestimmte Wahrnehmungsphänomene deuten darauf hin, daß neben der Bestimmung der Augenstellung und des Abbildungsortes auf der Netzhaut weitere Informationen in den Wahrnehmungsmechanismus einfließen. Wären ausschließlich Angaben über Augenstellung und Netzhautort relevant, so müßte ein Betrachter, der in einem dunklen Raum mit gerader Augenstellung auf einen unbeweglichen Lichtpunkt schaut, diesen Lichtpunkt auch als unbeweglich wahrnehmen. In der beschriebenen Situation tritt jedoch der sogenannte autokinetische Effekt auf, d.h. der Betrachter nimmt den Punkt nicht etwa als unbeweglich wahr, sondern sieht ihn sich nach allen Seiten hin und her bewegen. Man glaubte zunächst, der autokinetische Effekt käme durch unbemerkte Augenbewegungen, jedoch wurde diese These durch Versuche von Guilford & Dallenbach (1928) falsifiziert.

In eine ähnliche Richtung deuten die Untersuchungsergebnisse von Duncker (1938). In Dunckers Experimenten bewegt sich ein Lichtpunkt in einem beleuchteten Rahmen nach rechts. Ein Betrachter kann diesen Sachverhalt objektiv korrekt wahrnehmen. Bleibt der Punkt hingegen unbeweglich, während sich der beleuchtete Rahmen nach links bewegt, so hat der Betrachter den gleichen Wahrnehmungseindruck wie zuvor, d.h. er sieht – objektiv falsch – einen Lichtpunkt sich in einem perzeptuell stationären Rahmen bewegen. Generell scheint zu gelten: wenn sich ein kleiner und ein großer Gegenstand in ihrer Position zueinander verändern, so wird von einem Betrachter die Bewegung stets dem kleinen Objekt zugesprochen, unabhängig davon, welcher der beiden Gegenstände sich tatsächlich bewegt.

Derartige Unzuverlässigkeiten bei der Wahrnehmung zeigen sich ebenfalls in einem Experiment von Wallace (1968). Wahrnehmungen unterliegen einem bestimmten Schwellenwert, d.h. die Positionsveränderung eines Gegenstandes muß einen bestimmten Minimalwert überschreiten, um überhaupt wahrgenommen zu werden. Die Frage stellt sich: wovon hängt dieser Schwellenwert ab? Auch hier scheint es zunächst plausibel, den Schwellenwert in Beziehung zu den Eigenschaften von Wahrnehmungsobjekt und Wahrnehmungsorgan zu setzen, also zur Größe und Geschwindigkeit der Positionsveränderung und zur Beschaffenheit der Netzhaut. Tatsächlich zeigt sich jedoch, daß der Schwellenwert bei der Wahrnehmung von Positionsveränderungen u.a. entscheidend davon abhängt, ob ein weiterer unbeweglicher Gegenstand im Blickfeld vorhanden ist oder nicht. Wallace zeigt, daß beim Vorhandensein eines zweiten Objektes der Schwellenwert um 100 Einheiten niedriger liegt, als wenn ein solcher weiterer Gegenstand nicht vorhanden ist.

Zum Abschluß seien noch einige Experimente aus der Dissertation von Stoper (1967) erwähnt, die die Komplexität visueller Wahrnehmung eindrucksvoll unterstreichen. Stoper versucht zu ermitteln, mit welcher Präzision der Mensch die Positionskonstanz von Gegenständen wahrnehmen kann. Den Versuchspersonen war die Aufgabe gestellt, einen Lichtpunkt, der sich entlang einer horizontalen Ebene bewegte, mit den Augen zu verfolgen. Während dieser Aufgabe leuchtete ein weiterer Lichtpunkt zweimal kurz hintereinander je 25 Millisekunden lang auf. Die Position dieses zweiten Lichtpunktes ließ sich verändern. Die Versuchsperson sollte nun angeben, ob der aufblitzende Lichtpunkt beim zweiten Mal an der gleichen Stelle erschien wie beim ersten Mal. Das Entscheidende an diesem Experiment ist, daß unabhängig davon, ob die Position des aufblitzenden Punktes konstant bleibt oder nicht, sich in jedem Fall die Augenstellung des Betrachters verändert hat, da ein Teil der Aufgabe darin bestand, den sich kontinuierlich bewegenden Punkt mit den Augen zu verfolgen. Was passiert nun, wenn der aufblitzende Lichtpunkt seine Position konstant hält und beide Male an der gleichen Stelle im Blickfeld erscheint. In diesem Falle verändert sich die Stellung des aufblitzenden Lichtpunktes relativ zu der des sich bewegenden Lichtpunktes, d.h. die Entfernung zwischen beiden vergrößert bzw. verkleinert sich. Gleichzeitig verändert sich der Netzhautort, auf dem der aufblitzende Punkt das zweite Mal abgebildet wird, denn das Auge hat sich in der Zwischenzeit gedreht. Bei einer anderen Konstellation könnte der aufblitzende Lichtpunkt das zweite Mal zwar an einer anderen Stelle des Blickfeldes erscheinen, jedoch in gleicher Entfernung zum sich bewegenden Lichtpunkt. In diesem Falle verändert sich die Position des aufblitzenden Punktes zwar, allerdings wird er auf der gleichen Stelle der Netzhaut abgebildet wie beim ersten Mal, da die Positionsveränderung des Punktes die Augenbewegung sozusagen "mitgemacht" hat. In einer Serie von Tests sollten Versuchspersonen nun angeben, wann der Lichtpunkt an gleicher bzw. verschiedener Stelle aufblitzte. Die Ergebnisse des Experimentes zeigen deutlich, daß unter diesen Bedingungen Positionskonstanz nicht gewährleistet ist. Die Versuchspersonen gaben konstante Position stets dann an, wenn der Lichtpunkt das erste und zweite Mal jeweils an der gleichen Stelle der Netzhaut abgebildet wurde, d.h. wenn er – objektiv gesehen – seine Position verändert hatte. Hingegen nahmen die Versuchspersonen eine veränderte Position des Lichtpunktes wahr, wenn er beim zweiten Mal an einer anderen Stelle der Netzhaut abgebildet wurde, wenngleich seine Position objektiv konstant geblieben war.

Diese Experimente zeigen die ungeheuere Komplexität der bei der visuellen Perzeption involvierten Mechanismen. Wie die zuvor beschriebenen Phänomene im einzelnen zu erklären sind, ist vielfach noch eine offene Frage. Für unsere Argumentation kommt es weniger auf eine Erklärung der der Perzeption zugrundeliegenden Mechanismen an, als vielmehr auf die Erkenntnis, daß bei der Wahrnehmung eine Vielzahl von Stimuli in äußerst abstrakter Art und Weise miteinander in Beziehung gesetzt werden. Entscheidend ist vor allem, daß unser visueller Wahrnehmungsapparat komplexere Informationen verarbeitet, als Augenstellung und Abbildungsort auf der Netzhaut:

> "Obviously, the perceptual system does not combine information about site of stimulation with information about the efferent commands to the eye muscles" (Bower 1974: 47)

Dies bedeutet, daß für eine korrekte visuelle Wahrnehmung der Position von Gegenständen nicht ausschließlich Informationen über physikalische bzw. physiologische Merkmale zu verarbeiten sind, sondern daß der Mensch die objektiven Stimuli offensichtlich mit bereits vorhandenen Informationen über mögliche Positionen von Gegenständen in Beziehung setzt.

Angesichts der komplexen Mechanismen, die bei der visuellen Wahrnehmung ineinandergreifen, erhebt sich die Frage, wie sich diese Fähigkeiten im Kleinkinde entwickeln. Insbesondere wird zu prüfen sein, ob die angesprochenen abstrakten Fähigkeiten beim Neugeborenen bereits vorhanden sind, und daher zu den angeborenen Mechanismen gezählt werden können. Zunächst muß festgehalten werden, daß sich das Auge des Kleinkindes von dem des Erwachsenen unterscheidet. Wenngleich das kindliche Auge die gleiche Sehkraft besitzt wie das Auge des Erwachsenen, so ist es doch weitaus kürzer; insbesondere liegt die Fovea, das empfindlichste Zentrum des Auges, relativ zur optischen Achse an einer anderen Stelle als beim Erwachsenen. Während bei einem Erwachsenen ein Lichtstrahl, der direkt durch das Zentrum des Auges einfällt, auf die Fovea trifft, wird bei dem entsprechenden Lichtstrahl im Auge des Kindes ein Punkt getroffen, der etwa 10–15 Grad jenseits der Fovea in Richtung Nasenseite liegt. Während der Wachstumsperiode verändert sich die Position der Fovea beständig in Richtung auf die zentrale Stellung, die das erwachsene Auge kennzeichnet. Wäre unser Wahrnehmungssystem nun so angelegt, daß eine Reizung der Fovea stets als gradlinig einfallender Lichtstrahl interpretiert würde, so müßte die kindliche Wahrnehmung in deutlicher Form weniger präzis arbeiten als die des Erwachsenen. Konkret: Kleinkinder müßten ein direkt vor ihnen liegendes Objekt in ihrem Wahrnehmungsapparat als 10–15 Grad abseits gelegen lokalisieren. Würden Kinder also nach einem solchen Objekt greifen, so müßten sie konsequent ihre Hände in die falsche Richtung strecken. Wir wissen, daß dies nicht der Fall ist. Bereits Kleinkinder sind in der Lage, die Position von Gegenständen relativ präzis zu lokalisieren. Das Vorhandensein dieser Fähigkeit bedeutet jedoch, daß das Kind während des gesamten Wachstumsprozesses die Beziehung zwischen Abbildungsort auf der Netzhaut und Position des wahrgenommenen Gegenstandes kontinuierlich revidieren muß. Es ist allerdings wohl möglich, daß der Abbildungsort auf der Netzhaut nur eine untergeordnete Bedeutung bei der Lokalisierung von Gegenständen hat (cf. Bower 1974).

Mit welcher Präzision können Kleinkinder nun die Position von Gegenständen im Raum lokalisieren? Die empirische Evidenz in diesem Bereich ist ausgesprochen spärlich; die verfügbaren Daten ergeben keineswegs immer ein homogenes Bild. Es scheint klar zu sein, daß der visuelle Wahrnehmungsapparat von Kleinkindern dem von Erwachsenen unterlegen ist. Dennoch verfügen bereits Neugeborene über relativ komplexe perzeptuelle Fähigkeiten. So können Kinder bereits in den ersten Lebenswochen die Richtung identifizieren, in der sich ein Objekt bewegt. Offen ist die Frage, ob Kinder unbewegliche Gegenstände auch dann exakt lokalisieren können, wenn sie selbst ihren Standort nicht verändern. Insgesamt zeichnet sich ab, daß im visuellen Bereich nur einige fundamentale Wahrnehmungsmechanismen zur biologischen Ausstattung des Menschen gerechnet werden können, während ein Großteil der Präzision, die das menschliche visuelle Perzeptionssystem auszeichnet, im Laufe der Zeit erworben werden muß.

Ein weiterer Aspekt der visuellen Wahrnehmung ist die Bestimmung von Entfernungen. Wenngleich Abbildungen auf der Netzhaut nur zweidimensional sind, sieht der Mensch doch dreidimensional. Auch dieses Phänomen läßt klar erkennen, daß für die Wahrnehmung von Distanz sehr komplexe und abstrakte Umsetzungsmechanismen notwendig sind. Die Wahrnehmung von Entfernung wird dadurch ermöglicht, daß verschiedene Stimuli in unterschiedlichen Arrangements auf der Netzhaut abgebildet werden. Zunächst können wir deshalb dreidimensional sehen, weil wir zwei Augen haben. Der Konvergenzwinkel zwischen den Linien, die einen Gegenstand mit dem linken und dem rechten Auge verbinden, verändert sich je nach Entfernung des Gegenstandes vom Betrachter. Grob gesprochen: je weiter der Gegenstand entfernt ist, desto spitzer ist der Konvergenzwinkel. Die Bestimmung der relativen Distanz zwischen zwei Objekten in unserem Gesichtsfeld wird ebenfalls dadurch ermöglicht, daß jedes Auge sozusagen einen etwas anderen "Blickwinkel" unserer Umgebung hat. Aus der Differenz der Eindrücke beider Augen lassen sich relative Entfernungen ableiten.

Eine weitere Variable für die Entfernungsbestimmung ergibt sich aus der relativen Größe der Abbildung des Gegenstandes auf der Netzhaut. Je weiter ein Objekt vom Betrachter entfernt ist, desto kleiner ist sein Abbild auf der Netzhaut. Bewegt sich der Betrachter nun in Richtung auf das Objekt, so vergrößert sich proportional zu der Bewegung die Abbildung des Objekts auf der Netzhaut. Interessanterweise verändert sich diese Beziehung, wenn nicht etwa der Betrachter, sondern das Objekt selbst sich bewegt.

Entscheidend ist nun, daß durch die genannten Stimulianordnungen zwar erklärt werden kann, wie die relative Distanz zwischen Gegenständen bzw. Gegenstand und Betrachter bestimmt wird; unklar ist jedoch, woher wir wissen, wie weit ein bestimmter Gegenstand in absolutem Maßstab von uns entfernt ist. Gerade dieses Wissen ist jedoch von ungeheuerer Bedeutung für das tägliche Leben. Greifen wir nach einem Gegenstand, so sind wir offenkundig in der Lage, präzis den perzeptuellen Eindruck mit der Motorik der Armbewegung zu koordinieren. Wie dieser Koordinationsmechanismus bei absoluten Entfernungsangaben im einzelnen funktioniert, läßt sich beim augenblicklichen Stand der Forschung nicht genau ausmachen. Entscheidend ist jedoch auch hier wiederum, daß der Mensch offenkundig zur Koordination von Perzeption und Motorik ein in hohem Maße abstraktes Umsetzungssystem zur Verfügung hat.

Inwieweit sind nun Kleinkinder in der Lage, Entfernungen zu erkennen bzw. richtig einzuschätzen? Innerhalb dieses Problemkreises läßt sich einerseits fragen, ab wann Kinder ein Konzept "Entfernung" besitzen und wie sie vorher die verschiedenen Variablen, die der Erwachsene zur Bestimmung von Distanzen integriert, zueinander ordnen und interpretieren. Andererseits ist zu prüfen, ab wann Kinder in der Lage sind, sensorische Variablen in motorische Variablen umzusetzen, d.h. durch die visuelle Wahrnehmung kontrollierte Greifbewegungen auszuführen. Die empirische Evidenz ist auch in diesem Bereich nicht in allen Fällen eindeutig zu interpretieren. Es zeichnet sich jedoch ab, daß Kinder bereits zu einem erstaunlich frühen Zeitpunkt über eine Vielzahl von perzeptuellen Fähigkeiten zur Entfernungsbestimmung verfügen. Wenngleich der abstrakte Umsetzungsmechanismus nicht notwendigerweise angeboren sein muß, so entwickelt er sich doch mit einer angesichts der enormen Komplexität verblüffenden Geschwindigkeit.

Um zu testen, in welchem Umfange Kleinkinder Entfernungen zu erkennen und abzuschätzen vermögen, führten Gibson & Walk (1960) ihre nunmehr klassische Studie mit dem sogenannten *visual cliff* durch. Das *visual cliff* ist eine Art Tisch, dessen Platte aus Glas besteht und somit durchsichtig ist. Unter der Glasplatte befindet sich ein schwarz-weiß kariertes Stück Linoleum, und zwar auf der einen Hälfte des Tisches unmittelbar unter der Glasplatte, auf der anderen Hälfte in einem Abstand zur Glasplatte von ca. 70 cm. Der Effekt dieser Anordnung besteht nun darin, daß zwischen den beiden Tischhälften ein Abgrund potentiell wahrnehmbar ist, ohne daß das Kind durch einen tatsächlichen Abgrund zu Schaden kommt. Die Versuchsperson wird nun auf die "Bergseite" des Tisches gesetzt und der Versuchsleiter beobachtet, ob das Kind in Richtung "Talseite" krabbelt. Ist das Kind in der Lage, Entfernungen abzuschätzen, so müßte es den visuellen Abgrund erkennen und daher auf der "Bergseite" bleiben. Vermag das Kind hingegen unterschiedliche Entfernungen nicht zu erkennen, so müßte sein Krabbelverhalten rein willkürlich sein, d.h. in einem angemessenen Zeitraum müßte es über die gesamte gläserne Tischfläche krabbeln. Gibson & Walk's Experiment zeigt, daß Kinder, die bereits krabbeln können, stets auf der "Bergseite" des visuellen Abgrundes bleiben. Dieses Ergebnis besagt allerdings sehr wenig über den Ursprung räumlicher Wahrnehmung, da bis zum Krabbelalter eines Kindes ausreichend Zeit für umfangreiche Lernprozesse vergangen ist.

Andere Experimente, wie etwa von White (1963) oder Bower, Broughton & Moore (1970) deuten darauf hin, daß Kleinkinder vermutlich schon weit vor dem Krabbelalter Entfernungen erkennen können. Ab der achten, möglicherweise bereits ab der zweiten Lebenswoche, reagieren Kleinkinder auf Objekte, die ihre Distanz verändern. So ist anzunehmen, daß Kinder bereits relativ früh Entfernungsunterschiede in einer noch näher zu spezifizierenden Form wahrnehmen können.

So zeigt sich auch in diesem Bereich, daß bestimmte Mechanismen der Wahrnehmung dem Kinde offenbar angeboren sind, während andere, zumeist die Präzision der Wahrnehmung betreffende Fähigkeiten, sich erst im Laufe der Zeit entwickeln. Ich habe bereits darauf hingewiesen, daß eine der entscheidenden Fragen im *nature-nurture-conflict* darauf abzielt, ob es überhaupt Fähigkeiten oder Verhaltensweisen gibt, die das Kind mit auf die Welt bringt, die ihm also angeboren und in seiner biologischen Struktur angelegt sind. Zumindest für den Bereich der Wahrnehmung ist diese Frage grundsätzlich zu bejahen. Aufgrund der verfügbaren empirischen Evidenz läßt sich kaum in Abrede stellen, daß bereits Neugeborene über höchst abstrakte Umsetzungsmechanismen verfügen, die kaum auf einen Lernprozeß zurückgehen können, selbst wenn man unterstellt, daß zwischen dem Augenblick der Geburt und der Ausführung des Experimentes in der Regel stets eine, wenn auch nur kurzfristige Zeitspanne vergeht.

Eine weitere Frage ist, unter welchen Bedingungen sich solche Verhaltensmuster entwickeln, die offensichtlich nicht zu den angeborenen Fähigkeiten des Menschen gehören. Bereits im Wahrnehmungsbereich wurde deutlich, daß bestimmte Strukturen aufgrund mangelnder Präzision des Perzeptionsapparates nicht adäquat erkannt werden. Hierzu gehören etwa Bereiche der visuellen Wahrnehmung, die auf die Entfernung und Position von Gegenständen relativ zum Beobachter abzielen. Derartige

Fähigkeiten entstehen erst im Laufe der Zeit. Die entscheidende Frage ist jedoch, ob sich diese Fähigkeiten in der Tat – wie die empiristische Hypothese voraussagen würde – in Abhängigkeit spezifischer Umweltbedingungen entwickeln. Werden sich also bestimmte perzeptuelle Fähigkeiten unter unterschiedlichen Bedingungen auch unterschiedlich entwickeln? Daß es eine Vielzahl von Fähigkeiten gibt, deren Ausprägung von Umweltfaktoren abhängig ist, muß nicht besonders betont werden. Interessanter ist die Frage, ob auch solche Fähigkeiten bzw. Verhaltensweisen existieren, die zwar erst langsam im Laufe der Zeit entstehen, nicht jedoch in nachweisbarer Abhängigkeit von Reaktionen auf die Umwelt; Fähigkeiten also, die nicht im empiristischen Sinne erlernt werden, sondern die sich vielmehr unabhängig von der Umgebung nach einer internen Gesetzmäßigkeit entwickeln. Hierfür würde gelten, daß solche Fähigkeiten selbst zwar nicht angeboren sind, der Mechanismus jedoch, nach dem diese Fähigkeiten entstehen, der biologischen Ausstattung des Menschen zuzurechnen ist. Für den Wahrnehmungsbereich scheint es keine ausreichend deutliche Evidenz in Richtung derartiger Fähigkeiten zu geben. Allein die Gleichförmigkeit und Zielgerichtetheit, mit der sich perzeptuelle Fähigkeiten bei Kindern unter nicht-pathologischen Umständen entwickeln, deuten darauf hin, daß hier nicht etwa besonders günstige Umweltfaktoren die entscheidenden Determinanten sind, sondern vielmehr die biologische Anlage den Ausschlag gibt. In der Tat führen gerade Veränderungen in der biologischen Struktur, also pathologische Fälle, zu Defiziten in der Entwicklung perzeptueller Fähigkeiten. Wir wenden uns daher einem Bereich zu, und zwar der Motorik, in der einige empirische Evidenz für derartige angeborene Entwicklungsmechanismen vorliegt.

Auf den ersten Blick scheint die Beschreibung der motorischen Entwicklung weniger gravierende methodische Probleme aufzuwerfen als die der visuellen Wahrnehmung. Während die Perzeptionsfähigkeit selbst nicht beobachtbar bzw. meßbar ist, sondern nur auf dem Umweg über Reaktionsmechanismen erschlossen werden kann, sind Bewegungsabläufe und deren Entwicklung der direkten Beobachtung zugänglich. Dennoch bringt auch die Beschreibung der motorischen Entwicklung schwerwiegende methodische Probleme mit sich, wenngleich diese anders gelagert sind als bei der Perzeption. Wenngleich sich Bewegungsabläufe selbst beobachten lassen, so sind doch die Mechanismen, die das motorische System steuern, nicht sichtbar. Je weiter man die motorische Entwicklungsleiter emporsteigt, desto weniger aufschlußreich sind die (sich letztlich immer wieder repetierenden) einzelnen Bewegungsabläufe selbst. Problematisch und somit erklärungsbedürftig sind jene Mechanismen, die verschiedene Bewegungsabläufe bzw. deren Teile koordinieren, integrieren, oder dissoziieren. Mit der Beschreibung und Erklärung derartiger Mechanismen verlassen wir jedoch den eigentlichen Bereich der Motorik und betreten das Gebiet der Kognition und deren Entwicklung. Unter bestimmten Aspekten lassen sich komplexe motorische Abläufe nicht von den sie begleitenden und steuernden kognitiven Vorgängen losgelöst betrachten. Die Übergänge sind hier fließend.

Auf dem Hintergrund eines spracherwerbs-orientierten Interesses sind vor allem die Frühphasen der motorischen Entwicklung von Belang. Die Frage ist zu stellen: liegt Evidenz dafür vor, daß bestimmte motorische Fähigkeiten bzw. der zu ihnen führende Entwicklungsprozeß, in der biogenetischen Anlage des Menschen verankert ist?

Zunächst gibt es ganz unzweifelhafte Bewegungen bzw. Bewegungsabläufe, die das Kind bereits unmittelbar nach der Geburt oder auch schon im Mutterleib auszuführen imstande ist. Hierzu gehören etwa bestimmte Greif- und Streckbewegungen der Hände (cf. Bower 1974: 149 ff). Andere Typen motorischer Abläufe entwickeln sich jedoch erst ab einer bestimmten Altersstufe. Hierzu zählen vermutlich der aufrechte Gang (cf. aber die unterschiedliche Auffassung von McGraw 1943), die Kontrolle der Ausscheidungsorgane (McGraw 1940), das Lächeln und zahlreiche andere motorische Leistungen (cf. Shirley 1959). Die Entwicklung der Motorik besteht also nicht allein darin, daß bereits vorhandene Bewegungsabläufe verfeinert bzw. präziser koordiniert und integriert werden; vielmehr entstehen im Laufe der Entwicklung völlig *neue* Bewegungsabläufe. In dieser Tatsache liegt nun eine erhebliche Schwierigkeit für empiristische Lerntheorien, die neues Verhalten in der Regel nur als Funktion bereits bestehender Verhaltensmuster erklären können:

> "Despite the general importance of learning theory in psychology, there have been few attempts to account for motor development in terms of learning theory. This must be partially due to the fact that whereas learning theories can account for changes in the frequency of a behavior or for establishment of a sequence of behaviors, learning theory has nothing to say about the genesis of *new* behavior. The behaviors that appear in motor development are or seem to be new behaviors, so that learning theory is not really applicable" (Bower 1974: 136).

Wenngleich unbestreitbar ist, daß zahlreiche motorische Fähigkeiten, die der Mensch im Laufe seines Lebens erwirbt, durch Übung und Erfahrung – also in Auseinandersetzung mit der Umwelt – erlangt werden, geht es im Kontext der hier anstehenden Problemstellung primär um die Frage, ob darüber hinaus bestimmte andere motorische Bewegungsabläufe als Ergebnis von Reifungsprozessen angesehen werden müssen. In diesem Falle würde den Umweltfaktoren vornehmlich eine Auslösefunktion zukommen, während der Ablauf und insbesondere die Chronologie der Entwicklung in der biogenetischen Struktur des Menschen verankert wäre.

Diese Frage läßt sich relativ einfach dadurch untersuchen, daß die Entstehung bestimmter Verhaltensmuster bei Frühgeburten, Spätgeburten und Normalgeburten verglichen wird. Ein Kind wird im Normalfall 40 Wochen nach der Empfängnis geboren, jedoch haben Frühgeburten bereits ab der 28. Woche nach der Empfängnis eine gewisse Überlebenschance. Andererseits kommt es vor, daß Kinder erst 44 Wochen nach der Empfängnis ausgetragen werden. Bei gleichem Lebensalter unterscheiden sich also Frühgeburten, Normalgeburten und Spätgeburten hinsichtlich ihres Empfängnisalters. Vom Zeitpunkt der Empfängnis an gerechnet ist daher die Frühgeburt stets länger, die Spätgeburt stets kürzer Umweltreizen ausgesetzt als die Normalgeburt. Hängt nun die Entwicklungschronologie bestimmter Verhaltensweisen allein von der Erfahrung mit Umweltreizen im Sinne der empiristischen Hypothese ab, so dürfte sich in diesem Bereich – abgesehen von individuellen Variationen – kein systematischer Entwicklungsunterschied zwischen gleichaltrigen Früh-, Spät- und Normalgeburten ergeben. Ist hingegen die Chronologie der Entstehung gegebener Verhaltensweisen genetisch bedingt, so wäre als Bezugspunkt hierfür die Zeit der Empfängnis anzusetzen, so daß das entsprechende Verhalten bei Früh-, Spät-, und Normalgeburten jeweils zu einer anderen Lebensaltersstufe entsteht.

Ein sehr elementares Verhalten, das unter vielerlei Aspekten in der psychologischen Literatur behandelt wird, ist das Lächeln. Interessant unter dem hier betrachteten Aspekt ist nun, daß Lächeln noch nicht bei Neugeborenen auftritt, sondern in der Regel erst ab einem Lebensalter von 6 Wochen als Reaktion auf einen visuellen Reiz erscheint. Dies entspricht einem Empfängnisalter von 46 Wochen. Die Frage ist nun: werden auch Frühgeburten bzw. Spätgeburten jeweils 6 Wochen nach der Geburt zu lächeln beginnen, oder richtet sich die Entstehung des Lächelns nach dem Empfängnisalter? Die verfügbare Evidenz ist recht eindeutig. Kinder beginnen im Empfängnisalter von 46 Wochen zu lächeln, unabhängig davon, ob es sich um Früh-, Spät- oder Normalgeburten handelt. Dies bedeutet, daß unter dem Aspekt des Lebensalters Frühgeburten später, Spätgeburten früher als Normalgeburten zu lächeln beginnen. Die Entstehung des Lächelns ist daher offensichtlich nicht das Ergebnis einer bestimmten Ansammlung von Erfahrungen, sondern biogenetisch vorbestimmt.

Ein weiteres für unsere Fragestellung aufschlußreiches Experiment, das auf die Frage abzielt, inwieweit Umweltfaktoren bestimmte motorische Entwicklungsprozesse beeinflussen, wurde von Dennis (1940) durchgeführt. Bei den Hopi-Indianern ist es traditionell üblich, ein Kleinkind während seiner ersten Lebensmonate in Tücher eingewickelt auf ein Brett (*cradle board)* zu binden. Auf diesem Brett kann das Kind weder seinen Körper noch seine Hände bewegen; lediglich der Kopf ist frei beweglich. Zweimal täglich bindet die Mutter das Kind los, um die Leinenwindeln zu erneuern. Dennis verglich nun die motorische Entwicklung von Hopi-Kindern, deren Eltern diese traditionelle Sitte noch befolgten, mit solchen, die bereits nach westlich-amerikanischem Muster aufwuchsen. Insbesondere interessierte sich Dennis für den Zeitpunkt, an dem diese beiden Gruppen von Hopi-Kindern zu laufen beginnen. Hängt dieser Zeitpunkt entscheidend von der Umwelterfahrung ab, so müßten die traditionell aufwachsenden Kinder später als die Kontrollkinder zu laufen beginnen, da sie weitaus weniger Gelegenheit haben, das motorische System des Körpers zu benutzen und bestimmte Bewegungsabläufe zu üben.

Dennis' Untersuchung zeigt ganz eindeutig, daß beide Gruppen von Kindern ohne fremde Hilfe zur etwa gleichen Zeit laufen können, und zwar im Alter von ca. 15 Monaten. Der Zeitpunkt des Laufenlernens hängt demnach offensichtlich nicht davon ab, wieviel motorische Übung die Kinder zuvor haben; vielmehr scheint er biogenetisch bedingt zu sein. Ähnliche Untersuchungen liegen für eine Reihe anderer Fähigkeiten vor, die sich bereits im Kleinkindalter entwickeln, wie z.B. die Kontrolle der Blase (McGraw 1940), das Klettern auf Stühle (Gesell & Thompson 1929) u.a. mehr. Alle diese Studien deuten in die gleiche Richtung: für den Erwerb der beobachteten Fähigkeiten ist es offenkundig relativ unerheblich, in welchem Umfange zuvor Möglichkeiten zu intensivem Üben bestanden. Es scheint, daß bestimmte motorische Grundfähigkeiten – von individuellen Variationen abgesehen – unabhängig von den jeweiligen Umwelterfahrungen des Kindes zu einem festgelegten Zeitpunkt erworben werden. Bower (1974: 140) schließt, daß "maturation is what produces development of new behavior; practice at best merely serves to produce a fine tuning of behaviors already established by maturation; at worst practice has no effect at all".

Wenngleich diese Ergebnisse auf den ersten Blick gegen eine empiristisch-orientierte Lerntheorie zu sprechen und eher Evidenz für nativistisch geprägte Auffassungen zu liefern scheinen, so ist doch bei der Interpretation Vorsicht geboten. In den angeführten Studien wird stets ein bestimmtes Verhalten a priori zu einem mehr oder minder willkürlich ausgewählten Stimulus in Beziehung gesetzt; etwa für den

Zeitpunkt des Laufenlernens beim Hopi-Kind wird eine potentielle Abhängigkeit von der Möglichkeit zu vorherigen Lauf- und Krabbelübungen angenommen. Im Falle des ersten Lächelns wird als kritischer Faktor das Alter angesetzt. Nun ist allerdings denkbar, daß das beobachtete Verhalten zwar durchaus entscheidend von bestimmten Umweltfaktoren abhängt bzw. ausgelöst wird, jedoch nicht von denjenigen, die die Beobachter bei ihren Untersuchungen als mögliche Determinanten in Betracht zogen. Auf den Fall der Hopi-Kinder projiziert: die notwendigen Voraussetzungen für das Laufenlernen sind eben nicht die hier als potentiell signifikant angenommenen Lauf- und Krabbelübungen, sondern möglicherweise irgendwelche anderen Umweltfaktoren, deren Beziehung zu dem beobachteten Verhalten jedoch nicht ohne weiteres erkennbar ist. Die genannten Studien lassen sich nicht als Beweis dafür ansehen, daß bestimmte motorische Verhaltensweisen durch keinerlei Umwelteinflüsse ausgelöst werden, sondern nur, daß das Verhalten nicht durch die in der Untersuchung berücksichtigten Umweltfaktoren beeinflußt wurde.

Geht man nun jedoch von der empiristischen Hypothese aus, d.h. nimmt man an, daß jedes Verhalten in seiner Entstehung notwendigerweise von auslösenden Umweltreizen abhängig ist, so stößt man auf eine weitere Schwierigkeit. Es gilt zu bestimmen, in welcher systematischen Beziehung der Reiz und das daraus resultierende Verhalten zueinander stehen. Anders ausgedrückt: welches sind die Vorläufer, die Vorformen zu einem bestimmten Verhalten? Wenngleich a priori nicht ausgeschlossen werden kann, daß eine bestimmte motorische Fähigkeit zu ihrer Entstehung notwendigerweise eines externen Stimulus bedarf, so ist doch klar, daß die Beziehung zwischen Stimulus und Reaktion – in diesem Fall der betreffenden motorischen Fähigkeit – nicht willkürlich sein kann. Offensichtlich ist nicht jeder beliebige Umweltreiz imstande, das betreffende Verhalten auszulösen. Unter allen denkbaren Stimuli gibt es also solche, die für die Entstehung des Verhaltens bzw. der Fähigkeit relevant sind, und andere, die in diesem Kontext völlig irrelevant sind. Entscheidend ist nun, daß zwischen den jeweils relevanten Umweltreizen und dem durch sie ausgelösten Verhalten selbst nicht notwendigerweise äußerlich erkennbare Gemeinsamkeiten bestehen müssen. Wenngleich es naheliegend ist, etwa das Krabbeln als Vorläufer des Laufens anzusehen und ihm in diesem Sinne eine potentielle Auslösefunktion zuzusprechen, so zeigen die entsprechenden Experimente, daß eine solche Beziehung nicht besteht. Wenn also der Zeitpunkt des Laufenlernens von externen Auslösefaktoren abhängig ist, so können dies offenkundig auch solche sein, die mit dem physiologisch definierten Phänomen des Laufens recht wenig zu tun haben, d.h. Stimulus und Reaktion müssen in diesem Sinne keine objektivierbaren gemeinsamen Eigenschaften haben. Dennoch darf auch nach einer empiristischen Auffassung die Beziehung zwischen Stimuli und Reaktionen keinesfalls undeterminiert sein. Jeder Reiz löst nur eine bestimmte Reaktion bzw. Klasse von Reaktionen aus. Wodurch kommt aber diese feste Verbindung zwischen Stimuli und Reaktionen zustande? Da rein äußerliche Ähnlichkeiten ausscheiden, ist die Stimulus-Reaktion-Verbindung offensichtlich von vornherein festgelegt. Sie selbst wird nicht im empiristischen Sinne erlernt, sondern die sich in ihr manifestierenden Lernprozesse beruhen auf Zuordnungsmechanismen, die in irgendeiner Form bereits vorhanden und somit in der biogenetischen Struktur des Menschen angelegt sein müssen.

So zeigt sich hier besonders deutlich, daß die Annahme auslösender Umwelteinflüsse gerade bei denjenigen Fähigkeiten, die sich im Laufe des Kleinkindalters erst allmählich entwickeln, nicht an der Erkenntnis vorbeikommt, daß die jeweils relevanten Mechanismen nach der verfügbaren empirischen Evidenz nur auf der Basis biogenetisch verankerter Schemata funktionieren können.

Das bislang verfügbare Datenmaterial läßt kaum Zweifel darüber aufkommen, daß weder die nativistische noch die empiristische Position in ihrer extremen Ausprägung den beobachtbaren Sachverhalten gerecht wird. Daher stellt sich heutzutage für viele Psychologen die Frage *nature* oder *nurture* in dieser alternativen Form nicht mehr. Es scheint ausreichende Evidenz gegen die empiristische Auffassung zu geben, der Mensch sei allein geprägt durch seine Erfahrung, die sich aus dem Zusammenspiel verschiedener Umweltreize ableitet. Gerade die Wahrnehmung gehört zu jenen Bereichen, in denen biogenetische Strukturen weitgehend den Ablauf der frühen Entwicklungsphasen bestimmen. Wie das aufgeführte Datenmaterial zeigt, sind bestimmte Fähigkeiten im Bereich der auditiven und visuellen Diskrimination, sowie der abstrakten Korrelationen (zeitliche Differenz vs. räumliche Distanz) bereits unmittelbar nach der Geburt vorhanden. In zahlreichen anderen Bereichen, z.B. der frühen motorischen Entwicklung, entstehen Fähigkeiten nach einem scheinbar festen Ablaufschema, das auf einen Entwicklungsmechanismus deutet, der wiederum zur biogenetischen Ausstattung des Menschen gehört. In diesen Bereich gehören auch alle artspezifischen Fähigkeiten, d.h. solche, die sich z.B. nur bei Menschen, nicht jedoch bei anderen Lebewesen entwickeln, gegenüber solchen, die etwa zum Verhaltenspotential bestimmter Tierarten gehören, nicht jedoch beim Menschen vorkommen. Man denke hier wiederum an bestimmte auditive und olfaktorische Fähigkeiten (cf. Lenneberg 1967).

Während Empiristen die Auffassung vertreten, der Organismus befinde sich zunächst in einem Ruhezustand und werde allein durch Umweltreize zu einem Entwicklungsprozeß getrieben, läßt sich an einer Fülle von empirischen Daten nachweisen, daß bestimmte Entwicklungsprozesse auch ohne die Einwirkung entsprechender Umweltreize ablaufen. So durchlaufen etwa taub geborene Kinder, ebenso wie normale Kinder in ihrer sprachlichen Entwicklung eine sogenannte Lallphase. Während dieser Periode produzieren die Kinder eine erstaunlich große Vielfalt unterschiedlicher Laute. Beginn und Dauer dieser Lallphase ist bei taub geborenen und normalen Kindern in etwa gleich, obwohl die tauben Kinder weder von sich selbst, noch aus ihrer Umgebung sprachliche Laute hören können. Das Auftreten der Lallphase kann also kaum eine Reaktion auf lautliche Stimuli sein, sondern muß in der Natur der menschlichen Reifung liegen.

Gleichfalls unhaltbar ist jedoch auch eine extrem nativistische Auffassung, nach der das menschliche Verhaltenspotential allein aus angeborenen Schemata abzuleiten ist. Es läßt sich kaum bestreiten, daß bei der Entwicklung verschiedener Fähigkeiten Erfahrungen und Umwelteinflüsse eine entscheidende Rolle spielen. Hierbei kann den externen Stimuli eine doppelte Funktion zukommen. Zunächst können sie als Auslöser wirken, d.h. ein Umweltreiz stellt die Voraussetzung dafür dar, daß eine bestimmte Entwicklung überhaupt in Gang gesetzt wird; abgesehen von dieser Auslösewirkung beeinflußt er den Ablauf der Entwicklung jedoch nicht. In anderen Fällen können Umweltreize jedoch eine bestimmte Entwicklung nicht nur auslösen, sondern ihren Verlauf grundsätzlich determinieren bzw. verändern. So mag die Entstehung bestimmter Fähigkeiten zwar im Menschen angelegt sein, jedoch hängt sie gleichzeitig von festen Umweltkonstellationen ab.

"In the absence of relevant input from the environment, behavior may take a completely aberrant direction, and that direction may become so firmly established that no environmental intervention will suffice to re-direct the behavior back to its proper course" (Bower 1974: 145).

Aus der Perspektive der heutigen Psychologie kommt dem *nature-nurture-conflict* in erster Linie wissenschaftshistorischer Wert zu. Der Frage, ob der Mensch durch seine Umwelt/Erfahrung *oder* durch seine biogenetischen Anlagen geprägt ist, läßt sich kaum noch aktuelle Bedeutung beimessen. Eine derartige Entweder/Oder-Frage scheint an der grundsätzlichen Problematik vorbeizugehen. Sowohl Reifungsprozesse als auch Lernprozesse nehmen in der Entwicklung des Menschen eine entscheidende Stellung ein. So plädiert bereits Anastasi (1958) dafür, das *heredity-environment* Problem primär unter dem Aspekt anzugehen, auf welche Art und Weise diese beiden Faktoren beim menschlichen Verhalten und seiner Entwicklung ineinandergreifen. Für die Mehrzahl der heutigen Psychologen scheint daher die Kontroverse zwischen den extremen Formen von Empirismus und Nativismus der Vergangenheit anzugehören.

"It is now generally conceded that both hereditary and environmental factors enter into all behavior. The reacting organism is a product of its genes and its past environment, while present environment provides the immediate stimulus for current behavior" (Anastasie 1958: 197).

Abgesehen von einigen orthodoxen Behavioristen, wie z.B. Skinner (1966), wird heute von kaum jemandem bestritten, daß Spezifika menschlichen Verhaltens und seiner Entwicklung u.a. auf biogenetische Anlagen zurückgehen. Angesichts der Fülle empirischer Evidenz, die gegen eine extreme behavioristisch-orientierte Erklärung menschlichen Verhaltens spricht, bleibt Skinner (1966: 1210) wenig anderes übrig, als hier die argumentatorische Notbremse zu ziehen:

"Unable to show how the organism can behave effectively under complex circumstances, we endow it with a special ability which permits it to do so. Once the contingencies are understood we no longer need to appeal to mentalistic explanations."

Soweit in der heutigen Psychologie die Nativismus/Empirismus-Kontroverse fortlebt, geht es demnach weniger um ein Entweder/Oder, sondern vielmehr darum, welchen Anteil biogenetische Schemata und Umweltreize an bestimmten Verhaltensweisen bzw. deren Entwicklung haben, und wie diese beiden Faktoren ineinandergreifen. Ob hierbei das Hauptaugenmerk auf biogenetische Strukturen oder den Einfluß von Umweltreizen gelenkt wird, ist oftmals ein Teil der persönlichen Entscheidung des jeweiligen Forschers. Zweifellos läßt sich die Entwicklung komplexer Verhaltensweisen bzw. Fähigkeiten ohne Rekurs auf Umweltreize nicht adäquat beschreiben. Andererseits ist offenkundig, daß sich nicht sämtliche Fähigkeiten, über die der Mensch verfügt, allein aus Lernprozessen im Sinne eines S → R Modells erklären lassen, vielmehr scheint die Annahme bestimmter angeborener Fähigkeiten bzw. Schemata unausweichlich.

"Learning seems to depend on very elaborate mechanisms that are not themselves the result of learning; further, learning is itself subject to environmental modification by way of some process other than learning" (Bower 1974: 14).

Die Empirismus/Nativismus-Frage lebt in modifizierter Form heute in jenen Untersuchungen fort, die zu klären versuchen, welchen Einfluß – quantitativ und qualitativ – Umweltreize und Anlagefaktoren bei der Entwicklung menschlicher Verhaltensweisen haben. Hierbei läßt sich kaum übersehen, daß einige Verhaltensbereiche – oder besser Bereiche von Verhaltenspotential – mehr durch Erfahrung, also Umweltreize, andere mehr durch biogenetische Strukturen geprägt sind. Nicht zuletzt rekurrieren extreme Nativisten immer wieder auf Evidenz aus den gleichen oder ähnlichen Phänomengebieten, um ihre Hypothesen abzusichern. Entsprechendes gilt für die Empiristen. Beim derzeitigen Stand der Forschung zeichnet sich ab, daß der Mensch für den Erwerb von Fähigkeiten in einigen Bereichen biogenetisch speziell ausgerüstet ist, während dies für andere Gebiete nicht gilt. Besonders überzeugend ist die Evidenz bei der visuellen und auditiven Wahrnehmung. Zahlreiche z.T. recht komplexe perzeptorische Fähigkeiten sind bereits bei der Geburt vorhanden (Fantz et al. 1962, Watson 1966), andere entwickeln sich unter normalen Lebensbedingungen nach einem weitgehend festen Schema. In der Tat gelten z.B. bestimmte perzeptorische Fähigkeiten vielfach als Gradmesser für eine normale, d.h. nicht-pathologische Entwicklung. Neben der Wahrnehmung scheint auch die Motorik zu jenen Bereichen zu gehören, in denen primär Reifungsprozesse die frühe Entwicklung bestimmen. Auch hier gilt, daß der Erwerb bestimmter Bewegungsabläufe und deren Koordination nahezu als typischer Indikator für einzelne Altersstufen in der kindlichen Entwicklung genommen werden kann. Als Reifungsprozesse lassen sich ebenso verschiedene Entwicklungen im kognitiven Bereich auffassen (Piaget 1976a, Inhelder & Chipman 1976). Die Liste jener Bereiche, in denen bestimmte Fähigkeiten angeboren sind, bzw. sich nach angeborenen Schemata entwickeln, läßt sich auch im Detail noch fortsetzen. Hebb (1946) und Bowlby (1960) versuchen dazulegen, daß einige grundlegende Angstgefühle und deren unmittelbare Reaktionen vermutlich zur biologischen Ausstattung des Menschen gehören, oder zumindest nicht allein durch den Einfluß von Umweltreizen erklärbar sind. Verläßt man den menschlichen Bereich und bezieht Beobachtungen an Tieren in die Überlegungen mit ein, so vergrößert sich die Zahl jener Gebiete, in denen Verhaltensweisen vielfach ohne erkennbare Umweltstimuli in gleicher Weise entstehen. Harlow & Zimmermann (1959) und Harlow (1962) zeigen durch umfangreiche Beobachtungen an Affenkindern, daß bestimmte affektionale Bindungen wie auch verschiedene sexuelle Verhaltensweisen offensichtlich durch biologische Faktoren bestimmt sind.

Insgesamt zeigt sich, daß der Mensch – wie jeder andere Organismus auch – von seiner biologischen Struktur her für den Erwerb bestimmter Fähigkeiten und Verhaltenspotentiale ausgerüstet ist. Diese Fähigkeiten und Verhaltenspotentiale sind zwar nicht völlig unabhängig von Umweltreizen, jedoch scheinen sie sich unter normalen Bedingungen bei allen Menschen grob in gleicher Richtung und mit gleicher Zielsetzung zu entwickeln. Der Mensch besitzt also für diese Fähigkeiten eine besondere Anlage.

Demgegenüber scheint es zahlreiche andere Verhaltensweisen und Fähigkeiten zu geben, für die der Mensch nicht in spezifischer Weise vorprogrammiert ist, d.h. deren Entwicklung bzw. Erwerb nahezu ausschließlich vom Zusammentreffen bestimmter Umweltfaktoren abhängig ist. Derartiges scheint einerseits für den Bereich sozialen Verhaltens zu gelten. Wenngleich bestimmte soziale Verhaltensweisen für den einen oder anderen Kulturkreis als typisch gelten mögen, so zeigt sich doch gerade darin, daß diese sozialen Verhaltensweisen ein Reflex der jeweiligen Lebensbedingungen sind (Barry et al. 1957). Der Mensch reagiert also auf unterschiedliche Umweltkonstellationen mit der Heranbildung bestimmter sozialer Normen. Ebenso scheint der Bereich der Persönlichkeitsentwicklung – zumindest in späteren Jahren – in entscheidendem Maße von Umweltfaktoren beeinflußt zu sein. Wertvorstellungen etwa können als typisches Beispiel für Verhaltenspotentiale gelten, die als Ergebnis von Umweltbedingungen und übermittelten Erfahrungen erlernt werden. Hetherington & Frankie (1967) zeigen etwa, daß das Imitationsverhalten von Kindern ganz entscheidend vom Verhalten der Eltern im affektiven Bereich determiniert wird. Sexuelle Verhaltensnormen (Barry et al. 1957) sowie bestimmte Identitätsprobleme im Jugendalter (Erikson 1970) sind vermutlich weitgehend von Erfahrungswerten und Umweltbedingungen beeinflußt. In diesen und ähnlichen Bereichen scheinen biologische Voraussetzungen eine weit weniger eminente Rolle zu spielen. Hier werden keine Fähigkeiten angesprochen, für die der Mensch von seiner biologischen Struktur her besonders ausgestattet ist, sondern es handelt sich vorwiegend um erlernte Verhaltensweisen, die sich aus den spezifischen Bedingungen der Lebensumwelt und als Reaktion auf eine breite Palette recht heterogener Stimuli ergeben.

Stellen wir diese verschiedenen Bereiche gegenüber, so ergibt sich – grob gesprochen – folgendes Bild: Je mehr die Betrachtung auf elementare Fähigkeiten und Verhaltenspotentiale im perzeptorischen, motorischen und kognitiven Bereich beschränkt wird, desto stärker äußert sich hier der Einfluß biogenetischer Strukturen. Um bestimmte elementare Leistungen vollbringen zu können, ist der Mensch offenkundig mit spezifischen Fähigkeiten von Natur aus ausgerüstet. Verlassen wir hingegen den Bereich elementarer Fähigkeiten und betrachten komplexe Verhaltensweisen höherer Ordnung, wie sie insbesondere bei sozialen Interaktionen auftreten, so zeigt sich immer stärker der Einfluß von Umweltreizen und Erfahrung. Hier werden Verhaltensweisen weitgehend als Reaktion auf die Umwelt erlernt. Im sozialen und persönlichen Bereich, bei Wertvorstellungen und Haltungen *(attitudes)* ist der Mensch offenkundig nicht auf ein bestimmtes Verhaltenspotential angelegt, sondern reagiert unterschiedlich auf die jeweiligen Bedingungen der Umwelt.

26.3. Sprache als psychologisches Phänomen

Dieser recht ausführliche Exkurs in die Wahrnehmungs- und Entwicklungspsychologie scheint mir gerade auch in einem primär auf Spracherwerbsprobleme abzielenden Kontext berechtigt zu sein, um deutlich zu machen, daß psychologische Sachverhalte weitaus komplexer und vielschichtiger sind als dies zumeist in der einschlägigen Sprachlern- /Sprachlehrliteratur erkennbar ist, in der unter dem Stichwort "psychologische Aspekte des Sprachenlernens" oftmals nicht viel mehr als eine Handvoll behavioristischer S → R Begriffe nebst langer Liste vermeintlich relevanter Einflußfaktoren angeboten werden. Die Komplexität psychologischer Verarbeitungsmechanismen in den angesprochenen Gebieten deutet darauf hin, daß auch im Falle des Spracherwerbs eine erweiterte Perspektive einzunehmen und präzisere Fragen zu stellen sind, um der anstehenden Problematik gerecht zu werden.

Auf dem Hintergrund des beschriebenen Sachverhaltes stellt sich nunmehr die entscheidende Frage: Gehört die Fähigkeit, Sprache zu benutzen und Sprache zu erwerben, zu jenen Eigenschaften, für die der Mensch eine spezielle biogenetische Anlage besitzt; oder sind Spracherwerb und Sprachverwendung lediglich Ausdruck einer allgemeinen Lernfähigkeit bzw. intellektuellen Kapazität des Menschen?

Im Zusammenhang mit diesem Fragenkomplex wird gerade in jüngster Zeit immer wieder die Behauptung aufgestellt, die Generativisten verträten hier eine nativistische Auffassung, während strukturalistisch-orientierte Sprachwissenschaftler eher zu einer empiristischen Position neigten. Gegen die Identifikation des generativistischen Lagers mit einer nativistischen Auffassung von Spracherwerb und Sprachverwendung ist solange nichts einzuwenden, wie damit nicht impliziert wird, die Generativisten hätten den alten *nature-nurture* Konflikt der Psychologie nunmehr in die linguistische Theoriebildung hineingetragen. Vielfach wird jedoch in den jüngeren Beiträgen zur Psycholinguistik gerade dieser Eindruck erweckt, als ginge es um die Frage, ob Spracherwerb und Sprachverwendung nur auf der Grundlage angeborener Verarbeitungsmechanismen erklärbar sind, oder ob auf die Annahme solcher angeborener Prinzipien verzichtet werden kann. Dieser Eindruck wird noch dadurch verstärkt, daß die nativistische Position der Generativisten vielfach mit der sogenannten *innateness hypothesis* gleichgesetzt wird.

Mir scheint die (Psycho-) Linguistik hier Gefahr zu laufen, erneut zu "entdecken", was in anderen Disziplinen bereits zum allgemeinen Wissensstand gehört, bzw. Kontroversen wieder aufzugreifen, die in der Psychologie bereits als erledigt gelten können. Wie die Durchsicht der psychologischen Literatur zeigt, ist die extreme Empirismus/Nativismus-Kontroverse, d.h. die Frage, ob Lernen angeborene Verarbeitungsprinzipien voraussetzt oder nicht, in dieser Form nicht mehr aktuell. Es wird von den meisten Psychologen nicht mehr bestritten, daß "learning seems to depend on very elaborate mechanisms that are not themselves the results of learning" (Bower 1974: 14). Es scheint wenig sinnvoll, daß die Linguisten hier bereits beackerten Boden kultivieren wollen. In diesem Sinne ist auch Chomskys (1975: 13) Bemerkung über die *innateness hypothesis* zu verstehen:

> "A preliminary observation is that the term 'innateness hypothesis' is generally used by critics rather than advocates of the position to which it refers. I have never used the term, because it can only mislead. Every 'theory of learning' that is even worth considering incorporates an innateness hypothesis . . . the question is not whether learning pre-supposes innate structures – of course it does; that has never been in doubt – but rather what these innate structures are in particular domains."

Wenn also die generativistische Auffassung als nativistisch apostrophiert wird, so kann es sinnvollerweise kaum angehen, daß hierfür als kennzeichnendes Merkmal – im Gegensatz zu anderen Positionen – die Annahme angeborener Verarbeitungsmechanismen angeführt wird. Bei unserem heutigen Wissensstand verdient eine Lerntheorie, die die Existenz angeborener Prinzipien der Informationsverarbeitung schlichtweg leugnet, kaum eine ernsthafte Betrachtung. Was die generativistische Position als im eigentlichen Sinne nativistisch ausweist und sie somit von anderen ernstzunehmenden Lerntheorien abhebt, ist die Hypothese, daß die Fähigkeit, Sprache zu erwerben und zu verwenden a) artspezifisch *(species-specific)* und b) aufgabenspezifisch *(task-specific)* ist. Nach dieser Auffassung verfügt der Mensch als einziges Lebewesen einerseits über die Fähigkeit, natürliche Sprache zu erwerben/verwenden; und andererseits ist der dieser Fähigkeit zugrundeliegende Mechanismus allein auf den Erwerb von Sprache, nicht jedoch auf das Erlernen anderer nicht-sprachlicher Fertigkeiten ausgerichtet. Dieser generativistisch-nativistischen Position stehen verschiedene lerntheoretische Auffassungen gegenüber, nach denen der Erwerb von Sprache lediglich der Ausdruck einer *allgemeinen* Lernfähigkeit des Menschen ist.

Die Frage, ob die menschliche Spracherwerbsfähigkeit artspezifisch und aufgabenspezifisch ist oder nicht, läßt sich nicht allein durch theoretische Überlegungen beantworten, sondern ist vielmehr ein Problem empirischer Evidenz. Es leuchtet ein, daß – da ein "Betrachten" des genetischen Code nicht möglich ist – das relevante empirische Material weitgehend indirekter Natur sein muß.

Die Evidenz für eine artspezifische und aufgabenspezifische Spracherwerbsfähigkeit des Menschen ergibt sich zu einem erheblichen Teil *ex negativo;* d.h. beim Verzicht auf eine entsprechende Annahme zugunsten eines allgemeinen lerntheoretischen Ansatzes lassen sich entscheidende Aspekte des Spracherwerbs (und der Sprachverwendung) nicht erklären.

Eher allgemeinerer Natur ist die in diesem Zusammenhang oft zitierte Beobachtung, daß – zunächst auf den Muttersprachenerwerb beschränkt – Kinder unabhängig von der Umgebung, in der sie aufwachsen, in der Lage sind, in erstaunlich kurzer Zeit ein so komplexes Kommunikationssystem wie eine natürliche Sprache zu bewältigen. Kinder sind zu dieser Aufgabe nicht nur fähig, sondern es ist unter normalen, d.h. nicht-pathologischen Umständen nicht einmal möglich, durch Manipulation von außen diesen Erwerbsprozeß zu verhindern. Muttersprachenerwerb erfolgt also nicht etwa – wie in der didaktischen Literatur immer wieder behauptet wird – aufgrund einer motivationell besonders günstigen Umweltkonstellation, sondern aus entwicklungsbiologischem Zwang. Kinder bewältigen diese enorme Lernaufgabe, obwohl die Bedingungen hierzu alles andere als günstig sind. Zunächst stellt die Sprache lediglich einen Bruchteil dessen dar, was das Kind in seinen frühen Lebensjahren durch Lernprozesse an Erkenntnis zu gewinnen hat. In der Tat hat das Kleinkind vermutlich ein weitaus größeres Lernpensum zu absolvieren als Jugendliche oder Erwachsene in späteren Lebensabschnitten. Wer einen Blick in die komplexeren Zusammenhänge der Entwicklungspsychologie wirft, dem wird klar, daß das Kind Sprache eigentlich "nur so nebenbei" mit lernt. Unter diesem Aspekt scheint die Annahme zumindest nicht abwegig zu sein, daß das Kind zur Bewältigung dieses enormen Lernpensums biogenetisch besonders ausgestattet ist.

Darüberhinaus erhält das Kind zum Erwerb der Muttersprache von seiner Umwelt keine oder zumindest keine weitreichende Hilfestellung. Zwar ist mittlerweile nachgewiesen, daß Mütter das syntaktische Niveau ihrer Äußerungen dem jeweiligen Spracherwerbsstand des Sprößlings anpassen und somit – quasi in dosierter Form – immer weitergehende Feinheiten der Sprache dem Kind darlegen; dennoch ist diese "Hilfestellung" angesichts der Komplexität der zu leistenden Aufgabe kaum mehr als minimal. Selbst wenn Kinder aufgrund des mütterlichen Anpassungsfilters nicht von Anfang an der gesamten Fülle sprachlicher Strukturen ausgesetzt sind, so läßt dennoch die Vielfalt, Heterogeneität und mangelnde Systematik der Inputdaten die Leistung des spracherwerbenden Kindes hinreichend als bemerkenswert erkennen.

Hinzu kommt, daß die Art und Weise, in der Kinder ihre Muttersprache erwerben, quer durch Sprachgemeinschaften, Kulturen, soziale Umgebungen, familiäre Verhältnisse, etc. verblüffende Parallelen aufweisen. Wie ich in Teil I und II zu zeigen versucht habe, ist die spracherwerblichen Prozessen zugrundeliegende Systematik nicht auf den Muttersprachenerwerb beschränkt, sondern schlägt ebenso beim Erlernen einer zweiten Sprache unter unterschiedlichsten Bedingungen durch. Auch dieser Befund läßt die Annahme einer artspezifischen und aufgabenspezifischen Spracherwerbsfähigkeit des Menschen als zumindest plausibel erscheinen.

Trotz der recht populären gegenteiligen Auffassung liegt einige Evidenz dafür vor, daß die kognitive und sprachliche Entwicklung des Menschen in weiten Bereichen unabhängig voneinander verlaufen. Zwar ist nicht zu leugnen, daß bestimmte kognitive Voraussetzungen gegeben sein müssen, damit sprachliche Strukturen überhaupt erworben werden können (Slobin 1973), jedoch wird auf diesen Sachverhalt immer wieder in einem Sinne verwiesen, der weitgehend trivial und unter erkenntnistheoretischen Aspekten uninteressant ist (cf. § 1.1). Verbalisierung eines Sachverhaltes setzt selbstverständlich die kognitive Erfassung dieses Sachverhaltes voraus. Vereinfacht ausgedrückt: über Dinge, die man nicht kennt, kann man nicht sprechen. Durch diese triviale Erkenntnis wird jedoch nicht erklärt, warum sich sprachliche Strukturen just in der Art und Weise entwickeln, wie dies an empirischen Daten beobachtbar ist. Die entscheidende Evidenz über die Beziehung zwischen kognitiver und sprachlicher Entwicklung kommt u.a. aus solchen Studien, die normale und retardierte Kinder miteinander vergleichen. Hierbei zeigt sich nun, daß die Korrelation zwischen sprachlicher und kognitiver Leistung keineswegs besonders hoch ist. Vielmehr scheint das Anwachsen sprachlichen Vermögens mit ganz anderen Entwicklungsaspekten weitaus stärker zu korrelieren. Lenneberg (1969: 635) bemerkt hierzu:

> "It is interesting that language development correlates better with motor development than it does with chronological age . . . since motor development is one of the most important indices of maturation, it is not unreasonable to propose that language development, too, is related to physical growth and development. This impression is further co-operated by examination of retarded children. Here the age correlation is very poor, whereas the correlation between motor and language development continues to be high."

Wenngleich die Annahme einer artspezifischen und aufgabenspezifischen Spracherwerbsfähigkeit des Menschen plausibel erscheinen mag, so erwächst die entscheidende Evidenz zugunsten dieser Annahme doch aus der Erkenntnis, daß allgemeinlerntheoretische Ansätze bei einer Beschreibung spracherwerblicher Phänomene versagen.

Auf experimenteller Ebene hat es nicht an Unternehmungen gefehlt, Tieren – und hier insbesondere Affen – das Sprechen beizubringen, um empirische Evidenz zugunsten eines allgemein-lerntheoretischen Ansatzes zusammenzutragen. Die frühesten Untersuchungen in dieser Richtung (cf. Brown 1970) erwiesen sich allesamt als Fehlschläge. Zu den Tieren, die im Bereich des sprachlichen Lernens gewisse Erfolge verbuchen können, gehören die nunmehr schon legendäre Schimpansin Washoe (Gardener & Gardener 1969) und die Affendame Sarah (Premack 1971). Beide Tiere erlernten ein nicht-verbales Kommunikationssystem, dessen Struktur nach dem Muster natürlicher Sprachen angelegt war. Ich verzichte darauf, die Ergebnisse von Gardener & Gardener (1969) und Premack (1971) im einzelnen darzustellen. Die entscheidende Frage ist: haben die Affen – und sei es auch nur in rudimentärer Form – ein Kommunikationssystem erlernt, das dem Vergleich mit natürlichen Sprachen standhalten kann? Kurz: haben die Tiere Sprache gelernt? Die verfügbare Evidenz gestattet keine endgültige Beantwortung dieser Frage. Es steht außer Zweifel, daß Washoe und Sarah jeweils ein Kommunikationssystem erlernt haben, das darauf hindeutet, daß Affen die Welt vielfach in ähnlicher Form wie Menschen erfassen oder doch zumindest in einer Weise, die für den Menschen verständlich ist. Diese Tatsache macht jedoch das von den Affen erlernte Kommunikationssystem noch nicht notwendigerweise zu einer Sprache im üblichen Sinn. Fodor et al. (1974) gelangen nach einer ausführlichen Analyse des Datenmaterials zu dem Schluß, daß die Kommunikationssysteme von Washoe und Sarah in folgenden Punkten gravierende Unterschiede zu natürlichen menschlichen Sprachen aufweisen:

1. Für Washoes "Sprache" scheint zu gelten, daß sie keine syntaktische Organisationsebene enthält. Zweifellos ist die Syntax jedoch ein zentraler Aspekt menschlicher Sprachen.
2. Sarahs Kommunikationssystem verfügt zwar über formale Ordnungsprinzipien, jedoch versagen die Daten just dort, wo es um den Nachweis hierarchischer Konstituentenstrukturen geht, ein weiteres essentielles Merkmal menschlicher Sprache.
3. Sarahs Kommunikationssystem ist nicht, oder nur in einem sehr beschränkten Maß produktiv. Ihm fehlt also ein entscheidendes Merkmal natürlicher Sprachen, nämlich nach bestimmten Regeln neue Strukturen zu generieren.
4. Sarahs "Sprache" übernahm keinerlei erkennbare kommunikative Funktionen im üblichen Sinne.

Von Experimentatoren im Bereich der "Tiersprachen" wird in der Regel nicht bestritten, daß die etwa von Affen gemeisterten Kommunikationssysteme den natürlichen Sprachen des Menschen bei weitem unterlegen sind. Soweit es sich bei derartigen Kommunikationssystemen überhaupt im eigentlichen Sinne um Sprache handelt, lassen sich bestenfalls extrem rudimentäre Ansätze von Sprache feststellen. Die entscheidende Frage ist jedoch: unterscheiden sich die von Washoe und Sarah erlernten Kommunikationssysteme von natürlichen menschlichen Sprachen allein quantitativ – etwa hinsichtlich der Anzahl der Elemente, der Komplexität von Strukturen, etc. – oder lassen sich auch qualitative Unterschiede im Bereich der zugrundeliegenden Konstruktionsprinzipien erkennen? Verfügen etwa natürliche Sprachen über essentielle Strukturmerkmale, die in den Kommunikationssystemen von Washoe und Sarah auch nicht ansatzweise auftreten? Fodor et al. (1974) neigen dazu, prinzipielle Unterschiede zwischen natürlichen Sprachen und von Tieren erlernbaren Kommunikationssystemen anzunehmen, während andere Autoren sich von der Leistung Washoes und Sarahs beeindruckter zeigen und Rudimente natürlicher Sprachen zu erkennen glauben. Die Evidenz in diesem Bereich ist bestenfalls unklar.

Mir scheint der Hinweis wichtig, daß Versuche, Tiere sprechen zu lehren bzw. ihnen den Gebrauch von natürlichen Sprachen nachempfundenen Kommunikationssystemen beizubringen, für die Beantwortung der Frage, ob die Spracherwerbsfähigkeit eine artspezifische Eigenschaft des Menschen ist, keinerlei bedeutsames Datenmaterial bereitstellen. Ob Tiere sprechen lernen können oder nicht, ist für die hier anstehende Problematik schlechtweg irrelevant. Die Hypothese einer artspezifischen Spracherwerbsfähigkeit des Menschen impliziert weder faktisch noch logisch, daß nicht-menschliche Organismen unfähig sind, sprachliche Strukturen zu erlernen. Die Hypothese besagt lediglich, daß der Mensch für diese Aufgabe biogenetisch speziell vorprogrammiert ist, während dies für andere Organismen nicht gilt. Die Hypothese impliziert weiterhin, daß – sollte es gelingen, etwa Affen natürliche Sprachen beizubringen – diese Aufgabe von Tieren auf der Basis anderer Verarbeitungsstrukturen durchgeführt wird als vom Mensch. Daß die gleiche Fähigkeit von verschiedenen Organismen auf unterschiedliche Weise erworben werden kann, gilt auf anderen Gebieten als durchaus unumstritten. Die Tatsache, daß es etwa Dompteuren gelingt, Hunden, Elefanten oder Pferden beizubringen, allein auf den Hinterläufen zu gehen, ändert kaum etwas an der Tatsache, daß der aufrechte Gang auf zwei Beinen ein artspezifisches Merkmal (u.a.) des Menschen ist, während die genannten Tiere in ihrer biogenetischen Struktur für ein Laufen auf vier Beinen angelegt sind. Wenn diese Tiere dennoch lernen können, auf zwei Beinen zu laufen, so verlangt dieser Lernprozeß offensichtlich andere Mechanismen als diejenigen, die das Laufenlernen beim Kleinkinde dirigieren. Geht man davon aus, daß beim Menschen neben Wuchs, Farbe von Augen und Haaren etc., ebenso die Klangfarbe der Stimme teilweise durch genetische Anlagen bestimmt ist, so wird diese Annahme keineswegs durch die Tatsache erschüttert, daß es einigen besonders talentierten Mitmenschen gelingt, die Stimmqualität anderer so zu imitieren, daß ein Unterschied zum Original kaum mehr erkennbar ist. Derartige Stimmenimitatoren sind oftmals in der Lage, artspezifische Vokalisierungen von Tieren – etwa das Krähen des Hahns, das Bellen des Hundes oder das Zwitschern bestimmter Vögel – nahezu perfekt nachzuahmen. Niemand würde wohl ernsthaft diese Fähigkeit als Evidenz gegen die Annahme anführen wollen, daß etwa das Bellen zum artspezifischen Verhalten des Hundes gehört. Die Experimente mit Washoe und Sarah geben also Auskunft über die Lernfähigkeit von Affen, sind jedoch bedeutungslos hinsichtlich der Frage einer artspezifischen Spracherwerbsfähigkeit des Menschen.

Auf der Ebene theoretischer Überlegungen zeigt sich, daß auch traditionelle Lerntheorien nicht auf die (implizierte) Annahme angeborener Verarbeitungsmechanismen verzichten können (cf. Fodor et al. 1974). Auch in gängigen S → R Modellen kann man erst dann von einem Lerneffekt sprechen, wenn der Organismus in der Lage ist, Generalisierungen durchzuführen. Nicht ein einzelner Stimulus wird (über eine einzelne Verstärkung) mit einer einzelnen Reaktion verbunden, sondern ein Lernvorgang findet erst dann statt, wenn der Organismus auf eine Klasse von Stimuli, die bestimmte gemeinsame Eigenschaften haben, mit einer Klasse von *responses* reagiert, denen wiederum fest definierte Eigenschaften gemein sind. Nun ist offenkundig, daß die einer Klasse zugeordneten Stimuli neben der für den jeweiligen Lernvorgang relevanten, eine beliebige Anzahl anderer Eigenschaften gemeinsam haben können. Ebenso müssen sich die Elemente einer Klasse von Reaktionen nicht allein durch *eine* gemeinsame Eigenschaft auszeichnen, sondern können vielmehr verschiedene gemeinsame Eigenschaften aufweisen. Aus diesem Sachverhalt ergibt sich, daß der lernende Organismus prinzipiell eine unendlich große Anzahl von Korrelationen zwischen Klassen von Stimuli und Klassen von Reaktionen aufstellen kann, je nachdem, welche der den Elementen einer Klasse gemeinsamen Eigenschaften er als relevant betrachtet. Die Frage stellt sich: Wenn ein lernender Organismus die Wahl zwischen verschiedenen Korrelationen hat, was determiniert dann die tatsächlich getroffene Wahl?

Es läßt sich nun kaum leugnen, daß die *de facto* vorhandenen Wahlmöglichkeiten durch die Struktur des lernenden Organismus eingeschränkt sind. Betrachten wir etwa Ratten in einem typischen Lernexperiment, so zeigt sich, daß das Tier Generalisierungen auf der Grundlage sensorischer Eindrücke, wie Form, Farbe, Geruch, Bewegung, etc. vornimmt. Demgegenüber sind ihm Generalisierungen auf der Basis abstrakter Eigenschaften, wie z.B. numerischer oder geometrischer Relationen, weitgehend verschlossen. Es erscheint jedem Experimentator als selbstverständlich, daß ein Organismus nur solche Lernvorgänge meistern kann, bei denen Eigenschaften von Klassenelementen ausschlaggebend sind, die dem in seiner biologischen Struktur angelegten Verarbeitungsmechanismus angemessen sind. Dies bedeutet jedoch gerade, daß die Annahme vorgegebener Strukturen in einem Organismus unumgänglich ist. Es liegt einige Evidenz dafür vor, daß empiristische Lerntheorien nicht über einen ausreichend differenzierten und adäquaten Beschreibungsapparat verfügen, um Phänomene des Spracherwerbs zu erklären. Nach empiristischer Auffassung leitet der Organismus die Informationen, die er zur Organisation seines Verhaltens verwendet, aus Gesetzmäßigkeiten seiner Umgebung ab. Ein zentraler Begriff in diesem Zusammenhang ist die Verstärkung. Von komplexeren Formen des Lernens wird erst dann gesprochen, wenn durch bestimmte Verstärkungsfaktoren eine Reiz-Reaktion-Verbindung dauerhaft zustandekommt. Damit die Verstärkung wirksam werden kann, ist jedoch eine bestimmte Trainingsperiode notwendig. Hier wird die Unvereinbarkeit mit spracherwerblichen Gesetzmäßigkeiten klar erkennbar. Gerade beim Spracherwerb scheinen Training und Verstärkung von Reaktionen – wenn überhaupt – nur eine sehr untergeordnete Rolle zu spielen. Formales Training, in dem etwa systematisch bestimmte Typen des verbalen Verhaltens durch Belohnung verstärkt werden, findet in der Regel nicht statt. Man hat diese Schwierigkeit erkannt und versucht, sie durch die Behauptung auszuräumen, die Belohnung und somit der verstärkende Effekt bestimmter Verbalisierungen würden beim Kinde durch die Kommunikation mit der Umwelt gewährleistet. Kann das Kind sich durch eine bestimmte Äußerung verständlich machen, so wird die Struktur dieser Äußerung verstärkt. Wird eine Struktur hingegen nicht verstanden, so fehlt mit der ausbleibenden Kommunikation auch die Verstärkung, so daß das Kind diese Struktur folglich aufgibt. Diese Argumentation ist kaum überzeugend. Wäre Kommunikationsfähigkeit ein ausreichendes Kriterium für die Verstärkung von Äußerungen, so gäbe es für ein Kind keinen plausiblen Grund, über ein primitives Mehrwort-Stadium hinauszugehen. Für einen Erwachsenen sind Äußerungen wie *no lunch ready, lunch no ready* und *lunch not ready* gleichermaßen verständlich und würden somit unterschiedlos verstärkt. Es gäbe aus dieser Perspektive heraus keinen Grund für das Kind, im Laufe des Entwicklungsprozesses die erste zugunsten der zweiten zugunsten der dritten Struktur aufzugeben.

Training und Verstärkung scheinen nicht nur keine notwendigen Voraussetzungen für den Ablauf des Spracherwerbsprozesses zu sein; vielmehr liegt einige Evidenz dafür vor, daß explizites Training mit systematischer Verstärkung bestimmter modellgerechter Strukturen den Spracherwerbsprozeß eher hemmt. Cazden (1965) untersucht in ihrer Dissertation, wie sich Erweiterungen kindlicher Äußerungen (expansions) durch die Eltern auf den Ablauf des Erwerbsprozesses auswirken. Mütter zeigen vielfach die Tendenz, in modellabweichende Äußerungen ihrer Sprößlinge die fehlenden Elemente einzufügen. Sagt ein Kind etwa *nein Milch trinken,* so greift die Mutter diese Äußerung oftmals in korrigierter Form wieder auf, z.B. als *ja, du willst keine Milch trinken* oder *ich will keine Milch trinken,* etc. Cazden untersuchte nun, ob und in welchem Umfange derartige Erweiterungen den Spracherwerbsprozeß beeinflussen. Bei einer Gruppe von Kindern wurden sämtliche Äußerungen erweitert bzw. korrigiert, während eine Kontrollgruppe lediglich mit normalen kommunikationsbedingten Äußerungen konfrontiert wurde. Cazden stellte fest, daß die Kinder, deren Äußerungen systematisch erweitert wurden, nach Ablauf des Experimentes geringeren sprachlichen Fortschritt gemacht hatten, als jene Kinder, deren Äußerungen nicht erweitert wurden. Hier zeichnet sich also ab, daß spezielles Training eher hinderlich für den Ablauf des Erwerbsprozesses ist.

Luria & Yudovich (1959) fanden bei ihren Untersuchungen heraus, daß Sprachtraining zwar zu einer kurzfristigen Beschleunigung des Spracherwerbsprozesses führen kann, während bei länger anhaltendem Training der Unterschied zwischen Experimentgruppe und Kontrollgruppe zunehmend verschwindet.

Vertreter der empiristischen Lerntheorie erkannten schon recht früh, daß Training und Verstärkung beim Spracherwerb keine entscheidende Rolle spielen, oder doch zumindest weit weniger essentiell sind als etwa die Möglichkeit, an natürlichen Kommunikationssituationen teilzunehmen. Diese Erkenntnis führte im Rahmen empiristischer Überlegungen zu der alternativen These, als zentralen Faktor im Spracherwerbsprozeß die Imitation anzusehen. Imitation ist in diesem Sinne als eine Art Selbstverstärkung zu verstehen, d.h., in der Imitation selbst liegt der verstärkende Effekt, durch den sich eine dauerhafte Verbindung von Stimulus (Situation) und Reaktion (Äußerung) herausbildet. Für Imitation im Spracherwerb scheint allerdings Ähnliches zu gelten wie für "normale" Verstärkungsfaktoren. Bislang liegt keinerlei Evidenz dafür vor, daß Imitationen den Erwerbsprozeß in entscheidendem Maße fördern. Im Gegenteil. Spracherwerb mag als eine Form von Lernen gelten, in der Imitation und Speicherung gehörter Äußerungen typischerweise *nicht* zu den kennzeichnenden Merkmalen gehören. Nun läßt sich natürlich nicht bestreiten, daß Kinder beim Spracherwerb in einem sehr umfassenden Sinne doch auf Äußerungen ihrer Umwelt reagieren. Soll dieser Sachverhalt als Definiens von Imitation gelten, so wird wenig mehr damit ausgesagt, als daß Kinder letztlich die Sprache erwerben, die ihre Umgebung benutzt, und keine andere. Eine solche Erkenntnis ist jedoch banal und erklärt vor allem nicht den spezifischen Mechanismus von Spracherwerb.

Wenn üblicherweise – in einem engeren Sinne – von Imitation gesprochen wird, so ist damit in der Regel gemeint, daß Kinder auf eine spezifische Äußerung in ihrer Umgebung damit reagieren, daß sie diese Äußerung in der vorgegebenen Form wiederholen. Imitationen in diesem Sinne sind im Spracherwerbsprozeß ausgesprochen selten. Kinder zeigen vielfältige Formen spontanen verbalen Verhaltens; Imitationen spielen hierbei nur eine untergeordnete Rolle. Verschiedene Untersuchungen, wie z.B. die von Fraser et al. (1963) und Ervin-Tripp (1964), deuten daraufhin, das das Imitieren vorgegebener Äußerungen eine Fähigkeit sui generis ist, die nicht notwendigerweise zum jeweiligen Spracherwerbsstand parallel verläuft; d.h. Strukturen imitierter Äußerungen und Strukturen spontaner Äußerungen sind zu einer gegebenen Spracherwerbsperiode vielfach in hohem Maße nicht-isomorph (Ervin-Tripp, 1964).

Die entscheidende Evidenz gegen eine umfassende Bedeutung der Imitation im Spracherwerbsprozeß kommt jedoch aus der Struktur kindlicher Äußerungen selbst.Kinder produzieren während ihrer sprachlichen Entwicklung systematisch Äußerungen und Strukturen, die sie so in ihrer Umgebung nicht gehört haben können. Bei der derzeitigen Datenlage scheint die Behauptung gerechtfertigt zu sein, daß die Struktur kindersprachlicher Äußerungen überwiegend die Möglichkeit von Imitation, d.h. direkter Übernahme erwachsenensprachlicher Verbalisierungen ausschließt. Dies gilt offenkundig nicht nur für den Muttersprachenerwerb, sondern – wie ich in Teil I und II an den Daten gezeigt habe – ebenfalls für verschiedene Formen des Zweitsprachenerwerbs. Daß auch im L2-Erwerb – zumindest dem natürlichen – Äußerungsstrukturen vorwiegend nicht-imitativer Natur sind, zeigt sich u.a. darin, daß auf jene tatsächlich als Imitation zu identifizierenden Strukturtypen auch terminologisch speziell hingewiesen wird (cf. Huang 1971, Butterworth 1972, Felix 1978b). Derartige Äußerungen sind unter der besonderen Bezeichnung *sentence imitation* oder *formulaic sentences* (Fillmore 1976) in die Literatur eingegangen. Aufgrund dieser Evidenz formulierte McNeill (1970: 107) als eines der herausragendsten Ergebnisse der modernen Sprachforschung: "The contribution of parental speech to language acquisition is not to supply specimens for children to imitate".

Bereits Fodor et al. (1974) wiesen darauf hin, daß der Begriff der Imitation schon aus grundsätzlichen Erwägungen heraus für eine Erklärung von Spracherwerbsprozessen unbrauchbar ist. Was das Kind in seiner Umgebung hört und somit aufgreifen/imitieren kann, sind ja keinesfalls sprachliche Strukturen, nicht einmal Satztypen, sondern bestenfalls Einzelbeispiele von Sätzen. Wäre Imitation der zentrale Mechanismus des Spracherwerbsprozesses, so könnte als dessen Ergebnis lediglich ein finites Repertoire an konkreten Äußerungstokens entstehen, die (möglicherweise) mit einer bestimmten Situationskonstellation gekoppelt sind. Sprachliche Kompetenz besteht jedoch gerade nicht in einer solchen Liste konkreter Äußerungen, sondern in der Kenntnis der konkreten Äußerungen bzw. Sätzen zugrundeliegenden strukturellen Verhältnisse. Spracherwerb ist Strukturerwerb. Die strukturellen Verhältnisse, die Sätzen zugrundeliegen, sind aber eben nicht an ihrer oberflächlichen Konstruktion erkennbar. Die Aufgabe des Kindes ist es also u.a., auf der Grundlage konkreter, in der Umgebung gehörter Äußerungen zugrundeliegende strukturelle Gesetzmäßigkeiten zu erkennen. Wie immer es diese Aufgabe bewältigt, die Imitation stellt hierzu kein brauchbares Verfahren dar. Produktive Systeme, wie z.B. natürliche Sprachen, lassen sich nicht per Imitation erlernen.

Der Begriff der Imitation ist weiterhin deshalb unbrauchbar, weil völlig unklar ist, wie das Kind überhaupt lernt, gehörte Äußerungen zu imitieren. Die entscheidende Frage ist: unter welchen Bedingungen kann eine Verbalisierung als Imitation/Repetition einer zuvor gehörten Äußerung gelten? Offenkundig können die Kriterien für die Gleichheit bzw. Ungleichheit zweier Äußerungen nicht allein dem konkreten physikalischen Bereich entnommen werden. Es ist unsinnig zu fordern, daß zwei Äußerungen nur dann als Imitationen voneinander gelten können, wenn ihre substantielle, d.h. physikalisch-akustische Struktur identisch ist. Unter einer solchen Forderung wären Imitationen gänzlich unmöglich. Es muß nicht weiter bewiesen werden, daß sich auf der akustischen Ebene eine kindersprachliche Imitation von ihrer erwachsenensprachlichen Vorlage in unbestimmt vielfältiger Weise unterscheiden kann. Um eine erwachsenensprachliche Äußerung überhaupt imitieren zu können, darf sich das Kind offensichtlich nicht ausschließlich an deren objektiv-physikalischen Eigenschaften orientieren. Vielmehr muß das Kind auf einer abstrakten Ebene die physikalisch-akustische Information in sprachlich-strukturelle (vermutlich phonetische) Kategorien umsetzen, die dann wiederum als

Grundlage für seine eigene Produktion dienen. Wie dieser abstrakte Verarbeitungsmechanismus im einzelnen funktioniert, ist weithin eine offene Frage. Offensichtlich scheidet jedoch Imitation als Erklärungshypothese aus, denn: Imitation selbst setzt ein abstraktes System komplexer Verarbeitungsmechanismen voraus, die dazu dienen, die Identität bzw. Nicht-Identität von Elementen zu spezifizieren. Entscheidend an diesen Überlegungen ist, daß unabhängig davon, ob konkrete Imitationen nachweisbar sind oder nicht, der Begriff der Imitation unzureichend ist, um die Leistung des Spracherwerbs zu erkären.

Zusätzliche Überlegungen gegen empiristische Lerntheorien als adäquate Beschreibungsrahmen für spracherwerbliche Prozesse ergeben sich daraus, daß S → R-Modelle ebenfalls für die Beschreibung der Verwendung von Sprache inadäquat sind. Sprache ist einfach ein zu komplexes Strukturphänomen, als daß es sich auf simple Reiz-Reaktion-Verbindungen zurückführen ließe. Die Argumente gegen eine empiristische Auffassung von Sprache als *verbal behavior* sind allenthalben in der generativistischen Literatur zugänglich (z.B. Chomsky 1965, 1975; Bever & Langendoen 1971; Fodor & Bever 1965; Fodor, Bever & Garrett 1974; Katz & Bever 1973; Postal 1964). Es würde an dieser Stelle zu weit führen, die gesamte Fülle der Argumente im Detail darzustellen. Der entscheidende Gedankengang für unsere Fragestellung ist folgender: Wenn Struktur und Wesen von Sprache die Möglichkeit einer adäquaten Beschreibung auf der Basis eines empiristischen S → R-Modells ausschließen, so ist es – unabhängig von der zuvor dargestellten Evidenz – zumindest nicht plausibel anzunehmen, daß jene empiristischen Mechanismen hingegen für eine Erklärung des *Erwerbs* von Sprache einen hinreichend differenzierten Beschreibungsrahmen liefern. In einem solchen Falle würde sich das Kind Sprache nach Prinzipien aneignen, die es dann möglichst schnell über Bord werfen muß, da sie für die Verwendung von Sprache untauglich sind. Weitaus sinnvoller scheint die Annahme zu sein, daß Spracherwerb und Sprachverwendung den grundsätzlich gleichen Prinzipien folgen.

Für eine umfangreiche Darstellung der psycholinguistischen Problematik aus generativistischer und lerntheoretischer Sicht verweise ich auf die entsprechende Literatur. An dieser Stelle seien nur einige wichtige Argumente nochmals aufgegriffen, die zeigen, daß empiristische Vorstellungen dem Phänomen 'Sprache' nicht gerecht werden können.

Empiristisch orientierte Psychologen gehen in der Regel davon aus, daß grammatischen Strukturen auf der psychologischen Ebene Ketten von Assoziationen zwischen Elementen entsprechen (Skinner 1957, Osgood & Seboek 1969, Hull 1943, Osgood 1957). Zwischen den Elementen einer sprachlichen Äußerung bestehen bestimmte Übergangswahrscheinlichkeiten, die als direkter Reflex der *associative habits* der Sprecher dieser Sprache angesehen werden. Durch den Begriff der Assoziation bzw. assoziativen Beziehung glaubte man von psychologischer Seite her der horizontalen, d.h. sequentiellen Ordnung sprachlicher Strukturen gerecht zu werden. Es ist ein Kennzeichen dieser Auffassung, daß die Gesetzmäßigkeiten, die die Distribution von sprachlichen Elementen bestimmen, als Ausdruck allgemeinerer assoziativer Gesetze angesehen werden. Es ist klar, daß sich unter dieser Auffassung das Erlernen von Sprache als das Erlernen derartiger Assoziationen aufgrund unterschiedlicher Verstärkung zwischen verschiedenen Reiz-Reaktions-Paaren darstellt.

Die Schwierigkeit eines solchen simplen Assoziationsmodells liegt darin, daß mit ihm zwar die sequentielle Ordnung, nicht jedoch die hierarchische Strukturierung von

Sprache in den Griff zu bekommen ist. Dies ist insofern ein gravierendes Problem, als mit der Hierarchisierung sprachlicher Strukturen Elemente eingeführt werden, deren Beziehung zueinander teilweise abstrakt und somit der direkten Beobachtung nicht zugänglich sind. So ist es z.B. prinzipiell nicht weiter schwierig, Übergangswahrscheinlichkeiten bzw. assoziative Beziehungen zwischen Wortpaaren konkreter Wörter, etwa *der Mann, Paul singt, nie wieder* etc. aufzustellen. Wie aber läßt sich die assoziative Bindung zwischen solchen Kategorien wie NP und VP determinieren, die durch eine unendlich große Anzahl von Wortketten manifestiert werden können? Das Problem ist klar: Bestimmte grammatikalische Relationen beziehen sich nicht auf einzelne Wörter, sondern auf Klassen von Wörtern. Was aber entspricht im assoziationstheoretischen Modell auf der psychologischen Seite derartigen abstrakten Klassen sprachlicher Elemente?

Eine Lösung dieses Problems schlug u.a. Hull (1943) durch die Annahme einer sogenannten *mediating response* (MR) vor. Zugrunde liegt die Beobachtung, daß Personen, die in Konditionierungsexperimenten etwa auf die Reiz-Reaktions-Verbindung XY und YZ trainiert werden, auf den Stimulus X teilweise direkt mit der Reaktion Z antworten, obwohl eine Reiz-Reaktions-Verbindung XZ explizit nie trainiert wurde. Dieses Verhalten läßt sich nun dadurch erklären, daß man annimmt, Y sei implizit als unbeobachtbare Größe, also als *mediating response* in dem Assoziationsprozeß vorhanden. Der Proband reagiert sozusagen stillschweigend mit Y und zeigt erst danach eine explizite Reaktion in Form von Z. Die Annahme von nicht-beobachtbaren MRs und somit eine Abkehr vom radikalen Behaviorismus gestattet zunächst vor allem eine Erklärung der Tatsache, daß Sprache offensichtlich auf mehreren Ebenen gleichzeitig strukturiert ist. Der radikale Behaviorist mußte sich stets für *eine* Strukturebene entscheiden, auf der er Assoziationen zwischen Elementen festlegte. Entschied er sich für die Wortebene, so konnte er Regularitäten auf der lautlichen Ebene nicht erfassen, da Verhaltenseinheiten per Definition keine interne Struktur aufweisen. Entschied er sich für die lautliche Ebene, so mußte er mögliche morpho-syntaktische Gesetzmäßigkeiten übersehen.

Die Annahme von MRs scheint aus diesem Dilemma herauszuführen. Bestehen beispielsweise auf der Wortebene Assoziationen zwischen bestimmten konkreten Morphemen, so lassen sich *gleichzeitig* Assoziationen zwischen abstrakten Symbolen wie Nomen, Artikel oder Verben darstellen, wenn diese als implizite MRs angesetzt werden. Osgood (1963) hat versucht, ein solches Modell im Detail auszuarbeiten. Nach seiner Auffassung wird sprachliches Verhalten gleichzeitig auf mehreren Ebenen durch ein kompliziertes System von Übergangswahrscheinlichkeiten bzw. Übergangsabhängigkeiten bestimmt. Osgood gelang es vor allem, Phänomene gleichzeitiger und sequentieller Organisationsformen zu integrieren. Übergangswahrscheinlichkeiten auf einer höheren Strukturebene beeinflussen gleichzeitig Übergangswahrscheinlichkeiten auf einer niedrigen Strukturebene. Das Entscheidende an Osgoods Modell ist, daß durch die Einführung der MRs der grundsätzlich assoziationistische Ansatz gewahrt werden konnte. Die impliziten, nicht beobachtbaren MRs unterliegen den gleichen assoziativen Gesetzmäßigkeiten wie die offenen erkennbaren Reiz-Reaktions-Verbindungen der orthodoxen Behavioristen.

Dennoch erweist sich auch Osgoods modifiziertes behavioristisches Modell als für die Sprache untauglich.

Zunächst verlaufen Assoziationen im behavioristischen Sinn stets in *einer* Richtung, d.h. von links nach rechts. Es gibt jedoch eine ausreichende Anzahl von Beispielen dafür, daß in der Sprache umgekehrte Abhängigkeiten eine ebenso wichtige Rolle spielen. Assoziationen wirken also stets uni-direktional, Abhängigkeiten zwischen sprachlichen Elementen können bi-direktional sein. Betrachten wir etwa im Englischen die Ausdrücke *a dog* und *an owl,* so besteht kein Zweifel darüber, daß das jeweilige Nomen, also *dog* bzw. *owl* die Form des Artikels *a* bzw. *an* determiniert, und nicht etwa umgekehrt. Derartige Rechts-Links-Abhängigkeiten sind in natürlichen Sprachen keineswegs selten, sondern lassen sich in beliebigem Umfange illustrieren. Gerade das Deutsche mit seiner Vielfalt an Permutationsmöglichkeiten mag hier als eine wahre Fundgrube für entsprechende Beispiele dienen. Die Ungrammatikalität der folgenden deutschen Sätze besteht gerade darin, daß die Abhängigkeit des ersten Elementes vom *folgenden* Element mißachtet wurde:

(1) *Kamen Hans gestern nacht?
(2) *Das Frau kenne ich.
(3) *Viele Geld.

Vergleichbare Schwierigkeiten treten in all denjenigen Fällen auf, in denen voneinander abhängige sprachliche Elemente nicht direkt nebeneinander auftreten.

Assoziative Beziehungen sind typischerweise am stärksten zwischen solchen Elementen, die unmittelbar aufeinanderfolgen. In Lernexperimenten ist es bekanntlich weitaus schwieriger, weit auseinanderliegende Elemente zu assoziieren, als Elemente, die in unmittelbarer Nachbarschaft erscheinen. Wenn sprachliche Strukturen im wesentlichen auf Assoziationen beruhen, so müßte auch hier gelten, daß die Beziehung zwischen unmittelbar aufeinanderfolgenden Konstituenten enger ist, als die zwischen weit entfernten. Eine derartige These ist jedoch offenkundig unsinnig. Die Beziehung zwischen Nomen und Verb beispielsweise wird in keiner Weise dadurch verändert, daß etwa durch Relativsätze oder Appositionen zwischen Nomen und Verb zusätzliche Konstituenten eingeführt werden, die damit die Distanz zwischen diesen beiden Elementen vergrößern. Gleiches gilt für das hinreichend bekannte Phänomen der diskontinuierlichen Konstituenten. Das Problem läßt sich am einfachsten an dem viel strapazierten Beispielpaar *John phones up Mary* und *John phones Mary up* illustrieren. Auch hier besteht kein Zweifel darüber, daß die Beziehung zwischen *phones* und *up* völlig unabhängig davon ist, ob die Konstituente *Mary* zwischen die beiden Elemente tritt oder nicht. Gerade diesem Phänomen ist mit einem assoziationstheoretischen Modell nicht beizukommen. Noch komplexer wird der Sachverhalt, wenn das Objekt pronominalisiert wird: *John phones her up* vs. * *John phones up her.* Es ist kaum auszumachen, wie dieser Phänomenbereich assoziationstheoretisch beschrieben werden soll. Niemand wird ernsthaft den Vorschlag unterbreiten wollen, bei pronominalisiertem Objekt sei die Beziehung zwischen *phones* und *up* weniger eng als bei nominalem Objekt. Den Kern des Dilemmas fassen Fodor et al. (1974: 75) zusammen:

> "Associations differ in strength while linguistic relations differ in quality; the types of associations are not sufficiently heterogeneous to re-construct the variety of types of relations that the operation of linguistic rules can mediate".

Umgekehrt gilt, daß bestimmte, bekanntlich besonders starke Assoziationen in sprachlichen Strukturen nicht auftreten können. So fällt es etwa beim Lernen von Listen recht leicht, antonyme Wortpaare, wie z.B. *groß/klein, lang/kurz, dick/dünn*, etc. zu speichern. Offensichtlich ist die assoziative Bindung zwischen derartigen

Elementen besonders ausgeprägt. Dennoch unterliegt das gleichzeitige Auftreten solcher Wörter – soweit es überhaupt möglich ist – ganz erheblichen Restriktionen.

Diese Überlegungen führen zu dem Schluß, daß grammatische Relationen von grundsätzlich anderer Natur sind als assoziative Beziehungen. Assoziationstheoretische Modelle verfügen einfach nicht über das begriffliche und methodische Rüstzeug, um dem Wesen und der Komplexität von Sprache gerecht zu werden.

Fodor et al. (1974) weisen vor allem darauf hin, daß assoziationstheoretische Modelle eines der entscheidenden Merkmale von Sprache, und zwar ihre Produktivität, nicht erfassen können. Im Bereich der linguistischen Beschreibung wird die Produktivität von Sprache u.a. durch die Möglichkeit eines Rekursivitätsmechanismus im Regelapparat dargestellt. Es werden also Regeln zugelassen, in denen das gleiche Symbol auf der rechten und auf der linken Seite auftaucht oder in denen auf der rechten Seite ein Symbol auftritt, das in einer vorangegangenen Regel auf der linken Seite erschien. Typische Beispiele für rekursive Regeln sind solche, die die Koordination von Elementen wie in (4) oder Satzeinbettungen wie in (5a/b) darstellen:

(4) VP → and VP
(5a) S → NP + VP
(5b) VP → V + S

Derartige rekursive Regeln bewirken, daß in dem betreffenden Strukturbaum ein Element sich selbst dominieren kann. Sätze können also Sätze dominieren, NPs andere NPs, etc. In dem Satz *Der Mann, der die Straße überquert, trägt einen grünen Hut* wird etwa das S, das den Relativsatz darstellt, von dem S dominiert, das den Gesamtsatz darstellt. Gleiches gilt für die Koordination. In dem Satz *Der dicke Paul, die schöne Maria und Hans, der Schwätzer, kommen heute zu unserer Party* stellen die einzelnen angesprochenen Personen mit ihren Attributen aus grammatischer Sicht jeweils eine NP dar. Diese drei NPs werden nun wiederum durch eine NP dominiert. Der Produktivität von Sprache wird in der grammatischen Beschreibung nun dadurch Rechnung getragen, daß dem Rekursivitätsmechanismus keine obere Grenze gesetzt wird. Eine rekursive Regel kann prinzipiell beliebig oft durchlaufen werden. Das bedeutet, daß es in den Strukturbäumen natürlicher Sprachen keine obere Grenze dafür gibt, wie oft ein Element sich selbst dominieren kann.

Die entscheidende Schwierigkeit eines assoziationstheoretischen Modells à la Osgood liegt nun darin, daß die Assoziationen, d.h. die Übergangswahrscheinlichkeiten zwischen den einzelnen sprachlichen Elementen, jeweils mit Bezug auf *eine* bestimmte Strukturebene definiert sind. Übergangswahrscheinlichkeiten beziehen sich also – soweit sie horizontale Anordnungen betreffen – auf die sprachlichen Elemente der *gleichen* Strukturebene. Dies ist jedoch nur dann möglich, wenn eindeutige Kriterien für die Bestimmung dessen zur Verfügung stehen, was ein und dieselbe Strukturebene ist. Derartige Kriterien scheint es jedoch nicht zu geben. In einer Grammatik, die rekursive Regeln des oben dargestellten Typs benutzt, kann jedes Element auf jeder Ebene des Strukturbaumes erscheinen. Beschreibungsebenen bzw. Strukturebenen lassen sich daher nicht mit Hilfe derjenigen Kategorien definieren, die auf ihr erscheinen können. Wenn jedes Element auf jeder denkbaren Ebene erscheinen kann, so bedeutet dies, daß der Begriff 'Strukturebene' bzw. 'Beschreibungsebene' in einer Grammatik mit rekursiven Regeln undefiniert bleibt.

Die Funktionstüchtigkeit von Osgoods Modell ist jedoch entscheidend darauf angewiesen, daß Strukturebenen und die sie konstituierenden Elemente eindeutig definiert sind. Andernfalls bestehen für die probabilistischen Übergangsabhängigkeiten keinerlei Bezugspunkte. Eine solche eindeutige Definition wäre jedoch nur auf Kosten eines Verzichts von rekursiven Regeln möglich. Es zeigt sich also, daß assoziationstheoretische Modelle, wie sie von Osgood entworfen wurden, mit der Produktivität von Sprache nicht vereinbar sind.

Die vorliegende Evidenz zeigt, daß assoziationstheoretische Modelle zumindest bei ihrem derzeitigen Entwicklungsstand nicht in der Lage sind, Sprache bzw. die Verarbeitung von Sprache umfassend darzustellen. Diese Theorien verfügen nicht über ein hinreichend differenziertes Beschreibungssystem, um die volle Komplexität sprachlicher Phänomene in den Griff zu bekommen. Insbesondere sind sie an die Auffassung gebunden, daß alle komplexen Lernmechanismen, sei es im sprachlichen oder nicht-sprachlichen Bereich, auf einige wenige Schlüsselphänomene, wie Reiz-Reaktion, Verstärkung, Generalisierung, etc. reduzierbar sind. Nach dem derzeitigen Stand der Dinge scheint es sinnvoll, eine derartige Auffassung aufzugeben. Sprache läßt sich offenkundig nicht in dieser Weise auf einige Grundmechanismen reduzieren. In ähnlicher Weise sind empiristische Lerntheorien nicht zu der Erklärung fähig, wie der Mensch ein so hoch-komplexes System wie eine natürliche Sprache zu erlernen vermag. Es scheint daher nicht abwegig zu sein, bei den derzeitigen Bemühungen auf empiristische Grundüberzeugungen zu verzichten, und als plausibel anzunehmen, daß der Mensch speziell für die Aufgabe des Spracherwerbs biogenetisch ausgerüstet ist.

Die Annahme einer spezifischen Spracherwerbsfähigkeit erscheint im Gesamtkontext psychologischer bzw. mentaler Fähigkeiten auch keineswegs ungewöhnlich oder abwegig. Wie die zuvor referierten Befunde zur perzeptuellen und motorischen Entwicklung zeigen, muß man auch in diesen Bereichen davon ausgehen, daß der Mensch speziell für die hier zu bewältigenden Aufgaben biogenetisch ausgerüstet ist. Die enorme Komplexität perzeptueller und motorischer Mechanismen, über die das Kleinkind bereits verfügt, deutet auf ein angeborenes Verlaufsschema. In diesem Sinne läßt sich die menschliche Spracherwerbsfähigkeit problemlos und ohne besondere Hervorhebung neben Fähigkeiten der Wahrnehmung der Motorik und der Kognition einreihen.

27. Die *Critical Period Hypothesis*

Unter den zahlreichen Fähigkeiten von Lebewesen, ihre Verhaltensweisen zu verändern bzw. sich neue anzueignen, kennt die Psychologie bereits seit langem solche, deren Erwerb nach allem Anschein an einen bestimmten Zeitraum gebunden ist. Soweit grundlegende Verhaltensmuster davon betroffen sind, fällt diese Zeitspanne in aller Regel in die frühen Lebensphasen. Bestimmte Verhaltenspotentiale sind also nicht über die gesamte Lebensspanne hinweg erlernbar, sondern entwikkeln sich während einer mehr oder minder fest umrissenen und relativ kurzen Periode der frühen Reifezeit. Die für die Entstehung bestimmter Fähigkeiten maßgebliche Zeitspanne wird üblicherweise als *critical period* bezeichnet. Wird der Erwerb der betreffenden Fähigkeit etwa durch besondere Umwelteinflüsse während der kritischen Periode verhindert, so kann sich dieses Verhaltenspotential in späteren Lebensabschnitten auch mit Hilfe besonderer Trainingsverfahren vielfach entweder gar nicht oder in nur sehr rudimentärer Form heranbilden. Die für einige Bereiche teilweise umstrittene Annahme, daß der Erwerb bestimmter Fähigkeiten zeitlichen Beschränkungen unterliegt, ist unter dem Terminus *critical period hypothesis* (CPH) bekannt und impliziert in der Regel eine eher biologistische Auffassung von Entwicklung. Zahlreiche Forscher gehen davon aus, daß kritische Perioden und die von ihnen betroffenen Fähigkeiten einen biogenetischen Aspekt der Entwicklung von Organismen darstellen.

Es ist leicht zu erkennen, daß die *critical period hypothesis* unmittelbar in die *nature-nurture* Kontroverse eingreift. Wenn die Erwerbbarkeit von Fähigkeiten zeitlich beschränkt ist, so ergibt sich daraus eine Relativierung der Rolle von Umwelterfahrungen in der Entwicklung von Organismen. Erfahrungswerte bestimmen daher den Werdegang des Lebewesens lediglich innerhalb der durch die kritische(n) Periode(n) gesetzten Grenzen. Umwelterfahrungen müssen daher hinsichtlich ihrer Relevanz für die Entwicklung vermutlich sehr differenziert gesehen werden. Umweltreize und zeitliche Beschränkungen greifen ineinander. Zu diesem Fragekomplex liegt eine Fülle experimenteller Untersuchungen vor, deren Evidenz zum größten Teil auf eine äußerst vielschichtige Problemlage hinweist.

Endler et al. (1976: 140 ff) geben einen kurzen Überblick über die wichtigsten Forschungsrichtungen und deren Ergebnisse in diesem Bereich. In der Regel ist man die Frage, welchen Einfluß welche Erfahrungen in den frühen Lebensphasen auf die weitere Entwicklung ausüben, mit Experimenten angegangen, in denen – vor allem in Tierversuchen – die Umwelt nach bestimmten Kriterien manipuliert, d.h. verändert wurde (*enriched environment* vs. *deprived environment*). Das entscheidende Ergebnis dieser Untersuchungen ist aus der hier angeschnittenen Perspektive folgendes: wenngleich Quantität und Qualität früher Erfahrungen unbestritten die folgende Entwicklung beeinflussen, so gilt doch keinesfalls, daß Erfahrungsreichtum grundsätzlich zu einer positiven und Erfahrungsarmut stets zu einer verkümmerten Entwicklung führen. Der Sachverhalt ist weitaus komplexer; offensichtlich greifen hier verschiedene Faktoren ineinander. Reichhaltige Stimulierung des Organismus durch Umweltreize kann zwar die Entwicklung vorantreiben, gelegentlich aber auch zu negativen Effekten führen. Entscheidend scheint zu sein, welche Umweltreize zu welchem Zeitpunkt auf den Organismus auftreffen: ". . . stimulation per se is not necessarily always beneficial. In order for development to be accelerated by stimulation a certain level of maturation must be present" (Endler et al. 1976: 141).

Verschiedene Autoren (Watson 1971, Greenberg 1971, White 1971) haben gezeigt, daß Stimulierungen durch eine (möglicherweise übermäßig) angereicherte Umgebung Entwicklungsprozesse im kognitiven und perzeptuellen Bereich vielfach nicht beschleunigen, sondern eher retardieren. Die Frage, warum gleiche Formen der Stimulierung durch Umweltreize so unterschiedliche Auswirkungen auf die Entwicklung von Organismen haben können, nimmt in der psychologischen Diskussion einen breiten Raum ein. Im wesentlichen scheint sich die Auffassung durchgesetzt zu haben, daß die Wirkung von Umweltreizen auf Organismen einerseits von deren interner Struktur und andererseits vor allem vom Zeitpunkt innerhalb des Reifeprozesses abhängt (Kagan 1970, Hunt 1961, Haywood 1967, Haywood & Tapp 1966). Endler et al. (1976: 142) fassen den Sachverhalt wie folgt zusammen:

> "The early experience literature testifies to the importance of the inter-action of experiential and maturational factors in facilitating developmental processes".

In diesen Sachverhalt ist nunmehr das Phänomen der kritischen Periode einzuordnen. Kritische Perioden scheinen im wesentlichen zu jenen biogenetischen Aspekten von Entwicklungsprozessen zu gehören, die den jeweiligen Einfluß von Erfahrungswerten bzw. Umweltreizen sozusagen kanalisieren und in seinen möglichen Ausprägungen determinieren. Wie noch im einzelnen darzustellen sein wird, ist die CPH – vor allem auch im Bereich des Spracherwerbs – nicht ganz unumstritten. Zunächst scheint der Terminus *critical period* vielfach als eine Art Sammelbegriff für zum Teil recht unterschiedliche Phänomene benutzt zu werden (Scott 1962, Caldwell 1962). Weiterhin sind nicht immer die Kriterien eindeutig, nach denen bestimmt wird, wann ein Zeitraum als kritische Periode zu gelten hat (Scott 1962, Denenberg 1964). Einige Autoren scheinen bereits solche Zeiträume als kritische Periode anzusetzen, in denen bestimmte Fähigkeiten besser gelernt werden als in anderen Zeitabschnitten. Andere Forscher nehmen eine striktere Abgrenzung vor, indem eine Periode erst dann als kritisch ausgewiesen wird, wenn außerhalb von ihr der Erwerb einer bestimmten Fähigkeit (nahezu) unmöglich ist. Trotz dieser divergierenden Abgrenzungskriterien ist man sich im Kern darüber einig, daß zeitliche Limitierungen in der Entwicklung von Verhaltensweisen bei verschiedenen Organismen eine fundamentale Rolle spielen. Kritische Perioden sind vor allem für den Erwerb früher sozialer Bindungen nachgewiesen worden; jedoch scheint dieses Phänomen auch in anderen Bereichen, z.B. bei motorischen Fertigkeiten (McGraw 1946), aufzutreten.

27.1. Prägung

Die CPH ist besonders eng mit einer Form frühen sozialen Verhaltens verbunden, für das Lorenz (1932, 1943) den Terminus *Prägung* (in der englischsprachigen Literatur *imprinting*) einführte, und das besonders detailliert bei verschiedenen Arten von Vögeln untersucht wurde (cf. Hess 1959, 1964; Bateson 1973). Das Phänomen der Prägung bei bestimmten Tierarten zeichnet sich u.a. vor allem durch folgende Eigenschaften aus:

a) es scheint Gesetzmäßigkeiten zu folgen, die es von anderen Formen des Lernens, insbesondere dem assoziativen Lernen, unterscheiden;
b) seine Entstehung ist offensichtlich an bestimmte kritische Perioden gebunden. Es hat allerdings auch in diesem Bereich nicht an Versuchen gefehlt, Prägung als eine besondere Form des assoziativen Lernens anzusehen (z.B. Moltz 1960).

Eines der bekanntesten Beispiele für Prägung ist die Entwicklung der ersten sozialen Bindungen von Küken, Enten und Gänsen. Unmittelbar nach dem Ausschlüpfen entwickeln diese Tiere eine besonders stark ausgeprägte soziale/affektive Bindung an die Mutter, die sich u.a. darin äußert, daß die Neugeborenen der Mutter stets in alle beliebigen Richtungen nachlaufen (daher der Gänsemarsch). Diese Folge-Reaktion zeigt nun eine Reihe von Eigenschaften, die sie von anderen Formen erlernter Verhaltensweisen deutlich unterscheiden. Eines der auffälligsten Merkmale, das besonders durch die Experimente von Lorenz bekannt geworden ist, zeigt sich darin, daß sich diese frühen sozialen Bindungen nicht notwendigerweise auf die Mutter beziehen müssen. Vielmehr entwickeln die Tiere die Reaktion des Nachlaufens ebenso in bezug auf andere Tierarten, Menschen oder sogar unbelebte Objekte. Entscheidend für das Entstehen dieser sozialen Bindungen ist offenbar nicht so sehr die aus menschlicher Perspektive vermeintliche Adäquatheit des Bezugsobjektes, als vielmehr der Zeitpunkt, an dem das Kleintier auf ein bestimmtes Objekt trifft. Nach bisheriger Evidenz entwickelt das Kleintier die Reaktion des Nachlaufens in bezug auf das erste sich bewegende Objekt, mit dem es unmittelbar nach dem Ausschlüpfen konfrontiert wird. Dies ist unter normalen Bedingungen die Mutter. Wird das Tier von der Mutter getrennt und zuerst mit einem Menschen zusammengebracht, so entsteht das gleiche Nachlauf-Verhalten bezogen auf den Menschen. Hess (1959) konstruierte eine Vorrichtung (*Hess imprinting apparatus*), mit der es ihm gelang, Enten auf eine Vielzahl unterschiedlicher unbelebter Objekte zu prägen. Entscheidend für die Prägung ist a) daß das Objekt sich bewegt und b) daß die kritische Periode (bei Hühnern und Enten etwa die ersten 32–36 Lebensstunden) nicht überschritten wird.

Das herausragendste und gleichzeitig umstrittenste Merkmal von durch Prägung entstandenem Verhalten ist dessen postulierte Irreversibilität. Die Tiere entwickeln die Nachlauf-Reaktion bezogen auf das *erste sich bewegende* Objekt; die daraus resultierende soziale Bindung bleibt auch ohne Verstärkung in der Folgezeit stabil. Ist ein Tier erst einmal auf ein bestimmtes Objekt hin geprägt, so ist es in der Regel nicht möglich, diese soziale Bindung zu annullieren und eine Neu-Prägung auf ein anderes Objekt hin zu erreichen. Die stärkste Bindung entsteht zu jenem Objekt, dem das Tier *zuerst* ausgesetzt wurde, nicht etwa zu dem es den häufigsten oder letzten Kontakt hatte. Gerade in diesem Punkte unterscheidet sich geprägtes Verhalten von Reaktionen, die auf assoziativem Lernen beruhen. Durch assoziatives Lernen erworbenes Verhalten ist stets instabil, d.h. auf kontinuierliche Verstärkung angewiesen. Bleibt die Verstärkung aus, verliert sich das Verhalten. Nach S → R Mechanismen entstandene Verhaltensweisen hängen also entscheidend von der *Häufigkeit* der Verstärkung ab und sind somit stets reversibel, d.h. durch andere Verhaltensweisen ersetzbar.

Wie Hess (1964) an umfangreichen Experimenten darlegt, hängt die Intensität der Prägung nicht von der Häufigkeit etwaiger Verstärkungsfaktoren, sondern von dem Zeitpunkt ab, zu dem das Tier diese soziale Bindung erstmalig entwickelt. Bei der Untersuchung der Frage, welchen Einfluß verschiedene Lichtquellen auf die Intensität der Prägung haben, fand Hess (1964: 1132), daß "while exposure to the pattern light had little effect on the behavior of the animals exposed to the model at the age of sixteen hours, it led to increased following in the group exposed to the model at the age of 48 hours, but the effect was much less than in the animals previously exposed to both light and socialisation".

Eine weitere Besonderheit der Prägung liegt in der ungewöhnlichen Wirkung, die gleichzeitig erfolgende schmerzhafte bzw. unangenehme Reizkonstellationen zeigen. Beim assoziativen Lernen bewirken einhergehende schmerzhafte Stimuli in der Regel eine Verringerung der Motivation und beeinträchtigen damit die Stärke der Assoziationen. Das Gegenteil trifft für die Prägung zu. "If a young duckling is being imprinted to a human being who steps on its tows, the duckling does not run away from the careless human being in fear; on the contrary, it stays even closer" (Hess 1964: 1132). Hess und seine Mitarbeiter setzten junge Enten in verschiedenen Experimenten Elektroschocks aus, ohne daß sich hierdurch die Reaktion des Nachlaufens verhindern ließ. Jedoch zeigte sich auch hier wiederum der offenkundig entscheidende Einfluß des Alters. Bei 14 und 18 Stunden alten Tieren bewirkte der Elektroschock eine um ein Drittel erhöhte Intensität des Prägungsverhaltens; 32 Stunden alte Tiere hingegen liefen dem Objekt, auf das sie geprägt waren, unter Elektroschock um die Hälfte weniger nach.

Einen Unterschied zwischen Prägung und assoziativem Lernen fanden Hess und seine Mitarbeiter auch bei Tieren, die unter Drogeneinfluß standen. Küken und junge Enten, denen Meprobamat oder Carisoprodol verabreicht worden war, zeigten in einem Experiment, in dem Farben zu diskriminieren waren, keine Minderung ihrer Lernfähigkeit. Im Gegenteil, die Tiere lernten teilweise sogar besser. Hingegen scheinen Tiere, die unter den genannten Drogen stehen, weitgehend gegen Prägungseffekt immun zu sein. Hierbei zeigte sich, daß "these drugs interfere with the *process* of imprinting rather than with the retention of imprinting effects, for animals imprinted normally but tested for strength of imprinting under the influence of either drug exhibit the usual effects of imprinting" (Hess 1964: 1129).

Wenngleich die Nachlauf-Reaktion bei Küken und kleinen Enten eine der bekanntesten Formen von Prägung ist, so ist dieses Phänomen doch keineswegs auf die Aufnahme der ersten sozialen Bindungen beschränkt. Tiere können offensichtlich auch auf bestimmte Nahrungstypen oder bestimmte Umweltbedingungen geprägt werden. Hess stellt für einige Grundtypen von Prägung eine Art Entwicklungssequenz auf und schließt u.a. daraus, daß Prägung in entscheidender Weise von der biogenetischen Anlage des betreffenden Lebewesens abhängt: "filial imprinting on the first day; environmental imprinting on the second day; and food imprinting on the third day. Maturationally-scheduled processes thus appear to be, to a large extent, responsible for imprintings being a special kind of learning, different from conventional association learning" (Hess 1964: 1138). Wenngleich sich assoziatives Lernen und Prägung in vielerlei Hinsicht unterscheiden, so sieht doch Hess in der engen Verbindung des Prägungsprozesses mit einer bestimmten kritischen Periode den wesentlichen Unterschied zwischen diesen beiden Formen der Entstehung von Verhaltenspotentialen. Zahlreiche Verhaltensweisen von Tieren sind hinsichtlich ihres Ursprungs – Prägung oder assoziatives Lernen – nicht notwendigerweise spezifiziert; d.h. sie können sowohl über Prägung als auch über assoziatives Lernen erworben werden. Soweit jedoch Prägung im Spiel ist, ist der Lernvorgang stets an einen begrenzten Zeitraum gebunden:

> "While there is a point of similarity between imprinting and association learning in that a relationship or 'connection' is established between an object and a response, there is a basic distinction in that in imprinting there is a critical period, developmentally timed, during which certain wide classes of stimuli act as releasers or unconditional stimuli for certain types of innate responses, the object in question does not act as an unconditional stimulus for the response but is initially neutral in its effect on the animal's behavior. When imprinting has occurred during the critical period, the object to which the animal has been exposed continues to function as an unconditional stimulus for this response. Only this particular object, or objects very much like it, will act, from this time on, as unconditional stimuli, although the range of objects to which the animal might have responded before imprinting had taken place was initially quite broad.
>
> Once the appropriate maturational period has passed without imprinting having occurred, for lack of exposure to a suitable object, it is possible to use

> any member of these classes of initially suitable stimuli as a potential conditional stimulus to which the animal may be trained, through conventional means, to make conditioned responses. Moreover, after such training the animal can readily generalize to other objects, thus increasing the range of objects to which it can make conditioned responses. The learning processes which occur after the critical period has passed are therefore not imprinting but association learning" (Hess 1964: 1138).

Während Prägung ein besonders illustratives Beispiel für die Funktion kritischer Perioden im Entwicklungsprozeß darstellt, ist eine weitaus breitere Palette von Lernvorgängen hiervon betroffen. Nach Scott (1962) lassen sich drei größere Phänomenbereiche unter einer CPH erfassen:

a) *optimal periods for learning*
b) *infantile stimulation*
c) *formation of basic social relationships*

Der Prozeß der Sozialisation ist sicherlich einer jener Bereiche, in denen der Einfluß von Umweltfaktoren und Erfahrungswerten am deutlichsten nachweisbar zu sein scheint. Hieraus erklärt sich, daß das Erlernen sozialen Handelns sich vielfach recht problemlos in den Darstellungsrahmen empiristischer S → R Modelle einfügen läßt. Wie bereits die Daten aus den Prägungsexperimenten zeigen, scheinen derartige S → R-Gesetzmäßigkeiten jedoch nicht in gleicher Form für die frühen Formen der Sozialisierung und des ersten Anknüpfens sozialer Verbindungen *(primary socialisation)* zu gelten. Wie bereits mehrfach angedeutet, nimmt der Begriff der Verstärkung in den gängigen behavioristischen Lerntheorien eine zentrale Stellung ein. Eine zunächst eher zufällig gewählte Reaktion auf einen Stimulus kann durch verschiedene Begleitfaktoren verstärkt werden, so daß sich bei hinreichender Trainingsdauer eine dauerhafte Verknüpfung von Stimulus und Reaktion ergibt. Als ein typischer Verstärkungsfaktor gilt üblicherweise die Belohnung. In Tierexperimenten wird in der Regel mit Futter belohnt. Wählt das Versuchstier eine bestimmte, vom Experimentator erwünschte Reaktion, so erhält es Futter. Diese Futterbelohnung wirkt somit verstärkend auf die jeweilige Verhaltensweise (Reaktion) des Versuchstiers, d.h. es wird die gewünschte Reaktion häufiger zeigen mit dem Ziel, Futter zu erhalten. Man hat lange Zeit angenommen, daß dieser Mechanismus grundsätzlich auch für die Entstehung der frühesten sozialen Bindungen beim Kleinkind bzw. Kleintier gilt. So könnte die enge affektive Beziehung, die sich unmittelbar nach der Geburt zwischen Mutter und Kind entwickelt, darauf zurückzuführen sein, daß das Kind in der Mutter seine primäre Nahrungsquelle sieht. Die bisherige experimentelle Evidenz stützt eine solche Annahme jedoch nicht. In den ersten Phasen der Sozialisation scheint – zumindest bei einigen Tieren – die Futterbelohnung als Verstärkungsfaktor keine Rolle zu spielen. Diese Unabhängigkeit von externen Verstärkungsfaktoren gilt jedoch nur für eine bestimmte kritische Periode der frühen Sozialisation.

Scott (1962) berichtet über Untersuchungen von Brodbeck, der eine Gruppe von Welpen während der kritischen Sozialisationsperiode aufzog. Die eine Hälfte der Welpen wurde mit der Hand gefüttert, die andere Hälfte von einer Maschine. Jedoch beschäftigte sich der Experimentator in gleichem Maße intensiv mit allen Tieren. Es zeigte sich, daß die Welpen ohne Unterschied die gleiche affektive Bindung zum Menschen entwickelten. Für diese Bindung ist offensichtlich nicht ausschlaggebend, ob das Tier von der Bezugsperson Futter erhält oder nicht. Scott (1962:

953) schließt daraus, daß "food rewards per se are not necessary for the process of socialisation".

Erstaunlicherweise können Bestrafungen teilweise den gleichen Effekt erzielen wie Belohnungen. Fisher (1955, nach Scott) zog Foxterrierwelpen während der gesamten Sozialisationsperiode in isolierten Behältern auf. Die Tiere wurden mechanisch gefüttert, hatten jedoch regelmäßigen Kontakt mit dem Experimentator. Eine Gruppe von Welpen wurde bei diesen Begegnungen stets liebevoll behandelt, eine zweite Gruppe in beliebiger Abfolge belohnt oder bestraft, und eine dritte Gruppe wurde stets bestraft bzw. zurückweisend behandelt. Hierbei zeigte sich nun, daß die Tiere, die sowohl belohnt als auch bestraft wurden, die stärksten affektiven Bindungen zum Menschen entwickelten, während jene Tiere, die ausschließlich bestraft wurden, sich am wenigsten zum Experimentator hingezogen fühlten.

Die Evidenz dieser und ähnlicher Untersuchungen deutet daraufhin, daß der Prozeß der primären Sozialisation nicht durch spezifische Einflußfaktoren im Sinne externer Verstärkungsmechanismen bedingt ist. Vielmehr entwickeln sich die ersten sozialen und affektiven Bindungen immer dann besonders schnell, wenn das Tier stark erregt ist, sei es nun durch Belohnung, Bestrafung, Schmerz, Hunger, Furcht oder Einsamkeit.

Scott weist ausdrücklich daraufhin, daß das Phänomen der kritischen Periode keinesfalls auf frühe Sozialisationsprozesse oder auf Prägung beschränkt ist. Auch Verhaltensweisen, die erst in späteren Lebensabschnitten entstehen, scheinen teilweise kritischen Perioden zu unterliegen. Bei verschiedenen Tieren beziehen sich die ersten sozialen Bindungen stets auf Einzeltiere, während Sozialisationsprozesse, die die gesamte Art umfassen, offenbar späteren Entwicklungsphasen angehören. Auch paarungsbezogene Bindungen scheinen einer – wenngleich später auftretenden – kritischen Periode zu unterliegen.

Neben der Entstehung sozialer Verhaltensweisen scheinen ebenso bestimmte Lernfähigkeiten zeitlich terminiert zu sein. Viele Vögel entwickeln den für ihre Art typischen Gesang in der Regel nur dann, wenn sie mit Artgenossen zusammenleben. Wachsen sie hingegen in Isolation auf, so bleibt der artspezifische Gesang aus. Thorpe (1961) entdeckte nun, daß beim Buchfink die Fähigkeit zum Erlernen des artspezifischen Gesanges einer kritischen Periode unterliegt. Ein männlicher Buchfink, der in seinen ersten Lebenswochen erwachsene Artgenossen singen hört, wird im Folgejahr den artspezifischen Gesang ebenfalls anstimmen, selbst wenn er in der Zwischenzeit isoliert aufgewachsen ist. Trifft der Vogel jedoch erst nach einem Jahr auf Artgenossen, so wird er zwar den Gesang einiger Nachbarn erlernen, jedoch auch in den folgenden Jahren keine anderen Gesänge.

Scott (1962) berichtet von Untersuchungen, die darauf hindeuten, daß Mäuse, die in einer Gemeinschaft aufwachsen, im Erwachsenenalter ein ausgeprägteres kämpferisches Verhalten zeigen als Tiere, die 20 Tage nach der Geburt isoliert wurden. Spätere Experimente zeigten jedoch, daß sich derartige Unterschiede in der Kampfeshaltung nur dann einstellen, wenn die Isolierung während einer kritischen 10-Tage-Periode erfolgt. Werden die Tiere außerhalb dieser Zeitspanne von ihren Artgenossen abgeschieden, so ergeben sich keine Unterschiede in der kämpferischen Einstellung.

Die Liste derartiger Befunde läßt sich beliebig fortsetzen. Zahlreiche Lernfähigkeiten und Sozialisationsprozesse scheinen in irgendeiner Form kritischen Entstehungsperioden zu unterliegen. Die Frage ist nun: kennzeichnen diese kritischen Perioden und die mit ihnen verbundenen Verhaltenspotentiale irgendwelche gemeinsame Eigenschaften? Nach dem derzeitigen Stand der Forschung ist diese Frage nur äußerst schwierig zu beantworten. Einzelne Verhaltensweisen scheinen sich in verschiedenen Lebensabschnitten unterschiedlich günstig zu entwickeln. Weder sind nur Fähigkeiten mit bestimmten Merkmalen einer kritischen Entstehungsperiode unterworfen, noch stellen sich alle bekannten kritischen Perioden in gleicher Rigidität dar. Auch Scott (1962: 956) ist in seiner Schlußfolgerung sehr vorsichtig:

> "We can only state a provisional general hypothesis: that the critical period for any specific sort of learning is that time when maximum capacities – sensory, motor, and motivational, as well as psychological ones – are first present".

Nach Scott deutet die verfügbare Evidenz aus dem Bereich der Tierexperimente darauf hin, daß mit zunehmendem Lernerfolg und zunehmender Verhaltensstabilisierung ein Umlernen immer schwieriger wird. Durch Lernprozesse werden interne Verhaltenssysteme strukturiert und je stärker ein System strukturiert ist, desto schwieriger ist es, das System umzustrukturieren: "Organization inhibits re-organization" (Scott 1962: 958). Diese Feststellungen sind jedoch so allgemeiner Natur, daß sich daraus kaum präzise und hinreichend differenzierte Einschätzungen ableiten lassen. Zumindest können für verschiedene Formen von assoziativem Lernen und von Prägung kaum die gleichen Mechanismen angenommen werden. Es ist wohl einzugestehen, daß beim derzeitigen Kenntnisstand ein der CPH zugrundeliegendes allgemeingültiges Prinzip nicht in Sicht ist. Durch diese nur schwer einzuschätzende Heterogeneität der relevanten Phänomene verliert der Begriff der kritischen Periode naturgemäß viel von seiner Attraktivität.

Im Gebiet dieser Überlegungen sieht Caldwell (1962) auch die Gefahr einer Verwässerung des Konzepts der kritischen Periode. Sie versucht einen Ordnungsrahmen zu entwickeln, in dem die verschiedenen CP-Phänomene in Beziehung zueinander gesetzt werden können. Nach Caldwell wird die CPH in der derzeitigen Forschung zunächst für zwei grundsätzlich unterschiedliche Phänomenbereiche verwendet:

> "a) a critical period *beyond* which a given phenomenon will not appear (i.e., a point in time which marks the on-set of total indifference, or resistence to certain patterns of stimulation); and
> b) a critical period *during* which the organism is especially sensitive to various developmental modifiers, which, if introduced at a different time in the life cycle, would have little or no effect (i.e., a period of maximum susceptibility)" (Caldwell 1962: 230).

Offensichtlich ist die (a)-Version der CPH die stärkere Hypothese. Nach ihr ist die Veränderung eines bestimmten Verhaltens nach Ablauf der kritischen Zeitspanne gänzlich unmöglich. Demgegenüber besagt die schwächere (b)-Version lediglich, daß die betreffende Verhaltensweise vorzugsweise während der kritischen Periode mit besonderer Leichtigkeit und Häufigkeit entsteht. Die stärkere Version der CPH findet vor allem Evidenz in der Embryologie. So können Zelltransplantationen, die vor einem bestimmten Zeitpunkt durchgeführt wurden, in dem Sinne erfolgreich sein, daß die Zelle sich in Übereinstimmung mit der neuen Umgebung weiter entwickelt. Wird die Transplantation jedoch erst nach Ablauf einer kritischen Periode vorgenommen, so ist eine Anpassungsfähigkeit der Zelle an ihre Umgebung nicht mehr gegeben (Hamburger 1954). Inwieweit die starke Version der CPH auch auf komplexere Verhaltensweisen höherer Organismen angewandt werden kann, ist in vielen Fällen eine umstrittene Frage. Zumindest scheinen zahlreiche Daten aus entwicklungspsychologischen Untersuchungen, die thematisch unter dem Stichwort *critical period* firmieren, eher auf die schwächere Version der CPH hinzudeuten. Dies gilt sicherlich für komplexere Formen sozialen Verhaltens sowie für eine begrenzte Klasse von Reizeinwirkungen in den frühen Lebensabschnitten. Die Zahl jener Daten, die die Annahme einer starken Version der CPH als plausibel erscheinen lassen, ist weitaus kleiner. Das Phänomen der Prägung oder zumindest einige Formen von Prägung scheinen hierhin zu gehören; ebenso bestimmte geschlechtsspezifische Verhaltensmuster. Scott (1962) berichtet von einer Untersuchung über hermaphroditische Kinder, die zunächst in der einen Geschlechtsrolle aufgezogen wurden und später zur anderen Geschlechtsrolle überwechselten. Vollzog sich diese Umwandlung vor einem Alter von zweieinhalb Jahren, so waren damit keinerlei emotionale Störungen verbunden. Im Zusammenhang mit dem Nachlaufverhalten junger Küken und Enten deuten einige Untersuchungsergebnisse ebenfalls auf eine starke Version der CPH. So zeigt Ramsay (1951), daß eine Prägung auf unbelebte Objekte nur unmittelbar nach dem Entschlüpfen möglich ist. In späteren Abschnitten kann das Tier zwar noch auf verschiedene Lebewesen geprägt werden, nicht mehr jedoch auf unbelebte Objekte.

Der Begriff der kritischen Periode ist in der psychologischen Literatur u.a. deshalb nicht unumstritten, weil in vielen Fällen noch unklar ist, wie starr oder flexibel die Grenzen der kritischen Perioden sind. Einige Daten deuten darauf, daß die Grenzen einer kritischen Periode sich in Abhängigkeit bestimmter Umweltfaktoren verschieben können. Deshalb schlägt Caldwell vor, das Phänomen der kritischen Periode nicht allein auf eine zeitliche Dimension zu fixieren, sondern darüberhinaus in seiner Abhängigkeit von bestimmten Ereignissen (*critical events*) zu sehen.

27.2. Spracherwerb als zeitlich eingegrenzte Fähigkeit

Für unsere auf den Spracherwerb bezogene Fragestellung ist an dem Problem der *critical period hypothesis* vor allem wichtig, daß die Psychologie, bezogen auf verschiedene Entwicklungsabschnitte von Lebewesen, unterschiedliche Mechanismen beim Erwerb von Fähigkeiten bzw. Verhaltensweisen anerkennt. Darüberhinaus scheint unbestritten zu sein, daß die Entstehung bestimmter Verhaltensweisen in einer zeitlichen Dimension strukturiert ist, wenngleich die Einzelheiten dieser zeitlichen Strukturierung noch unklar sind. Nicht alle im Laufe der Entwicklung auftretenden Verhaltensweisen und Fähigkeiten sind das Ergebnis assoziativen Lernens. Nicht alles Lernen ist auf einige wenige Prinzipien reduzierbar. Vielmehr unterliegen offenkundig verschiedene Verhaltensweisen unterschiedlichen Entstehungsmechanismen. Die zeitliche Strukturierung von Entwicklungsprozessen äußert sich vermutlich nur in einigen speziellen Fällen in festumrissenen kritischen Perioden im Sinne der (a)-Version von Caldwell (1962); in zahlreichen anderen Fällen scheint die Entstehung von Verhaltensweisen und

Fähigkeiten an gewisse entwicklungsspezifische Voraussetzungen geknüpft zu sein. Einige Fähigkeiten können erst dann entstehen, wenn zuvor bestimmte andere Fähigkeiten erworben wurden. In diesem Sinne versteht Caldwell (1962) den Begriff der *critical events.*

Wer die Diskussion und Argumente über die CPH in der entwicklungspsychologischen Literatur verfolgt, dem drängen sich zahlreiche Parallelen zum Phänomen des Spracherwerbs auf. Auch der Erwerb der Muttersprache ist offenbar in irgendeiner Form zeitlich fixiert, wenngleich zunächst noch offen ist, ob im Sinne der starken oder schwachen Version der CPH. Zumindest scheint jenseits des Kindes- und Jugendalters der Erwerb von Sprache zunehmend schwieriger zu werden. Muttersprachenerwerb läßt sich ebenso nicht durch übliche Schemata assoziativen Lernens erklären, sondern zeigt zahlreiche z.T. recht komplexe Eigengesetzlichkeiten. Im Gegensatz zu anderen Formen des Lernens ist Muttersprachenerwerb in vielfältiger Form unabhängig von externen Verstärkungen und allgemeinen Umweltbedingungen. Im frühen Kindesalter scheint der Erwerbsprozeß weitgehend "automatisch" abzulaufen. Angesichts dieser Parallelen nimmt es nicht wunder, daß auch das Phänomen des Spracherwerbs unter dem Aspekt einer *critical period hypothesis* angegangen wurde. Diese Perspektive ist vor allem durch Lennebergs (1967) Monographie *Biological Foundations of Language* bekannt geworden. Während Lenneberg seine Überlegungen zu einer CPH im Spracherwerb zunächst auf das Erlernen der Muttersprache beschränkt, gewinnt die CPH zu Beginn der 70er Jahre insbesondere in der amerikanischen Zweitsprachenerwerbsforschung zunehmend an Bedeutung und nimmt in verschiedenen Erklärungshypothesen eine zentrale Stellung ein. Die CPH dient hier vornehmlich zur Erklärung der Tatsache, daß der Mensch offenbar mit relativer Leichtigkeit und Selbstverständlichkeit seine Muttersprache erwirbt, im postpubertären Alter jedoch beim Erwerb weiterer Sprachen auf erhebliche Schwierigkeiten stößt.

Ich werde zuerst auf Lennebergs Thesen eingehen und anschließend die Evidenz aus der Zweitsprachenerwerbsforschung darstellen.

Wie bereits der Titel seines Buches andeutet, betrachtet Lenneberg Sprache primär unter biologischen Gesichtspunkten. Damit schließt er sich grundsätzlich der Position der Generativisten Chomsky'scher Prägung an, die den Gebrauch und den Erwerb von Sprache als eine artspezifische Fähigkeit des Menschen ansehen. In einer umfassend vergleichenden Darstellung der Physiologie des Menschen und verschiedener Tierarten versucht Lenneberg zu zeigen, daß der Mensch zunächst als einzige Art über die biologisch-physiologischen Voraussetzungen für den Gebrauch von Sprache verfügt. Für Lenneberg ist also Sprache nicht das Ergebnis des Zusammenwirkens verschiedener spezifischer Umweltfaktoren allein, vielmehr stellen Gebrauch und Erwerb von Sprache ebenso ein kennzeichnendes Merkmal der Spezies Mensch dar wie etwa bestimmte anatomische Strukturen oder kognitive Fähigkeiten.

Ein wesentlicher Verdienst von Lennebergs Arbeit ist die Eröffnung einer neuen Betrachtungsweise. Was zukünftige Diskussionen vor allem anregte, sind weniger einige konkrete Thesen von Lenneberg, als vielmehr die Möglichkeit, das Phänomen 'Sprache' unter ähnlichen Fragestellungen und mit ähnlichem methodischen Rüstzeug zu betrachten wie etwa die physische Struktur des Menschen. Diese Möglichkeit wird in späteren Jahren vor allem immer wieder von Chomsky selbst aufgegriffen und weiterentwickelt – gegen den Widerstand und die Skepsis traditionell orientierter Psychologen. Dabei geht Chomsky noch einen Schritt weiter und fordert eine entsprechende Perspektive nicht nur für die sprachspezifischen kognitiven Strukturen, sondern für jeden beliebigen Typus von Kognition schlechthin:

> "... the interesting questions, those that offer some hope of leading to insight into the nature of organisms, will be those that arise in the investigation of learning in domains where there is a nontrivial structure uniform for members of 0 ... these are questions that deal with significant characteristics of the species, or perhaps, of organisms generally. *Again, I see no reason why cognitive structures should not be investigated rather in the way that physical organs are studied.* The natural scientist will be primarily concerned with the basic, genetically-determined structure of these organs and their inter-action, a structure common to the species in the most interesting case, abstracting away from size, variation in rate of development, and so on" (Chomsky 1975: 18). (meine Hervorhebung).

Lennebergs biologisch-physiologische Perspektive bringt es mit sich, daß er im sprachlichen Bereich u.a. besonders an zwei Phänomenen interessiert ist: a) sprachpathologischen Erscheinungen (*language disorders*) und b) Spracherwerb, und hier – verständlich aus der Forschungslage Mitte der 60er Jahre – primär dem Erwerb der Muttersprache. Gerade im Bereich der Sprachpathologie, und hier besonders bei der Aphasie, bietet sich eine biologische Perspektive an. Wenn Sprache ein biologisches Phänomen ist, oder zumindest entscheidende biologische Aspekte aufweist, so drängt sich die Frage auf, welche möglichen gehirnphysiologischen Störungen oder Defekte zu welchen Defiziten im sprachlichen Bereich führen. Andererseits scheint Spracherwerb unter einer biologisch-orientierten Fragestellung deshalb ein lohnenswertes Untersuchungsobjekt zu sein, weil die Entwicklung sprachlicher Fähigkeiten im Laufe des Kindesalters bestimmte auffällige Parallelen zu anderen offensichtlich biologisch determinierten Entwicklungsprozessen zeigt. Eine dieser Parallelen betrifft die Tatsache, daß – ähnlich wie das Erlernen bestimmter motorischer Fähigkeiten (McGraw 1946) und die Entwicklung primärer sozialer Bindungen bei bestimmten Tieren (Scott 1962) – der Erwerb sprachlicher Fähigkeiten scheinbar zeitlich dimensionierten Restriktionen, d.h. einer kritischen Periode unterliegt.

Die Feststellung einer kritischen Periode im Spracherwerb ist angesichts der umfangreichen parallelen Evidenz aus der Tier- und Entwicklungspsychologie an sich nichts Bemerkenswertes. Sie deutet lediglich darauf hin, daß sich Sprache bzw. Spracherwerb in einen größeren Phänomenbereich einordnen läßt.

Die entscheidende Frage – die auch in der entwicklungspsychologischen Literatur immer wieder für entsprechende Problemkreise gestellt wurde – ist vielmehr: Welche Faktoren bestimmen den Anfangs- und vor allem den Endpunkt der kritischen Periode? Sind dies primär Umwelteinflüsse oder biologische Faktoren? Gibt es etwa physiologische Veränderungen im menschlichen Gehirn, die jenseits eines bestimmten Zeitabschnittes die Fähigkeit des Menschen, Sprache zu erwerben, beeinträchtigen? Die Beantwortung dieser Fragen ist insbesondere für die Zweitsprachenerwerbsforschung von prinzipieller Bedeutung, da hiervon der Ausgangspunkt für mögliche weiterführende Fragestellungen betroffen ist. In diesem Punkt nimmt Lenneberg – im Gegensatz zu der ihm in der einschlägigen Literatur oftmals unterstellten Position – eine überaus vorsichtige Haltung ein. Wenngleich er zu der Annahme zu tendieren scheint, jenseits der Pubertät verhinderten biologische Faktoren in Form von physiologischen Veränderungen im Gehirn einen bestimmten Typ des Spracherwerbs, so daß die kritische Spracherwerbsperiode als eine starke Version der CPH im Sinne Caldwell's (1962) zu verstehen wäre, so ist diese Auffassung doch eher implizit in Lennebergs Argumentationsführung enthalten. Somit sind solch relativ eindeutige Aussagen wie die folgende eher selten: "There are certain indications for the existence of a peculiar, language-specific maturational schedule" (Lenneberg 1967: 131).

Lenneberg geht zunächst von der alltäglichen Beobachtung aus, daß Kinder in der Regel zu einem relativ einheitlichen Zeitpunkt mit dem Spracherwerb beginnen, und daß jenseits der Pubertät der Erwerb von Sprache zunehmend schwieriger wird. Unter Berücksichtigung einer gewissen Bandbreite individueller Variationen liegt der Beginn des Spracherwerbs stets etwa zwischen dem 18. und 26. Lebensmonat.

Lenneberg ist relativ explizit in seiner Auffassung, daß der *Beginn* des Spracherwerbsprozesses primär durch biologische Faktoren gesteuert ist, und nicht etwa als Reaktion auf bestimmte Veränderungen in der Umwelt anzusehen ist. "The appearance of language is primarily dependent upon the maturational development of states of readiness within the child" (Lenneberg 1967: 142). Die Auffassung, daß der Beginn des Spracherwerbs primär im Sinne eines biogenetischdeterminierten Reifezustandes zu verstehen ist, leitet sich aus Evidenz in vier Bereichen ab:

1. Die Regelmäßigkeit, mit der Sprache bei allen gesunden Kindern in etwa dem gleichen Lebensabschnitt auftritt, wurde bereits angesprochen. Darüber hinaus läßt sich eine gewisse Parallelität in der Entstehung sprachlicher und anderer, hier besonders motorischer Fähigkeiten beobachten. Wenngleich sprachliche und motorische Entwicklungen in einem gewissen synchronen Rhythmus ablaufen, so darf doch hieraus nicht auf eine kausale Abhängigkeit geschlossen werden. Die beiden Entwicklungsprozesse verlaufen zwar synchron, jedoch unabhängig voneinander. Insbesondere liegt keinerlei Evidenz dafür vor, daß die sprachliche Entwicklung ursächlich von bestimmten artikulatorischen Fähigkeiten abhängig ist, zumal die Artikulatorik ein Phänomen sui generis darstellt und nicht auf der Grundlage der allgemeinen motorischen Entwicklung erklärt werden kann (cf. Lenneberg 1969). Die Eigenständigkeit des sprachlichen Entwicklungsprozesses, insbesondere die relative Einheitlichkeit im Erwerbsbeginn, lassen sich vor allem an Kindern illustrieren, die Abnormitäten in ihrer übrigen Entwicklung aufweisen. Lenneberg zeigt hier eine Reihe von überzeugenden Beispielen auf.

2. Die Umgebung *(environment)* scheint nach bislang vorliegender Evidenz keinen nachweisbaren Einfluß auf den Beginn des Spracherwerbsprozesses zu haben. Wenngleich individuelle Unterschiede im Beginn des Spracherwerbs eine Zeitspanne von 6–8 Monaten umfassen, so lassen sich bislang keinerlei Korrelationen zwischen variierendem Spracherwerbsbeginn und Faktoren in der engeren oder weiteren sozialen Umgebung des Kindes nachweisen.

   Lenneberg, Rebelsky & Nichols (1965) verglichen die lautliche Entwicklung bei Kindern tauber Eltern und Kindern von normal hörenden Eltern. Offenkundig divergieren die Umgebungen der beiden Gruppen in einigen sprachlich äußerst relevanten Punkten. Die Kinder tauber Eltern sind in erheblich geringerem Maße Sprachlauten ausgesetzt als Kinder normal hörender Eltern. Darüber hinaus reagieren naturgemäß taube – im Gegensatz zu normal hörenden – Mütter kaum auf lautliche Produktionen ihrer Kinder. Das Ergebnis der Untersuchung von Lenneberg et al. zeigt, daß die Kinder tauber Eltern lautlich genauso aktiv sind und die gleiche Entwicklungssequenz durchlaufen wie Kinder normalhöriger Eltern.

Ebensowenig liegt Evidenz dafür vor, daß etwa Unterschiede in der Sozialstruktur, im Familienaufbau oder im kulturellen Milieu den Beginn des Spracherwerbs beeinflussen. Kinder hoch zivilisierter Länder scheinen hinsichtlich des Beginns des Spracherwerbs den gleichen Gesetzmäßigkeiten zu unterliegen wie Kinder "primitiverer" Kulturen:

> "In summary, it cannot be proved that the language environment of a growing child remains constant throughout infancy, but it can be shown that an enormous variety of environmental conditions leaves at least one aspect of language acquisition relatively unaffected: the age of on-set of certain speech and language capabilities" (Lenneberg 1967: 139).

3. Entgegen der sehr populären gegenteiligen Auffassung beginnen Kinder mit dem Sprechen nicht, um bestimmte veränderte Bedürfnisse zu befriedigen. Zwar läßt sich nicht leugnen, daß sich bereits in jungen Jahren die Bedürfnispalette fortlaufend ändert, jedoch liegt keinerlei Evidenz dafür vor, daß der Beginn des Spracherwerbsprozesses durch veränderte Bedürfnisse sozusagen ausgelöst wird. Parallel hierzu kann ein weiterer Faktor aus der Betrachtung ausgeschlossen werden, auf den zahlreiche Autoren (cf. z.B. Schönpflug 1977) immer wieder rekurrieren: die Motivation. Vielfach wird die These aufgestellt, Motivation bilde eine unabdingbare Voraussetzung für den muttersprachlichen Erwerbsprozeß. Die Argumentation im Bereich der Motivation ist ähnlich wie die Bedürfnishypothese weitgehend zirkulär: Kinder erlernen ihre Muttersprache, weil sie besonders gut motiviert sind; und sie müssen besonders gut motiviert sein, weil sie ja offenkundig ihre Muttersprache erfolgreich erlernen.

Mir ist keinerlei überzeugende Evidenz bekannt, die die Motivationshypothese unterstützt. Nach all dem, was wir wissen, erlernen Kinder ihre Muttersprache nicht mit dem Ziel, Bedürfnisse zu befriedigen, sondern aus biologischer Notwendigkeit. Der Spracherwerbsprozeß ist eingebettet in eine breite Palette verschiedener frühkindlicher Entwicklungsprozesse, deren Ablauf – auch relativ zueinander – ein biogenetisches Spezifikum des Menschen ist. Daß Spracherwerb nicht etwa – wie vielfach behauptet wird – durch ein besonderes Kommunikationsbedürfnis ausgelöst bzw. motiviert wird, läßt sich wiederum an der Entwicklung taub geborener Kinder demonstrieren. Obwohl taube Kinder in ihren frühen Lebensabschnitten vollständig auf verbale Kommunikation verzichten müssen, scheint dieses Defizit keinerlei gravierende Konsequenzen für ihre Entwicklung in anderen Bereichen und für ihre geistige Gesundheit zu haben.

> "These children become very clever in their pantomime and have well-developed techniques for communicating their desires, needs, and even their opinions. There is no indication that congenital peripheral deafness causes significant adjustment problems within the family during pre-school years" (Lenneberg 1967: 140).

Wenn es möglich ist, auch ohne das Hilfsmittel Sprache erfolgreich die Kindheit zu bewältigen, so liegt eben keinerlei Motiv dafür vor, warum Kinder sich mit einer so komplexen Aufgabe wie dem Spracherwerb abmühen sollten. Nachteile aus mangelnder Sprachfähigkeit ergeben sich meist erst weitaus später im Leben. Vermutlich verfügen Kinder nicht über entsprechend hellseherische Fähigkeiten, um den Spracherwerbsprozeß weitaus früher zu beginnen als für eine erfolgreiche Bewältigung alltäglicher Aufgaben notwendig ist.

4. Ich hatte bereits mehrfach darauf hingewiesen, daß Übung bzw. Training im Spracherwerb vermutlich keine entscheidende Rolle spielt. Zwar ist spätestens seit Weir (1962) bekannt, daß Kinder kurz vor dem Einschlafen sprachliche Strukturen durch ständiges Repetieren quasi einüben, jedoch scheint der Ablauf des Spracherwerbsprozesses und insbesondere sein Beginn nicht mit derartigen Übungen kausal zusammenzuhängen. Ein besonders interessantes Beispiel, das diese These unterstützt, liefert Lenneberg (1967: 140). Er untersuchte ein 14-monatiges Kind, dem ein Katheter unterhalb der Larynx eingeführt wurde, durch den es atmen konnte. Das Kind mußte diesen Katheter 6 Monate lang tragen und war während dieser Zeit zu keinerlei Vokalisierungen imstande. Unmittelbar nachdem der Katheter wieder entfernt war, begann das Kind mit für sein Alter typischen Lallauten. Lenneberg (1967: 140) schließt: "No practice or experience with hearing his own vocalizations was required"

Nach Lenneberg ist also der Beginn des Spracherwerbsprozesses durch eine biogenetisch determinierte *maturational schedule* determiniert und stellt somit den Anfangspunkt einer kritischen Periode im Sinne der (möglicherweise starken Version der) CPH der Entwicklungspsychologie dar.

Gibt es nun biologische Faktoren etwa im Sinne von hirnphysiologischen Veränderungen, die ein Ende der Spracherwerbsfähigkeit bedingen? Es scheint, daß Lenneberg diese Frage grundsätzlich bejaht. Jenseits der Pubertät ist es dem Menschen aus biologischen Gründen nicht mehr möglich, jene Mechanismen für den Erwerb von Sprache zu aktivieren, die für das Erlernen der Muttersprache verantwortlich sind. In diesem Sinne vertritt Lenneberg die starke Version der CPH im Sinne Caldwells (1962):

> "There is evidence that the primary acquisition of language is predicated upon a certain developmental stage which is quickly outgrown at the age of puberty" (Lenneberg 1967: 142).

Mir scheint der Hinweis wichtig, daß Lenneberg seine Version der CPH zunächst auf das beschränkt, was er *primary acquisition* nennt. Diese Einschränkung ist zweifellos aus der Perspektive der mittsechziger Jahre, in denen das Hauptaugenmerk der psycholinguistischen Forschung auf dem Muttersprachenerwerb lag, verständlich. Dennoch kann m.E. *primary acquisition* nicht mit *first language acquisition* gleichgesetzt werden. Es ist hinreichend bekannt, daß Kinder in mehr als einer Sprache *native speaker competence* erreichen können. Wenn die Spracherwerbsfähigkeit einer kritischen Periode unterworfen ist, so kann sich diese Beschränkung offenkundig nicht auf die Anzahl der erlernbaren Sprachen beziehen, etwa in dem Sinne, daß die Spracherwerbsfähigkeit nur zum Erwerb *einer* Sprache "ausreicht". Lennebergs *primary acquisition* wird daher eher als Bezeichnung für einen bestimmten Typus, eine besondere Art Mechanismus des Spracherwerbs zu verstehen sein. Diese besondere Fähigkeit unterliegt nun nach Lenneberg im Sinne der CPH einer zeitlichen Begrenzung.

Es sei nochmals betont, daß Lenneberg die Schwierigkeiten, die Erwachsene bekanntlich im Umgang mit fremden Sprachen haben, nicht etwa wie die Fremdsprachendidaktik oder Sprachlehrforschung auf insgesamt ungünstigere Lernbedingungen zurückführt, sondern darauf, daß bestimmte physiologische Veränderungen die Möglichkeit blockieren, nach der Pubertät eine zweite Sprache so wie die Muttersprache zu erlernen. Während für eine empiristische Position, wie sie zumeist von der Fremdsprachendidaktik vertreten wird, der Zweitsprachenerwerb durch Erwachsene lediglich durch ungünstige Umweltkonstellationen beeinträchtigt ist und somit durch geeignete Manipulationen der Lernbedingungen und der gesamten sprachbezogenen Umgebung entscheidend verbessert werden kann, impliziert die Position Lennebergs, daß physiologische Gegebenheiten dem Erfolg des erwachsenen Zweitsprachenerwerbs von vornherein Grenzen setzen.

Das menschliche Gehirn unterliegt, wie andere Organe auch, bis zum Erreichen des Erwachsenenalters bestimmten Reife- bzw. Entwicklungsprozessen. Unter den zahlreichen Veränderungen, die das Gehirn im Laufe seiner Entwicklung erfährt, scheint es zumindest eine zu geben, die für das Phänomen 'Sprache' von besonderer Bedeutung ist. Im Bereich des Sprechens und der Sprachfunktionen ist die linke Gehirnhälfte in weitaus stärkerem Maße aktiviert als die rechte, wenngleich auch die rechte Gehirnhälfte keinesfalls absolut passiv in bezug auf die Verarbeitung sprachlicher Informationen ist. Diese unter dem Begriff Lateralisierung bzw. zerebrale Dominanz bekannte funktionale Asymmetrie der beiden Gehirnhälften im sprachlichen Bereich unterliegt nun ebenfalls insofern einem Entwicklungsprozeß, als Anzeichen dafür vorhanden sind, daß im frühen Kindesalter diese zerebrale Dominanz noch nicht vorhanden ist. Vielmehr stehen beide Hemisphären gleichermaßen für sprachliche Funktionen zur Verfügung. Im Laufe der Entwicklung übernimmt die linke Gehirnhälfte nach und nach immer mehr sprachliche Funktionen auf Kosten einer entsprechenden Aktivität der rechten Hirnhälfte. Dieser Prozeß der Lateralisierung ist etwa zum Zeitpunkt der Pubertät abgeschlossen.

Die zerebrale Lateralisierung im Bereich sprachlicher Funktionen ist der Angelpunkt der Lenneberg'schen Argumentation. Sie stellt jenen biologisch-physiologischen Faktor dar, der die kritische Periode des primären Spracherwerbs beendet und somit die Fähigkeit, weitere Sprachen zu erlernen, einschränkt bzw. verhindert. Das biologisch-physikalische Korrelat zur mangelnden Spracherwerbsfähigkeit jenseits der Pubertät ist somit nach Lenneberg ein Mangel an Plastizität im Hirnbereich, d.h. die fehlende Möglichkeit, spezielle Funktionen, in diesem Fall sprachliche, verschiedenen topographischen Regionen des Gehirns zuweisen zu können:

> "Thus we may speak of a critical period for language acquisition. At the beginning it is limited by lack of maturation. Its termination seems to be related to a loss of adaptability and inability for re-organization in the brain, particularly with respect to the topographical extent of neuro-physiological processes . . . the limitations in man may well be connected with the peculiar phenomenon of cerebral lateralisation of functions, which only becomes irreversible after cerebral growth phenomena have come to a conclusion" (Lenneberg 1967: 1797).

Wie bereits angedeutet, ist Lennebergs Position in mancherlei Hinsicht nicht immer eindeutig zu identifizieren, sondern vielfach in seinen Aussagen eher implizit enthalten. Während Lenneberg über weite Strecken *für* eine Korrelation zwischen der kritischen Periode des Spracherwerbs und bestimmten hirnphysiologischen Wachstumsphänomenen zu argumentieren scheint, weist er am Ende seiner Betrachtung ausdrücklich auf die Eigenständigkeit spracherwerbsrelevanter Fähigkeiten hin:

> "The specific neuro-physiological correlates of speech and language are completely unknown. Therefore, emergence of the capacity for language acquisition cannot be attributed directly to any one maturational process studied so far. But it is important to know what the physical states of the brain are before, during, and after the critical period for language acquisition. This is the pre-requisite for the eventual discovery of more specific neural phenomena underlining language behavior" (Lenneberg 1967: 179).

Hier scheint Lenneberg *gegen* eine kausale Abhängigkeit von kritischer Spracherwerbsperiode und physiologischen Reifeprozessen im Gehirn zu argumentieren. Demgegenüber präsentiert Lenneberg zuvor umfangreiches Datenmaterial, das gerade die *biologisch-physiologischen Grundlagen* der kritischen Periode der menschlichen Spracherwerbsfähigkeit illustrieren soll. In diesem Sinne scheint Lennebergs Position auch von zahlreichen Autoren, die in diesem Bereich gearbeitet haben, interpretiert worden zu sein.

Es geht hier weniger um eine Lenneberg-Exegese, als vielmehr um die Frage, wie jene Evidenz zu beurteilen ist, die dafür zu sprechen scheint, daß *biologische* Faktoren den Prozeß primären Spracherwerbs jenseits der Pubertät verhindern. Lenneberg liefert Evidenz aus drei größeren Bereichen: a) verschiedenen Merkmalen im Reifeprozeß des Gehirns, b) der Aphasieforschung, und c) Fällen geistig behinderter bzw. retardierter Kinder.

Die Periode des primären Spracherwerbs vom ca. 2. bis 13. Lebensjahr korreliert mit verschiedenen hirnphysiologischen Entwicklungen. So unterliegt das Gehirn während der ersten 2 Lebensjahre dem größten Gewichtszuwachs, und zwar ca. 350%. Nach dem 2. Lebensjahr verringert sich die Gewichtszunahme drastisch. Im folgenden Jahrzehnt, also etwa bis zum 13. Lebensjahr erhöht sich das Gewicht des Gehirns um insgesamt nur noch 35%. Etwa zum Zeitpunkt der Pubertät erreicht das Gewicht des Gehirns in etwa die Erwachsenen-Norm; ein weiterer Zuwachs ist nicht mehr zu verzeichnen. Eine zu diesem Zeitablauf parallele Entwicklung zeigt sich im Bereich der Zellorganisation, speziell der Zelldichte (Schadé & van Groenigen 1961). Während der ersten 2 Lebensjahre nimmt die Zelldichte mit großer Geschwindigkeit ab, möglicherweise eine Voraussetzung für die Dendrogenese. Nach dem 2. Lebensjahr verringert sich die Zelldichte nur noch sehr langsam, um sich etwa beim Einsetzen der Pubertät vollständig zu stabilisieren. Vergleichbare Evidenz für eine solche *maturational schedule,* deren Anfangs- und Endpunkt wiederum etwa beim 2. und 13. Lebensjahr liegen, ergibt sich aus chemischen Veränderungen im Gehirn, insbesondere der rapiden Zunahme bestimmter Substanzen. Allerdings ist die Evidenz in diesem Bereich nicht so eindeutig wie bei den anatomischen Veränderungen des Gehirns. Bestimmte chemische Substanzen (z.B. Lipide und Phosphatide) zeigen auch noch nach der Pubertät eine stetige prozentuale Zunahme (Brante 1949, Folch-Pi 1955). Den dritten Bereich, in dem die 2-Jahres- und 13-Jahres-Grenze von besonderer Bedeutung sind, stellen einzelne neuro-physiologische Veränderungen dar, insbesondere solche, die sich elektroenzephalographisch ermitteln lassen. Bestimmte Gehirnströme verändern ihre Frequenz im Laufe des Lebensalters. Dabei verzeichnet man wiederum die größte Veränderung etwa um das 2. Lebensalter, während sich um die Pubertät zumindest für einige Bereiche eine gewisse Stabilisierung der Wellenfrequenz einstellt.

Die Evidenz aus den physiologischen Veränderungen des Gehirns in der frühen Entwicklung des Menschen ist zweifellos beeindruckend und überzeugend. In allen angeführten Fällen spielen die Altersstufen 2 und 13 Jahre eine entscheidende Rolle, und dies sind just jene Zeitabschnitte, die auch die kritische Periode des primären Spracherwerbs einzugrenzen scheinen. Dennoch scheint mir bei der Beurteilung der hirnphysiologischen Evidenz Vorsicht geboten zu sein. Zur Diskussion steht die Frage, ob es biologische Faktoren sind, die die menschliche Spracherwerbsfähigkeit ab einem bestimmten Zeitpunkt einschränken bzw. aufheben. Nach meiner Einschätzung ist die angeführte hirnphysiologische Evidenz für die Klärung dieser Frage schlichtweg irrelevant. Sie besagt nicht mehr und nicht weniger, als daß der Lebensabschnitt zwischen dem 2. und 13. Jahr offensichtlich für den Menschen von besonderer Bedeutung ist, als in diesem Zeitraum u.a. wichtige physiologische Veränderungen stattfinden, die dann wiederum vermutlich die Entwicklung bestimmter Fähigkeiten einleiten. Insofern zeigt sie, daß der Spracherwerb unter diesem Aspekt keine Sonderstellung einnimmt. Der überwiegende Teil sprachlicher Fähigkeiten wird in jenem Zeitraum erworben, in dem auch andere entscheidende Reifungsprozesse im Menschen ablaufen.

Die dargestellte Evidenz besagt vor allen Dingen nicht, daß zwischen den genannten hirnphysiologischen Veränderungen und der Fähigkeit zum Spracherwerb ein *kausaler* Zusammenhang besteht. Auf dieses Faktum weist auch Lenneberg ausdrücklich hin. Es ist *nicht* der Fall, daß das Erreichen bestimmter Endzustände hinsichtlich Gewicht, chemischer Struktur oder neurophysiologischer Gegebenheiten im Gehirn als ursächlich für eine Verminderung oder Zerstörung der Spracherwerbsfähigkeit gilt. Die Periode des primären Spracherwerbs scheint sich harmonisch in den Zeitplan der Gesamtentwicklung des Menschen einzufügen, nicht mehr und nicht weniger. Die dargestellten hirnphysiologischen Erkenntnisse gestatten keinesfalls den Schluß, daß die Spracherwerbsfähigkeit des Menschen zum Zeitpunkt der Pubertät durch konkrete biologische oder neurophysiologische Veränderungen terminiert wird.

Die zunächst überzeugendste Evidenz zugunsten der Lenneberg'schen Thesen stammt aus dem Bereich der Sprachpathologie, und hier besonders der Aphasie. Aus den unterschiedlichen Aussichten von Kindern und Erwachsenen, nach aphasischen Erkrankungen zu einer vollständigen Wiederherstellung sprachlicher Fähigkeiten zu gelangen, leitet sich die Auffassung ab, die zerebrale Lateralisierung, d.h. die Spezialisierung der linken Gehirnhälfte auf sprachliche Funktionen, sei selbst einem Entwicklungsprozeß unterworfen. Grob gesprochen, läßt sich feststellen, daß Kinder unterhalb der Pubertätsgrenze mehr oder minder gute Aussichten haben, nach Abschluß der Krankheit volle Sprachfähigkeit wiederzuerlangen, während bei Erwachsenen in der Regel bestimmte Sprach- bzw. Sprechstörungen bestehen bleiben.

Diese weit verbreitete Zusammenfassung des Sachverhaltes zeigt sich jedoch bei genauer Betrachtung der Datenlage als den tatsächlich auftretenden Phänomenen kaum angemessen. Ein Problem liegt zweifellos in der Terminologie. Wenngleich vielfach von *der* Aphasie gesprochen wird, so kann dieser Terminus bestenfalls als Oberbegriff für eine Vielfalt z.T. sehr heterogener Sprachstörungsphänomene gelten. Es ist also zunächst im Einzelfall zu klären, welche Störungen konkret vorliegen. Ebenso unklar ist der Begriff der Wiederherstellung der Sprache. Zum Teil wird hierunter offenbar lediglich eine Verbesserung der Sprechfähigkeit im Vergleich zum

Zeitpunkt der Krankheit verstanden. Vielfach scheint als Kriterium auch allein die Verständlichkeit der Äußerungen des Patienten angesetzt zu werden.

Abgesehen von diesen terminologischen Unzulänglichkeiten trifft es nun keineswegs zu, daß eine im nachpubertären Alter auftretende Aphasie in *allen* Fällen den endgültigen Verlust der Sprachfähigkeit impliziert. Die Sachlage ist weitaus komplizierter. Nach Abschluß der Krankheit besteht offenbar eine 3- bis 5-monatige "kritische" Periode, in der die Aussichten für eine Wiederherstellung der Sprechfähigkeit äußerst günstig sind. Erst was während dieses Zeitraums nicht "wiedererlernt" wird, ist auch in späteren Lebensabschnitten durch Training nicht zurückzuerlangen. Doch auch dieser Befund ist kein ehernes Gesetz. Es sind Fälle bekannt, in denen auch erwachsene Aphasiker in einem späteren Zeitraum ihre volle Sprachfähigkeit wiedererlangt haben (Woodward 1945). Insgesamt zeichnet sich ab, daß die Wiederherstellung der Sprachfähigkeit nach einer Aphasie bei Erwachsenen zwar außerordentlich schwierig ist und von Aphasietyp zu Aphasietyp sehr unterschiedlich sein kann, jedoch keinesfalls als aussichtslos zu bezeichnen ist.

Bei Kindern nun treten zwischen dem 2. und 10. Lebensalter Symptome auf, die denen der Erwachsenen sehr ähnlich sind. Dennoch "the overwhelming majority of these children recover fully and have no aphasic residue in later life . . . and the period during which recovery from aphasia takes place may last much longer than in the adult" (Lenneberg 1967: 146). Aphasische Kinder unter 4 Jahren zeigen wiederum einen divergierenden Krankheits- bzw. Heilungsverlauf. Während der Krankheit selbst zeigt sich das Kind weitgehend reaktionslos. Nach deren Abklingen beginnt es jedoch dann mit leichter Verzögerung, den normalen Weg des Spracherwerbs zu beschreiten. Generell sind bei aphasischen Kindern die Aussichten, nach Abschluß der Krankheit die volle Sprachfähigkeit wiederzuerlangen bzw. weiter auszubauen, erheblich besser als bei Erwachsenen.

Lenneberg führt diese Unterschiede in den Heilungsaussichten bei aphasischen Kindern und Erwachsenen wiederum auf biologische Faktoren zurück, und zwar auf das Phänomen der zerebralen Lateralisierung. Ähnlich wie nach Lennebergs Hypothese der primäre Spracherwerb auf die Periode vor dem Erreichen vollständiger zerebraler Dominanz begrenzt ist, so ist die Wiederherstellung der Sprechfähigkeit nach einer Aphasie nur so lange möglich, wie die zerebrale Lateralisierung nicht abgeschlossen ist, d.h. vor dem Erreichen der Pubertät. Entscheidender Faktor ist auch hier die vor der vollständigen Lateralisierung gegebene Plastizität des Gehirns, die bei Störung die Zuweisung von Funktionen zu unterschiedlichen Regionen gewährleistet. Unterstützende Evidenz findet Lenneberg in solchen Fällen, in denen eine vollständige Gehirnhälfte des Patienten entfernt werden mußte. Bei Kindern hat diese Operation in der Regel keine langfristigen sprachpathologischen Konsequenzen, und zwar unabhängig davon, welche der beiden Gehirnhälften entfernt wird. Offensichtlich wird die Sprachfunktion vollständig auf die noch vorhandene Gehirnhälfte übertragen. Derartiger Transfer von Sprachfunktionen scheint bei erwachsenen Patienten nicht mehr möglich zu sein. Wird bei ihnen die linke Gehirnhälfte entfernt, so zeigen sich gravierende aphasische Symptome, die auch durch intensive Therapie nicht in entscheidendem Maße ausgeräumt werden können. Eine Entfernung der rechten Gehirnhemisphäre hingegen führt zu keinerlei aphasischen Erkrankungen. Dieser Befund stützt zweifellos die These, daß die beiden Gehirnhälften unterschiedlich an sprachlichen Funktionen beteiligt sind.

In eine ähnliche Richtung deutet nach Lenneberg eine Untersuchung an 54 mongoloiden Kindern und Jugendlichen im Alter zwischen 6 und 22 Jahren. Die Beobachtungsdauer betrug 3 Jahre. Bei den Kindern, die sich noch in einem prä-pubertären Lebensabschnitt befanden, ließen sich – wenngleich in den meisten Fällen äußerst langsame – sprachliche Entwicklungsprozesse beobachten, während bei den Jugendlichen im postpubertären Alter kein sprachlicher Fortschritt während der gesamten Untersuchungszeit zu verzeichnen war.

Trotz der umfassenden Evidenz aus dem sprachpathologischen Bereich scheint mir Lennebergs Datenmaterial hinsichtlich der hier anstehenden Problematik keineswegs schlüssig zu sein. Es geht um die Frage, ob menschliche Spracherwerbsfähigkeit aufgrund *biologischer* und *physiologischer* Veränderungen zum Zeitpunkt der Pubertät verlorengeht. In der Tat scheint mir die gesamte Evidenz aus der Aphasie für die Beantwortung dieser Frage weitgehend ohne Bedeutung zu sein. Lennebergs Daten zeigen lediglich, daß der präpubertäre Lebensabschnitt des Menschen in besonderem Maße entwicklungsintensiv ist, d.h. eine breite Palette wichtiger und zentraler Funktionen wird im Zeitraum zwischen dem 2. und 13. Lebensjahr erworben. Es liegt somit auf der Hand, daß in der präpubertären Zeit traumatische Eingriffe anders wirken als im Erwachsenenalter, wenn die betroffenen Entwicklungen weitgehend abgeschlossen sind. Lennebergs Daten zeigen nicht mehr und nicht weniger als daß Läsionen zu unterschiedlichen Konsequenzen führen, je nachdem ob sie vor oder nach dem Ablauf eines bestimmten Entwicklungsprozesses eintreten.

Es sei nochmal daran erinnert, daß es hier um Probleme des Sprach*erwerbs* geht, d.h. um die Frage, ob der Spracherwerbsmechanismus zu einem bestimmten Zeitpunkt durch biologische Faktoren sozusagen außer Kraft gesetzt wird. Für die Beantwortung dieser Frage liefern die Aphasiedaten jedoch kaum relevante Informationen. Es ist zu unterstreichen, daß der Aphasiker seine Sprache nicht etwa im wörtlichen Sinne "verloren hat" und hinsichtlich seiner Sprachfähigkeit auf die Stufe eines 2- oder 3-jährigen Kindes zurückversetzt wird. Das Problem des Aphasikers ist nicht etwa mangelnde Kenntnis der Sprache, sondern die Unfähigkeit, die für die Produktion und Rezeption von Sprache notwendigen Prozesse zu koordinieren. Dem Aphasiker fehlen die Kontrollmechanismen für den Zugriff zur Sprache, nicht die Sprache selbst. Dieser Umstand zeigt sich u.a. daran, daß die sprachlichen Leistungen von Aphasikern innerhalb kürzerer Zeitabstände enorm variieren können. Unter emotionaler Belastung sind einige Aphasiker oftmals zu besseren, andere zu schlechteren Sprachleistungen fähig als im Normalfall. Insbesondere bei Wortfindungsschwierigkeiten sind die entsprechenden Bezeichnungen nicht etwa im eigentlichen Sinne verloren, sondern im jeweiligen Bedarfsfalle lediglich nicht rasch genug zugänglich. Dies zeigt sich u.a. daran, daß ein Aphasiker, der bei seinen eigenen Verbalisierungen nur unter Schwierigkeiten ein bestimmtes Wort finden kann, dieses Wort sofort erkennt, wenn es zusammen mit anderen ihm auf einer Liste dargeboten wird.

Zumindest für die meisten Typen von Aphasie scheint zu gelten, daß die sprachliche Kompetenz quasi latent vorhanden ist, während die für den schnellen Zugriff notwendige Koordination kognitiver und motorischer Prozesse Störungen aufweist. Auf diese Tatsache weist auch Lenneberg wiederholt ausdrücklich hin:

> "Usually, there is evidence that language is not lost but that its proper organization, in either the expressive or the receptive process or both, is interfered with. He cannot organize his cognitive activities to recrute, integrate or inhibit the many partial processes, which when consolidated are pre-requisite for speaking and understanding" (S. 143)

Wenn aphasische Störungen jedoch nicht bedeuten, daß die Sprach*kenntnis* verlorengeht, so kann die Wiederherstellung der Sprechfähigkeit *(recovery)* auch nicht im eigentlichen Sinne als Sprach*erwerb* verstanden werden. Der Aphasiker, der nach dem Ablauf der Krankheit seine ursprüngliche Sprechfähigkeit wiederzuerlangen versucht, muß seine Sprache keineswegs in dem Sinne wiedererwerben, daß er in Vergessenheit geratenes Wissen von neuem meistert. Er befindet sich also in einer grundsätzlich anderen Situation als etwa das Kleinkind vor Einsetzen des Spracherwerbsprozesses oder als Jugendliche, die nach einer längeren Abwesenheit von einer Sprachgemeinschaft in diese zurückkehren, und dann die Sprache von neuem erwerben müssen (cf. Wode 1981). Aus diesem Grunde liefern die Aphasiedaten für die Frage nach einem möglichen biologisch determinierten Abbruch der Spracherwerbsfähigkeit keine schlüssigen Informationen. Heilung von aphasischen Störungen beinhaltet keinen spracherwerblichen Aspekt im üblich verstandenen Sinne. Dies bedeutet keineswegs, daß Aphasiedaten grundsätzlich für Fragen, die Verarbeitungsprozesse sprachlicher Daten betreffen, nicht von Belang seien. Nur involviert Aphasie offenkundig andere Mechanismen als diejenigen, die in spracherwerblichen Prozessen zum Tragen kommen.

Unter diesem Aspekt erscheint auch die Tatsache, daß Kinder leichter als Erwachsene von aphasischen Störungen geheilt werden können, in einem anderen Licht. Da Kinder den sprachlichen Erwerbsprozeß noch nicht abgeschlossen haben, verfügen sie jeweils nur über eine mehr oder minder eng begrenzte Teilkompetenz, auf die die aphasischen Störungen einwirken. Die verfügbare Evidenz deutet daraufhin, daß nach dem Abklingen der Störungen der Erwerbsprozeß weitgehend unbeeinträchtigt fortgesetzt wird. Aphasische Störungen wirken sich also nicht auf zukünftig erworbene Strukturen aus. Beim Erwachsenen hingegen trifft die Aphasie auf die volle sprachliche Kompetenz; Erwerbsprozesse stehen nicht mehr zur Verfügung, da ja "alles" – zumindest latent – bereits vorhanden ist. Ausgehend von dieser Überlegung würde ich vermuten, daß die Heilungschancen bei einer Aphasie umso größer ist, je weniger zum Zeitpunkt des Krankheitsausbruches bereits erworben war.

Eine weitere Schwierigkeit der Lenneberg'schen Hypothese liegt darin, daß sowohl bei der Aphasie, als auch beim Spracherwerb, und hier besonders beim Zweitsprachenerwerb, die verfügbare Datenevidenz keineswegs eindeutig ist. Daß Kinder sich von aphasischen Sprachstörungen erholen können, während dies im gleichen Maße für Erwachsene nicht zutrifft, kann keineswegs als quasi-gesetzmäßiger Sachverhalt gelten; vielmehr handelt es sich eher um approximative Aussagen. Es gibt Abweichungen! Lenneberg berichtet sowohl von Kindern, die sich von aphasischen Störungen nicht erholten, als auch von Erwachsenen, die – wenngleich erst nach Jahren – eine nahezu vollständige Sprechfähigkeit wiedererlangten. Derartige Fälle werden aufgrund der geringen Zahl vielfach als marginale Normabweichungen dargestellt, die an der grundsätzlichen Richtigkeit der vertretenen These nichts ändern. Wenn jedoch die Spracherwerbsfähigkeit bzw. die Fähigkeit, sich von aphasischen Störungen vollständig zu erholen, von biologischen Faktoren im Sinne bestimmter physiologischer Gegebenheiten abhängt, so lassen sich derartige abweichende Fälle nicht einfach als bedeutungslose Ausnahmen aussondern. Unabhängig davon, ob Abweichungen nur durch Einzelbeispiele oder in relativ großer Zahl belegt sind, sie müssen in jedem Falle auf der Basis der gleichen biologischen Parameter erklärt werden. Wenn beispielsweise die Unfähigkeit des Menschen, Töne mit einer Frequenz über 20000 Hz zu perzipieren, durch bestimmte physiologische Eigenschaften des menschlichen Ohrs erklärt wird, so gilt dies nicht etwa nur für die Mehrzahl der Menschen, sondern zunächst ausnahmslos für alle. Wäre ein einzelner Mensch in der Lage, höher frequente Töne wahrzunehmen, so müßte die Physiologie seines Ohres in nachweisbarer Art von der Norm abweichen. Wenn in vergleichbarer Weise die menschliche Spracherwerbsfähigkeit bzw. deren Altersgrenze mit biologischen Faktoren begründet wird, so müssen für all diejenigen Fälle, die üblicherweise als "Ausnahmen" deklariert werden, biologische Abweichungen nachgewiesen werden, etwa in dem Sinne, daß in jedem einzelnen Fall die ausschlaggebenden physiologischen Gegebenheiten nicht vorhanden waren. Konkret: Wenn etwa ein bestimmter Grad zerebraler Lateralisierung eine notwendige und hinreichende biologische/physiologische Bedingung für das Ende der *primary acquisition* darstellt, so muß für jene – wenngleich zahlenmäßig sehr geringe – Gruppe von Menschen, die auch nach der Pubertät eine zweite Sprache bis zur *native speaker competence* gemeistert haben, gelten, daß beispielsweise eine zerebrale Lateralisierung ausgeblieben ist, oder daß der Prozeß der Lateralisierung bei diesen Personen zum Zeitpunkt der Pubertät noch nicht abgeschlossen ist. Ebenso, wenn das Phänomen der zerebralen Lateralisierung für die Fähigkeit verantwortlich ist, sich nach dem von Lenneberg angedeuteten Schema von aphasischen Sprachstörungen zu erholen, so wäre für jene Erwachsenen, die eine vollständige Wiederherstellung der Sprachfähigkeit erreichen, gleichfalls nachzuweisen, daß bei ihnen eine Lateralisierung nicht oder noch nicht stattgefunden hat.

Bislang liegt jedoch keinerlei Evidenz dafür vor, daß normabweichende Fähigkeiten hinsichtlich eines erfolgreichen postpubertären Spracherwerbs bzw. Überwindens aphasischer Störungen mit normabweichenden physiologischen Gegebenheiten im Bereich zerebraler Dominanz korrelieren. Derartige "Ausnahme" fälle werden unberechtigterweise bei den meisten Diskussionen von einer ernsthaften Betrachtung schlichtweg ausgeschlossen. Ein solches Vorgehen ist jedoch so lange nicht zulässig, wie die betroffenen Fähigkeiten im Rahmen einer biologisch-physiologischen Theorie erklärt werden. Aufgrund der doch recht zahlreichen physiologisch offenbar nicht abweichenden Fälle ist eher anzunehmen, daß es nicht-physiologische Faktoren sind, die für den Abbau der Spracherwerbsfähigkeit verantwortlich sind. Biologischen Faktoren mag vielleicht ein gewisses Maß an unterstützender Funktion beigemessen werden.

Weiterhin unterbleibt bei Lenneberg eine Präzisierung der Beziehung zwischen zerebraler Lateralisierung und kritischer Periode des Spracherwerbs. Zuweilen scheint Lenneberg hier einen kausalen Zusammenhang zu postulieren, in dem Sinne, Sinne, daß die Etablierung der zerebralen Dominanz ursächlich für den Abbau der Spracherwerbsfähigkeit ist. Eine solche kausale Verknüpfung ist jedoch a priori keineswegs plausibel, sondern müßte an einzelnen Daten nachgewiesen werden. Gerade in bezug auf dieses Problem ist die Datenlage jedoch ausgesprochen unklar. Als gesicherte Erkenntnis kann gelten, daß beim Erwachsenen die sprachlichen Funktionen primär in der linken Hemisphäre zu lokalisieren sind, während die rechte nur von untergeordneter Bedeutung ist. Nach Lenneberg ist diese funktionale Asymmetrie Ergebnis eines Lateralisierungsprozesses. Weiterhin kann als gesichert gelten, daß bei zerebralen Läsionen im Kindesalter die rechte Hemisphäre all jene sprachlichen Funktionen übernehmen kann, die im Normalfall auf die linke Gehirnhälfte übertragen werden; während bei Erwachsenen ein derartiger Transfer nicht mehr möglich ist.

Diese Befunde erklären jedoch in keiner Weise, warum ein gesunder Erwachsener mit vollzogener Lateralisierung nach der Pubertät nicht mehr in der Lage sein sollte, eine (weitere) Sprache zu erlernen. In der Tat scheint mir die implizierte kausale Verbindung von Spracherwerbsfähigkeit und zerebraler Lateralisierung auf Überlegungen zu beruhen, deren Logik keineswegs klar ist. Wäre die Funktion des Spracherwerbs auf die *rechte* Gehirnhälfte fixiert, d.h. wäre Erwerb nur unter entscheidender Mitwirkung der rechten Hemisphäre möglich, so gewänne Lennebergs Hypothese an Plausibilität. Das Kleinkind hat zum Zwecke der Verarbeitung sprachlicher Informationen noch beide Gehirnhälften, insbesonder die *rechte,* zur Verfügung, während der Erwachsene im sprachlichen Bereich primär auf die linke Gehirnhälfte beschränkt ist. Die Fähigkeit zum Spracherwerb nimmt somit in gleichem Maße ab, wie sich die Funktionstüchtigkeit der (für den Erwerb entscheidenden) rechten Hemisphäre im Bereich sprachlicher Informationsverarbeitung verringert. Etwa zu Beginn der Pubertät ist der Zeitpunkt erreicht, ab dem die rechte Gehirnhälfte nur noch für untergeordnete Funktionen im sprachlichen Bereich zur Verfügung steht. Unter biologischem Aspekt scheint also die rechte, nicht etwa die linke Gehirnhälfte der Schlüsselpunkt für die zeitliche Begrenzung der Spracherwerbsfähigkeit zu sein. Mit anderen Worten: die These einer kausalen Verknüpfung von zerebral-physiologischen Gegebenheiten mit einer kritischen Periode des Spracherwerbs steht und fällt mit dem Nachweis, daß die rechte Hemisphäre ausschlaggebend für die Fähigkeit des Spracherwerbs ist. Solange die rechte Hemisphäre im größeren Umfang für die Verarbeitung sprachlicher Daten zur Verfügung steht, ist Spracherwerb möglich; übernimmt als Ergebnis der zerebralen Lateralisierung die rechte Hemisphäre nur noch untergeordnete sprachliche Funktionen, ist Spracherwerb bzw. Erholung von aphasischen Störungen nicht mehr möglich.

Mir ist keinerlei Untersuchungsmaterial bekannt (zumindest Lenneberg bezieht sich nicht auf solches), das eine Annahme stützen würde, nach der Spracherwerbsfunktionen primär von der rechten Hemisphäre übernommen werden. Das von Lenneberg angeführte Datenmaterial deutet lediglich daraufhin, daß im Kindesalter beide Hemisphären für die Verarbeitung sprachlicher Strukturen zur Verfügung stehen. Damit erweist sich die Auffassung einer kausalen Beziehung von Spracherwerb und Lateralisierung als reine Spekulation, der es darüberhinaus auch an hinreichender Plausibilität fehlt.

Die These einer biologisch determinierten Grenze der menschlichen Spracherwerbsfähigkeit wird weiterhin durch einige jüngere Untersuchungen erschüttert, die das Konzept der Lateralisierung als ein sich bis zur Pubertät ausdehnender Prozeß in Zweifel ziehen. Diese neuere Evidenz deutet daraufhin, daß die sprachfunktionale Dominanz der linken Hemisphäre spätestens mit 5 Jahren, möglicherweise sogar bereits bei der Geburt etabliert ist. Sollte sich diese Evidenz durch weitere Daten erhärten, so muß die Lenneberg'sche Hypothese hinsichtlich einer biologisch determinierten kritischen Periode des Spracherwerbs endgültig verworfen werden.

Krashen, der sich umfassend mit dem Problem der zerebralen Asymmetrie sprachlicher Funktionen auseinandergesetzt hat, stimmt in einer Arbeit von 1973 mit Lenneberg dahingehend überein, daß die zerebrale Lateralisierung als Entwicklungsprozeß zu sehen ist; jedoch vertritt er die Auffassung, daß dieser Prozeß nicht erst zum Zeitpunkt der Pubertät, sondern bereits im Alter von ca. 5 Jahren abgeschlossen ist. Die Evidenz für diese Modifikation von Lennebergs These erhält Krashen primär aus drei Bereichen. Zunächst zeigt eine erneute Überprüfung der von Lenneberg benutzten Daten, daß diese keineswegs eine Interpretation im Sinne der Pubertätshypothese erfordern, sondern durchaus mit der Auffassung vereinbar sind, daß der Lateralisierungsprozess sich lediglich über die ersten 5 Lebensjahre erstreckt. Die Problematik der von Lenneberg benutzten Daten liegt darin, daß die Kinder, über deren aphasischen Störungen berichtet wird, ihre Hirnschädigungen – mit einer Ausnahme – stets vor dem 5. Lebensjahr erlitten:

> "Studies that include descriptions of children injured after five indicate that the effects of right lesions in older children is the same as in adults" (Krashen 1973:65).

Krashen zieht aus dieser Datenlage zunächst den Schluß, daß sich ältere Kinder, d.h. nach dem 5. Lebensjahr, und Erwachsene hinsichtlich des Grades, in dem die rechte Gehirnhälfte bei sprachlichen Funktionen involviert ist, nicht unterscheiden. Krashen zitiert weiterhin zwei Untersuchungen (MacFie 1961 und Fedio & Mirsky 1969), die ebenfalls aufgrund umfangreicher psychologischer Tests zu dem Ergebnis kommen, daß die Auswirkungen einseitiger Hirnschäden bei älteren Kindern die gleichen sind wie bei Erwachsenen. Läsionen der linken Gehirnhälfte beeinträchtigen sprachliche Fähigkeiten, während rechtsseitige Verletzungen zu Störungen bei der Verarbeitung räumlicher Informationen führen.

Der dritte Typ von Evidenz stammt aus Untersuchungen zum dichotischen Hören. Hierbei handelt es sich um ein Testverfahren, das vor allem durch die Arbeit von Kimura (1963) bekannt wurde und das die funktionale Asymmetrie der beiden Gehirnhälften erfassen soll. Beim dichotischen Hören werden den beiden Ohren einer Versuchsperson gleichzeitig zwei verschiedene Stimuli zugeführt. Dabei zeigt sich beim Erwachsenen das rechte Ohr, das mit der linken Gehirnhälfte gekoppelt ist, als überlegen in der Aufnahme sprachlicher Stimuli, während das linke Ohr, das mit der rechten Hemisphäre gekoppelt ist, besser nicht-verbale Stimuli, wie z.B. Geräusche oder Musik wahrnimmt. Die Versuchsperson reagiert also auf zwei objektiv gleichzeitige akustische Stimuli perzeptuell durch Präferenz zugunsten des einen oder des anderen. Treffen etwa zwei verschiedene sprachliche Laute gleichzeitig auf beide Ohren, so wird die Versuchsperson vorzugsweise denjenigen Stimulus perzipieren, der dem rechten Ohr zugeführt wird, während der von links auftreffende Reiz entweder überhaupt nicht oder weitaus schwächer wahrgenommen wird. Bei einem entsprechenden Versuch mit nicht-sprachlichen Stimuli nimmt die Versuchsperson das links eingehende Geräusch bevorzugt wahr. Dichotisches Hören eignet sich also in hervorragender Weise als Test für den Grad zerebraler Dominanz in verschiedenen Funktionsbereichen.

Wie verhalten sich nun Kinder beim dichotischen Hören? Trifft es zu, daß die beiden Gehirnhälften in den frühen Lebensjahren noch nicht hinsichtlich der Verarbeitung sprachlicher Daten spezialisiert sind, so dürfen Kinder beim dichotischen Hören keinerlei Präferenzen zeigen. In dem gleichen Maße, wie der Prozeß der Lateralisierung voranschreitet, müßten steigende perzeptuelle Präferenzen beim dichotischen Hören nachweisbar sein. In dem Augenblick, in dem Kinder beim dichotischen Hörtest ebenso reagieren wie Erwachsene, muß die zerebrale Dominanz vollständig ausgebildet sein. Krashen hat in mehreren Arbeiten (cf. Krashen 1973) das publizierte Datenmaterial zum dichotischen Hören bei Kindern analysiert und kommt zu dem Ergebnis, daß "the development of lateralisation may even be complete by age four" (Krashen 1973: 67). Die Testdaten stammten von Kindern im Alter zwischen 4 und 9 Jahren; die bei sprachlichen Stimuli auftretende rechtsohrige Präferenz bei diesen Kindern unterschied sich in keiner Weise von der bei Erwachsenen.

Krashen kommt zu dem Schluß, daß bislang keine überzeugende Evidenz für eine Ausdehnung des Lateralisierungsprozesses bis zum Pubertätsalter vorliegt. Vielmehr deutet das verfügbare Datenmaterial aus drei Bereichen eher darauf hin, daß im Bereich sprachlicher Funktionen bereits im Alter von ca. 5 Jahren eine linksseitige zerebrale Dominanz in gleicher Weise besteht wie bei Erwachsenen. Welche Konsequenzen ergeben sich aus dieser Erkenntnis nun für die Lenneberg'sche Hypothese? Krashen geht in der Beurteilung dieser Frage sehr vorsichtig vor. Es sei nochmals daran erinnert, daß Lennebergs Grundgedanke der folgende ist: Der Lateralisierungsprozeß bei den beiden Gehirnhälften korreliert mit der Fähigkeit, etwa im Falle von Verletzungen Funktionen der dominanten Hemisphäre auf die andere Hirnhälfte zu transferieren, und diese Transfermöglichkeit ist wiederum verbunden mit der Fähigkeit zur *primary acquisition.* Nach Lenneberg ergibt sich diese dreifache Korrelation aus der Tatsache, daß Lateralisierungsprozeß, Transferierbarkeit und *primary acquisition* auf den Zeitraum zwischen ca. 2 und 13 Jahren fixiert sind. Es liegt auf der Hand, daß diese Korrelation gesprengt wird, sobald sich die zeitlichen Begrenzungen für eine der drei Komponenten als unzutreffend herausstellt. Krashen zeigt nun zunächst, daß der Lateralisierungsprozeß bereits mit 5 Jahren abgeschlossen ist und er zitiert darüberhinaus Untersuchungen (cf. Krashen 1973: 68), die andeuten, daß ein Transfer von Funktionen zwischen den Hirnhälften *nach* dem 5. Lebensjahr nicht mehr möglich ist.

Angesichts dieser Datenlage ergeben sich zwei Möglichkeiten: entweder die Korrelation wird in ihrer bestehenden Form aufgegeben, d.h. die *primary acquisition* hat nichts mit dem Lateralisierungsprozeß/Transferierbarkeit von Funktionen zu tun – wenngleich Lateralisierungsprozeß und Transferierbarkeit weiterhin miteinander korrelieren (können) – oder die zeitliche Fixierung der *primary acquisition* wird in Richtung auf die beiden übrigen Komponenten der Korrelation revidiert. Erstaunlicherweise entscheidet sich Krashen für die letztere der beiden Möglichkeiten. Er erhält die Korrelation aufrecht und behauptet, der Muttersprachenerwerb sei in seinen wesentlichen Zügen ja nicht erst zur Pubertät, sondern bereits etwa im Alter von 5 Jahren abgeschlossen.

Diese These ist jedoch ganz offenkundig unhaltbar. Zunächst ist die Frage, wann der Muttersprachenerwerbsprozeß als in seinen wesentlichen Zügen abgeschlossen gelten kann, äußerst umstritten. Die Altersgrenze 5 Jahre ist zumindest sehr früh angesetzt. In Sprachen mit einer reichen Flektionsmorphologie – zu denen das Englische sicherlich nicht gehört – erfolgt der Erwerb dieses Bereichs zu einem erheblichen Teil jenseits der Grenze von 5 Jahren. Daß der Erwerb semantischer Strukturen mit 5 Jahren nicht abgeschlossen ist, ist allenthalben bekannt. Betrachtet man hingegen nur die Phonologie und die grundlegenden syntaktischen Strukturen, so ließe sich mit gleichem Fug und Recht die Grenze etwa zwischen 3 1/2 und 4 Jahren festsetzen. Im übrigen ist die Frage, wann der Muttersprachenerwerbsprozeß abgeschlossen ist, für die hier zur Diskussion stehende Problematik überhaupt nicht relevant. Krashen verwechselt offensichtlich in Lennebergs Hypothese den Terminus *primary acquisition* mit *first language acquisition.* Wie ich bereits zuvor dargelegt habe, ist eine solche Gleichsetzung jedoch sicher eine Fehlinterpretation. Lennebergs Hypothese zur Pubertätsgrenze bezieht sich nicht auf den zeitlichen Rahmen, in dem normalerweise der Muttersprachenerwerb abläuft, sondern auf die *Möglichkeit,* eine Sprache nach im Menschen biogenetisch angelegten Mechanismen zu erwerben. Lennebergs Hypothese will nicht erklären, warum der Muttersprachenerwerb bereits zu diesem oder erst zu jenem Zeitpunkt abgeschlossen ist, sondern warum der Mensch nach landläufiger Beobachtung jenseits der Pubertät nicht mehr in der Lage ist, eine Sprache – in der Regel eine zweite Sprache – so zu erwerben, wie dies beim Muttersprachenerwerb offenkundig der Fall ist. Über die Frage, ob der Muttersprachenerwerb bereits im Alter von 5 Jahren abgeschlossen ist oder nicht, mag man sich streiten. Die Fähigkeit zum natürlichen Spracherwerb ist ganz unzweifelhaft auch jenseits der 5-Jahres-Grenze noch voll erhalten. Dies zeigen nicht nur die inzwischen zahlreichen Untersuchungen zum natürlichen Zweitsprachenerwerb von Kindern (Felix 1978b, Woder 1981, Fillmore 1976), sondern es gehört sicher zum Bereich allgemeiner Erfahrungen, daß Kinder auch noch im Alter zwischen etwa 6 und 10 Jahren ohne größere Schwierigkeiten und quasi automatisch die Sprache eines fremden Landes erwerben, wenn sie dort einen gewissen Zeitraum ihres Lebens verbringen. Ein Zurückstufen der natürlichen Spracherwerbsfähigkeit auf 5 Jahre ist unvereinbar mit allem bislang verfügbaren Datenmaterial.

Erstaunlicherweise liefert Krashen selbst gegen Schluß seiner Abhandlung Evidenz, die eher gegen als für seine These der 5-Jahres-Grenze als biologischem Limit für den Spracherwerb spricht. Diese Evidenz stammt von der mittlerweile berühmten Genie, einem Mädchen, das bis zum Alter von 13 Jahren 8 Monate in nahezu völliger Isolation lebte. Genie erweist sich also als nahezu einmaliger Testfall für die These, daß jenseits einer gewissen Altersgrenze *primary acquisition* – hier bezogen auf *first language acquisition* – nicht mehr möglich ist. Ist Krashens These zutreffend, so dürfte Genie kaum über einige rudimentäre Sprechfähigkeiten hinauskommen. Darüber hinaus müßte sich Genies Spracherwerbsprozeß in seinem strukturellen Ablauf erkennbar von dem eines Kleinkindes unterscheiden. Ich verzichte auf eine detaillierte Darstellung von Genies Sprachentwicklung (cf. hierzu Curtiss' Dissertation 1976). Für unsere Fragestellung ist vor allem wichtig, daß sich Genie auch jenseits der Pubertät als durchaus fähig zum Muttersprachenerwerb erweist. Soweit erkennbar, verläuft ihre sprachliche Entwicklung zwar teilweise erheblich langsamer als bei Kleinkindern, jedoch ergibt sich aus ihren Äußerungen kaum Evidenz für die Annahme, daß das Mädchen auf grundsätzlich andere Art und Weise das Englische meistert als normale Kinder. Genie scheint daher bislang das überzeugendste Beispiel für eine Falsifizierung der Lenneberg'schen These zu sein.

Dennoch ist Vorsicht geboten. Zahlreiche psychologische Untersuchungen und Tests mit dichotischem Hören, denen das Mädchen unterzogen wurde, deuten auf eine Besonderheit bei Genie hin, die eine eindeutige Interpretation der Datenlage erschwert. Genie zeigt eine ausgeprägte Dominanz der rechten Hemisphäre bei der Verarbeitung sowohl verbaler als auch nicht-verbaler Stimuli. In der Tat scheint die linke Hemisphäre bei den bislang getesteten Funktionen nur eine untergeordnete Rolle zu übernehmen. Dies bedeutet, daß die im Jugendalter üblicherweise vollzogene Lateralisierung zugunsten einer linksseitigen Dominanz bei sprachlichen Funktionen bei Genie (noch?) nicht stattgefunden hat. Nach der Lenneberg'schen

These ist jedoch gerade diese linksseitige Dominanz das Kriterium für das Ende der kritischen Periode des Spracherwerbs. Es ließe sich also behaupten, daß Genies Fähigkeit, auch nach der Pubertät eine Muttersprache zu erwerben, aufgrund der ungewöhnlichen rechtsseitigen Dominanz bei sprachlichen Funktionen nicht als brauchbare empirische Evidenz im Problemkreis der CPH gelten kann.

In einer späteren Arbeit von 1975 liefert Krashen weitergehende Evidenz für die These, daß die zerebrale Lateralisierung bereits zum Zeitpunkt der Geburt vollständig etabliert ist. Zu dieser Schlußfolgerung führen verschiedene Tests mit dichotischem Hören, die an Kleinkindern im Alter zwischen 1 Woche und 10 Monaten durchgeführt wurden. Diese Untersuchungen zeigen, daß bereits bei Kleinkindern eine linksssseitige Dominanz für verbale Stimuli und eine rechtsseitige Dominanz für nicht-verbale Stimuli besteht.

Diese Testergebnisse stehen nun ganz offensichtlich im Widerspruch zu jenen klinischen und dichotischen Daten, die auf einen sich über die ersten 5 Lebensjahre erstreckenden Lateralisierungsprozeß hindeuten. Aufgrund dieser äußerst widersprüchlichen Datenlage sieht Krashen eine primäre Aufgabe der Forschung darin, Erklärungshypothesen für das Zustandekommen derartig unterschiedlicher Ergebnisse zu liefern. Krashen weist u.a. auf drei Aspekte bisheriger Untersuchungen hin, die möglicherweise als Erklärung herangezogen werden können: Zunächst scheinen die Meßergebnisse bei dichotischen Hörtests nur indirekt zur Funktionsaufteilung der beiden Gehirnhälften in Beziehung zu stehen. Auch Erwachsene, d.h. voll lateralisierte Versuchspersonen, zeigen in dichotischen Hörtests bei verbalen Stimuli nur einen "leichten" Vorteil für das rechte Ohr. So mag das rechte Ohr etwa in 60% aller Fälle zu einer korrekten Identifikation des verbalen Stimulus führen, während dies dem linken Ohr nur in 40% der Fälle gelingt. Dennoch ist es offenbar möglich (cf. Krashen 1975), daß die linke Gehirnhälfte bei solchen Tests 90% der erforderlichen Leistung erbringt, während die rechte Hemisphäre nur zu 10% an der Aufgabenlösung beteiligt ist. Mit anderen Worten: dichotische Hörtests können zwar ermitteln, ob überhaupt eine zerebrale Dominanz besteht; sie versagen jedoch weitgehend, wenn es um eine präzise Bestimmung des Lateralisierungs*grades* geht.

Weiterhin zeigt sich, daß die Relation zwischen den Meßwerten dichotischer Hörtests und der tatsächlichen Aufgabenverteilung in den beiden Gehirnhälften bei verschiedenen Versuchspersonen durchaus unterschiedlich sein kann. Krashen zitiert Untersuchungen, nach denen *split-brain* Versuchspersonen in den entsprechenden dichotischen Hörtests eine nahezu absolute Überlegenheit des rechten Ohres zeigen, während das linke Ohr bei der Identifikation verbaler Stimuli fast vollständig versagt. Für diesen Sachverhalt sind bestimmte physiologische Gegebenheiten verantwortlich. So ergibt es sich nach Krashen, daß die widersprüchliche Datenlage u.a. darauf zurückzuführen ist, daß bei Kindern die Übereinstimmung zwischen dichotischen Meßwerten und tatsächlichem Grad der zerebralen Dominanz größer ist als bei Erwachsenen.

Insgesamt kann Krashen in einem detaillierten Überblick über die relevante Literatur überzeugend nachweisen, daß der Prozeß der Lateralisierung weitaus komplexer ist, als die Lenneberg'sche These und seine eigenen Darstellungen von 1973 vermuten lassen. Einen wesentlichen Anteil an der widersprüchlichen Datenlage hat auch der jeweilige methodische Aufbau der verschiedenen Hörtests. Es ist seit jeher unbestritten, daß die funktionale Asymmetrie der beiden Gehirnhälften im sprachlichen Bereich nicht nur einen quantitativen, sondern gleichzeitig auch einen qualitativen Aspekt hat, d.h. die rechte Hemisphäre ist nicht nur in geringerem Maße an der Verarbeitung sprachlicher Informationen beteiligt, sondern sie spricht auch auf *andere* sprachliche Funktionen als die linke an. Dabei ist vielfach unklar, welche Funktion im Einzelfall von welcher Gehirnhälfte übernommen wird. Wenn die beiden Hemisphären auf unterschiedliche sprachliche Funktionen spezialisiert sind, so liegt auf der Hand, daß das Ergebnis dichotischer Hörtests entscheidend davon abhängt, welche sprachlichen Funktionen die jeweils verwendeten verbalen Stimuli ansprechen. In der Tat zeigt sich, daß einige Autoren vornehmlich CV Stimuli verwendeten, während andere gesprochene Zahlenreihen benutzten. Unterschiedlich ist in den einzelnen Tests auch die Gedächtnisleistung, die von der Versuchsperson abverlangt wird. Gerade in diesem Bereich kann Krashen zeigen, daß im Laufe der Entwicklung wachsende Leistungsfähigkeit des Gedächtnisses einen entscheidenden Einfluß auf die Ergebnisse von dichotischen Hörtests haben kann.

Insgesamt gesehen, scheint der genaue Ablauf des Lateralisierungsprozesses unklarer denn je zuvor. Möglicherweise werden verschiedene sprachliche Funktionen unabhängig voneinander und zu verschiedenen Zeitpunkten in der Entwicklung lateralisiert. Unter diesem Aspekt scheint eine eindeutige Beziehung zwischen Lateralisierungsprozeß und Ende der kritischen Periode der *primary acquisition,* wie sie in Lennebergs Hypothese unterstellt wird, nur wenig plausibel. Es scheint völlig offen zu sein, ob die Ausprägung zerebraler Dominanz überhaupt mit irgendwelchen spezifischen Fähigkeiten bzw. deren Verlust gekoppelt ist. Möglicherweise besteht hier bestenfalls eine indirekte Beziehung. ". . . we still have as yet no real evidence that full lateralisation means the loss of any real ability" (Krashen 1975: 188).

Insgesamt läßt sich beim derzeitigen Forschungsstand kaum die Schlußfolgerung vermeiden, daß sich eine postpubertär verminderte Spracherwerbsfähigkeit nicht aus biologischen Gegebenheiten ableiten läßt. Es liegt keinerlei schlüssige Evidenz dafür vor, daß biologische/physiologische Veränderungen zu einem gegebenen Zeitpunkt zum unvermeidlichen Verlust der natürlichen menschlichen Spracherwerbsfähigkeit führen.

Gegen die These einer biologisch begründbaren reduzierten Spracherwerbsfähigkeit sprechen vor allem auch die Ergebnisse der jüngeren Zweitsprachenerwerbsforschung. Bei der Frage, ob und in welchem Umfange sich die menschliche Spracherwerbsfähigkeit im Laufe des Lebens verändert, war Lenneberg im Jahre 1967 weitgehend auf intuitive landläufige Erfahrungswerte und auf Aussagen der Fremdsprachendidaktik angewiesen. Hier gilt als unumstößliche Grundwahrheit, daß der Mensch spätestens ab der Pubertät – eventuell schon weitaus früher – nicht mehr in der Lage ist, eine zweite Sprache nach den gleichen Prinzipien und Mechanismen wie seine Muttersprache zu erlernen. Ausgehend von dieser Behauptung ergibt sich als Notwendigkeit, eine Fremdsprache mit Hilfe spezieller Unterrichtsverfahren zu lehren, die eine bewußt-willentliche Anstrengung auf seiten des Schülers erfordern.

Ich hatte bereits in Teil II darauf hingewiesen, daß es sich bei derartigen globalen Behauptungen um einen Mythos handelt, der auch durch ständige Wiederholung nicht an Wahrheitsgehalt und Plausibilität gewinnt. Die These, der Mensch sei jenseits der Pubertät nicht mehr in der Lage, sozusagen aus eigener Kraft eine zweite Sprache zu erwerben, ist schlichtweg falsch. Wenngleich der Lernprozeß bei Erwachsenen zumindest in gewissen Bereichen zum Teil erheblich langsamer verläuft als bei Kindern und Jugendlichen, so kann nicht geleugnet werden, daß auch Erwachsene durchaus in der Lage sind, eine akzeptable Kommunikationsfähigkeit in einer Zweitsprache zu erwerben. Der kritische Bereich, in dem sich Erwachsene und Kinder nun tatsächlich zu unterscheiden scheinen, ist wohl die Phonologie und – in Sprachen mit komplexen Flektionssystemen – die Morphologie. Andererseits scheinen Erwachsene – gegenüber Kindern – auf der semantischen und stilistischen Ebene weitaus schneller zum Erfolg zu gelangen. Bei der derzeitigen Datenlage ist es kaum mehr vertretbar, von einer generellen Spracherwerbsunfähigkeit ab der Pubertät zu sprechen, die nur durch gezielten Unterricht kompensiert werden kann; bestenfalls ließe sich eine partielle, auf bestimmte Bereiche fixierte Spracherwerbsunfähigkeit annehmen. Es sei jedoch nochmals betont, daß die Lenneberg'sche Hypothese gerade durch ihre biologische Perspektive, d.h. durch den Nachweis relevanter physiologischer Veränderungen, auf die Erklärung einer allgemeinen Spracherwerbsunfähigkeit (im Sinne von *primary acquisition*) abhebt. Nun ließe sich eine solche biologisch-orientierte Hypothese aufrechterhalten, wenn der Nachweis gelänge, daß phonologische und morphologische Fähigkeiten in einem anderen Bereich des Gehirns zu lokalisieren sind als z.B. syntaktische und semantische, und daß allein jene Bereiche einer physiologischen Veränderung unterworfen sind, die eben für phonologische und morphologische Funktionen zuständig sind. Ein solcher Nachweis steht allerdings noch aus, und derzeit ist kaum erkennbar, wie er zu führen sein müßte.

Die entscheidende Frage kann somit beim heutigen Forschungsstand nicht heißen: ist der Mensch auch noch nach der Pubertät imstande, eine zweite Sprache zu erwerben? Natürlich ist er dazu in der Lage. Das Problem ist, ob der Mensch jenseits der Pubertätsgrenze grundsätzlich anderen Prinzipien zum Erlernen einer Fremdsprache folgt bzw. folgen muß als beim L1-Erwerb. Stehen jene Mechanismen, die beim Erwerb der Muttersprache in so erstaunlicher Weise zum Erfolg führen, jenseits der Pubertät nicht mehr zur Verfügung? Sind sie "aufgebraucht", "zerstört", oder "verschwunden"? Ist der Mensch jenseits der Pubertätsgrenze zum Erlernen einer zweiten Sprache auf gezielten Unterricht und auf bewußtes Lernen grammatischer Strukturen angewiesen? Ist Kontakt *(exposure)* mit der Zweitsprache ein notwendiger, aber auf keinen Fall ausreichender Faktor für den Spracherwerb?

Der Stand der bisherigen Spracherwerbsforschung läßt eine vorläufige Antwort auf diese Frage zu. Die verfügbaren Untersuchungen zeigen recht eindeutig, daß zahlreiche jener Merkmale, die den Muttersprachenerwerb kennzeichnen, auch im natürlichen Zweitsprachenerwerb auftreten. Dies gilt grundsätzlich nicht nur für Kinder bzw. die präpubertären Altersstufen, sondern auch für Erwachsene. Wie etwa an dem Beispiel von Ella B. (cf. § 12) gezeigt wurde, verarbeitet auch ein älterer Erwachsener sprachliche Strukturen z.T. in der gleichen Weise wie Kinder, die diese Sprache als L1 oder L2 erwerben. Durch die Gegenüberstellung der Daten zum gesteuerten und ungesteuerten Zweitsprachenerwerb in Teil I und II habe ich aufzuzeigen versucht, daß bestimmte für den natürlichen Spracherwerb typische Verarbeitungsmechanismen und Prinzipien selbst in einer so extremen Lernsituation wie dem Fremdsprachenunterricht nachzuweisen sind. Die biogenetisch verankerte Spracherwerbsfähigkeit ist also weder auf einen bestimmten Lebensabschnitt noch auf einen bestimmten Erwerbstyp beschränkt, sondern gilt generell und umfassend.

Dieser Befund impliziert nun keineswegs die Behauptung, zwischen kindlichem und erwachsenem Zweitsprachenerwerb bestünden keinerlei Unterschiede oder der natürliche Spracherwerbsprozeß sei mit dem durch Unterricht gesteuerten in jeder Hinsicht identisch. Jeder weiß, daß sich Erwachsene beim Erlernen einer Fremdsprache vielfach schwerer tun als Kinder. Bei der Gegenüberstellung der gesteuerten und ungesteuerten Spracherwerbsdaten wurden auch solche Phänomene hervorgehoben, die offenbar typisch für das Sprachenlernen im Unterricht sind und keinerlei Parallelen zum natürlichen Spracherwerb aufzeigen. Entscheidend ist jedoch, daß die häufige – aber keinesfalls generelle – Unfähigkeit bei Erwachsenen, eine zweite Sprache bis hin zur *native speaker competence* zu erwerben, nicht mit biologischen Faktoren, d.h. mit physiologischen Veränderungen im Gehirn erklärt werden kann. Die natürliche menschliche Spracherwerbsfähigkeit mit ihren biogenetisch verankerten Mechanismen und Prinzipien ist nach Einsetzen der Pubertät keineswegs verloren. Ihr Funktionieren läßt sich sowohl noch im Erwachsenenalter, als auch in verschiedenen Formen des Fremdsprachenunterrichts deutlich beobachten. Wo immer Spracherwerb stattfindet, tauchen nach unserem bisherigen Kenntnisstand immer wieder jene in der biologischen Anlage des Menschen verankerten Spracherwerbsmechanismen und Prinzipien auf, wenngleich vielfach in verschiedener Form. Die natürliche Spracherwerbsfähigkeit ist auch nicht etwa in dem Sinne reduziert, daß nur bestimmte sprachliche Bereiche oder Phasen des Lernprozesses dem Einwirken jener Spracherwerbsmechanismen und Prinzipien unterliegen, während andere Bereiche sozusagen komplett dem bewußten bzw. gesteuerten Lernen überantwortet werden müssen.

Dennoch – und hier liegt der entscheidende Punkt – ist die natürliche Fähigkeit, sprachliche Daten nach den Mechanismen und Prinzipien der *primary acquisition* zu verarbeiten, ab einem gewissen Zeitpunkt im frühen Jugendalter *beeinträchtigt*. Der biogenetisch angelegte Spracherwerbsmechanismus kann offenkundig den Spracherwerb nicht mehr in vollem Umfange übernehmen. Andere Faktoren, die allerdings weit weniger effizient und erfolgversprechend zu sein scheinen, greifen in den Lernprozeß ein. Diese Faktoren sind jedoch nach allem Anschein nicht biogenetisch für den Spracherwerb vorgesehen, sondern müssen in anderen Bereichen gesucht werden.

Im folgenden Abschnitt sollen einige Aspekte der kognitiven Entwicklung des Menschen genauer betrachtet werden, um festzustellen, ob sich möglicherweise in diesem Bereich Faktoren nachweisen lassen, die ab einem gewissen Zeitpunkt mit den Mechanismen der natürlichen Spracherwerbsfähigkeit in Widerspruch stehen.

28. Zur kognitiven Entwicklung

28.1. Die Theorie von Jean Piaget

Wer Probleme der kognitiven Entwicklung aufgreift, wird dem Namen und Werk Piagets in seinen Überlegungen eine zentrale Stellung einräumen müssen. Die von Piaget in mehr als 50 Arbeitsjahren entwickelte Theorie zur kognitiven Entwicklung des Menschen mag derzeit in diesem Bereich der Psychologie als das fundierteste und am präzisesten formulierte Gedankengebäude gelten. Die enorme Fülle an empirischen Daten, die Piaget und seine Mitarbeiter im Laufe der Zeit zusammentrugen, um ihre theoretischen Überlegungen zu sichern und zu erläutern, mag teilweise erklären, warum kognitive Entwicklung vielfach mit der Piaget'schen Theorie gleichgesetzt wird, wenngleich zahlreiche Autoren von Piaget abweichende, ernstzunehmende Thesen zur kognitiven Entwicklung aufgestellt haben (cf. Werner 1948, Bijou & Baer 1961, Gagné 1970, Klahr & Wallace 1976).

Der jüngere Boom – dieser Ausdruck scheint mir den Sachverhalt am besten zu treffen – Piaget'scher Gedanken in der Spracherwerbsforschung läßt sich einerseits aus der Geschlossenheit der Theorie erklären, andererseits aus der Tatsache, daß die Spracherwerbsforscher die in ihrem Datenmaterial beobachteten Entwicklungsphasen als theoretisches Konzept in Piagets kognitiver Psychologie wiederfanden. Wenngleich das Phänomen des Spracherwerbs in Piagets Gedanken nur eine untergeordnete Rolle spielte, d.h. nur einen unter vielen Aspekten darstellte, so sah die Spracherwerbsforschung zu Beginn der 70er Jahre vielfach in Piagets Theorie eine Möglichkeit, einen Brückenschlag zwischen Spracherwerb und Kognition zu versuchen. Daß zwischen sprachlicher und kognitiver Entwicklung irgendeine Beziehung besteht, lag auf der Hand. Piaget bot das theoretische Rüstzeug an, um in diesem Bereich konkrete Fragen stellen zu können. Dies führte im Überschwang der Dinge dann sehr schnell zu einer völligen Unterordnung der sprachlichen unter die kognitive Entwicklung, wodurch zahlreiche "Erklärungen" in ihrem Aussagegehalt verflachten und über die Konstatierung von Trivialitäten nicht hinauskamen.

Von den verschiedenen entwicklungspsychologischen Ansätzen hat wohl Piagets Theorie den zweifellos stärksten Einfluß auf die Entwicklung der Spracherwerbsforschung der vergangenen Dekade ausgeübt und in zahlreichen Bereichen zu neuen und präziseren Fragestellungen geführt. Nicht zuletzt hat die begeisterte und vielfach auch unkritische Aufnahme der Piaget'schen Theorie im Lager der Spracherwerbsforschung jedoch auch deutlich die Grenzen aufgezeigt, über die hinaus allgemeine kognitive Entwicklungsphänomene nur unzureichend – wenn überhaupt – spezifische Phänomene des Spracherwerbs erklären können (cf. Felix 1980c, Fodor et al. 1974: 462 ff.).

Es kann an dieser Stelle natürlich nicht der Versuch unternommen werden, einen Abriß der Piaget'schen Theorie zur kognitiven Entwicklung zu geben; der Leser sei an so hervorragende Zusammenfassungen wie Flavell (1974) oder Oerter (1976) verwiesen. Im Zusammenhang mit dem Problem des Spracherwerbs bzw. Zweitsprachenerwerbs geht es hier primär um Piagets sog. Stadientheorie, d.h. die Auffassung, daß bestimmte kognitive Fähigkeiten in einer geordneten Abfolge von Entwicklungsstufen gemeistert werden. Der Erwerb bestimmter intellektueller Fähigkeiten setzt das Vorhandensein bestimmter anderer intellektueller Fähigkeiten voraus.

Piagets Theorie ist nach seinem Selbstverständnis und dem seiner Anhänger (cf. Inhelder 1976: 164) in ihrer grundsätzlichen Ausrichtung weder empiristisch noch nativistisch, sondern nimmt eine Mittelstellung ein. Den Empiristen wirft Piaget vor, daß ihre assoziationistischen Konzepte zu simpel sind, um die Komplexität kognitiver Entwicklung erfassen zu können. Von der nativistischen Position, zumindest von deren extrem orthodoxer Ausprägung, hebt sich Piaget vor allem dadurch ab, daß er Fragen nach biogenetisch verankerten kognitiven Strukturen weit weniger Wert beimißt.

Piagets Hauptaugenmerk richtet sich auf die Frage, unter welchen Bedingungen kognitive Strukturen als Grundlage intelligenter Handlungen sich wie entwickeln und welche Mechanismen derartigen Entwicklungsprozessen zugrundeliegen. Abweichend von den amerikanischen Empiristen unterstreicht Piaget immer wieder die Beziehung zwischen biologischen und kognitiven Funktionen. In der Tat sieht er kognitive Funktionen in die Biologie des Menschen eingebettet:

> "In order to compare cognitive and biologic mechanisms, we must first state that the former are an extension and utilisation of organic autoregulations, of which they are a form of endproduct. To demonstrate this, one can begin by noting the close parallels between the major problems faced by biologists and those by theoreticians of the intelligence or of cognition. Secondly, one can analyse the functional analogies and especially the structural isomorphisms between organic life and the means of cognition" (Piaget 1976c : 45).

Dabei ist Kognition nicht – wie Empiristen es haben wollen – allein eine Abbildung der Realität *(mental images)*, sondern "the development of intelligence is to be understood as a particular case of biologic adaptation" (Inhelder 1976: 151).

Aus der spracherwerblichen Perspektive scheinen mir besonders die folgenden Punkte entscheidend für Piagets Theorie der kognitiven Entwicklung zu sein. Piaget betont immer wieder, daß Kognition (er benützt hierfür vielfach gleichbedeutend den Terminus "Intelligenz") als Interaktion zwischen der Umwelt und dem handelnden Subjekt anzusehen ist. Kognition ist nichts Passives oder rein Rezeptives; vielmehr besteht die kognitive Leistung in der Art und Weise, wie das handelnde Subjekt auf die aus der Umwelt einströmenden Informationen einwirkt. Im Entwicklungsprozeß wird diese Interaktion u.a. durch die kognitiven Strukturen des handelnden Subjekts bestimmt und führt gleichzeitig zu einer Veränderung jener kognitiven Strukturen selbst.

Unter diesem Aspekt nimmt der Begriff der 'Funktion' in Piagets Theorie eine zentrale Stellung ein. Kognitive Strukturen sind stets auf dem Hintergrund ihrer Funktion im Interaktionsprozeß zwischen Umwelt und handelndem Subjekt zu sehen. Aus diesem funktionalistischen Blickpunkt heraus ergeben sich die beiden entscheidenden Begriffe der Piaget'schen Theorie: Assimilation und Akkommodation. Diese beiden Prozesse konstituieren den Rahmen für intelligentes Handeln des Menschen und tendieren in ihrem Zusammenspiel auf einen Zustand des Gleichgewichts (Äquilibration) hin. Assimilation definiert Piaget im wesentlichen unter biologischem Aspekt als "integration of external elements into evolving or completed structures of an organism" (Piaget 1976a: 17). Auch im Verhaltensbereich besteht die Reaktion eines Individuums auf Umweltreize nach Piaget stets u.a. darin, neue Elemente in bereits vorhandene Strukturen zu integrieren. Der Prozeß der Assimilation schließt logischerweise die Möglichkeit einer Entwicklung aus, da er ja nur in der Integration in Vorhandenes besteht. Entwicklung wird erst möglich durch den komplementären Prozeß der Akkommodation. Akkommodation ist die Anpassung interner Strukturen an die Erfordernisse einer erfolgreich durchzuführenden Assimilation, d.h. eine Veränderung der kognitiven Strukturen zum Zweck der Optimierung ihrer Funktion. ". . . we shall call accommodation any modification of an assimilatory scheme or structure by the elements it assimilates" (Piaget 1976a: 18). Akkommodation und Assimilation treten nie getrennt, sondern stets nur im Zusammenspiel auf. Die kognitive Bewältigung der Umwelt besteht darin, die Prozesse der Assimilation und Akkommodation im Gleichgewicht zu halten. Der Prozeß der Akkommodation wird sozusagen gebremst durch die Notwendigkeit, die Funktionsfähigkeit der assimilatorischen Strukturen zu erhalten. Totale Akkommodation wäre gleichzeitig die Zerstörung der Assimilationsfähigkeit. Der Prozeß der Assimilation wird gleichzeitig durch Anpassung an die Umwelt gesteuert und verändert.

Neben der Auffassung von Kognition als einem Gleichgewichtssystem erscheint als besonderes Merkmal der Piaget'schen Theorie die Einteilung der Kognitionsentwicklung in (zumindest) vier Hauptstadien. Entscheidend an Piagets Begriff des Entwicklungsstadiums – im Gegensatz zu anderen Stadientheorien – scheint mir zu sein, daß die in den einzelnen Stadien auftretenden kognitiven Fähigkeiten nicht als etwas jeweils völlig Neues angesehen werden; vielmehr finden auch die verschiedenen Formen komplexer und fortgeschrittener kognitiver Fähigkeiten ihren Ursprung in der ersten, der sensu-motorischen Entwicklungsphase. Man denke etwa an den Titel zu Inhelders (1976) Arbeit: *The Sensorimotor Origins of Knowledge.* Nach Piaget und seinen Mitarbeitern gibt es konkrete Verbindungen zwischen den Aktionsschemata und kognitiven Koordinationsmechanismen der sensu-motorischen Entwicklungsphase und den Formen höherer Intelligenz, die sich erst in späteren Stadien entwickeln.

Gerade in diesem Punkte unterscheidet sich Piaget von einer nativistischen Position im Sinne Chomskys. Für Piaget liegt die wissenschaftliche Herausforderung nicht etwa in der Beschreibung und Identifizierung jener artspezifischen kognitiven Strukturen, die eine bestimmte Entwicklung überhaupt erst ermöglichen, sondern in der Aufgabe, höhere Formen der Intelligenz auf primitivere Strukturen zurückführen zu können. Die aus der Sicht der Chomskyanischen Position naheliegende Frage, woraus sich denn die kognitiven Leistungen der sensu-motorischen Periode ableiten, stellt sich für Piaget in dieser Form nicht. Die entwicklungsspezifischen Verbindungen zwischen höheren und einfachen Formen intelligenter Leistungen manifestieren sich bei Piaget primär in ihrer zeitlichen Ordnung, weniger in einer logisch motivierten Merkmalshierarchie innerhalb kognitiver Leistungen unterschiedlicher Entwicklungsstadien. Höhere und niedere Formen der Intelligenz sind in dem Sinne miteinander verbunden, daß bestimmte komplexe kognitive Leistungen erst dann auftreten können, wenn zuvor bestimmte einfachere intelligente Fähigkeiten gemeistert sind. Für die Aufstellung einer solchen Verbindung ist es keine notwendige Bedingung, daß die miteinander in Relation gesetzten niederen und höheren Formen der Intelligenz über die entwicklungsspezifische Chronologisierung hinaus hierarchisierbar sind. Eine kognitive Leistung ist eine *höhere* Form der Intelligenz aufgrund der Tatsache, daß sie im Entwicklungsprozeß später als andere erworben wird.

Die einzelnen Stadien der kognitiven Entwicklung definieren sich nach Piaget sowohl durch die in dem entsprechenden Zeitabschnitt vorhandenen bzw. sich entwickelnden kognitiven Fähigkeiten, als auch gleichzeitig durch das Fehlen bestimmter intelligenter Leistungen. Piaget unterscheidet vier Hauptentwicklungsphasen: die Stadien der sensu-motorischen, der prä-operationalen, der konkret-operationalen und der formal-operationalen Intelligenz. Diese vier Entwicklungsstadien sind keinesfalls statisch anzusehen. Auch innerhalb eines jeden Stadiums vollziehen sich z.T. gravierende Entwicklungen, deren gemeinsame Merkmale jedoch die Zuordnung zu einem der vier Hauptstadien rechtfertigen.

Die erste Entwicklungsphase, die sensu-motorische Periode *(sensori-motor intelligence)*, die etwa die ersten 16–20 Lebensmonate umfaßt, ist vor allem handlungsorientiert. Kognitive Adaptationen vollziehen sich auf der Basis von Aktionsschemata. Piaget betont, daß das Kind bereits in dieser Phase *intelligentes* Verhalten zeigt (Piaget 1962:122). Die sensu-motorische Intelligenz manifestiert sich in erster Linie in Handlungen, Bewegungen und Wahrnehmungen, die nach bereits erkennbaren Schemata koordiniert sind. Ein Kind, das einen mit einer Schnur verbundenen Gegenstand dadurch zu sich heranholt, daß es an der Schnur zieht, zeigt bereits intelligentes Verhalten. Entscheidend ist vor allem, daß das Kind auch in dieser Frühphase nicht etwa seine Umwelt passiv aufzeichnet, sondern sie bereits aktiv durch Assimilation und Akkommodation mit prägt.

Ein grundlegendes Merkmal der sensu-motorischen Periode ist die Entwicklung des Gegenstandsbegriffes. Für das Kleinkind ist ein Gegenstand zunächst nur so lange existent, wie es ihn sieht. Verschwindet der Gegenstand aus dem Wahrnehmungsfeld des Kindes, so verliert er damit gleichzeitig seine Existenz. Gegenstände existieren also zunächst noch nicht für sich, sondern immer nur in Verbindung mit bestimmten Handlungen. Ein Ball, der z.B. unter einen Sessel rollt, ist für das Kind zunächst schlichtweg verschwunden; er existiert nicht mehr. Das Kind kann sich noch nicht vorstellen, daß der Ball seine Bewegung fortsetzt und auf der anderen Seite des Stuhls wieder hervorrollt. Die Handlungsabhängigkeit zeigt sich ebenso im Bereich des Zeitlichen. Das Kind kann zweifelsfrei bereits in der sensu-motorischen Phase zeitliche Abläufe im Sinne eines Vorher/Nachher begreifen. Diese Fähigkeit manifestiert sich u.a. darin, daß das Kind in der Lage ist, die Abfolge von Handlungen richtig zu koordinieren, Bewegungsabläufe in einer adäquaten zeitlichen Sequenz durchzuführen, etc. Jedoch existiert für das Kind zunächst die Zeitlichkeit noch nicht außerhalb seiner eigenen Handlungen bzw. Bewegungen. Das Kind kann noch nicht von sich selbst abstrahieren und den Hergang von entfernt ablaufenden Aktionen verarbeiten. Inhelder (1976:153) gibt hierfür folgendes Beispiel:

> "Laurent at eight months sees his mother come into the room and follows her with his eyes until she is seated behind him: he returns to his play activities, but turns round several times to see her again, despite the fact that no sound evokes her presence. However, when his mother gets up and leaves the room, Laurent follows her with his eyes until she reaches the door, then, immediately after her disappearance, again looks for her behind him in the place where she was before".

An diesem Beispiel zeigt sich sehr deutlich, daß das Kind noch nicht imstande ist, sich Handlungen vorzustellen, die es nicht unmittelbar wahrnimmt. Nachdem die Mutter aus dem Raum verschwunden ist, lokalisiert das Kind sie just dort, wo es sie zuvor wahrgenommen hat. Die Vorstellung einer fortdauernden Existenz der Mutter außerhalb des Raums, d.h. unabhängig von der momentanen Wahrnehmung ist noch nicht gegeben.

Wie bereits angedeutet, ist das Piaget'sche Konzept des Entwicklungsstadiums nicht als ein statisches Phänomen zu sehen, sondern jede Stufe faßt verschiedene Entwicklungen zusammen. Auch innerhalb der sensu-motorischen Phase finden durchgreifende Veränderungen in den kognitiven Fähigkeiten statt. In einem Überblick nennt Oerter (1977: 440) insgesamt sechs Stufen, "die aber eher zur besseren Übersicht, als zur Hervorhebung scharfer Abschnitte gedacht sind". Während der ersten Intelligenzphase schreitet das Kind von einfachen Reflexen bis hin zum aktiven Experimentieren und Erfinden voran. Kennzeichnendes Merkmal dieser Verhaltensweisen ist aber, daß die intelligenten Leistungen in diesen sechs Stufen stets auf Aktionsschemata konzentriert sind, d.h. im Laufe der sensu-motorischen Phase werden verschiedene Aktionsschemata neu entwickelt, miteinander koordiniert und verfeinert.

Ein weiteres Merkmal sensu-motorischer Intelligenz besteht darin, daß das Kleinkind zunächst alle Wahrnehmungseindrücke auf sich selbst zentriert, ohne zu erkennen, daß es selbst ein Objekt in der Realität ist. Es besteht noch keine feste Grenze zwischen der internen und der externen Welt, "During the first eighteen months the revolution consists in decentering his self-centered actions, and culminates in the child's considering his body an object among others in space" (Inhelder 1976: 152). Die fehlende Differenzierung zwischen sich selbst und der Umwelt findet ihren Ursprung in der noch mangelhaften Koordination von Handlungen. Beim Kleinkind ist jede Handlung zunächst noch ein unabhängiges Ganzes, durch das die Verbindung des Selbst mit der externen Welt hergestellt wird. Mit zunehmender Koordination und Verfeinerung der Handlungsschemata wird diese unmittelbare Verbindung zwischen Handlung und Selbst aufgelöst und Gegenstände beginnen autonom, d.h. unabhängig von den jeweiligen Handlungen, in denen sie auftreten, zu werden.

Hervorstechendstes Merkmal der nun folgenden Entwicklungsphase, der prä-operationalen Periode (2–7 Jahre), ist die Entstehung symbolischer Funktionen. Wenngleich intelligente Leistungen weiterhin handlungsorientiert sind, so ist das Kind doch nunmehr in der Lage, auch von solchen Handlungen Vorstellungen zu entwickeln, die nicht im Augenblick ablaufen. Gegenstände und Handlungen existieren nicht nur dann, wenn sie unmittelbar präsent bzw. wahrnehmbar sind, sondern auch noch in zeitlicher Distanz als Reflex von Vorstellungen. Das Auftreten von Symbolfunktionen in der kognitiven Leistungsfähigkeit des Kindes manifestiert sich u.a. in der Fähigkeit, vergangene Handlungen zu imitieren *(delayed imitation).* Das Kind ist in der Lage, eine wahrgenommene Handlung für einen gewissen Zeitraum zu speichern und erst danach wiederzugeben. Inhelder (1976: 158) berichtet von der 2.4 alten Jacqueline, die im Abstand eines vollen Tages die Trotzreaktion eines kleinen Jungen in seinem Laufgitter wiederholt.

In diese Kategorie fallen ebenfalls die zahlreichen "als ob" Spiele, die gerade bei Kindern in diesem Alter besonders beliebt sind. Der Junge, der einen Holzklotz über den Teppich schiebt und dabei mit dem Mund Autogeräusche imitiert, weiß natürlich, daß der Holzklotz sich in Form und Funktion von einem tatsächlichen Auto erheblich unterscheidet. In diesem Spiel *symbolisiert* der Holzklotz das Auto und es ist klar, daß ein solches Spiel nur von einem Kind durchgeführt werden kann, das den Unterschied zwischen dem tatsächlichen Gegenstand und dem Zeichen, das diesen Gegenstand repräsentiert, voll verarbeiten kann. Man denke etwa auch an die zahlreichen Verkleidungsspiele. Kinder spielen 'Räuber und Gendarm', 'Indianer' oder 'Familie'. Auch in diesen Fällen ist ihnen bewußt, daß sie nicht tatsächlich Indianer, Polizisten oder Vater bzw. Mutter sind. Der Sinn des Spieles liegt ja gerade darin, daß von tatsächlichen Gegenständen bzw. Handlungen bestimmte Eigenschaften abstrahiert und dann qua Symbol auf andere Handlungen bzw. Objekte übertragen werden. Was den kleinen Jungen zum Indianer macht, ist der Federschmuck, die Fransenjacke oder der Tomahawk. Diese Gegenstände übernehmen die Funktion eines Symbols; sie sind die Materialisierung eines Übertragungsprozesses.

Mit dem Beginn der prä-operationalen Entwicklungsperiode setzt der Erwerb der Muttersprache ein. Die Entstehung von Sprache, einem der ausgeprägtesten und komplexesten Zeichensysteme, verdeutlicht die zentrale Stellung der Symbolfunktion in der prä-operationalen Entwicklungsphase. Gerade unter diesem Aspekt ist Piagets Theorie vielfach als Erklärungs(hypothese) für den Beginn des Spracherwerbs herangezogen worden. Als kognitive Voraussetzung für das Erlernen von Sprache ist die Fähigkeit anzusehen, Symbolfunktionen zu erkennen und zu verarbeiten. Sprache kann eben deshalb nicht früher als etwa gegen Ende des zweiten Lebensjahres erworben werden, weil das Kind erst ab diesem Zeitpunkt über einen Symbolbegriff verfügt. Die mit der prä-operationalen Entwicklungsphase einsetzenden kognitiven Fähigkeiten stellen somit eine notwendige Bedingung für den Beginn des Spracherwerbsprozesses dar. Wenngleich die Verfügbarkeit des Symbolbegriffes im kognitiven Verarbeitungsmechanismus des Kindes eine *notwendige* Bedingung für den Spracherwerb sein mag, so ist sie keinesfalls gleichzeitig eine *ausreichende* Bedingung. Um den Spracherwerbsprozeß in Gang zu setzen, ist weitaus mehr nötig. Es ist auch keineswegs a priori klar, ob die Verfügbarkeit des Symbolbegriffs unter den verschiedenen Bedingungen für den Spracherwerb eine zentrale oder nur eine relativ untergeordnete Stellung einnimmt. Die Überbewertung der Symbolfunktion in diesem Bereich ergibt sich, wenn Sprache allein auf ihren semantischen Aspekt reduziert wird und hier auch primär auf das Problem der Bezeichnung von Gegenständen, d.h. der Beziehung zwischen Objekt und Referent. Wenngleich nicht zu leugnen ist, daß die ersten sprachlichen Versuche des Kindes vielfach auf eine Bezeichnung von Gegenständen beschränkt wird, so läßt sich kaum übersehen, daß das Stadium der reinen Bezeichnungsfunktion schon sehr bald verlassen wird. Bereits im Alter von 3–4 Jahren verfügt das Kind über die Fähigkeit, sehr komplexe formal-syntaktische Strukturen zu verarbeiten. Darüber hinaus darf nicht vergessen werden, daß im Bereich der Phonologie nur wenig mit Symbolbegriffen zu erklären ist. Vielleicht deshalb ist die Phonologie in der psychologischen Literatur nicht sonderlich wohl gelitten. Wie im folgenden noch ausführlich dargestellt wird, setzen bereits primitive phonologische Strukturen, wie etwa CV-Ketten, sehr abstrakte, über das rein Symbolhafte hinausgehende Repräsentationsmechanismen voraus.

Mir scheint der Hinweis wichtig, daß das Vorhandensein symbolischer Funktionen keinesfalls die Fähigkeit impliziert, konkrete oder abstrakte Operationen durchzuführen. Die Fähigkeit des Kindes beschränkt sich auf die Internalisierung von Aktionen; was noch fehlt, ist die Repräsentation auf der Ebene von Denkkategorien. Piaget (1962: 127) liefert ein anschauliches Beispiel für diesen wichtigen Unterschied. Er bat eine Gruppe von 4–5jährigen Kindern, die ohne fremde Hilfe die Strecke zum und vom Kindergarten bewältigen konnten, ihren Weg in einem Spiel nachzuzeichnen. Es stellte sich heraus, daß die Kinder hierzu nicht in der Lage waren. Sie waren wohl imstande, einzelne Handlungen wiederzugeben, aber sie konnten den Weg zum/vom Kindergarten nicht als Ganzes repräsentieren und rekonstruieren.

In der prä-operationalen Phase verläuft das Denken des Kindes uni-direktional. Das Kind kann Handlungsverläufe zwar in Gedanken nachvollziehen, ist aber nicht in der Lage, Vorgänge beispielsweise gedanklich umzudrehen. Oerter (1977: 445) liefert hierfür ein anschauliches Beispiel:

> "Zeigt man dem Kind beispielsweise drei verschieden hohe und verschiedenfarbige Modellberge (grün, grau und braun), so vermag es anzugeben, wie eine Puppe die Berge sieht, wenn sie den gleichen Standort einnimmt wie das Kind. Dagegen ist das Kind außerstande, die Reihenfolge der Berge zu bestimmen, wie sie die Puppe von der anderen Seite aus sieht. Dazu müßte es die Reihenfolge im Geiste umkehren können".

Eine weitere entscheidende Fähigkeit, die während der prä-operationalen Entwicklungsphase noch fehlt, betrifft die Verarbeitung eines Sachverhalts, der durch mehr als eine Handlung bzw. einen Gegenstand charakterisiert ist. Das Kind kann Aktionen/Objekte zunächst jeweils nur unter einem einzigen Aspekt betrachten; alle anderen Gesichtspunkte, die durchaus für die Lösung eines Problems relevant sein können, werden außer acht gelassen. Das Kind ist in der prä-operationalen Phase eben noch außerstande, Operationen durchzuführen, die verschiedene Aspekte eines Geschehnisses in Beziehung zueinander setzen. Inhelder (1976) berichtet über eine Reihe von Experimenten, in denen die Fähigkeit von Kindern geprüft wird, unterschiedliche Aspekte kognitiv zu integrieren. Der Experimentator bildet aus fünf Streichhölzern einer bestimmten Farbe eine gerade Linie. Die Aufgabe des Kindes besteht darin, eine weitere Streichholzlinie in gleicher Länge zu bauen. Die Lösungsproblematik ergibt sich daraus, daß die Streichhölzer des Kindes kürzer sind als die des Experimentators. Um eine Linie gleicher Länge herzustellen, braucht das Kind also entsprechend mehr Streichhölzer als der Experimentator. Diese Aufgabe vermögen Kinder bereits zu einem relativ frühen Zeitpunkt korrekt zu lösen. Dabei orientieren sie sich vielfach primär an der Anzahl der Streichhölzer. Das Kind wird also zunächst eine Linie aus ebenfalls fünf Streichhölzern bilden, bis es merkt, daß seine Linie "früher aufhört" und daher offensichtlich kürzer ist als die des Experimentators. Es wird nunmehr seine Linie um weitere Streichhölzer verlängern, bis Anfangs- und Endpunkt der beiden Linien übereinstimmen. Aus der Perspektive des Erwachsenen erweist sich dieses Verfahren als unbrauchbar, wenn der Experimentator nicht eine gerade, sondern z.B. eine Zickzack-Linie vorgibt. Besteht die Aufgabe darin, eine gerade Linie gleicher Länge zu bauen, so lösen die meisten Kinder dieses Problem in der prä-operatonalen Phase dennoch auf gleiche Weise: sie bilden eine gerade Linie, deren Anfangs- und Endpunkt mit denen der Zickzack-Linie übereinstimmen. Die Kinder vermögen nicht zu erkennen, daß die so gebildete gerade Linie entgegen der Anweisung kürzer ist als die Zickzack-Linie des Experimentators. Vielfach beschreiten Kinder einen weiteren Lösungsweg, indem sie die Anzahl der vom Experimentator benutzten Streichhölzer auszählen und dann eine gerade Linie mit derselben Anzahl ihrer Streichhölzer bilden. Auch dieses Verfahren führt nicht zur Lösung des Problems, da die Streichhölzer der Kinder ja kürzer sind. Es zeigt sich hier, daß die Kinder jeweils nur imstande sind, einen einzelnen Problemaspekt zu verarbeiten, z.B. die Anzahl der benutzten Streichhölzer oder die geradlinige Distanz zwischen Anfangs- und Endpunkt der Linie. Beide Aspekte miteinander zu verbinden, ist ihnen in der prä-operationalen Phase noch nicht möglich.

In der nun folgenden Entwicklungsphase, der Periode der konkreten Operationen, die etwa die Zeitspanne 7–11 Jahre umfaßt, lernt das Kind erstmals logische Relationen zu erkennen und auf deren Grundlage Klassen zu bilden. In der prä-operationalen Phase ist das Kind noch außerstande, etwa die Beziehung zwischen Klasse und Unterklasse, also das Phänomen der Inklusion, zu erfassen. Dies lernt es erst in der operationalen Phase.

Zu diesem Problemkreis liefert Inhelder (1976) ein anschauliches Beispiel. Der Versuchsleiter gibt einer Mädchengruppe sechs Früchte, vier Birnen und zwei Äpfel. Das Kind wird nun aufgefordert, dem Puppenbruder die gleiche Anzahl von Früchten zu geben, da beide Puppen "gleich großen Hunger haben". Der Puppenjunge mag jedoch Birnen nicht so gerne und soll daher mehr Äpfel bekommen als Birnen. In der frühen prä-operationalen Phase kann das Kind diese Aufgabe nicht lösen. Es vermag noch nicht die Beziehung Menge – Untermenge – also Gesamtzahl der Früchte zu Anzahl der Birnen/Äpfel – zu erkennen. Wenn das Kind überhaupt eine Lösung anbietet, so dann die, dem Puppenjungen sechs Äpfel vorzulegen. Das Kind ist imstande, die Menge der Birnen mit der Menge der Äpfel zu vergleichen, aber nicht die Gesamtmenge der Früchte mit einer ihrer Untermengen. Derartige Relationen, die die Fähigkeit zu logischen Operationen voraussetzen, begreift das Kind erst etwa ab dem 7. Lebensjahr.

In die konkret-operationale Phase fällt ebenfalls die Entstehung des Erhaltungsbegriffs. Erst jetzt lernt das Kind, daß die Menge und die Form einer Substanz voneinander unabhängige Größen sind. Gießt man beispielsweise Wasser aus einem breiten niedrigen Glas in ein hohes schmales Glas, so wird ein Kind während der prä-operationalen Phase behaupten, daß in dem hohen schmalen Glas mehr Wasser ist als in dem breiten niedrigen. Das Kind orientiert sich offensichtlich ausschließlich an den dominierenden Formelementen des Behälters. Erst in der operationalen Phase lernt es, Form und Menge von Substanzen zueinander in Beziehung zu setzen. Der Erhaltungsbegriff ist in der Piaget'schen Entwicklungspsychologie ein wichtiges Indiz für den jeweiligen Entwicklungsstand des Kindes. Hierbei zeigt sich, daß sich der Erhaltungsbegriff bei verschiedenen Konzepten zu verschiedenen Zeitpunkten entwickelt. So erwirbt das Kind das Konzept der Substanz früher als den Begriff des Gewichts (Lovell 1961).

Zur konkret-operationalen Entwicklungsphase gehört gleichfalls das Erlernen der Serienbildung (Sereation). Das Kind erwirbt die Fähigkeit, nicht nur zwei Gegenstände in bezug auf eine bestimmte Qualität zu vergleichen und zu ordnen, sondern eine größere Menge von Objekten hinsichtlich bestimmter Eigenschaften, z.B. Größe, Form, Farbe etc. in einer Reihe anzuordnen, bzw. vorgegebenen Reihen komplementäre Reihen zuzuordnen. Wird dem Kind etwa eine Serie unterschiedlich großer Puppen vorgegeben, so kann es diesen z.B. eine Menge verschieden langer Stöcke in einer von der Größe abhängigen eins-zu-eins Korrespondenz zuordnen; den kürzesten Stock zur kleinsten Puppe, den längsten Stock zur größten Puppe, etc.

Die Funktion und Bedeutung logischer Operationen zeigen sich besonders deutlich bei der Entwicklung des Raumbegriffs. Den dem Erwachsenen so selbstverständlich erscheinenden euklidischen Raum muß das Kind sich erst mittels logischer Operationen erarbeiten. In der prä-operationalen Phase hat es lediglich einen topologischen Raumbegriff. Wahrgenommene geometrische Figuren klassifiziert es nicht etwa nach Kriterien wie rund, gerade oder winkelig, sondern ausschlaggebend sind Begriffe wie 'offen', 'geschlossen', 'benachbart', 'getrennt', etc. Wird einem 4–5jährigen z.B. eine Figur vorgegeben, die aus einem Dreieck innerhalb eines

Kreises besteht, so wird das Kind beim Nachzeichnen dieser Figur z.B. einen Kreis innerhalb eines Kreises, oder eine runde Figur innerhalb einer eckigen Figur wiedergeben. Was bei den kindlichen Reproduktionen gleichbleibend auftaucht, ist der Einschluß einer Figur in der anderen. Die Form der beiden Figuren selbst, ob Kreis, Quadrat oder Dreieck, scheint für das Kind in diesem Alter noch unwichtig zu sein. Erst in der operationalen Phase lernt das Kind die Relevanz derartiger Eigenschaften erkennen. So nimmt es auch nicht wunder, daß das Kind vor der operationalen Phase keinen klaren Begriff einer geraden Linie hat. Soll das Kind etwa eine gerade Verbindung zwischen zwei Punkten herstellen, so kann es in den frühen Entwicklungsstufen diese Aufgabe nur dann erfüllen, wenn es sich an der parallel verlaufenden Grenze des Schreibblatts orientieren kann. Ist eine solche Hilfe nicht gegeben, so vermag das Kind nicht zwischen geraden und gebogenen Linien kategoriell zu unterscheiden.

Die Beschränkung des konkret-operativen Denkens liegt just darin, daß das Kind nur solche Operationen ausführen kann, die sich auf gegenwärtig perzipierte oder doch vorgestellte (interiorisierte) Gegenstände/Handlungen beziehen. Es ist also nicht in der Lage, *abstrakte* Beziehungen zu erkennen bzw. zu verarbeiten. Es verfügt noch nicht über die Möglichkeit abstrakter Repräsentationen. Gerade dieser Umstand ist – wie ich im folgenden noch zeigen werde – entscheidend für die Frage nach der Beziehung zwischen kognitiver und sprachlicher Entwicklung. Das Fehlen abstrakter Repräsentationsmechanismen zeigt sich besonders deutlich am Zahlenbegriff innerhalb der konkret-operationalen Phase. Kinder verbinden Zahlen stets mit konkreten Gegenständen, die gezählt werden sollen. Sie führen bestimmte Rechenarten, wie z.B. Addition oder Subtraktion aus, aber jeweils in Verbindung mit konkreten Gegenständen. Kinder erkennen, daß nur noch 5 Bonbons übrigbleiben, wenn man von 8 Bonbons 3 aufißt. Sie wissen, daß, wenn man an 2 aufeinanderfolgenden Tagen jeweils 2 Stück Kuchen essen darf, man am Ende insgesamt 4 Stück Kuchen gegessen hat. Das Kind ist aber in diesem Stadium noch nicht in der Lage, Operationen mit Zahlen an sich, d.h. abstrahiert von konkreten Gegenständen, durchzuführen. Ähnliche Schwierigkeiten ergeben sich, wenn Kinder Probleme in sprachlich kodierter Form lösen sollen, ohne daß es ihnen gelingt, sich den Sachverhalt konkret vorzustellen. Ein solches Problem liegt etwa der folgenden Aufgabe zugrunde: Hans ist größer als Fritz und kleiner als Karl. Wer von den dreien ist der kleinste? Hier versagt vielfach die Vorstellungskraft von Kindern, und die zur Lösung des Problems notwendigen formalen Operationen sind ihnen vielfach nicht vor dem 10. bis 11. Lebensjahr zugänglich.

Die letzte der vier Hauptentwicklungsphasen nach Piaget ist die Periode der formalen Operationen. Sie beginnt kurz vor der Pubertät etwa im Alter zwischen 11 und 12 Jahren. Es ist nicht immer ganz einfach, in den Werken von und über Piaget den Unterschied zwischen konkreten und formalen Operationen exakt auszumachen. Einerseits scheinen die Übergänge fließend zu sein, andererseits ist die Dichotomie konkret-formal weniger auf die einzelne mentale Operation als vielmehr auf das ihr zugrundeliegende Gesamtsystem zu beziehen. Was die kognitiven Fähigkeiten der formal-operationellen Entwicklungsperiode ausmacht, sind wohl weniger konkrete Leistungen als vielmehr das mentale Bezugsfeld, in dem diese Leistungen zustandekommen.

"... formal thought is for Piaget not so much this or that specific behavior as it is a generalized orientation, sometimes explicit and sometimes implicit, towards problem-solving: an orientation towards organizing data (combinatorial analysis), towards isolation and control of variables, towards the hypothetical, and towards logical justification and proof" (Flavell 1963: 211).

Der entscheidende Unterschied zu den vorangegangenen Entwicklungsphasen scheint zu sein, daß das Kind bzw. der Jugendliche nunmehr die Fähigkeit besitzt, bei seinen mentalen Operationen von konkreten Gegenständen bzw. Handlungsabläufen zu abstrahieren. Nicht mehr allein das Reale, sondern auch das Potentielle sind Gegenstände von Denkprozessen. Piaget spricht vielfach vom logico-mathematischen Denken. Ab dieser Periode beginnt der Mensch, unabhängig von perzipierten oder gedachten Handlungen, Repräsentationen abstrakter Größen aufzustellen und auf der Basis derartiger Repräsentationen Operationen durchzuführen. Damit beginnt gleichzeitig die Fähigkeit, Hypothesen über *mögliche* Konstellationen aufzustellen und zu testen. Formale Operationen beziehen sich auf hypothetische Gegenstände bzw. Handlungen, denen keine real perzipierbare Wirklichkeit entsprechen muß. In Piagets Werk spielt der Erwerb der Fähigkeit zu mathematischem Denken eine zentrale Rolle. Wenngleich das Kind bereits im ersten Lebensjahrzehnt Zahlenbegriffe erwirbt, so entsteht die Fähigkeit zum eigentlich mathematischen Denken, d.h. zum Durchführen formal-logischer Operationen, erst nach dem ersten Lebensjahrzehnt. Durch die Fähigkeit, Hypothesen über abstrakte Sachverhalte aufzustellen, gelingt es dem Jugendlichen nunmehr auch, Theorien über denkbare Möglichkeiten zu entwickeln.

Der Unterschied zwischen formalem und konkretem Denken läßt sich an jenem bekannten Piaget'schen Beispiel illustrieren, in dem ein Stück Zucker in ein Glas mit Wasser geworfen wird und sich darin auflöst. Für das Kleinkind ist das Stück Zucker danach schlichtweg verschwunden; übriggeblieben ist nur das Wasser in unveränderter Form. Im Stadium der konkreten Operationen kann sich das Kind vorstellen, daß der Zucker zwar nicht mehr in seiner ursprünglichen Form sichtbar ist, aber dennoch in Form von winzig kleinen Stücken mit dem Wasser vermischt sein muß. Aber erst mit dem Beginn des Jugendalters ist der Mensch in der Lage, Hypothesen bzw. Theorien darüber aufzustellen, welche Konsequenzen das Auflösen des Zuckers im Wasser für Gewicht und Volumen der Gesamtmenge hat. Einem Kinde, das sich noch im Stadium der konkreten Operationen befindet, bereitet es große Schwierigkeiten, ein Problem zu lösen, bei dem etwa Gewicht oder Volumen nicht erkennbarer Größen in Beziehung zueinander zu setzen sind. In diesem Stadium ist das Kind nämlich noch nicht in der Lage, mit abstrakten Repräsentationsebenen zu operieren.

Beim formalen Denken ergibt sich die Notwendigkeit einer bestimmten Schlußfolgerung nicht etwa aus Erfahrungen, die in der Wirklichkeit begründet sind, sondern allein aus der inneren Logik der Hypothesen und Annahmen.

"Die formalen Operationen gruppieren aber nicht ... Klassen, Reihen, räumlich-zeitliche Beziehungen selber, insofern sie die Wirklichkeit und die Tätigkeit strukturieren, sondern nur Aussagen, die diese Operationen ausdrücken oder 'reflektieren'. Die formalen Operationen bestehen also wesentlich aus "Implikationen" (im engeren Sinne des Wortes) und 'Unverträglichkeiten' zwischen Aussagen, die selber Klassifizierungen, Aneinanderreihungen etc. ausdrücken" (Piaget 1971: 168).

Die Periode der formalen Operationen bildet somit den entscheidenden Einstieg in das abstrakte Denken. Erst mit dem Beginn des 2. Lebensjahrzehnts ist das Kind in der Lage, von konkreten Gegenständen bzw. deren physikalischen Eigenschaften zu abstrahieren und formale Operationen auf der Basis abstrakter Repräsentationen durchzuführen.

28.2. Formale Operationen im Spracherwerbsprozeß

Auf dem Hintergrund der Piaget'schen Theorie zum Heranreifen menschlicher Intelligenz läßt sich die Frage nach der Beziehung zwischen kognitiver und sprachlicher Entwicklung weitaus präziser stellen. Ein Aspekt dieser Frage bezieht sich auf mögliche kognitive Voraussetzungen für den Erwerb von Sprache bzw. bestimmter sprachlicher Strukturen. In diesem Sinne ist vielfach – wie bereits zuvor erwähnt – die Entstehung bzw. Verfügbarkeit des Symbolbegriffes als kognitive Voraussetzung für das Einsetzen des Spracherwerbsprozesses angesehen worden. Ein weiterer Aspekt des Problems betrifft das Wesen kognitiver vs. sprachlicher Entwicklungsmechanismen. Eine nicht unbeträchtliche Zahl von Forschern – insbesondere aus dem Bereich der Psychologie – tendiert zu der Auffassung, daß Spracherwerbsmechanismen Ausdruck allgemeinerer kognitiver Verarbeitungsprinzipien sind. Aus dieser Auffassung resultiert das Bemühen, beobachtete spracherwerbliche Gesetzmäßigkeiten auf übergreifende kognitive Mechanismen zu reduzieren, bzw. sie aus diesen abzuleiten. Unter diesem Aspekt ist zu erwarten, daß die einzelnen sich im Laufe der Entwicklung einstellenden kognitiven Fähigkeiten auf der spracherwerblichen Seite ihr spezifisches Korrelat finden, bzw. daß sprach(erwerb)liche Verarbeitungsmechanismen nicht nachzuweisen sind, bevor sich die ihnen zugrundeliegenden allgemein-kognitiven Fähigkeiten im Sinne von Piagets Stadientheorie etabliert haben. Doch gerade hier scheint die vielfach angeführte Evidenz äußerst brüchig. Wenngleich es so aussieht, daß bestimmte Entwicklungen im syntaktischen und vor allem semantischen Bereich sozusagen parallel zum Zuwachs an kognitiven Fähigkeiten verlaufen, so lassen sich andererseits ohne Schwierigkeiten Bereiche ausmachen, in denen Kinder auf sprachlicher Seite über Fähigkeiten verfügen, die auf allgemein-kognitiver Seite erst etliche Jahre später erkennbar sind. Dieser Problembereich soll im folgenden genauer betrachtet werden.

Mir scheint eine der entscheidenden Einsichten der modernen linguistischen Theoriebildung darin zu liegen, daß Sprache in erheblichem Maße auf sehr abstrakten Ebenen organisiert ist. Dies bedeutet, daß Verwendung von Sprache auf seiten des Sprechenden in großem Umfang formale Operationen auf der Grundlage abstrakter Symbole erfordert. In der psychologischen Literatur wird Sprache oftmals auf ihre reine Benennungsfunktion reduziert. Das Grundproblem einer Sprachbeschreibung bzw. Sprachtheorie wird in der Beantwortung der Frage gesehen, wie die Beziehung zwischen einem außersprachlichen Phänomen und dessen sprachlicher Kodifizierung zu bestimmen ist. Darüber hinaus wird diese Frage vielfach auf den rein lexikalischen Bereich beschränkt, indem das Hauptgewicht auf die Relation zwischen Wörtern und den durch sie bezeichneten Phänomenen gelegt wird. Hierbei wird übersehen, daß im Spektrum der erklärungsbedürftigen sprachlichen Strukturphänomen das Problem der Bezeichnung eher von sekundärer Bedeutung ist (cf. Bever, Fodor & Garrett 1974). Das Bemerkenswerte an Sprache ist nicht, daß mit ihr Dinge benannt werden können, sondern, daß diese Benennungsfunktion durch ein in hohem Maße formalisierbares System abstrakter Strukturen erfüllt wird. Dies bedeutet, daß Sprechen bzw. der Gebrauch von Sprache nicht in erster Linie das Benennen von Dingen ist, sondern das Handhaben eines formal-abstrakten Systems. Sprechen bedeutet nicht allein, bestimmte Lautgebilde Phänomenen der außersprachlichen Wirklichkeit zuzuordnen; vielmehr manifestiert sich Sprachgebrauch entscheidend in der Fähigkeit, mittels formaler Operationen abstrakte Gebilde zu verändern und mit anderen abstrakten Gebilden in Beziehung zu setzen.

Daß Sprache bzw. Sprachverwendung formale Operationen auf der Ebene abstrakter Symbolrepräsentationen involviert, läßt sich in allen Bereichen der Sprachbeschreibung nachweisen. Die umfangreichen syntaktischen Untersuchungen der vergangenen 20 Jahre zeigen deutlich, daß natürlichen Sprachen (vermutlich universale) Prinzipien zugrundeliegen, die in hohem Maße abstrakter Natur sind. In gleicher Weise läßt sich zeigen, daß Sprache auch auf der semantischen und der morphologischen Ebene abstrakten Strukturprinzipien unterworfen ist. Die der Sprache bzw. Sprachverwendung zugrundeliegenden abstrakten Gesetzmäßigkeiten möchte ich an einem Bereich illustrieren, der in hohem Maße unverdächtig ist, daß semantische bzw. kommunikative Elemente in seinen Strukturmechanismus eingreifen: die Phonologie. In der sprachpsychologischen Literatur wird aus offenkundigen Gründen gerade der lautliche Bereich vielfach stiefmütterlich behandelt. Die Elemente der phonologischen Ebene sind zwar bedeutungsdifferenzierend, jedoch nicht bedeutungstragend. Daher erweist sich gerade der lautliche Bereich als ausgesprochen ungeeignet, um Symbolfunktion bzw. Benennungsfunktion von Sprache zu illustrieren. Symbolfunktionelle Gesetzmäßigkeiten lassen sich leichter im Bereich der Syntax, der Morphologie oder der Semantik darstellen. Es mag sinnvoll sein, nach der kommunikativen Funktion von Sätzen, Wortklassen, Wortbildungsschemata, semantischen Merkmalen, Flektionsendungen, etc. zu fragen; aber was sind die kommunikativen Funktionen von /t/ oder /s/? Dennoch ist gerade der phonologische Bereich eine der elementaren Ebenen sprachlichen Ausdrucks, die bei der Überprüfung von Erklärungshypothesen nicht einfach ausgespart werden kann. Mir scheint die Phonologie letztlich *der* Prüfstein für die Adäquatheit psycholinguistischer Hypothesen zu sein.

Ich möchte im folgenden zu zeigen versuchen, daß die Verwendung von Sprache bereits auf der lautlichen Ebene vom Hörer und Sprecher in hohem Maße Operationen mit abstrakten Symbolen verlangt. Sprachverwendung ist aus phonologischer Perspektive nicht das Handhaben konkret-physikalischer Größen, sondern die Verarbeitung physikalisch definierbarer Phänomene auf der Basis abstrakter Gesetzmäßigkeiten.

In ihrer allgemeinsten Form läßt sich die anstehende Thematik als Identifikationsproblem darstellen. Die Frage lautet: Wie erkennt der Hörer die Lautstruktur einer gegebenen Äußerung? Welcher Art sind jene Mechanismen, die ihn in die Lage versetzen, Laute als gleich bzw. unterschiedlich zu identifizieren? Im Rahmen des Objektbereiches ist zunächst klar, daß sich eine Äußerung dem Hörer als Schallwelle mit bestimmten akustisch-physikalischen Eigenschaften darstellt. Das Identifizieren dieser Schallwelle als sprachliche Äußerung muß dadurch erfolgen, daß der Hörer in einer noch näher zu spezifizierenden Weise die Schallwelle hinsichtlich bestimmter Strukturmerkmale analysiert. Er muß einerseits erkennen, ob die Schallwelle überhaupt Laute natürlicher Sprachen enthält und andererseits, *welche* Laute einer gegebenen Sprache in der Schallwelle enthalten sind. Um die spezifische phonetische Struktur einer Äußerung identifizieren zu können, muß der Hörer über Mechanismen verfügen, die ihm eine Entscheidung darüber gestatten, ob etwa zwei wahrgenommene Schallwellen den gleichen Laut /a/ oder zwei verschiedene Laute /a/ und /b/ darstellen.

Es liegt auf der Hand, daß die Identifizierung von Lautstrukturen Erkennungsprozessen auf den übrigen sprachlichen Ebenen vorgeschaltet sein muß. Bevor eine Äußerung einem Erkennungsprozeß auf der morphosyntaktischen oder semantischen Ebene unterworfen wird, muß der Hörer zunächst über eine Repräsentation der phonetischen Struktur der betreffenden Äußerung verfügen. Die Erkennung lautlicher Strukturen im Sprachwahrnehmungsprozeß ist somit von ganz elementarer Bedeutung und die darin involvierten Mechanismen müssen als zentrale Aspekte des Wahrnehmungsprozesses angesehen werden. Auf der lautlichen Ebene verlangt der Spracherkennungsprozeß einen Mechanismus, dessen Input Schallwellen mit bestimmten physikalisch-akustischen Eigenschaften sind und dessen Output eine phonetische Transkription ist, d.h. die Repräsentation einer Lautkette, die einer tatsächlichen Äußerung entspricht. In einem weiteren Schritt, der hier nicht näher interessiert, bildet diese phonetische Repräsentation dann den Input für den Erkennungsprozeß morphosyntaktischer und semantischer Strukturen. Der angesprochene Mechanismus wandelt also akustisch-physikalische Eigenschaften einer Schallwelle in sprachstrukturelle (hier: phonetische) Einheiten um. Die Frage ist: wie geschieht dies? Die Frage läßt sich auch anders formulieren: nach welchen Eigenschaften sind die Laute (= Phone) einer gegebenen Sprache zu definieren?

Die naheliegendste Lösung dieses Problems scheint zunächst in einer akustisch-physikalischen Definition des Sprachlauts zu liegen. Jeder Laut einer gegebenen Sprache wird mit einer finiten Menge akustischer Eigenschaften assoziiert. Lautidentifikation erfolgt dann dadurch, daß der Hörer bestimmen muß, ob die wahrgenommene Schallwelle die den betreffenden Laut definierenden akustischen Eigenschaften aufweist oder nicht. Nach diesem Modell ist also ein gegebener Sprachlaut gleichzusetzen mit einer wohldefinierten Konstellation akustischer Parameter. Es ist anzunehmen, daß zu diesen Sprachlaute definierenden Parametern zumindest solche Größen wie Frequenz, Amplitude, aber auch Zeit und Energieverteilung gehören.

Eine derartige Gleichsetzung von Sprachlaut mit wohldefinierter Menge akustischer Eigenschaften ist einerseits nicht haltbar, andererseits für ein Modell, das Sprachlaute akustisch definiert, nicht einmal nötig. Es ist offenkundig, daß derselbe Sprachlaut – von verschiedenen Menschen gesprochen – unterschiedliche akustisch-physikalische Eigenschaften aufweisen kann. Stimmen von Kindern und Erwachsenen unterscheiden sich hinsichtlich bestimmter akustischer Merkmale; voneinander abweichende Stimmqualitäten verschiedener Sprecher äußern sich ebenfalls in Unterschieden im akustischen Spektrum. Darüber hinaus sind zwei lautlich gleiche Äußerungen ein und desselben Sprechers unter akustisch-physikalischen Gesichtspunkten keinesfalls immer gleich. Eine akustische Definition des Sprachlautes kann sich also nicht auf die *Summe* aller jeweils auftretenden akustisch-physikalischen Eigenschaften beziehen, sondern sie muß von bestimmten individuellen Variationen abstrahieren. Danach wird jeder Sprachlaut nur durch ganz bestimmte kritische Werte innerhalb der akustischen Eigenschaften einer Schallwelle definiert. Diese Werte sind in dem Sinne kritisch, daß ihr Vorhandensein eine absolut notwendige Voraussetzung dafür bildet, einen bestimmten Sprachlaut zu identifizieren. Ein Modell, das für die Identifizierung eines gegebenen Sprachlautes nur bestimmte kritische Werte annimmt und von den übrigen in der realen Äußerung auftretenden physikalischen Merkmalen abstrahiert, läßt sich noch weniger rigoros gestalten. Es muß nicht notwendigerweise ein festgelegter kritischer Wert bzw. eine festgelegte Menge kritischer Werte angesetzt werden, vielmehr kann dem kritischen Wert eine bestimmte Variationsbreite innerhalb der relevanten akustischen Eigenschaften zugebilligt werden.

All diesen verschiedenen Versionen eines Modells, das Sprachlaute akustisch definiert, ist jedoch gemeinsam, daß sie von bestimmten – wenn auch unterschiedlich breitgefaßten – physikalischen Invarianten ausgehen, die einem bestimmten Sprachlaut zugeordnet werden. Ein solches Modell beschreibt die Beziehung zwischen akustischen Merkmalen einer Schallwelle und Sprachlauten dadurch, daß es für jeden Sprachlaut eine Menge kritischer physikalischer Eigenschaften annimmt, die kontext- und sprecherunabhängig sind. Dies bedeutet, daß in jeder Realisierung eines gegebenen Phons neben vielen anderen auch jene kritischen akustischen Eigenschaften des betreffenden Lauts enthalten sein müssen. Diese kritischen physikalischen Merkmale müssen *notwendigerweise* in der jeweiligen Schallwelle auftreten, und zwar unabhängig davon, in welcher sprachlichen Umgebung der betreffende Laut auftritt. Im Sinne eines solchen Modells muß der für die Spracherkennung erforderliche Mechanismus, der Schallsignale in Repräsentationen von Lautstrukturen umformt, an zentraler Stelle ein Filtersystem enthalten. Aufgabe dieses Filtersystems ist es, die ankommenden akustischen Informationen danach zu sondern, welche für die Identifikation eines gegebenen Sprachlautes im Sinne der angesprochenen kritischen Werte relevant sind und welche nicht. Aus dem Schallsignal wird also durch diesen Mechanismus die für die phonetische Repräsentation relevante Information herausgefiltert. Auf der Grundlage dieser "gereinigten" akustischen Information lassen sich die Laute einer gegebenen Äußerung eindeutig identifizieren.

Das hier skizzierte akustische Modell lautlicher Spracherkennung muß in einem weiteren Punkte modifiziert werden, der hier nur kurz angesprochen werden soll. Natürliche Sprache ist in hohem Maße redundant. Auch wenn erhebliche Teile des akustischen Spektrums während der Übertragung verlorengehen, so ist Sprache dennoch bis zu einem gewissen Grade erkennbar und identifizierbar. Dieses Phänomen zeigt sich etwa in der täglichen Erfahrung mit dem Telefon, bei dem sämtliche Frequenzen über 3000 Hz nicht mehr übertragen werden. Eine kritische Grenze der Spracherkennung scheint bei etwa 1900 Hz zu liegen. Die Frequenzen oberhalb dieser Grenze sind dann redundant, wenn die Frequenzen bis 1900 Hz voll übertragen werden und umgekehrt. Ein hohes Maß an Redundanz läßt sich ebenfalls bei Zeitraffungen von Sprache nachweisen. Werden aus einem gegebenen Sprachsignal in regelmäßigen Abständen kleine Stücke von etwa 20 Millisekunden herausgeschnitten und die übrigen Lautfolgen unmittelbar aneinandergehängt, so erreicht man dadurch, daß die Geschwindigkeit der Informationsübertragung vergrößert wird. Bei derartigen Versuchen (cf. Foulke 1969) zeigt sich, daß selbst bei einer Zeitraffung von mehr als 50% noch immer 90% des Sprachmaterials korrekt identifiziert werden können. Etwa die Hälfte des Signals ist somit redundant. Insgesamt scheint, daß die notwendigen Informationen für die Erkennung lautlicher Strukturen über das gesamte Frequenzspektrum verteilt sind, so daß selbst bei einer erheblichen Reduzierung dieses Spektrums die Verstehbarkeit sprachlicher

Signale noch immer gewährleistet ist (cf. Licklider & Miller 1951). Diese enorm hohe Redundanz sprachlicher Signale sorgt ebenfalls dafür, daß Sprache auch noch unter sehr ungünstigen Bedingungen, wie etwa Lärm, Entfernung oder Verzerrung, korrekt perzipiert werden kann.

Ein erheblicher Teil der phonetischen Forschung, die unmittelbar nach dem Zweiten Weltkrieg durchgeführt wurde, bestand nun darin, akustische Invarianten für bestimmte Sprachlaute zu ermitteln, d.h. eine akustische Definition von Sprachlauten durch experimentelle Ergebnisse abzusichern. Man wollte herausfinden, welche akustisch-physikalischen Informationen innerhalb des gesamten Frequenzspektrums den einzelnen Sprachlaut identifizieren. Derartige Bemühungen wurden insbesondere durch die Erfindung des Spektrographen begünstigt, einem Gerät, das die Verteilung der akustischen Energie im Spektrum sichtbar macht. Aus einem Spektrogramm läßt sich erkennen, zu welchem Zeitpunkt bei welcher Frequenz welche Energieintensität vorliegt. Die ersten spektrographischen Analysen deuteten an, daß es zumindest für bestimmte Sprachlaute invariante akustische Eigenschaften gibt. In ihrem nunmehr klassischen Werk *Visible Speech* zeigen Potter, Kopp & Green (1947), daß Vokale für sie charakteristische Energiekonzentrationen in bestimmten Frequenzbereichen haben. So zeigt etwa der Vokal /i/ Energiekonzentrationen bei 280 Hz und 2890 Hz, während der Vokal /a/ Energiekonzentrationen bei 710, 1100 und 2540 Hz aufweist. Diese Bereiche der Energiekonzentration bezeichnet man üblicherweise als Formanten, wobei die Charakterisierung der verschiedenen Vokale durch die beiden unteren Formanten (F1 und F2) erfolgt.

Die frühen Ergebnisse der spektrographischen Analyse scheinen in der Tat Evidenz für ein Modell zu liefern, das von einer akustischen Definition von Sprachlauten ausgeht und jedem einzelnen Laut bestimmte kritische Invarianten akustischer Natur zuordnet. Spracherkennung – zumindest im Vokalbereich – bestünde somit darin, kritische Merkmale der Formantenstruktur aus dem gesamten spektrographischen Erscheinungsbild der Vokale herauszufiltern.

Es liegt einige überzeugende Evidenz dafür vor, daß ein derartiges Modell kaum mit den tatsächlich beobachtbaren Regularitäten vereinbar ist. Eine Schwierigkeit liegt darin, daß das menschliche Ohr mit erheblich höherer Präzision Sprachlaute identifizieren kann, als dies von einem System erreicht wird, das Formantenstrukturen nach invarianten Merkmalen durchfiltert. Weitaus gravierender ist jedoch die Tatsache, daß ein Filtersystem, das für die Identifikation von Vokalen einigermaßen tauglich ist, für die Erkennung von Konsonanten unbrauchbar zu sein scheint. Konsonantenspektren zeigen nicht die für Vokale typischen Bereiche von Energiekonzentration; vielmehr ist die akustische Energie bei Konsonanten weitaus "unsystematischer" verteilt. Ein System, das im wesentlichen auf die Erkennung bzw. Differenzierung von Formantenstrukturen ausgerichtet ist, versagt daher bei der Erkennung von Konsonanten. Als weiteres Gravamen kommt hinzu, daß ein Filtersystem, das für die Erkennung eines Konsonanten in einer bestimmten linguistischen Umgebung tauglich ist, bei der Erkennung des gleichen Konsonanten versagt, wenn dieser in einer anderen linguistischen Umgebung auftritt. Man muß also annehmen, daß zumindest für den Bereich der Konsonanten invariante akustisch-physikalische Eigenschaften als Definiens jedes einzelnen Sprachlauts vermutlich nicht existieren.

Bei den relativ erfolgreichen Versuchen, invariante akustische Eigenschaften von Vokalen herauszufiltern und diese als kritische Merkmale für entsprechende

Laute anzusetzen, ist zu beachten, daß man aus naheliegenden Gründen von individuellen Variationen zwischen Sprechern abstrahierte.

> "Investigations which suggested the existence of such invariants characteristically abstracted from the problem of interspeaker variation. When such variations are taken into account, it turns out that formant values appropriate to the acoustic realization of a given speech sound by a given speaker may differ quite dramatically from the values appropriate to the identification of the same sound in the productions of a different speaker" (Fodor et al. 1974: 258).

Im folgenden sollen die Ergebnisse einiger Untersuchungen dargestellt werden, die darauf hindeuten, daß zwischen einem Laut als Wahrnehmungseinheit und akustisch-physikalischen Merkmalsbündeln keine ein-eindeutige Beziehung besteht. Mit anderen Worten: als gleich wahrgenommene Laute können je nach linguistischer Umgebung auf völlig unterschiedliche akustisch-physikalische Parameter zurückgehen; und umgekehrt können zwei akustisch identische Spektren je nach linguistischer Umgebung als zwei völlig verschiedene Laute perzipiert werden. Dieser Sachverhalt führt im wesentlichen zu der Schlußfolgerung, daß eine Definition von Sprachlauten auf akustisch-physikalischer Grundlage nicht haltbar ist. Sprachlaute sind primär perzeptuelle Einheiten, denen keine invariante Konstellation akustischer Eigenschaften entspricht.

Die im folgenden dargestellte Evidenz geht im wesentlichen auf die Arbeiten des Haskins Laboratory zurück und ist vor allem mit dem Namen Liberman verbunden.

Zunächst soll gezeigt werden, daß akustisch völlig unterschiedliche Signale (die isoliert auch hinreichend diskriminierbar sind) als perzeptuell identisch gehört werden, sobald sie in den normalen Redefluß eingebettet sind. Am deutlichsten zeigt sich dieser Umstand bei der Wahrnehmung von Verschlußlauten. Äußerungen von Silben, die aus einer Abfolge Verschlußlaut + Vokal bestehen, zeigen eine für sie charakteristische Formantenstruktur. Die Ansätze der Formanten weisen eine mehr oder minder deutlich ausgeprägte, teils hakenförmige Biegung auf, die sich aus den raschen Positionswandeln der Artikulatoren ergibt. Der übrige Verlauf der Formanten entspricht der geradlinigen Energiekonzentration, die bereits angesprochen wurde.

Es scheint sinnvoll anzunehmen, daß isolierte Äußerungen von Silben, wie etwa /ba/, /ta/, /ka/, /da/, etc., Unterschiede im Bereich der Formantenansätze aufweisen. Im Sinne dieser Annahme zeigt die Untersuchung von Liberman et al. (1957), daß eine Veränderung der Anfangsbiegung bei einer Formantenstruktur eines ansonsten gleichen Signals auf der Wahrnehmungsebene zu Silben mit unterschiedlichem Konsonant bei gleichem Vokal führt.

Dieser Befund könnte nun zu der Vermutung führen, daß sich ein Konsonant akustisch jeweils dadurch definieren läßt, daß er mit einer bestimmten für ihn charakteristischen Formantenbiegung assoziiert wird. Diese Vermutung läßt sich experimentell an Äußerungen von Silben mit perzeptuell gleichen Konsonanten, aber unterschiedlichen Vokalen überprüfen, z.B. /da/, /di/, /de/, /du/, etc. Trifft es zu, daß sich die Wahrnehmung eines bestimmten Konsonanten aus einer charakteristischen initialen Formantenbiegung ableitet, so müßten bei Äußerungen mit den angegebenen Silben spektrographische Strukturen erscheinen, in denen die Ansätze der Formanten stets gleich sind (es handelt sich ja jeweils um den Laut /d/), während der das Vokalsegment darstellende Teil der Formanten die für den jeweiligen Vokal charakteristische Formantenstruktur zeigt. Die Untersuchung von Liberman et al. (1967) zeigt nun sehr deutlich, daß den wahrgenommenen /d/-Lauten keine invarianten akustischen Eigenschaften entsprechen. Einerseits ergeben sich beim gleichen Konsonanten unterschiedliche Formantenbiegungen jeweils in Abhängigkeit vom folgenden Vokal. Grob gesprochen, zeigen die /d/-Laute vor vorderen Vokalen eine Biegung nach unten, während sie vor hinteren Vokalen beim zweiten Formanten eine nach oben gerichtete Biegung aufweisen. Andererseits variiert der zweite Formant, der insbesondere für konsonantische Informationen ausschlaggebend ist, in seiner Position zwischen einer Frequenz von ca. 2050 und 1200 Hz. Es muß betont werden, daß die akustischen Unterschiede zwischen diesen perzeptuell identischen /d/-Lauten durchaus in jenen Frequenzbereich gehören, der vom menschlichen Ohr diskriminiert werden kann. Die perzeptuelle Konstanz bei der Wahrnehmung eines Konsonanten ergibt sich also nicht etwa daraus, daß die hier angesprochenen akustischen Variationen unterhalb der menschlichen Diskriminationsschwelle liegen. Im Gegenteil. Isoliert man die relevanten Signale von ihrer vokalischen Umgebung, so werden sie als äußerst unterschiedliche "glides" identifiziert.

Die Perzeption und Identifikation von Konsonanten in einer bestimmten vokalischen Umgebung kann also nicht aufgrund invarianter akustischer Eigenschaften dieser Laute erfolgen. Die Experimente von Liberman weisen überzeugend nach, daß etwa den perzeptuell identischen /d/-Lauten eine erhebliche Vielfalt akustischer Eigenschaften entsprechen. Ob zwei Schallwellen als identische oder unterschiedliche Phone perzipiert werden, hängt demnach entscheidend von der jeweiligen phonetischen Umgebung ab und wird nicht etwa ausschließlich durch die physikalische Struktur der betreffenden Schallwellen determiniert.

Das angegebene Beispiel illustriert, daß akustisch unterschiedliche Signale, die in isolierter Form auch als unterschiedlich wahrgenommen werden, in bestimmten linguistischen Umgebungen als der gleiche Laut perzipiert werden. Die akustischen Eigenschaften eines Schallwellensegments gestatten somit keine eindeutige Bestimmung darüber, welchem perzipierten Laut dieses Schallwellensegment entspricht. Auch der umgekehrte Fall läßt sich darstellen. Ein und dasselbe akustische Signal mit festumrissenen physikalischen Eigenschaften wird in Abhängigkeit von der jeweiligen phonetischen Umgebung als zwei unterschiedliche Laute wahrgenommen. So wird etwa ein bestimmtes akustisches Signal in einer vokalischen anders als in einer konsonantischen Umgebung perzipiert.

Dieser Sachverhalt ergibt sich aus einem nunmehr schon klassischen Experiment (Schatz 1954; Liberman et al. 1967). Gegeben sei die Bandaufzeichnung einer Äußerung der Silbe /pi/. Mit der entsprechenden technischen Ausrüstung ist es nun möglich, das Band genau an der Stelle zu schneiden, an der das konsonantische Spektrum in die vokalische Formantenstruktur übergeht. Die auf diese Art isolierte Aufzeichnung des Konsonanten /p/ läßt sich nunmehr mit einem anderen aufgezeichneten Vokal, z.B. /a/ oder /u/ zusammenkleben. Unter der Annahme, daß der Laut /p/ wie alle anderen Konsonanten auch akustisch definiert ist, d.h. daß er durch bestimmte akustische invariante Eigenschaften determiniert ist, müßte das Ergebnis einer solchen Manipulation aufgezeichneter Segmente von einem Hörer als /pu/ bzw. /pa/ perzipiert werden. Dies ist jedoch nicht der Fall. Eine Silbe, die aus einem von der Verbindung /pi/ abgetrennten konsonantischen Element und einem isoliert aufgenommenen Vokal /a/ besteht, wird von Hörern regelmäßig als /ka/ wahrgenommen, während die isolierten Elemente /p/ und /u/ beim Zusammenkleben in der Tat als /pu/ perzipiert werden.

Zu dem gleichen Ergebnis kommen Experimente mit synthetischer Sprache. Die auf einem Spektrogramm enthaltene Information ist in der Regel ausreichend, um aus ihr mit Hilfe entsprechender Apparaturen perzeptuell identifizierbare Sprache zu synthetisieren. Stellt man mechanisch ein akustisches Signal her, das Energiekonzentrationen etwa in den Frequenzbereichen 280, 2250 und 2980 Hz aufweist, so wird dieses Signal als Vokal /i/ wahrgenommen. Ebenso sind die für die Konsonanten charakteristischen Rausch-Spektren synthetisierbar. Allerdings gilt nun nicht, daß jedem einzelnen Konsonanten einer Sprache ein bestimmtes wohldefiniertes Rausch-Spektrum zugeordnet werden kann. Es ist daher nicht möglich, etwa ein festes Repertoire an Rausch-Spektren für die einzelnen Konsonanten anzulegen und dann zur Produktion von CV-Strukturen Elemente des Rausch-Spektren-Repertoires mit entsprechenden für Vokale charakteristischen Formantenstrukturen zu verbinden. Das gleiche synthetische Rausch-Spektrum, das sich vor dem einen Vokal perzeptuell als C_x darstellt, wird vor einem anderen Vokal als C_y wahrgenommen.

> "Bursts of noise that produce the best /k/ or /g/ vary over a considerable frequency range depending on the following vowel. The range is so great that it extends over to the domain of the /p, b/ burst, creating the curiosity of a single burst of noise at 1,440 cps that is heard as /p/ before /i/ but as /k/ before /a/" (Liberman et al. 1967: 439).

Noch eindrucksvoller läßt sich die fehlende Isomorphie zwischen Bündeln akustischer Eigenschaften und perzipierten Lauten am Phänomen der Pause illustrieren. Während verschiedene akustische Spektren sehr grob phonetischen Repräsentationen zugeordnet werden können, ist die Pause ein akustisches "Nichts". Daher ist es umso erstaunlicher, daß dieses akustische "Nichts" auf der phonetischen Ebene durchaus zur Wahrnehmung eines bestimmten Lautes führen kann. So zeigen Liberman et al. (1961), daß eine "duration of silence" auf der perzeptuellen Ebene in bestimmten Umgebungen dem Laut /p/ entsprechen kann. Wird etwa eine Bandaufnahme des Wortes /slit/ zwischen dem /s/ und /l/ geschnitten und wird an dieser Stelle ein leeres Stück Band einer Länge von etwa 75 Millisekunden eingefügt, so ergibt sich ein Stimulus, der als /split/ perzipiert wird. Auf gleiche Weise kann man aus /sore/ einen Stimulus /store/ herstellen, indem am Übergang zwischen /s/ und /o/ eine Pause eingefügt wird (cf. Bastian et al. 1961).

Aus diesen Experimenten ergibt sich als entscheidende Erkenntnis, daß zwischen der phonetisch-perzeptuellen und der akustisch-physikalischen Ebene keine Isomorphie besteht. Die Wahrnehmung von Sprachlauten läßt sich nicht hinreichend durch einen Filtervorgang erklären, in dem Schallwellensegmente nach kritischen invarianten Eigenschaften abgesucht werden. Sprachlaute sind perzeptuelle Einheiten, die nicht durch bestimmte akustische Invarianten charakterisiert werden. Gleiche akustische Signale können als unterschiedliche Laute perzipiert werden, und der gleiche Laut kann auf verschiedene akustische Signale zurückgehen. Mehr noch: selbst das Fehlen eines akustischen Signals kann zu einem sprachlich exakt identifizierbaren Wahrnehmungseindruck führen. Aus diesen Sachverhalten läßt sich erkennen, daß die Identifizierung eines gegebenen Sprachlautes die Verarbeitung recht heterogener und breitgestreuter Informationen erfordert. Als welcher Laut ein bestimmtes Schallwellensegment perzipiert wird, hängt entscheidend von den Merkmalen der akustischen Umgebung ab.

Der naive Betrachter mag bei der Sprachsynthese die Möglichkeit ins Auge fassen, als Ausgangspunkt für die Herstellung künstlicher Sprache eine Art Datenbank zu errichten, die als isolierte Elemente sämtliche in einer gegebenen Sprache auftretenden Laute enthält. Diese Elemente können auf relativ unkomplizierte Art entweder durch isolierte Artikulation oder durch Schneiden aus Aufnahmen zusammenhängender Rede gewonnen werden. Die Synthetisierung von Sprache würde dann so erfolgen, daß man die einzelnen Lautelemente der Datenbank zu den gewünschten Wörtern zusammensetzt. Derartige Versuche sind in der Tat unternommen worden. Doch auf diese Art synthetisierte Sprache ist entweder nicht mehr verständlich oder die akustischen Segmente nehmen nicht-intendierte perzeptuelle Werte an (Harris 1953). Dieser Sachverhalt erklärt sich eben aus der fehlenden Isomorphie zwischen akustischer und perzeptueller Ebene.

Um zu zeigen, daß Sprachlaute perzeptuelle und nicht akustische Einheiten sind, soll abschließend auf ein weiteres Phänomen hingewiesen werden, nämlich den kategorialen Charakter sprachlicher Wahrnehmung. Ginge man davon aus, daß Laute allein durch invariante akustische Eigenschaften definiert sind, so ließe sich die Möglichkeit denken, daß sich zwei Laute hinsichtlich ihrer gradmäßigen Ausprägung innerhalb einer bestimmten akustischen Dimension unterscheiden, d.h. die beiden Laute unterscheiden sich durch verschiedene Werte entlang der gleichen Dimension. Was passiert nun, wenn ein Hörer diese beiden Laute diskriminieren soll? Die Wahrscheinlichkeit, einen der beiden Laute korrekt zu identifizieren, müßte sich proportional zu Verschiebungen auf der angenommenen akustischen Dimension vergrößern. Je mehr sich die akustischen Eigenschaften der Schallwelle in Richtung auf den für den betreffenden Laut kritischen Wert hin verschieben, desto größer müßte die Wahrscheinlichkeit einer korrekten Identifikation des Lautes sein. Umgekehrt, müßte sich die Wahrscheinlichkeit verringern, je mehr die akustischen Eigenschaften sich von dem kritischen Wert entfernen. Es läßt sich jedoch nachweisen, daß dies nicht der Fall ist. Lautdiskriminierung verläuft nicht auf einer kontinuierlichen Linie, sondern kategorial.

Bei CV-Silben scheint der perzeptuelle Unterschied zwischen stimmhaften und stimmlosen Konsonanten durch die Relation zwischen dem Einsetzen des ersten und zweiten Formanten determiniert zu werden. Dabei erzeugt das gleichzeitige Einsetzen der beiden Formanten den Gehörseindruck eines stimmhaften Verschlußlautes, während ein stimmloser Verschlußlaut optimal perzipiert wird, wenn der zweite Formant ca. 60 Millisekunden früher einsetzt als der erste Formant. Die Stimmhaftigkeit von Verschlußlauten ist somit auf einer akustischen Dimension zu lokalisieren, die das relative Einsetzen der beiden Formanten betrifft. Der zeitliche Abstand zwischen dem Einsetzen von F1 und F2 läßt sich nun durch geeignete Apparaturen mechanisch manipulieren, und zwar kontinuierlich vom gleichzeitigen Einsetzen der beiden Formanten (Kennzeichen für einen optimalen stimmhaften Verschlußlaut) bis zu einer zeitlichen Verzögerung von 60 Millisekunden (Optimaler stimmloser Verschlußlaut). Was passiert nun, wenn einem Hörer eine Reihe von Stimuli zur Identifikation vorgegeben werden, die sich allein hinsichtlich des relativen Einsetzens der beiden Formanten im Bereich 0–60 Millisekunden unterscheiden? Man könnte annehmen, daß die Wahrscheinlichkeit, den Stimulus als stimmhaften Konsonanten zu identifizieren, umso größer ist, je geringer der zeitliche Unterschied im Einsetzen der beiden Formanten ist. Umgekehrt, wäre die Wahrscheinlichkeit, den Stimulus als den entsprechenden stimmlosen Konsonanten zu identifizieren, umso größer, je weiter das Einsetzen der beiden Formanten zeitlich auseinanderliegt. Die entsprechenden Experimente zeigen jedoch, daß dies nicht der Fall ist. Eine zeitliche Verschiebung im Einsetzen von F1 und F2 ist für die Wahrscheinlichkeit, den Stimulus entweder als stimmhaften oder stimmlosen Verschlußlaut zu identifizieren, für weite Bereiche völlig irrelevant. Auf der Zeitstrecke 0–60 Millisekunden gibt es einen sehr eingeschränkten kritischen Bereich, in dem die Identifikation von stimmlos in stimmhaft sozusagen "umkippt". Außerhalb dieses kritischen Bereichs beeinflussen Veränderungen in der Zeitrelation die Identifizierungswahrscheinlichkeit nicht, obwohl die menschliche Diskriminierungsfähigkeit akustischer Stimuli weit höher liegt als die bei der Identifzierung stimmlos vs. stimmhaft involvierten akustischen Unterschiede.

Die Ergebnisse all dieser Untersuchungen deuten darauf hin, daß die Wahrnehmung von Sprache ein Phänomen sui generis ist, das nicht allein auf der Basis physikalisch-akustischer Eigenschaften erklärt werden kann. Eine Theorie, die den Sprachlaut akustisch-physikalisch definiert, scheint nach unserem bisherigen Wissensstand nicht haltbar zu sein. Der Sprachlaut ist keine akustische, sondern eine perzeptuelle Einheit, wobei – wie bereits mehrfach angedeutet – zwischen der akustischen und der perzeptuellen Ebene keine Isomorphie besteht. Aus diesem Grunde muß ein Sprachwahrnehmungsmodell zurückgewiesen werden, dessen Primärfunktion in einem Filtersystem liegt, das aus der Input-Schallwelle jene Elemente herausfiltert, die kritisch für die Identifikation von Sprachlauten notwendig sind. Derartige invariante akustische Eigenschaften, nach denen sich ein Sprachlaut eindeutig identifizieren läßt, scheint es nicht zu geben. Dies bedeutet natürlich nicht, daß die physikalischen Eigenschaften von Schallwellen bei der Wahrnehmung von Sprache überhaupt keine Rolle spielten. Eine solche These wäre absurd. Selbstverständlich muß das menschliche Ohr die ankommenden Schallwellen nach irgendwelchen näher zu bestimmenden Prinzipien verarbeiten; das Entscheidende an diesen Überlegungen jedoch ist, daß der Verarbeitungsmechanismus, der zur Identifikation von Sprachlauten, d.h. zu einem phonetischen Output führt, nicht allein auf den physikalischen Eigenschaften der Schallwelle aufbaut, sondern offenkundig von sich aus bestimmte abstrakte Informationen hinzufügen muß. Das Problem der Spracherkennung liegt also nicht etwa im Trennen relevanter von irrelevanter Information des Inputsignals im Sinne eines Filtermechanismus; vielmehr müssen die physikalischen Eigenschaften des Inputs mit bestimmten vorgegebenen perzeptuellen Gesetzmäßigkeiten menschlicher Spracherkennung integriert werden:

> "The experimental demonstration that such invariants do not exist suggests that the perceptual problem is not that of *rejecting* irrelevant information present in the signal but rather that of *adding* information in terms of which a signal can be properly decoded" (Fodor et al. 1974: 291).

Aus diesen Überlegungen folgt, daß Spracherkennung in hohem Maße abstrakte Operationen involviert. Die objektiv vorgegebenen physikalischen, d.h. konkreten Eigenschaften des akustischen Ereignisses allein reichen nicht als Grundlage aus, um den Charakter und die Funktionsweise menschlicher Spracherkennung zu beschreiben. Die bei der Spracherkennung involvierten Mechanismen und Prozesse müssen so angelegt sein, daß sie von den konkret-physikalischen Eigenschaften des akustischen Ereignisses abstrahieren, um somit auf einer abstrakten Repräsentationsebene zu einem Zusammenfluß von Informationen unterschiedlichster Natur zu führen, der allein erst eine Identifikation des Sprachlauts ermöglicht.

Ich verzichte hier darauf, die in der Vergangenheit zur Diskussion gestellten Modelle und theoretischen Gedankengänge über Aufbau und Funktionsweise eines solchen abstrakten Repräsentationsmechanismus im Detail darzustellen. Worum es in dem vorliegenden Kontext geht, ist weniger, wie ein adäquates Modell der Spracherkennung im einzelnen aussehen muß; vielmehr ist zu überlegen, mit welchen theoretischen Grundsätzen ein adäquates Modell überhaupt empirisch vereinbar ist. Unter diesem Aspekt läßt sich ausmachen, daß alle Modelle bzw. alle theoretischen Ansätze, die ausschließlich auf konkrete, d.h. auf den physikalisch-akustischen Bereich beschränkte Mechanismen abheben, der Komplexität des Problems nicht gerecht werden und im Widersprch zu vorhandener empirischer Evidenz stehen. Wenn Spracherkennung (u.a. auf der lautlichen Ebene) ein abstraktes Repräsentationssystem voraussetzt, in dem Informationen unterschiedlicher Natur integriert werden, dann müssen die Mechanismen dieser Integration zweifellos formaler Natur sein, da sie von den physikalisch-akustischen Eigenschaften der Schallwelle abstrahieren müssen.

Spracherkennung involviert also bereits auf einer sehr elementaren Ebene formale Operationen, deren Aufgabe es ist, die konkret-physikalischen Eigenschaften von Schallwellen auf einer abstrakten Repräsentationsebene mit Informationen über mögliche Lautstrukturen natürlicher Sprachen in Beziehung zu setzen. Hier stellt sich die Frage, welchen Typus von mentaler Fähigkeit die Verarbeitung der genannten Informationen voraussetzt. Da die phonologischen Daten zeigen, daß Spracherkennung bereits auf der lautlichen Ebene abstrakt-formale Operationen, d.h. recht komplexe neutrale Leistungen verlangt, liegt zunächst die Vermutung nahe, den Ursprung der hierzu erforderlichen mentalen Fähigkeit im Gesamtkontext der kognitiven Entwicklung des Kindes zu suchen. Handelt es sich also bei den für die Spracherkennung notwendigen abstrakt-formalen Operationen um Manifestationen jener Fähigkeiten, die das Kind nach Piaget im Alter von ca. 11–12 Jahren erwirbt? Offenkundig widerspricht diese Möglichkeit allen bisherigen empirischen Befunden. Wäre es jene in der letzten kognitiven Entwicklungsphase auftretende Fähigkeit zur Durchführung formaler Operationen, die bei der Spracherkennung genutzt wird, so müßten Erwerb und Verwendung von Sprache vor dem 11.–12. Lebensjahr schlichtweg als unmöglich ausgewiesen werden. Bekanntlich sind Kinder jedoch bereits im Alter von knapp 2 Jahren – also beim Übergang von der sensu-motorischen zur prä-operationalen Entwicklungsphase – in der Lage, sprachliche Strukturinformationen zu verarbeiten. Wenngleich die sprachlichen Leistungen von Kleinkindern auf morpho-syntaktischem und semantischem Gebiete noch als sehr beschränkt gelten können, so zeigt sich doch gerade auf der lautlichen Ebene bereits von Beginn an ein recht hoher Komplexitätsgrad bezüglich der zu verarbeitenden Informationen. Ohne Zweifel sind Kinder bereits im Alter von 2 Jahren imstande, Sprachlaute zu diskriminieren und zu identifizieren (Smith 1973, Ingram 1974). Allein die Fähigkeit, bestimmte Sprachlaute als gleich oder ungleich zu klassifizieren, setzt – wie die zuvor zitierten Untersuchungen zeigen – in hohem Maße die Handhabung abstrakt-formaler Operationen voraus.

Aufgrund der bereits angedeuteten Schwierigkeit, einzelne mentale Prozesse eindeutig entweder der Kategorie der formalen oder der konkreten Operationen im

Piaget'schen Sinne zuzuordnen, mag als strittig gelten, ob die bei der Lauterkennung notwendigen Operationen in der Tat ausschließlich formaler Natur sind. Zumindest einige der bei der Lauterkennung notwendigen Verarbeitungsprozesse weisen Merkmale auf (etwa im Bereich der Vokalidentifikation), aufgrund derer eine Zuordnung zur Kategorie der konkreten Operationen durchaus als vertretbar erscheint. Selbst wenn man davon ausginge, daß die zur Verarbeitung sprachlicher und hier speziell lautlicher Strukturen notwendigen Operationen ausschließlich konkreter Natur sind – eine sicherlich nicht sehr plausible Annahme –, so ergäbe sich daraus keine Lösung der grundsätzlichen Problematik, die in der Erklärungsbedürftigkeit der enormen sprachbezogenen mentalen Leistungsfähigkeit des Kleinkindes liegt. Nach Piagets Entwicklungsmodell verfügt das Kleinkind über die Fähigkeit zu konkreten Operationen auch nicht etwa zu Beginn des Spracherwerbsprozesses, sondern etwa erst ab dem 7. Lebensjahr, einem Zeitpunkt also, zu dem ein gutes Stück Spracherwerbsarbeit bereits geleistet ist.

Die verfügbare Evidenz scheint mir recht eindeutig darauf hinzudeuten, daß das Kind im Alter von 2–3 Jahren auf der sprachlichen Ebene bereits zu mentalen Leistungen fähig ist, die im allgemein-kognitiven Bereich (etwa bei Problemlösungen des Typs wie sie von Piaget stets als Evidenz für die Verfügbarkeit über bestimmte kognitive Fähigkeiten angeführt werden) erst ein Jahrzehnt – oder im günstigsten Fall – ein halbes Jahrzehnt – später erreicht werden. In der vorpubertären Zeit stehen also sprachbezogene und allgemein-kognitive Leistungsfähigkeit hinsichtlich der verfügbaren mentalen Mechanismen in deutlicher Diskrepanz. Mit zunehmendem Alter wird dieser Leistungsunterschied nach und nach abgebaut, bis etwa kurz vor dem Eintreten in die Pubertät die allgemein-kognitive Entwicklung durch den Einschluß formaler Operationen den Leistungsvorsprung auf der sprachbezogenen Ebene sozusagen eingeholt hat.

Unter diesem Aspekt scheint es mir – entgegen einer starken Tendenz in der jüngeren Spracherwerbsforschung – kaum plausibel, die für die Verarbeitung sprachlicher, insbesondere phonologischer Daten erforderlichen mentalen Prozesse auf allgemeinere kognitive Mechanismen zurückführen zu wollen, in dem Sinne, daß die sprachbezogenen Mentalprozesse eine Ausprägung allgemeiner und umfassender kognitiver Fähigkeiten sind. Die für die Verarbeitung von Sprache relevanten Prozesse sprengen insbesondere beim Kleinkind den Rahmen des jeweiligen allgemein-kognitiven Entwicklungsstandes und lassen sich somit auch nicht aus diesem ableiten bzw. erklären. Die sprachbezogene mentale Leistungsfähigkeit des Kindes scheint aufgabenspezifisch ausgerichtet zu sein und in entscheidenden Punkten von der allgemein-kognitiven Entwicklung abzuweichen. Während das Kind im allgemein-kognitiven Bereich erst nach dem 1. Lebensjahrzehnt zur Durchführung formaler Operationen fähig ist, stehen ihm diese auf der sprachbezogenen Ebene bereits ab dem 2.–3. Lebensjahr, also mit dem Einsetzen des Spracherwerbsprozesses, zur Verfügung. Diese altersspezifische Diskrepanz in der Verfügbarkeit über allgemein-kognitive und sprachbezogene mentale Prozesse deutet wiederum darauf hin, daß der Mensch für den Erwerb und die Verwendung von Sprache in besonderem Maße ausgerüstet sein muß. Da das Kind bei den für die Verarbeitung sprachlicher Daten unabdingbaren mentalen Fähigkeiten während der prä-pubertären Entwicklungsperiode nicht auf das Repertoire allgemein-kognitiver Fähigkeiten zurückgreifen kann, muß hier eine spezifisch auf Sprache bezogene Anlage zur Verfügung stehen, um die Durchführung von beispielsweise für die Lauterkennung notwendigen formalen (oder auch konkreten) Operationen zu gewährleisten. Beim derzeitigen Kenntnisstand ist davon auszugehen, daß die Fähigkeit zur Durchführung formaler Operationen im 1. Lebensjahrzehnt auf die rein sprachliche Ebene beschränkt bleibt und nicht auf den allgemein-kognitiven Bereich übertragbar ist. In diesem entwickeln sich die verschiedenen operationalen Fähigkeiten erst – wie Piaget beschrieben hat – gegen Ende des 1. bzw. zu Anfang des 2. Lebensjahrzehnts. Bislang liegt keinerlei Evidenz dafür vor, daß die spezifisch auf Sprache bezogenen mentalen Verarbeitungsprozesse in entscheidendem Maße in die Entwicklung der allgemein-kognitiven Fähigkeiten eingreifen. Die Verwendung bestimmter sprachlicher Zeichen setzt keinesfalls notwendigerweise die Kenntnis der diesen Zeichen im Modell zugrundeliegenden Konzepte voraus. Kleinkinder, die die Zahlen etwa von eins bis zehn aufsagen können, verfügen damit noch lange nicht über einen Zahlenbegriff. Die Verwendung von *more* und *less* (Donaldson & Balfour 1968) ist möglich, ohne daß der entsprechende Quantitätsbegriff vollständig erworben ist. Auf der anderen Seite hat die allgemein-kognitive Entwicklung – wie noch im einzelnen zu zeigen sein wird – unter bestimmten Bedingungen erheblichen Einfluß auf die biogenetisch verankerten sprachlich-kognitiven Fähigkeiten.

Es scheint mir wichtig hervorzuheben, daß in der vorgetragenen Argumentation dem allgemein-kognitiven Bereich keinesfalls ein Einfluß auf die Sprachverwendung völlig abgesprochen werden soll. Es ist anzunehmen, daß vor allem bei Erwachsenen die Lösung sprachlicher Aufgaben höherer Ordnung (etwa im Bereich sprachlicher Formulierungen, sprachlich kodierter Begriffsbildungen, etc.) in erheblichem Maße von Fähigkeiten allgemein-kognitiver Art gesteuert werden. Es geht hier vielmehr um den Nachweis, daß Spracherwerb und Sprachverwendung bereits auf einer sehr elementaren Ebene Gesetzmäßigkeiten aufweisen, die sich nicht durch Rekurs auf die allgemein-kognitive Entwicklung à la Piaget erklären lassen.

Wie ich in den vorangegangenen Kapiteln darzulegen versucht habe, ist die im Menschen biogenetisch verankerte Spracherwerbsfähigkeit keinesfalls etwa aufgrund biologischer Veränderungen auf den Zeitraum bis zum Einsetzen der Pubertät beschränkt. Zahlreiche Parallelen zwischen Muttersprachenerwerb und natürlichem Zweitsprachenerwerb einerseits und gesteuertem gegenüber ungesteuertem Spracherwerb quer durch verschiedene Altersgruppen andererseits lassen klar erkennen, daß jene spezifischen Mechanismen, die der Mensch für die Verarbeitung sprachlicher Daten benutzt, auch im fortgeschrittenen Alter und unter einer Vielzahl unterschiedlicher Lernbedingungen voll zum Tragen kommen. Die verminderte Fähigkeit des Erwachsenen, auf allen Strukturebenen, insbesondere im phonologischen Bereich, volle sprachliche Kompetenz zu erwerben, kann nicht damit erklärt werden, daß die natürlichen sprachspezifischen Verarbeitungsmechanismen aufgrund interner biologischer Gegebenheiten nach dem Einsetzen der Pubertät quasi zerstört seien. Wenngleich kaum zu bestreiten ist, daß sich etwa zum Zeitpunkt der Pubertät in der menschlichen Fähigkeit, Sprache zu erwerben, Veränderungen vollziehen, so scheinen diese Veränderungen – wie immer sie zu erklären sind – *nicht* auf einen biologisch bedingten Abbau der natürlichen Spracherwerbsmechanismen zurückzugehen.

Aus Piagets Theorie zur Entwicklung der Intelligenz ergibt sich, daß der Beginn des 2. Lebensjahrzehnts einen einschneidenden Abschnitt im geistigen Werdegang des Heranwachsenden darstellt. Kurz vor dem Einsetzen der Pubertät scheint die grundlegende allgemein-kognitive Entwicklung dahingehend abgeschlossen zu sein, daß der Jugendliche nunmehr auch imstande ist, bei der Lösung von Problemen formale Operationen und abstrakte Gedankengänge durchzuführen. Die Wende zum 2. Lebensjahrzehnt kennzeichnet einen Abschnitt, in dem auf allgemein-kognitivem Gebiet nachgeholt wird, was auf der sprachbezogenen Ebene bereits seit langem vorhanden ist. Die allgemein-kognitive Entwicklung erreicht einen Leistungsstand, den auf der Ebene sprachbezogener Verarbeitungsmechanismen bereits der 2–3jährige beim Eintritt in den Spracherwerbsprozeß auszuweisen hat. Während der Jugendliche bis etwa zum Eintritt der Pubertät über abstrakt-formale Operationen nur bei der Verarbeitung sprachlicher Daten verfügte, kann er nunmehr diese Operationen auch in allgemeinen Problemlösungsfällen anwenden. Die "Monopolstellung" sprachlicher Verarbeitungsmechanismen bezüglich der Möglichkeit, abstrakt-formale Operationen durchzuführen, ist mit dem Eintritt in das 2. Lebensjahrzehnt beendet; die sprachbezogenen Verarbeitungsmechanismen haben in den allgemein-kognitiven Prozessen einen gleichwertigen "Konkurrenten" erhalten.

Mit dem Eintritt in die abschließende kognitive Entwicklungsphase verfügt der Jugendliche somit über zwei hinsichtlich ihres Aufgabenbezuges unterschiedlich geartete Fähigkeiten zu abstrakt-logischem Denken, d.h. zur Durchführung abstrakt-formaler Operationen. Auf der einen Seite besitzt er eine in seiner biologischen Struktur verankerte, auf ganz spezifische Aufgabenstellungen beschränkte Sprachfähigkeit (*language faculty*), die im präpubertären Lebensabschnitt vor allem für den Spracherwerb verantwortlich ist und die kreative Verwendung von Sprache steuert. Auf der anderen Seite verfügt der Jugendliche im allgemein-kognitiven Bereich über eine abstrakt-formale Denkfähigkeit, die es ihm gestattet, bei der Lösung allgemeiner Erkenntnisprobleme per Hypothesenbildung vorzugehen und abstrakt-formale Beziehungen zu erkennen bzw. zu verwerten.

Der Gedanke zweier unterschiedlicher Fähigkeiten im erwachsenen L2-Spracherwerbs- bzw. Sprachverwendungsprozeß taucht bereits in Krashens *Monitor Model* auf (Krashen 1976, 1977, 1980). Krashen unterscheidet zwischen *acquisition* und *learning*. Die mit dem Oberbegriff *acquisition* bezeichneten sprachbezogenen Lernprozesse weisen sich vor allem dadurch aus, daß sie für den Lernenden unbewußt ablaufen. Der Erwerber *(acquirer)* ist nicht imstande, sich die Regeln, denen er bei der Produktion bzw. dem Verständnis sprachlicher Strukturen folgt, bewußt zu machen oder über sie Auskunft zu geben. Demgegenüber bezeichnet *learning* einen bewußten sprachlichen Lernprozeß. Der Lernende *(learner)* kann die sprachlichen Regeln, die er anwendet, mehr oder minder präzise explizieren; er kann Fehler auf bestimmte mangelhafte Regelanwendungen zurückführen; er kann Angaben darüber machen, ob er eine gegebene sprachliche Regel bereits kennt oder nicht. Die Dichotomie *bewußt* vs. *unbewußt* ist in Krashens Modell das einzige systematische Unterscheidungsmerkmal zwischen *learning* und *acquisition*. In einer umfangreichen Sammlung von Aufsätzen bemüht sich Krashen nur selten um eine präzise inhaltliche Begriffsbestimmung von *acquisition* und *learning;* worin sich *acquisition*-Prozesse und *learning*-Prozesse über das Merkmal der Bewußtheit hinaus unterscheiden, bleibt weitgehend unklar. Krashen geht es primär darum, mit Hilfe dieser zunächst eher auf einer präsystematischen Ebene intuitiv erfaßten Begriffe bestimmte Phänomene und Gesetzmäßigkeiten im erwachsenen Zweitsprachenerwerb/gebrauch zu erfassen.

Krashens Modell baut auf zwei zentralen Thesen auf. Zunächst ist der erwachsene Zweitsprachenerwerb dadurch gekennzeichnet, daß sowohl bewußte als auch unbewußte Lernprozesse (also sowohl *acquisition,* als auch *learning*) in ihm ablaufen. Die Kenntnis einer L2 ist also beim erwachsenen Sprecher Ergebnis zweier verschiedener Lernprozesse; hierin liegt vermutlich ein Unterschied zum L1-Erwerb. Entscheidender ist jedoch, daß nach Krashen den beiden Lerntypen unterschiedliche Funktionen im Erwerbsprozeß zukommen. Bewußtes Lernen, d.h. *learning,* übernimmt ausschließlich eine Kontroll- oder Filterfunktion *(monitor)* im Erwerbsprozeß bzw. bei der Produktion fremdsprachlicher Äußerungen. Die aufgrund unbewußter Lernprozesse *(acquisition)* internalisierten Sprachstrukturen werden mittels der bewußt gelernten Regeln hinsichtlich ihrer Grammatikalität überprüft. Bewußtes Lernen dient also als Korrektiv für das unbewußte Lernen; *learning* fungiert als eine Art Output-Filter, der der konkreten Realisierung einer Äußerung vorgeschaltet ist. Entscheidend ist, daß die Monitor-Funktion allein vom bewußten Lernprozeß übernommen wird. Nach Krashen ist der umgekehrte Fall nicht möglich. Unbewußtes Lernen kann niemals als Kontrollinstanz für bewußt ablaufende Lernprozesse fungieren. Die auf eine reine Kontrollaufgabe reduzierte Funktion des *learning* weist dem bewußten Lernen eine gewisse sekundäre Stellung im Erwerbsprozeß zu. Die treibende Kraft bei L2-sprachlichen Verbalisierungen ist die *acquisition.* Sprachliche Strukturen werden zunächst durch unbewußte Lernprozesse aufgegriffen und verarbeitet; Sprachproduktionen gehen initiativ auf Regeln zurück, die im Sinne von *acquisition* erlernt sind. *Acquisition* bildet also die Basis, auf der *learning* quasi als Filterinstanz aufbaut.

Durch die Dichotomie *acquisition* vs. *learning* kann Krashen teilweise die Tatsache erklären, daß erwachsene L2-Erwerber recht unterschiedlich auf ihre eigenen Sprachproduktionen zu reagieren vermögen. Zweitsprachenerwerber jenseits der Pubertätsgrenze sind oftmals in der Lage, bestimmte (aber keineswegs alle) Fehlertypen in ihren eigenen Sprachproduktionen präzis zu lokalisieren und auf bestimmte Regelverstöße zurückzuführen. Hier spielen nach Krashen *bewußte* Lernprozesse eine Rolle. In zahlreichen anderen Fällen hingegen erkennen erwachsene L2-Erwerber eigene Modellabweichungen nicht als solche, sondern geben an, daß sie diese oder jene Struktur mehr "nach dem Gefühl" gebildet haben. Derartige Phänomene spiegeln unbewußte Lernprozesse im Sinne von Krashens *acquisition* wider.

Nach Krashen greifen verschiedene L2-Erwerber in unterschiedlichem Umfange auf bewußtes Lernen als Monitor-Instanz zurück. In diesem Bereich bestehen zum Teil gravierende individuelle Variationen. Die *monitor under-users* bedienen sich nur sehr selten bewußt erlernter Regeln. Sie bilden fremdsprachliche Strukturen zum größten Teil "nach dem Gefühl". Weder können sie einzelne Regeln konkret explizieren, noch Angaben darüber machen, warum sie eine gegebene Struktur so und nicht anders verwendet haben. Zwar erkennen sie in zahlreichen Fällen, daß ihre eigenen Sprachproduktionen in irgendeiner Form vom Modell abweichen, jedoch sind sie nicht imstande, Fehler exakt zu lokalisieren oder gar zu verbessern. Sie sprechen zumeist spontan, relativ flüssig, und konzentrieren ihre Bemühungen auf den Inhalt, nicht auf die Form des Gesagten. Modellabweichende Äußerungen von *monitor under-users* zeigen vielfach in großem Umfange auffällige Parallelen zum Erstsprachenerwerb. Demgegenüber tendieren *monitor over-users* zu einem übermäßigen Gebrauch der bewußten Kontrollinstanz. Sie sprechen in der Regel sehr langsam, konstruieren sorgfältig ihre Sätze und überprüfen nach Möglichkeit jede Äußerung daraufhin, ob alle relevanten Sprachregeln eingehalten sind. Unterläuft ihnen dennoch eine Regelverletzung, so sind sie vielfach auf Befragen hin imstande, den

Fehler zu erkennen. Aussagen wie "eigentlich muß es heißen . . . " sind typisch für *monitor over-users.* Dieser Lernertypus konzentriert sich primär auf die Form, weniger auf den Inhalt des Gesagten; er tendiert dazu, bei unzureichender Regelkenntnis eher auf eine Aussage zu verzichten; ihn plagen zumeist auch Hemmungen, sich in einer Sprache zu äußern, die er nicht beherrscht. Entscheidend ist jedoch, daß auch bei *monitor over-users* das bewußte Lernen allein eine Kontrollfunktion übernimmt. Initiiert werden Äußerungen auch bei monitor *over-users* durch unbewußt erlernte Sprachstrukturen. Doch diese Sprachstrukturen werden erst dann konkret realisiert, wenn sie zuvor die Kontrollinstanz des *learning* passiert haben.

Wenngleich Krashens *Monitor Model* in der derzeitigen amerikanischen L2-Erwerbsforschung einen der interessantesten und am meisten diskutierten theoretischen Ansätze darstellt, so liegt seine Problematik vor allem darin, daß es sich – entgegen den Prätentionen seines Schöpfers – nicht um ein Erwerbsmodell, sondern um ein reines Performanzmodell handelt. Auch die Häufung von Begriffen wie *learning, acquisition, learning process* etc. vermag nur schwer darüber hinwegzutäuschen, daß Krashen über die Art und Weise, in der Erwachsene L2-sprachliche Strukturen *erwerben/erlernen,* nichts empirisch Abgesichertes zu sagen hat. Krashens Dichotomie *learning* vs. *acquisition* bezieht sich ausschließlich darauf, wie Erwachsene bei konkreten Verbalisierungen über irgendwie bereits erlernte Regeln verfügen – diese Verfügbarkeit kann entweder in einem bewußten oder unbewußten Zugriff bestehen. Vor allem an der immer wieder angeführten empirischen Evidenz zeigt sich unzweifelhaft, daß das *Monitor Model* vor allem ein Sprachverwendungsmodell ist. Krashen arbeitet vorwiegend mit Daten, die Auskunft darüber geben, wie verschiedene L2-Strukturen dem erwachsenen Sprecher zugänglich sind. Die Begriffe des *monitor over-users* bzw. *under-users* unterstreichen den Performanzcharakter des *Monitor Model.* Implizit schließt Krashen von der *bewußt-unbewußt* Dichotomie bei der Sprachverwendung auf eine gleichgelagerte Dichotomie beim Spracherwerb, d.h. bewußt angewendete Regeln sind gleichfalls Ergebnis eines bewußten Lernprozesses, et vice versa. Diese Schlußfolgerung ist zwar nicht a priori unzulässig, jedoch ergibt sie sich keinesfalls aus einer sachimmanenten Logik, sondern muß empirisch überprüft werden. Krashen, der viel Wert auf die *predictive power* seines Modells legt, kann zwar unterschiedliches L2-sprachliches Verhalten erwachsener Sprecher mit den Parametern des *Monitor Model* kategorisieren, jedoch keinerlei Voraussagen über den Ablauf L2-sprachlicher Erwerbsprozesse/Lernprozesse machen.

Die Tatsache, daß das *Monitor Model* ein Sprachverwendungsmodell, und nicht ein Spracherwerbsmodell ist, schmälert in keiner Weise seinen Wert; nur bleibt in der derzeitigen Diskussion der Objektbereich, auf den sich das *Monitor Model* bezieht, viel unklarer gezeichnet. In Krashens Gedankengängen und Argumentationen ist nicht der Lernprozeß das entscheidende Problem, das mit seinem Modell zu erfassen ist, sondern die *Ergebnisse* der Lernprozesse als Grundlage konkreter Verbalisierungen sollen einer theoretischen Ordnung unterworfen werden.

Soweit er überhaupt auf spracherwerbliche Phänomene abzielt, steht Krashen mit seinem *Monitor Model* fest in der amerikanischen Tradition der *morpheme order studies.* Seine empirische Evidenz bezieht sich größtenteils auf jene Arbeiten, die im Geleit der Untersuchungen von Dulay & Burt ausgeführt wurden. Krashen geht einerseits der Frage nach, warum sich die *order of acquisition* im L2-Erwerb grammatischer Morpheme von jener des L1-Erwerbs unterscheidet und versucht andererseits, die teilweise erheblichen individuellen Variationen zwischen verschiedenen Zweitsprachenerwerbern zu erklären. Daß L1-Erwerb und L2-Erwerb jeweils eine unterschiedliche *order of acquisition* aufweisen, erklärt Krashen mit den typischerweise nur im L2-Erwerb auftretenden bewußten Lernprozessen (*learning*). Jedoch kann Krashen durch Rekurs auf bewußtes *learning* weder die spezifische *order of acquisition* im L2-Erwerb noch die im L1-Erwerb erklären. Hier versagt das Modell just deshalb, weil es von seiner Konstruktion her gar nicht auf spracherwerbliche Phänomene ausgerichtet ist. Individuelle Variationen zwischen verschiedenen L2-Erwerbern lassen sich nicht durch das Ausmaß erfassen, in dem *learning* als Kontrollinstanz bei L2-sprachlichen Verbalisierungen auftritt. Hier offenbart sich eine weitere Schwäche von Krashens Theorie: sie ist maßgeschneidert auf die Problemstellung und die Ergebnisse der *morpheme order studies.* Zu anderen Fragestellungen und Untersuchungsgegenständen hat sie nichts zu sagen. In ihr hat weder ein Begriff wie die Entwicklungssequenz Platz, noch gestattet sie Erklärungshypothesen darüber, warum L2-Erwerber syntaktische, semantische oder phonologische Strukturen nach einer bestimmten Systematik erwerben. Dieser Umstand wird von Krashen nicht bestritten (persönliche Mitteilung), jedoch zeichnet sich gerade hierdurch der begrenzte Wert des *Monitor Model* für die L2-Erwerbsforschung ab.

28.3. Konkurrierende kognitive Strukturen im L2-Erwerb

Geht man davon aus, daß der Jugendliche mit dem Eintritt in das 2. Lebensjahrzehnt über zwei unterschiedlich geartete Fähigkeiten zu abstrakt-formalem Denken verfügt, einer aufgabenspezifischen und einer allgemeinen, so verdienen zumindest zwei zentrale Fragenkomplexe unsere besondere Aufmerksamkeit:

1. In welcher Beziehung stehen die beiden genannten Fähigkeiten zueinander?
2. Sind die beiden Fähigkeiten unter bestimmten Bedingungen austauschbar, d.h. lassen sich Problemstellungen allgemeiner Art mit Hilfe sprachspezifischer Verarbeitungsmechanismen lösen bzw. lassen sich sprachliche Daten mit Hilfe der allgemein-kognitiven Prozesse verarbeiten?

Zunächst scheint klar zu sein, daß es sich in beiden Fällen um die Fähigkeit zur Durchführung *formaler Operationen* handelt. Im sprachlichen Bereich sind es jene Operationen, die etwa zur Verarbeitung phonologischer Informationen notwendig sind, also zur Integration von Angaben über akustische Eigenschaften einer Schallwelle mit Informationen über Strukturmerkmale natürlicher Sprachen; im allgemein-kognitiven Bereich sind es solche formalen Operationen, die – wie in den typischen Piaget'schen Aufgaben deutlich wird – die Hypothesenbildung bei Problemstellungen allgemeiner Art ermöglichen. Die sprachbezogene und die allgemein-kognitive Fähigkeit zu abstrakten mentalen Operationen unterscheiden sich zunächst hinsichtlich des Zeitpunktes, ab dem der Mensch über sie verfügen kann. Hierbei muß der sprachbezogenen Fähigkeit ein zeitlicher Vorsprung von ca. einem Lebensjahrzehnt zugemessen werden. Da es sich bei beiden Fähigkeiten im wesentlichen um die Durchführbarkeit formaler Operationen handelt, stellt sich die Frage, ob Quantität und Qualität der involvierten formalen Operationen im sprachspezifischen und im allgemein-kognitiven Bereich gleich oder verschieden sind, d.h. ob über den unterschiedlichen Aufgabenbezug hinaus noch weitere Charakteristika die beiden Fähigkeiten zu differenzieren vermögen. Ich sehe beim derzeitigen Forschungsstand keinerlei Möglichkeit, auf diese Frage eine annähernd befriedigende Antwort zu geben oder auch nur anzudeuten, wie mögliche Antworten auf diese Frage aussehen könnten. Hierzu müßten sowohl im sprachspezifischen als auch im allgemein-kognitiven Bereich Eigenschaften und Struktur der jeweiligen formalen Operationen detailliert beschrieben und verglichen werden. Soweit erkennbar ist, fehlen hier allein schon die Daten, die ein solches Unterfangen als realisierbar erscheinen lassen.

Ein wesentlicher Unterschied zwischen den abstrakten mentalen Prozessen im sprachbezogenen und allgemein-kognitiven Bereich scheint in dem Grad zu liegen, in dem die Ausführung formaler Operationen bewußt gemacht werden kann. Dieser Gedanke taucht bereits in Krashens Dichotomie *acquisition* vs. *learning* auf. Die sprachspezifische Fähigkeit scheint zumindest in ihrer Grundstruktur mentale Prozesse zu umfassen, die von ihrem Wesen her unbewußt sind und die in der Regel auch nicht oder nur sehr schwierig bewußt gemacht werden können. Die Fähigkeit des kompetenten Sprechers, etwa bei der Verarbeitung phonologischer Daten Transformationen zyklisch anzuwenden oder Äquivalenzrelationen zwischen physikalischen und sprachstrukturellen Eigenschaften aufzustellen, impliziert keinesfalls eine parallele Fähigkeit, entsprechende Prozesse bewußt zu machen und über sie Auskunft zu erteilen. Unbewußt ablaufende mentale Prozesse und Steuerungsvorgänge charakterisieren nicht allein den Erwerb und die Verwendung von Sprache. Wie ich in Kapitel 26 darzustellen versucht habe, steuern unbewußte mentale Prozesse ebenso die Informationsverarbeitung im Bereich der Perzeption und teilweise der Motorik. Wenngleich jeder Mensch (unter nicht-pathologischen Bedingungen) imstande ist, etwa Gegenstände im Raum zu orten, so vermag er jedoch in der Regel die hierzu notwendigen mentalen Prozesse sich nicht bewußt zu machen. Vermutlich geht das Phänomen der optischen Täuschung gerade auf die Tatsache zurück, daß die wahrnehmungsbezogenen mentalen Prozesse ihrer eigenen Gesetzlichkeit folgen und nicht vom Bewußtsein kontrolliert werden können. Ebenso gehorcht die Koordination etwa von Greifbewegungen unbewußt ablaufenden mentalen Prozessen. Werden unter pathologischen Bedingungen, etwa dem Parkinson-Syndrom, die den Greifbewegungen zugrundeliegenden mentalen Prozesse gestört, so lassen sich die entsprechenden Bewegungen zwar auch durch bewußt gesteuerte mentale Prozesse durchführen, jedoch weitaus weniger effektiv und sicher als durch die unbewußten Prozesse. Es scheint, als steuerten unbewußte mentale Prozesse all diejenigen Verhaltensphänomene, für die der Mensch biogenetisch speziell ausgerüstet ist. Demgegenüber scheint zu gelten, daß mentale Prozesse, wie sie in Form von logischen Operationen etwa bei komplexen Problemlösungsaufgaben auftreten, in der Regel in das Bewußtsein gerufen werden können. Versuchspersonen sind zumeist imstande, Auskunft darüber zu erteilen, auf welchem Wege sie ein bestimmtes Problem gelöst haben. Man denke etwa daran, daß ein erheblicher Teil der von Piaget angeführten empirischen Evidenz nicht allein aus Beobachtungen zum Problemlösungsverhalten von Versuchspersonen herrührt, sondern ebenso aus Kommentaren der Versuchspersonen über ihr eigenes Vorgehen beim Lösen des gestellten Problems. Durch Reflektion lassen sich also formale Operationen im allgemein-kognitiven Bereich bewußt machen. Es stellt sich die Frage, ob die von den Versuchspersonen angegebenen Strategien den tatsächlich abgelaufenen Operationen entsprechen. Es ist denkbar, daß hier Abweichungen auftreten können, wenngleich derzeit nur schwer vorstellbar ist, wie diese Frage einem empirischen Test unterzogen werden kann. Dennoch läßt sich kaum ausschließen, daß auch im allgemein-kognitiven

Problemlösungsbereich mentale Prozesse ablaufen, die dem Bewußtseinszugriff weitgehend entzogen sind. Üblicherweise ist der Mensch jedoch imstande, Probleme allgemeiner Art nicht nur zu lösen, sondern zu den Lösungsstrategien auch Stellung zu nehmen. Demgegenüber lassen sich im sprachlichen Bereich, aber auch bei der Wahrnehmung, zwar formale Operationen ausführen, der Sprecher selbst ist sich jedoch über die Natur dieser formalen Operationen, ihren Anwendungsbereich und Anwendungszweck nicht im klaren. Auch durch Nachdenken können die sprachspezifischen formalen Operationen dem Bewußtsein nicht zugänglich gemacht werden.

Die in der biologischen Struktur des Menschen verankerte Sprach(erwerbs)fähigkeit zeichnet sich also einerseits dadurch aus, daß die von ihr initiierten mentalen Prozesse in der Regel dem Bewußtsein nicht zugänglich sind, zum andern zeigt sie einen zeitlichen Vorsprung zur allgemein-kognitiven Entwicklung bezüglich der Verfügbarkeit formaler Operationen. Darüber hinaus umfaßt sie – bezogen auf den Ablauf des Spracherwerbsprozesses – zahlreiche Gesetzmäßigkeiten, die die Untersuchungen der vergangenen 20 Jahre zum Muttersprachenerwerb und Zweitsprachenerwerb ansatzweise aufgedeckt haben. Die bislang verfügbaren Daten zeigen, daß der Mensch Sprache nach bestimmten feststehenden Prinzipien erwirbt, die sich – entgegen populärer Auffassung – keinesfalls stets mit Prinzipien allgemein-kognitiver Art decken (cf. Wode 1981). Man denke hier etwa an bestimmte Formen der Dekomposition von Zielstrukturen, oder das Phänomen der geordneten Entwicklungssequenz, wie wir sie in verschiedenen Typen des Spracherwerbs immer wieder beobachten. Gerade im phonologischen Bereich (Smith 1973, Ingram 1974a–b) wird deutlich, daß die gängigen kognitiven Kategorien viel zu allgemein sind, um die spezifischen spracherwerblichen Gesetzmäßigkeiten auch nur annähernd adäquat zu erklären. Welches sind etwa die kognitiven Korrelate zu Stampes (1973) "natural processes"?

Der Bereich des Spracherwerbs und der Sprachverwendung scheint – ebenso wie der der Perzeption – ein in sich geschlossener Bereich zu sein, der – wenngleich nicht völlig losgelöst von anderen mentalen Prozessen – sich doch durch spezifische Gesetzmäßigkeiten, Lösungsstrategien und zugrundeliegende Prinzipien auszeichnet. Man mag vermuten, daß diese spezifische biologische Grundlage des Spracherwerbs und der Sprachverwendung gewährleistet, daß der Mensch ein derart komplexes formales Gebilde wie eine natürliche Sprache kreativ handhaben kann. Was das Ergebnis des natürlichen Spracherwerbs mit seinen spezifischen Regularitäten ausmacht, ist die Fähigkeit zur kreativen Kompetenz, d.h. zur freien Handhabung sprachlicher Strukturen, um der jeweiligen kommunikativen Intention Genüge zu tun. Unter diesen Begriff der Kreativität sind im Sinne Chomskys (1965, 1975) Fähigkeiten zu subsumieren, wie etwa die Fähigkeit zur Produktion und zum Verständnis einer unbegrenzt großen Zahl von Äußerungen, die Fähigkeit, Grammatikalitätsurteile zu fällen, Ambiguitäten zu erkennen, Äußerungen Strukturbeschreibungen zuzuordnen, etc.

Wenn der Mensch über zwei verschiedene Fähigkeiten zur Durchführung formaler Operationen verfügt – eine sprachspezifische und eine allgemein-kognitive –, so stellt sich hier wie bereits angedeutet – die entscheidende Frage, ob diese beiden Fähigkeiten dahingehend frei verfügbar sind, daß sie gegebenenfalls ausgetauscht werden können. Ist es möglich, die sprachspezifischen kognitiven Fähigkeiten zur Lösung allgemeiner, d.h. nicht-sprachbezogener Probleme zu verwenden; und umgekehrt, lassen sich die allgemein-kognitiven Fähigkeiten für die Lösung sprachlicher Aufgaben, also für den Erwerb und den Gebrauch von Sprache einsetzen?

Bezüglich der Austauschbarkeit sprachlich-kognitiver und allgemein-kognitiver Fähigkeiten scheint mir eine befriedigende Antwort stark differenzierend ausfallen zu müssen. Soweit die bislang verfügbare Evidenz ein Urteil erlaubt, ist es nicht möglich, die sprachspezifische Fähigkeit zur Durchführung formaler Operationen bei der Lösung komplexer Problemaufgaben allgemeiner Art einzusetzen. Gerade in der beschränkten Anwendbarkeit, in der mangelnden Austauschbarkeit liegt das *sprachspezifische* Moment der genannten mentalen Fähigkeit. Wäre die Durchführbarkeit formaler Operationen nicht allein auf den sprachlichen Bereich beschränkt, sondern auch auf den allgemein-kognitiven Bereich übertragbar, so verlöre sich damit der spezifische Aspekt der sprachbezogenen mentalen Fähigkeiten. Gerade die Beobachtung, daß Kinder sozusagen im Vorgriff auf die allgemein-kognitive Entwicklung auf der sprachlichen Ebene bereits ein knappes Jahrzehnt früher formale Operationen durchführen können, rechtfertigt überhaupt erst eine Dichotomie in sprachspezifische und allgemein-kognitive Fähigkeit zur Durchführung abstrakter mentaler Prozesse. Wäre eine Übertragbarkeit der sprachspezifischen mentalen Fähigkeiten auf allgemein-kognitive Bereiche gegeben, so müßte sich zeigen lassen, daß Kinder bereits im Alter von 2 Jahren imstande sind, nicht-sprachbezogene Probleme mittels formaler Operationen zu lösen. Ein solcher Nachweis – der im totalen Widerspruch zu allen Erkenntnissen der Piaget'schen Psychologie stünde – wäre mit der Erkenntnis gleichzusetzen, daß Kinder bereits im 2.–3. Lebensjahr über ein voll ausgereiftes kognitives System verfügen.

Diese Überlegungen beziehen sich naturgemäß ausschließlich auf die präpubertäre Entwicklungsphase. Für den Lebensabschnitt nach der Pubertät nimmt das anstehende Problem eine völlig andersgeartete Dimension ein. Stehen erst einmal beide, d.h. die sprachbezogene und die allgemein-kognitive, Fähigkeiten zur Bewältigung formaler Operationen zur Verfügung, so sind a priori keinerlei Gründe erkennbar, warum die sprachspezifischen Fähigkeiten nicht auch im nicht-sprachlichen Bereich anwendbar sein könnten, unter der Voraussetzung, daß sich ihr Repertoire an formalen Operationen nicht von dem des allgemein-kognitiven Bereichs unterscheidet. Hierbei handelt es sich m.E. um eine rein empirische Frage. Ich sehe jedoch im Augenblick – vorwiegend aus methodischen, aber auch aus theoretischen Gründen – keinerlei Möglichkeit, dieses Problem auf empirischer Basis in den Griff zu bekommen.

Im Gegensatz hierzu scheint die Einsatzmöglichkeit allgemein-kognitiver mentaler Fähigkeiten zur Bewältigung sprachbezogener Probleme in der Tat unter bestimmten Bedingungen gegeben zu sein. Für den präpubertären Lebensabschnitt ist diese Frage nicht von Belang, da in diesem Zeitraum die allgemein-kognitive Fähigkeit zur Durchführung formaler Operationen noch nicht vorhanden ist und daher eine Übertragbarkeit ausgeschlossen ist. Das Problem der Übertragbarkeit stellt sich erst mit dem Einsetzen der letzten kognitiven Entwicklungsphase im Sinne Piagets. Erst jetzt verfügt der Jugendliche im allgemein-kognitiven Bereich über die Möglichkeit, formale Operationen durchzuführen. Soweit erkennbar, scheint es in der Tat durchaus möglich zu sein, bestimmte sprachbezogene Aufgaben auf die gleiche Art und Weise zu lösen, wie etwa komplexe Probleme aus anderen Wissensbereichen, sei es der Mathematik, der Geographie, der Philosophie etc. So ließe sich beispielsweise ein Experiment vorstellen, in dem eine beliebige Versuchsperson eine Reihe affirmativer japanischer Sätze, z.B. *ocha wo nomu* (Tee trinken), *tegami wo kaku* (Brief schreiben), etc., negieren soll. Der Versuchsperson wird dazu eine Regel vorgegeben, nach der der Endvokal *u* des Verbs *(nomu, kaku)* in *a* zu transformieren ist, um an die so gebildete Verbform das Negativmorphem *nai* zu hängen. Als Ergebnis dieser Aufgabe wird erwartet: *ocha wo nomanai* bzw. *tegami wo kakanai.* Ebenso ist es denkbar, bestimmte morphologische Alternativen des Deutschen, wie sie in *spreche, sprichst; laufe, läufst; fahre, fährst,* etc., unter Angabe der relevanten Regeln als Aufgabe in einem Experiment mit beliebigen Versuchspersonen zu stellen.

Mir scheint die Annahme plausibel, daß sich derartige sprachbezogene Aufgaben für eine Versuchsperson, die der japanischen bzw. deutschen Sprache unkundig ist, prinzipiell nicht von Problemstellungen unterscheiden, bei denen etwa bestimmte Zahlenreihen nach vorgegebenen Kriterien zu ordnen, physikalische Daten auf mathematische Gesetzmäßigkeiten zu reduzieren sind, etc. Die Fähigkeit einer Person, die genannten sprachbezogenen Aufgaben zu lösen, scheint mir völlig unabhängig davon zu sein, ob die betreffende Versuchsperson der involvierten Sprache mächtig ist oder nicht. Angesprochen sind Problemstellungen allgemeiner Art, die "zufälligerweise" mit sprachlichen Daten operieren. Es handelt sich jedoch in den angeführten Fällen nicht um Spracherwerb, wenngleich jeder, der die japanische bzw. deutsche Sprache als L1 oder L2 erwerben will, im Laufe des Lernprozesses die gleichen Regeln in irgendeiner Form internalisieren muß. Mir scheint daher die Annahme plausibel, daß Versuchspersonen bei Problemstellungen wie den oben genannten auch in solchen Fällen auf ihre allgemein-kognitiven und nicht etwa auf sprachspezifische Fähigkeiten zurückgreifen, in denen das betreffende Problem sprachliche Elemente involviert. Die Übertragbarkeit allgemein-kognitiver Fähigkeiten auf die Lösung sprachbezogener Probleme scheint also unter bestimmten Bedingungen durchaus möglich – vielleicht sogar unumgänglich – zu sein. Die beispielsweise in sprachwissenschaftlichen Übungsbüchern angegebenen Aufgaben zur phonologischen oder syntaktischen Analyse, zum Schreiben von Teilgrammatiken, etc. verlangen von Studenten offenkundig bestimmte Fähigkeiten aus dem Bereich allgemeiner Problemlösung und nicht etwa einen Rekurs auf spracherwerbliche Mechanismen. Dennoch gleicht im Objektbereich die Aufgabe des spracherwerbenden Kindes durchaus dem Problem, daß ein Student etwa bei der Lösung derartiger Übungsaufgaben zu leisten hat. Mir scheint es daher recht offenkundig zu sein, daß sprachliches Material nicht nur wie beim muttersprachenerwerbenden Kind auf der Basis einer biogenetisch verankerten Spracherwerbsfähigkeit, sondern unter gegebenen Umständen ebenso mittels allgemein-kognitiver mentaler Fähigkeiten quasi wie eine "Denksportaufgabe" analysiert und verarbeitet werden kann.

Wenn der Einsatz allgemein-kognitiver Fähigkeiten bei der Verarbeitung sprachlichen Materials grundsätzlich gegeben ist, so stellen sich in bezug auf diesen Problemkreis zwei Fragen:

1. das Problem der Leistungsfähigkeit ist zu prüfen. Lassen sich sprachliche Daten mittels allgemein-kognitiver Fähigkeiten ebenso effektiv verarbeiten wie mit Hilfe der biogenetisch verankerten Sprach(erwerbs)fähigkeit? Insbesondere, läßt sich Sprache auch allein auf der Grundlage allgemein-kognitiver Fähigkeiten

erwerben? Es wäre denkbar, daß bezogen auf die Verarbeitung sprachlicher Daten die eine der beiden Fähigkeiten zur Durchführung formaler Operationen leistungsstärker als die andere ist.

2. Ist der Erwachsene imstande, beliebig zu wählen, ob er bei der Verarbeitung bzw. beim Erwerb von Sprache auf allgemein-kognitive oder auf spracherwerbsspezifische Fähigkeiten zurückgreifen will. Ist diese Wahl möglicherweise abhängig von der jeweiligen (sprachbezogenen) Aufgabe, von deren Komplexität oder vom lernsituationellen Kontext?

Dieser Themenkreis scheint mir derzeit vor allem hinsichtlich der Probleme des Fremdsprachenunterrichts von besonderem Interesse. Eine Klärung der Beziehung zwischen der sprachspezifischen und allgemein-kognitiven Fähigkeit zur Durchführung formaler Operationen scheint mir einiges Licht auf Möglichkeiten und Grenzen im Bereich der Erlernbarkeit von Fremdsprachen im Unterricht zu werfen.

Ich möchte zunächst die Frage aufwerfen, inwieweit sprachspezifische und allgemein-kognitive mentale Fähigkeiten bezüglich der Aufgabe des Spracherwerbs gleichermaßen leistungsfähig sind.

Es kann kaum ernsthaft bestritten werden, daß die sprachspezifischen mentalen Prozesse in besonderem Maße auf den Erwerb und die Verwendung von Sprache abgestellt sind; in ihrer besonderen Eignung hierfür liegt quasi ein definiens der genannten Prozesse. Der erstaunlich gleichbleibende Erfolg und die verblüffende Leichtigkeit, mit der Kinder in einem relativ kurzen Zeitraum ein so komplexes Strukturgebilde wie eine natürliche Sprache erwerben, mag eben gerade als Beweis dafür gelten, daß der Mensch mit solch einer spezifischen und innerhalb eines begrenzten Aufgabengebiets besonders leistungsfähigen Fähigkeit von Natur aus ausgestattet ist. Weitaus problematischer ist die Frage, ob mit dem Eintritt in das 2. Lebensjahrzehnt die nunmehr verfügbare allgemein-kognitive Fähigkeit zur Durchführung formaler Operationen mit vergleichbarer Aussicht auf Erfolg für den Aufgabenbereich des Spracherwerbs genutzt werden und somit ggf. die sprachspezifische Fähigkeit ersetzen kann. Es geht hier – wohlgemerkt – nicht darum, ob allgemein-kognitive Fähigkeiten unter bestimmten Bedingungen überhaupt spracherwerblich nutzbar sind, sondern, ob sie prinzipiell den gleichen Leistungsstand herbeizuführen vermögen wie sprachspezifische mentale Prozesse. Mir scheint einige empirische Evidenz darauf hinzudeuten, daß das spracherwerbliche Vermögen allgemein-kognitiver Fähigkeiten mit äußerster Skepsis zu betrachten ist. Zumindest in einigen Bereichen scheinen allgemein-kognitive Fähigkeiten bei der Handhabung sprachlicher Daten zu Ergebnissen zu führen, die weit hinter dem zurückliegen, was üblicherweise mittels sprachspezifischer mentaler Prozesse erreicht wird. Bei Verzicht auf eine wertende Analyse läßt sich bestenfalls behaupten, daß allgemein-kognitive Prozesse zu völlig andersgearteten sprachlichen Leistungen führen als spracherwerbsspezifische mentale Prozesse.

Wie bereits angedeutet, können bestimmte Typen komplexer Problemstellungen, bei deren Lösung vermutlich allgemein-kognitive Fähigkeiten angesprochen werden, auch sprachliche Daten einschließen. Man denke hierbei etwa an die bereits erwähnten Übungsaufgaben in Handbüchern zur Sprachwissenschaft, bei der Daten aus einer beliebigen, nicht weiter bekannten Sprache nach bestimmten Regeln zu analysieren bzw. zu manipulieren sind. Hierbei handelt es sich um Aufgaben, deren Lösung Teil der Kompetenz des erwachsenen Sprechers ist und somit als Lernziel des spracherwerbenden Kindes formuliert werden kann. Nun ist jedoch hinreichend bekannt, daß das allgemein-kognitive Vermögen, sprachliche Daten nach bestimmten Regeln, Gesetzmäßigkeiten oder Prinzipien zu manipulieren, keinesfalls gleichgesetzt werden kann mit der Fähigkeit eines kompetenten Sprechers, die betreffenden Sprachstrukturen bzw. sprachlichen Daten zum Zwecke der Kommunikation zu verwenden. Die Diskrepanz zwischen sprachlicher Kommunikationsfähigkeit und dem Vermögen, Sprachstrukturen zu manipulieren, ist eines der zentralen Probleme, auf die die didaktischen Bemühungen im Fremdsprachenunterricht abzielen. Allerdings wird hier – getreu behavioristischen Grundvorstellungen – fehlende Kommunikationsfähigkeit nicht als ein Mangel an Kenntnis, sondern als Defizit in der Automatisierung relevanter Prozeßabläufe ausgewiesen.

Die Ungleichheit der beiden Leistungen (Kommunikation und Manipulation) läßt sich zunächst an den unterschiedlichen Begleitumständen der jeweiligen Lösungsprozesse erkennen. Die auf allgemein-kognitiven Fähigkeiten beruhende Manipulation sprachlicher (wie auch bei anderen Problemstellungen nicht-sprachlicher) Daten geschieht in der Regel nicht spontan, sondern wird vielfach begleitet von Nachdenken, Ausprobieren verschiedener Lösungsstrategien, Fehlentscheidungen, etc. und erfordert in der Regel je nach Problemkomplexität einen relativ hohen Zeitaufwand. Insgesamt scheint diese Form der Handhabung sprachlicher Daten im wesentlichen durch die gleichen Merkmale gekennzeichnet zu sein wie sie auch beim Problemlösungsverhalten in anderen, d.h. nicht-sprachlichen Bereichen auftreten. Dabei scheint – wie bereits zuvor erwähnt – der Rekurs auf allgemein-kognitive Fähigkeiten bei der Manipulation sprachlicher Daten mit sich zu bringen, daß die Prozesse, Strategien und Hypothesen, die bei der Lösung des Problems beteiligt sind, in der Regel – zumindest teilweise – bewußt gemacht werden können. Alle diese Begleitumstände sind völlig untypisch sowohl für den kompetenten erwachsenen Sprecher als auch für den kindlichen L1-bzw. ("natürlichen") L2-Erwerber, der erst einige frühe Stadien der sprachlichen Entwicklung durchlaufen hat. Hier erfolgt die Kommunikation – und sei sie noch so mangelhaft und objektiv ineffizient – in der Regel spontan, ohne längeres Überlegen, und weitgehend unbewußt. Der Sprecher ist nicht imstande, die sprachlichen Regeln, die er anwendet, zu explizieren oder Auskunft darüber zu erteilen, welche Strategien er bei seinen Verbalisierungen verfolgt.

Mir scheint nur schwer die Schlußfolgerung vermeidbar zu sein, daß jene auf allgemein-kognitiven Fähigkeiten beruhende Manipulation sprachlicher Daten, das bewußte Konstruieren von Satzstrukturen, das unter gezielter Ausnutzung aller bislang gelernter Regeln mit langem Nachdenken verbundene Produzieren von Äußerungen für eine erfolgreiche Kommunikation denkbar ungeeignet sind. Man denke nur daran, wie mühselig und uneffizient das Kommunizieren mit einem im Sinne von Krashen als *monitor over-user* zu bezeichnenden Partner sein kann. Die Schwerpunktverlagerung auf den rein formalen Aspekt sprachlicher Äußerung läßt die inhaltliche Seite der Verbalisierungen vielfach völlig in den Hintergrund rücken. Unter diesem Aspekt erscheint das Gespräch mit einem Kinde (sei es ein L1- oder L2-Erwerber), das innerhalb seines äußerst begrenzten Kompetenzbereiches dennoch spontan reagiert und sprachliche Kreativität im Sinne Chomskys zeigt, weitaus erfreulicher und "natürlicher". Die auf allgemein-kognitiven Fähigkeiten basierende Manipulation sprachlicher Strukturen scheint somit einen völlig anderen Aufgabenbereich anzusprechen als die der freien Kommunikation dienende kreative Verwendung von Sprache durch einen kompetenten bzw. teilkompetenten Sprecher.

Wenngleich es generell möglich ist, mittels allgemein-kognitiver Fähigkeiten sprachliche Daten zu verarbeiten, so sind dieser Möglichkeit jedoch offenkundig sehr enge Grenzen gesetzt. Soweit mir bekannt, fehlt bislang jede empirische Evidenz für die Annahme, daß ein solches allgemein-kognitiv geleitetes Verarbeiten sprachlicher Daten über eine äußerst elementare Ebene hinausreichen könnte. Die Komplexität von Problemen, die der Mensch in *einem* zeitlich eng begrenzten Arbeitsgang bewältigen kann, ist natürlich bestimmten Beschränkungen unterworfen. Zwar lassen sich diese Beschränkungen durch Training erweitern (man denke beispielsweise an das simultane Schachspiel mit mehreren Gegnern, das von einigen Wenigen sogar "blind" durchgeführt wird), jedoch kann die allgemein-kognitive Leistungsfähigkeit keinesfalls beliebig gesteigert werden. Mir scheint, daß das, was der Mensch im allgemein-kognitiven Bereich zu leisten imstande ist, bei der spracherwerblichen Verarbeitung von Strukturen schon auf einer relativ niedrigen Stufe voll ausgeschöpft wird. Bedenkt man, welch komplexe Regelmechanismen auf der syntaktischen Ebene allein die elementaren Satztypen charakterisieren, ohne daß die für vollständige Erfassung einer Äußerung erforderlichen phonologischen und semantischen Regeln überhaupt in Betracht gezogen werden, so scheint es mir völlig ausgeschlossen zu sein, daß dieser überaus komplexe Regelmechanismus in seiner Gesamtheit auf allgemein-kognitiver Basis verarbeitet werden kann. Beschränkungen der Verarbeitungskapazität lassen sich deutlich bei den *monitor over-users* beobachten, die verstärkt auf allgemein-kognitive Fähigkeiten zurückgreifen. Hier führt konzentrierte Bearbeitung des syntaktischen Bereichs zumeist zu einer völlig inadäquaten und modellabweichenden Phonologie (cf. Simmet, i. Vorb., Schröder 1979). Umgekehrt führt eine möglichst sorgfältige Beachtung phonologischer und phonetischer Regeln vielfach zu Unzulänglichkeiten im morpho-syntaktischen Bereich. Versucht der *monitor over-user* beide Bereiche gleichermaßen sorgfältig zu bearbeiten, so ist nunmehr ein erheblich höherer Zeitaufwand vonnöten. Soll hingegen der Zeitaufwand pro Äußerung möglichst gering gehalten werden, so geschieht dies zumeist auf Kosten der morpho-syntaktischen phonologischen oder semantischen Wohlgeformtheit. Es scheint, daß die Verarbeitung der gesamten Fülle sprachrelevanter Regeln auf allen Strukturebenen, wie sie vom kompetenten Sprecher permanent demonstriert wird, nur auf der Grundlage jener sprachspezifischen Fähigkeiten möglich ist, die dem Menschen speziell für die Bewältigung dieser Aufgabe mitgegeben sind.

Gerade im gesteuerten Zweitsprachenerwerb zeigt sich die Grenze der Leistungsfähigkeit allgemein-kognitiver Prozesse besonders deutlich. Wenngleich der Fremdsprachenunterricht in besonders hohem Maße die allgemein-kognitiven Fähigkeiten des Lernenden anspricht und das Erlernen einer Fremdsprache prinzipiell Problemlösungen in anderen Wissensbereichen gleichstellt, so betrifft das durchgehend kontrollierte Lehren und bewußte Lernen zumeist nur die frühen Stadien des Fremdsprachenunterrichts. Ausdrücklich gelehrt und expliziert werden sprachliche Strukturen in der Regel nur im Anfangsunterricht. Ist ein bestimmtes fremdsprachliches Niveau erreicht, so beschränkt sich der Unterricht – neben der Korrektur von Fehlern – weitgehend auf die Präsentation von Daten. Im Vordergrund steht die Lektüre von Texten und deren anschließende fremdsprachliche Besprechung. Hierbei wird weniger auf die allgemein-kognitiven Fähigkeiten des Lernenden abgehoben, vielmehr wird sein Vermögen angesprochen, sprachliche Strukturen und deren Beziehung zueinander intuitiv zu erfassen. Dieses intuitive Erfassen scheint jedoch im Aktivieren just jener sprachspezifischen mentalen Fähigkeiten zu bestehen, die auch den natürlichen Spracherwerb steuern. In dieser Hinsicht unterscheidet sich der Fremdsprachenunterricht grundlegend vom Unterricht in anderen Fächern. Fortgeschrittene Schüler werden beispielsweise in Differential- oder Integralrechnung genauso unterrichtet wie Anfänger in den vier Grundrechenarten, d.h. der gesamte Lernprozeß wird in Einzelschritte zerlegt, Beziehungen werden erklärt, Regeln expliziert, und abschließend Übungsmaterial für die einzelnen Lernphasen dargeboten. Kein Mathematiklehrer würde auf den Gedanken kommen, einem Oberstufenschüler Differentialrechnung lediglich vorzuführen und auf dessen intuitives Erfassen der relevanten Gesetzmäßigkeiten zu vertrauen; vielmehr werden die Eigenschaften der Differentialrechnung unter Rekurs auf die allgemein-kognitiven Fähigkeiten des Schülers im gleichen Maße dargestellt, erläutert und expliziert wie die einfacheren Rechenarten. Im Gegensatz dazu beschränkt sich der Fremdsprachenunterricht bezüglich des expliziten Erklärens weitgehend auf das Anfangsstadium im Sprachlernprozeß. Komplexere Strukturen, sei es auf syntaktischem, semantischem oder auch phonologischem Gebiet, werden dem Schüler zum intuitiven Erfassen überlassen. Bestimmte sprachliche Bereiche, wie z.B. die Intonation oder komplexe semantische Gesetzmäßigkeiten werden typischerweise aus dem direkten Unterricht weitgehend ausgeschlossen; vermutlich, weil man stillschweigend der Auffassung ist, die allgemein-kognitiven Fähigkeiten des Lernenden seien bereits mit der Verarbeitung morpho-syntaktischer und phonologischer Strukturen voll ausgelastet. Zuweilen wird die Meinung vertreten, Intonation sei sowieso zu kompliziert, um sie dem Schüler erfolgreich zu lehren. In die gleiche Richtung deuten Ratschläge, Lernende mögen zur Vervollkommnung oder Bereicherung ihrer Sprachkenntnisse eine gewisse Zeit in dem entsprechenden Ausland verbringen. Dieser Aufenthalt ist gerade dadurch gekennzeichnet, daß auf allgemein-kognitives Lernen und explizierendes Lehren der Fremdsprache ganz oder weitgehend verzichtet wird, während der Schwerpunkt überwiegend auf dem intuitiven Erfassen fremdsprachlicher Strukturen liegt. Durch den Aufenthalt im Ausland wird im wesentlichen die Situation des natürlichen Spracherwerbs imitiert. Es ist hinreichend bekannt, daß der Erfolg derartiger Auslandsaufenthalte in der Regel weitaus größer ist als intensives Lernen auf der Grundlage allgemein-kognitiver Fähigkeiten. Dabei wird im Ausland naturgemäß die kreative Kompetenz und Kommunikationsfähigkeit weit mehr gefördert als die in schulischen Tests vielfach angesprochenen manipulativen Fähigkeiten. Mir scheint unter Verweis auf die bislang verfügbare, äußerst spärliche Evidenz die Annahme gerechtfertigt zu sein, daß sprachliche Strukturen auf der Basis allgemein-kognitiver Fähigkeiten nur in sehr elementarer Weise verarbeitet bzw. erworben werden können. Die allgemein-kognitiven Fähigkeiten sind der Komplexität der Aufgabe des Spracherwerbs in keiner Weise angemessen. Um diese Aufgabe zu bewältigen, müssen vermutlich jene sprachspezifischen Fähigkeiten aktiviert werden, mit denen nur der Mensch ausgestattet ist.

Letztlich ist die Frage, in welchem Umfang bzw. bis zu welchem Grad allgemein-kognitive Fähigkeiten Aufgaben im Spracherwerbsprozeß übernehmen können, rein empirischer Natur. Wenngleich mit zahlreichen methodischen Problemen verbunden, so ließen sich doch Experimente denken, die hier Aufklärung schaffen könnten. Eine grundsätzliche Schwierigkeit liegt jedoch darin, daß sich die Leistungsfähigkeit allgemein-kognitiver Prozesse im Bereich des Spracherwerbs nur dann präzise bestimmen läßt, wenn – bezogen auf die jeweilige Aufgabe – spracherwerbsspezifische Fähigkeiten völlig ausgeschlossen sind. Nach allem, was wir bislang wissen, läßt sich jedoch ein völliger Ausschluß sprach(erwerbs)spezifischer

Prozesse nicht bewerkstelligen. Es sei hierbei nochmals an eine der zentralen Thesen in Krashens *Monitor Model* erinnert, nach dem bewußtem Lernen ausschließlich eine Kontrollfunktion über jene Strukturen zukommt, die initiativ auf unbewußtes Lernen zurückgehen. Es scheint demnach nicht möglich zu sein, jene sprach(erwerbs)spezifischen Fähigkeiten des Menschen beim Kontakt mit fremdsprachlichen Daten völlig auszuschließen. In diese Richtung deutet auch unsere Datenanalyse in Teil II. Den allgemein-kognitiven Fähigkeiten scheint also stets nur eine Hilfsfunktion zuzukommen, so daß eine isolierte Betrachtung der relevanten Prozesse äußerst schwierig sein dürfte.

Es bleibt die Frage zu beleuchten, in welchem Umfange der jugendliche bzw. erwachsene Lernende zur Bewältigung spracherwerblicher Aufgaben – unabhängig von Problemen der Leistungsfähigkeit – *frei* über den Einsatz sprachspezifischer und allgemein-kognitiver Fähigkeiten verfügen kann, d.h. inwieweit kann er je nach Aufgabenstellung und eigener Einschätzung frei entscheiden, ob er im Einzelfall allgemein-kognitive oder spracherwerbsspezifische Prozesse einsetzen will. Die Erfahrung lehrt uns, daß der freien Verfügbarkeit – soweit sie überhaupt gegeben ist – offensichtlich enge Grenzen gesetzt sind. Möglicherweise liegt in diesem Faktum die Antwort auf die Frage, warum der Mensch ab einem bestimmten Alter (also etwa ab Beginn der Pubertät) nicht mehr in der Lage ist, eine weitere Sprache bis zu jenem Kompetenzgrad zu erwerben, der für den Muttersprachenerwerb die Regel ist. Wäre auch der Jugendliche bzw. Erwachsene imstande, *allein* auf der Basis der natürlichen Spracherwerbsfähigkeit die Daten einer Zweitsprache zu verarbeiten, so müßten wir erwarten, daß er mit dem gleichen Erfolg eine Fremdsprache erwirbt, mit dem sich das Kleinkind seine Muttersprache aneignet. Dies ist jedoch üblicherweise nicht der Fall. Offenkundig ist der Erwachsene nicht mehr imstande, die für den Spracherwerb weitgehend ungeeigneten allgemein-kognitiven Fähigkeiten zur Erkenntnisgewinnung bei der Konfrontation mit neuen sprachlichen Daten völlig auszuschließen. Es scheint, daß die generelle Verfügbarkeit über diese allgemein-kognitiven Fähigkeiten quasi deren automatischen Einsatz bei der Verarbeitung sprachlicher Daten mit sich bringt. Da der Mensch generell bei der Konfrontation mit Problemen der Strukturerkenntnis auf seine allgemein-kognitiven Fähigkeiten rekurriert, so besteht die Tendenz, diese auch zur Lösung sprachlicher Probleme anzuwenden. Die unterschiedliche Art und Weise, in der Erwachsene einerseits und Kinder andererseits die Verarbeitung fremdsprachlicher Daten angehen, läßt sich leicht in der täglichen Erfahrung erkennen. Erwachsene zeigen im Umgang mit einer Fremdsprache vielfach die Tendenz, explizit nach bestimmten Strukturphänomenen zu fragen; oftmals geben sie vor, sie könnten eine bestimmte Sprachstruktur nur dann "erlernen", wenn ihnen die betreffende Regel präzis erläutert wird. Dieses Streben nach bewußtem Erfassen deutet einen Rekurs auf allgemein-kognitive Verarbeitungsfähigkeiten an. Derartige Fragen werden von Kindern im vorpubertären Alter, wenn überhaupt, nur sehr selten gestellt. Kinder haben die Tendenz, fremdsprachliche Strukturen eher intuitiv nach Maßgabe der natürlichen Spracherwerbsfähigkeit zu verarbeiten. Erwachsene sind demnach offenkundig nicht in der Lage, die allgemein-kognitiven Verarbeitungsprozesse bei der Konfrontation mit fremdsprachlichen Daten auszuschließen, wenngleich sich diese mentalen Prozesse als äußerst ineffizient für die anstehende Aufgabe erweisen.
Mit dem Auftreten der allgemein-kognitiven Fähigkeit, formale Operationen durchzuführen, verliert der Erwachsene die Möglichkeit, *allein* die sprachspezifischen Verarbeitungsmechanismen in Anspruch zu nehmen.

Die Verfügbarkeit und der Rekurs auf allgemein-kognitive Fähigkeiten für den Erwerb fremdsprachlicher Strukturen bedeutet nun jedoch nicht, daß die sprachspezifischen Verarbeitungsmechanismen nicht mehr greifbar sind. Im Gegenteil. Nach den bislang zur Verfügung stehenden Daten ist es recht offenkundig, daß jene Gesetzmäßigkeiten, die sich aus der natürlichen Spracherwerbsfähigkeit des Menschen ergeben, auch im Erwachsenenalter noch voll durchschlagen. Man denke an die zahllosen Parallelen zwischen erwachsenem und kindlichem Zweitsprachenerwerb, die in Teil II dargestellt wurden. Der Unterschied zwischen Erwachsenem und präpubertären Kind liegt nicht darin, daß der Erwachsene die natürlichen Spracherwerbsmechanismen verloren hätte, sondern darin, daß diese sprachspezifischen Verarbeitungsmechanismen nicht mehr *allein* den Spracherwerbsprozeß besorgen können. Sie haben einen potenten Konkurrenten bekommen. Beim postpubertären Spracherwerb greifen demnach allgemein-kognitive Fähigkeiten und spracherwerbsspezifische Verarbeitungsmechanismen ineinander.

Es ist zu vermuten, daß die nicht vermeidbare Aktivierung der allgemein-kognitiven Fähigkeiten bei dieser Aufgabenstellung letztlich dafür verantwortlich ist, daß eine Zweitsprache im Erwachsenenalter nur noch unvollständig erworben werden kann. Unter diesem Aspekt nehmen die allgemein-kognitiven Fähigkeiten quasi eine Art Bremsfunktion im Spracherwerbsprozeß ein. Wenngleich sie für die Lösung spracherwerblicher Aufgaben nicht oder nur in geringem Maße geeignet sind, so prägen sie notwendigerweise den Spracherwerbsprozeß in wichtigen Zügen.

Wenngleich beim erwachsenen Spracherwerb allgemein-kognitive Fähigkeiten und spracherwerbsspezifische Verarbeitungsmechanismen eng ineinandergreifen und somit weder die eine noch die andere Fähigkeit vollständig auszuschließen ist, so gibt es doch in dem Anteil, den diese beiden Fähigkeiten am Spracherwerb haben können, individuelle Unterschiede. Es scheint erwachsene Spracherwerber zu geben, die sich primär auf die spracherwerbsspezifischen oder primär auf die allgemein-kognitiven Verarbeitungsmechanismen stützen.

Das anteilige Einschalten der beiden Fähigkeiten scheint zum Teil der bewußten Kontrolle zu unterliegen, jedoch spielen hier möglicherweise auch individuelle Dispositionen eine entscheidende Rolle. Entscheidend scheint mir vor allem zu sein, daß unabhängig davon, welchen Anteil die beiden genannten Fähigkeiten an der Verarbeitung fremdsprachlicher Strukturen haben, in allen Fällen notwendigerweise *beide* Fähigkeiten an ihnen beteiligt sind. Ein völliges Ausschalten der einen oder anderen Fähigkeit ist in der Regel nicht möglich.

Betrachtet man die Gegebenheiten des derzeit gängigen traditionellen Fremdsprachenunterrichts, so kann man sich kaum der Erkenntnis verschließen, daß hier in starkem, wenn nicht ausschließlichem Maße die allgemein-kognitiven Fähigkeiten von Schülern angesprochen werden, während eine Aktivierung jener zuvor erwähnten spracherwerbsspezifischen Prozesse zumindest bewußt nicht angestrebt wird. Im üblichen Fremdsprachenunterricht gleicht das Erlernen fremdsprachlicher Strukturen vielfach dem Lösen einer Mathematikaufgabe. Regeln werden expliziert, Strukturverhältnisse dem Schüler bewußt gemacht. Insbesondere bei der audio-lingualen Methode, die ein Hauptgewicht auf *pattern drills,* Strukturübungen, Transformationen, etc. legt, geht es primär darum, dem Schüler durch endloses Repetieren vorgegebene Strukturen zu verdeutlichen. Auch die sogenannte *Cognitive Code Learning Theory* (cf. Chastain 1976) rekurriert weniger auf das freie Spiel spracherwerbsspezifischer Verarbeitungsprozesse als vielmehr auf eine bewußte Aneignung dargebotener Strukturen. Das von behavioristischen Grundvorstellungen geleitete Bemühen, Fehler, d.h. modellabweichende Bildungen, unter allen Umständen zu verhindern, führt dazu, daß spracherwerbsspezifische Zwischenstadien im Lernprozeß weitgehend ausgeschaltet bzw. unterdrückt werden. Das Ergebnis dieser Bemühungen ist allenthalben bekannt und läßt sich aus den vorangegangenen Überlegungen recht schlüssig ableiten. Im gängigen Fremdsprachenunterricht – zumindest in den frühen Klassen – erreicht der Schüler in der Regel kaum auch nur annähernd eine freie fremdsprachliche Kommunikationsfähigkeit, d.h. eine kreative Kompetenz, sondern bestenfalls einen Zustand, in dem er vielfach unabhängig von deren Kommunikationsgehalt vorgegebene Strukturen reproduzieren und manipulieren kann. Diese reproduktive bzw. manipulative Kompetenz des Fremdsprachenschülers steht in deutlichem Kontrast zu jener kreativen Kompetenz, wie sie sich üblicherweise im natürlichen Spracherwerb entwickelt. Unsere Beobachtungen zum Fremdsprachenunterricht zeigen (cf. auch Simmet i. Vorb.), daß Lehrer gerade im Anfangsunterricht aus Furcht vor möglichen Fehlern dazu tendieren, jede Form von spontaner Verbalisierung beim Schüler zu unterdrücken. Treten dennoch modellabweichende Bildungen auf, so werden diese dem Schüler primär durch Explikation von Regeln bewußt gemacht, d.h. der Schüler erfährt nicht nur, daß er einen Fehler gemacht hat, sondern ebenso, in welcher Regelverletzung der Fehler begründet ist. Im gesamten Korrekturprozeß werden vor allem die intellektuellen Fähigkeiten des Schülers angesprochen. Im Sinne von Krashens Terminologie züchtet der gängige Fremdsprachenunterricht in erster Linie *monitor over-users.* Jede Verbalisierung, jede Reaktion, jede fremdsprachliche Initiative wird nach der Zielsetzung des Fremdsprachenunterrichts einer strengen bewußten Kontrolle unterworfen, bevor sie tatsächlich realisiert wird.

In der praktischen Arbeit scheint der Fremdsprachenunterricht jene Fähigkeiten ansprechen zu wollen, die unter dem Aspekt spracherwerblicher Gesetzmäßigkeiten für die Lösung der anstehenden Aufgabe weitgehend ungeeignet sind. Vermutlich liegt hier ein primärer Grund für das Scheitern des gängigen Fremdsprachenunterrichts. Durch den verstärkten Rekurs auf allgemein-kognitive Verarbeitungsmechanismen erreicht der Fremdsprachenunterricht primär eben nicht eine kreative Kompetenz, sondern eine recht spezifische, für die freie Kommunikation weitgehend unbrauchbare Manipulationsfähigkeit sprachlicher Strukturen.

Andererseits ist kaum bestreitbar, daß der Fremdsprachenunterricht das tatsächlich erreichte Ziel seinem Selbstverständnis nach letztlich gar nicht anstrebt. Der Fremdsprachenunterricht will sicherlich keine Sprachmanipulatoren heranziehen, sondern Schüler befähigen, in der Zielsprache frei und kreativ zu kommunizieren. Dennoch bedient er sich bei der Verfolgung dieses Ziels offenkundig untauglicher Mittel. Er glaubt, durch möglichst rigide Steuerung und strenge Kontrolle eine praktikable Fremdsprachenbeherrschung zu erreichen, läuft jedoch Gefahr, eher das Gegenteil zu bewirken. Man könnte vermuten, daß Kommunikationsfähigkeit und kreative Kompetenz bei Fremdsprachenschülern in dem Maße steigen, wie die Beeinflussung ihrer Sprachproduktion durch Unterrichtstechniken nachläßt. Erst in fortgeschritteneren Klassen, in denen der Schüler aus der Zwangsjacke dauernder Korrekturen entlassen wird und in begrenztem Maße frei die angebotenen sprachlichen Strukturen verarbeiten kann, nimmt seine Kommunikationsfähigkeit zu. Diese Kommunikationsfähigkeit scheint umso größer zu werden, je mehr der

Schüler Gelegenheit hat, in freier Konfrontation mit fremdsprachlichen Daten und auf der Grundlage seiner natürlichen spracherwerbsspezifischen Verarbeitungsmechanismen seinen Spracherwerbsstand anzuheben.

Diese Überlegungen führen zu der Einsicht, daß der eingeschränkte Sprachlernerfolg im postpubertären Alter und hier insbesondere unter Unterrichtsbedingungen nicht darauf zurückzuführen ist, daß die natürliche Spracherwerbsfähigkeit mit dem Eintritt in das zweite Lebensjahrzehnt als Ergebnis biologisch-physiologischer Veränderungen verlorengeht, sondern aus der Tatsache erklärbar ist, daß die sprachspezifisch-kognitiven Verarbeitungsmechanismen zu diesem Zeitpunkt auf der allgemeinkognitiven Problemlösungsebene einen wirkungsstarken Konkurrenten bekommen. Durch die Verfügbarkeit formaler Operationen im allgemein-kognitiven Bereich können die natürlichen Spracherwerbsmechanismen nicht mehr "ungestört" funktionieren, sondern werden durch das konkurrierende Einwirken allgemeiner Problemlösungsstrategien beeinträchtigt. Sobald auf allgemein-kognitiver Ebene formale Operationen durchführbar sind, ist der (erwachsene) Spracherwerber nicht mehr imstande, sich allein sprachspezifisch-kognitiver Strukturen zu bedienen. Er ist gleichsam gezwungen, bei allen Formen von Problemlösungen, d.h. auch solchen, die auf sprachliche Daten abzielen, allgemein-kognitive Verarbeitungsmechanismen zumindest in gewissem Umfange zu beteiligen. Diese Beteiligung führt dazu, daß die Gesetzmäßigkeiten natürlichen Spracherwerbs nicht mehr voll zum Tragen kommen, sondern in Richtung auf Prinzipien allgemeiner Problemlösungsstrategien abgelenkt werden. Die Überlegenheit des präpubertären Spracherwerbs ergibt sich somit daraus, daß sein allgemein-kognitiver Entwicklungsstand die Durchführung formaler Operationen noch nicht gestattet, so daß allein die Prinzipien des natürlichen Spracherwerbs den Lernprozeß bestimmen. Allgemein-kognitive und sprachspezifisch-kognitive Strukturen stehen mit Beginn des Pubertätsalters in einem Konkurrenzverhältnis, das den erfolgreichen Spracherwerb erheblich beeinträchtigt.

28.4. Überlegungen zu einem Spracherwerbsmodell

Der Begriff der konkurrierenden kognitiven Strukturen trägt einige Implikationen mit sich, die im folgenden kurz angesprochen werden sollen.

Die Zweitsprachenerwerbsforschung hat sich in den vergangenen Jahren verstärkt mit der Frage auseinandergesetzt, inwieweit bestimmte Umwelt- und Persönlichkeitsfaktoren, z.B. Motivation, Sprachbegabung, Affektivität, sozio-ökonomischer Hintergrund, Bildungsstand, kulturelle Wertvorstellungen, etc. den Spracherwerbsprozeß beeinflussen. Im allgemeinen ist unbestritten, daß insbesondere erwachsene L2-Erwerber hinsichtlich ihres in einem gegebenen Zeitabschnitt erreichten L2-Sprachvermögens erhebliche Unterschiede aufweisen können und daß fernerhin die L2-Kompetenz bei einigen Lernern auf verschiedenen Stufen des Entwicklungsprozesses "fossiliert" (Selinker 1972), d.h. einfriert und sich nicht weiterentwikkelt. Obwohl noch weitgehend ungeklärt ist, wie diese Umwelt- und Persönlichkeitsfaktoren den Lernprozeß konkret beeinflussen bzw. verändern, sind verschiedene Modelle vorgeschlagen worden (Schumann 1975a–b, Krashen 1978, Dulay & Burt 1977, Dittmar 1980, Seliger 1980), die die Funktion externer Faktoren im Spracherwerbsprozeß zu orten versuchen. Die meisten Modelle sehen in diesen Faktoren eine Art Filtermechanismus, der die Verarbeitungsquantität und -qualität des angebotenen Inputmaterials bestimmt.

Unberechtigterweise ist das Problem des Einflusses von Umwelt- und Persönlichkeitsfaktoren auf den Erwerbsprozeß nahezu ausschließlich im Zusammenhang mit dem L2-Erwerb erörtert worden. Mir scheint es jedoch unabdingbar zu sein, daß auch andere Typen von Spracherwerb, insbesondere der L1-Erwerb, in die Betrachtung eingeschlossen werden. Die entscheidende Frage ist: wie läßt sich erklären, daß Faktoren wie die oben angesprochenen eine potentiell negative Auswirkung auf den Erfolg des Zweitsprachenerwerbs haben, für den Muttersprachenerwerb jedoch weitgehend ohne Belang sind. Soweit keine pathologischen Umstände vorliegen, sind Muttersprachenerwerber in der Regel erfolgreiche Erwerber. Mir sind keinerlei Daten bekannt, die darauf hinweisen, daß ein Kind etwa aufgrund fehlender Motivation, mangelnder Sprachbegabung, unzureichender Schulbildung, bestimmter sozio-ökonomischer Faktoren, etc. im Muttersprachenerwerb einen fremdländischen Akzent beibehält, an bestimmten komplexen morphologischen Strukturen scheitert, oder im Stadium elementarer syntaktischer Konstruktionen fossiliert. Es ist zu beachten, daß dieser Unterschied zwischen L1- und L2-Erwerb nicht etwa durch das Vorhandensein bzw. Fehlen der betreffenden Faktoren erklärt werden kann. Auch L1-Erwerber haben unterschiedliche Persönlichkeitsstrukturen und können unter verschiedenen sozialen, kulturellen, ökonomischen und familiären Bedingungen aufwachsen; dennoch gelingt es ihnen stets, in ihrer Muttersprache volle Kompetenz zu erwerben. Es ist daher anzunehmen, daß die genannten Faktoren für den Erfolg im Muttersprachenerwerb schlichtweg irrelevant sind.

Nach meiner Einschätzung läßt sich im Rahmen des Begriffes der konkurrierenden kognitiven Strukturen die Beziehung zwischen Umweltfaktoren und Spracherwerb präziser fassen als dies in der Vergangenheit möglich war. Wenn Muttersprachenerwerb und erwachsener Zweitsprachenerwerb bezüglich der Auswirkungen von Umweltfaktoren auf den Lernprozeß voneinander abweichen, so korreliert dieser Umstand zunächst mit einem vergleichbaren Unterschied auf der kognitiven Ebene, d.h. dem Unterschied zwischen den Typen von kognitiven Strukturen, die im Lernprozeß angesprochen werden. Wie ich im § 28.3. darzustellen versucht habe, wird der kindliche Erwerber, insbesondere der L1-Erwerber, ausschließlich durch jene sprachspezifisch-kognitiven Strukturen geleitet, die den natürlichen Spracherwerb ausmachen. Dieser Typ kognitiver Struktur scheint weitgehend gegen den Einfluß von Umwelt- und Persönlichkeitsfaktoren immun zu sein; er folgt seinen eigenen Gesetzmäßigkeiten und Prinzipien. Diese Immunität erklärt, warum jedes Kind in jeder Kultur und jeder Gesellschaft unter allen (nicht-pathologischen) Bedingungen erfolgreich seine Muttersprache meistert und warum kindliche L2-Erwerber – unter der Voraussetzung einer ausreichenden Begegnung mit L2-sprachlichen Daten – in der Regel erfolgreiche Lerner sind. Im Gegensatz hierzu verarbeiten erwachsene L2-Erwerber sprachliche Daten auf der Basis von sprachspezifischen als auch von allgemein-kognitiven Strukturen. Daraus ergibt sich, daß es vor allem die allgemein-kognitiven Strukturen sein müssen, die in erheblichem Maße dem Einfluß von Umwelt- und Persönlichkeitsfaktoren unterworfen sind. Diese Schlußfolgerung läßt sich auch aus weiteren Gründen rechtfertigen. Externe Faktoren beeinflussen allgemein-kognitive Strukturen nicht nur, soweit sie sprachliche Daten verarbeiten; vielmehr ist jede Form von Problemlösung Auswirkungen durch Umwelt- und Persönlichkeitsfaktoren ausgesetzt. Das Führen eines Autos, das Lösen eines mathematischen Problems, Orientierungsversuche in einer fremden Stadt, das Bestehen eines Vorstellungsgespräches sind Komplexe, die in Abhängigkeit einer nahezu unbegrenzten Anzahl von externen Faktoren erfolgreich oder erfolglos sein können.

Wenn es zutrifft, daß Unterschiede im Lernerfolg mit Unterschieden hinsichtlich der im Lernprozeß involvierten Typen kognitiver Strukturen korrelieren, so ist damit noch nichts erklärt. Die entscheidende Frage ist nach wie vor: *warum* sind gerade die allgemein-kognitiven Strukturen äußeren Einflüssen unterworfen, während die sprachspezifisch-kognitiven Strukturen derartigen Einflüssen gegenüber weitgehend immun sind?

Es ist zu vermuten, daß dieser Unterschied in irgendeiner Form den Anwendungsbereich widerspiegelt, auf den sich sprachlich-kognitive bzw. allgemein-kognitive Strukturen beziehen. Sicher ist die Annahme berechtigt, daß kognitive Strukturen jeglichen Typs eine begrenzte Kapazität haben müssen, d.h. die Informationsmenge, die entweder gleichzeitig oder innerhalb eines bestimmten Zeitraumes verarbeitet werden kann, muß Beschränkungen unterliegen. Daraus ergibt sich, daß in jedem kognitiven Struktursystem ein selektierender Filter vorhanden ist, der verhindert, daß der betreffende kognitive Verarbeitungsmechanismus bei übergroßem Angebot überlastet wird und somit zusammenbricht. Dieser Filter läßt die Inputinformationen, die von der betreffenden kognitiven Struktur verarbeitet werden sollen, entweder zu oder weist sie zurück. Sprachspezifisch-kognitive Strukturen haben per se einen relativ engen Anwendungsbereich bezüglich des Informationstyps, der vom Filter zugelassen und somit verarbeitet wird. Ausschließlich sprachliche Daten werden für die Verarbeitung in diesem Kognitionsbereich zugelassen, während nicht-sprachliche Informationen den Filter nicht passieren können. Dieser Umstand kennzeichnet das sprachlich-kognitive Struktursystem letztlich als *sprachspezifisch*. Man beachte jedoch, daß die Kapazität des sprachlich-kognitiven Struktursystems offenkundig groß genug ist, um in einem angemessenen Zeitraum jeglichen Typ und jegliche Menge von linguistischen Daten zu verarbeiten; mehr noch, der Verarbeitungsmechanismus scheint weitgehend automatisch zu funktionieren, d.h. wann immer sprachliche Daten eingegeben werden, ist das sprachlich-kognitive Struktursystem bereit, diese zu verarbeiten.

Demgegenüber haben die allgemein-kognitiven Strukturen hinsichtlich der Informationstypen, die verarbeitet werden können, einen sehr weiten Anwendungsbereich. In der Tat scheint der Anwendungsbereich auf dieser Ebene keinen erkennbaren Restriktionen unterworfen zu sein. Alle sich auf Problemlösungsaufgaben beziehenden Informationen können prinzipiell von den allgemein-kognitiven Strukturen verarbeitet werden. Wenn die allgemein-kognitiven Strukturen jedoch alle problemlösungsrelevanten Informationen sofort und sozusagen automatisch verarbeiten würden, so wäre ihre Kapazität recht schnell erschöpft. Es muß daher einen Selektionsmechanismus geben, der einige Problemlösungsaufgaben abblockt, während er andere zur weiteren Verarbeitung durchläßt. Es ist jedoch zu beachten, daß die Kriterien, nach denen Inputmaterial selektiert wird, nichts mit dem Informations*typ* zu tun hat, der verarbeitet werden soll, da das allgemein-kognitive Struktursystem grundsätzlich alle Problemlösungsinformationen aufnimmt. Daher muß das Inputmaterial nach anderen Kriterien gefiltert werden, um die Gesamtmenge der zu verarbeitenden Informationen zu verringern. In diesem Bereich scheinen die Umwelts- und Persönlichkeitsfaktoren eine wichtige Funktion zu übernehmen. Diese Faktoren bilden einen adäquaten Filtermechanismus, der die Verarbeitungsbelastung der allgemein-kognitiven Strukturen herabsetzt. Dieser Filter arbeitet teils bewußt, teils unbewußt. Wird jemand mit einer größeren Zahl von Problemlösungsaufgaben konfrontiert, so kann er bewußt wählen, mit welchem Problembereich er sich weiter befassen will. In anderen Fällen erfolgt die Selektion eher unbewußt. Mangelnde Motivation für bestimmte Problemlösungsaufgaben mag dazu führen, diese von der weiteren Verarbeitung auszuschließen. Bildungsstand oder sozialer Status mögen gleichfalls dazu beitragen, daß Problemlösungsdaten entweder zugelassen oder abgewiesen werden. Fehlende Konzentration ist ein weiterer Filtermechanismus, der die momentane Fähigkeit beeinträchtigt, ein Problem erfolgreich zu lösen. Zweifellos existieren zahlreiche andere Faktoren (z.B. persönliche Schwierigkeiten, unzureichende Ernährung, Streß, Nervosität, etc.), die den Informationsinput im Bereich der allgemein-kognitiven Strukturen vermindern können. In jedem Fall tragen die Umwelt- und/oder Persönlichkeitsfaktoren dazu bei, einer Überlastung der Verarbeitungskapazität der allgemein-kognitiven Strukturen entgegenzuwirken. Diese Faktoren sorgen dank ihrer Filterfunktion dafür, daß ein Zusammenbruch des allgemein-kognitiven Struktursystems verhindert wird und Problemlösungsaufgaben überhaupt erfolgreich gemeistert werden können.

Aufgrund dieser Überlegungen ist offenkundig, warum allgemein-kognitive Strukturen in besonderem Maße dem Einfluß externer Faktoren unterliegen, während sprachspezifische Kognitionsstrukturen gegen derartige Einflüsse weitgehend abgeschirmt sind. Aufgabenspezifische kognitive Fähigkeiten benötigen nicht die gleiche Art von Filtermechanismus, der offensichtlich notwendig ist für ein angemessenes Funktionieren jener kognitiven Strukturen, die einen weiten Bereich unterschiedlicher Aufgaben umschließen.

In welcher Beziehung stehen nun sprachspezifische und allgemein-kognitive Strukturen; wie beeinflussen die unterschiedlichen Filtermechanismen den Erwerbsprozeß; wie wird der Output durch die konkurrierenden kognitiven Strukturen beeinflußt? Die Graphik auf S. 298 versucht, auf einige dieser Fragen eine Antwort zu liefern.

Die entscheidende These dieser Graphik betrifft die Annahme, daß es zwei verschiedene kognitive Verarbeitungsmechanismen (*cognitive organizers;* Dulay & Burt 1977) gibt: sprachspezifische kognitive Strukturen und allgemein-kognitive Strukturen. In Anlehnung an Felix (i. Vorb.) werde ich im folgenden die sprachspezifischen Strukturen als LS (= language specific) Strukturen, und die allgemein-kognitiven Strukturen als PS (= problem solving) Strukturen bezeichnen. In allen Fällen passiert der Input einen Filtermechanismus, bevor er das eigentliche Verarbeitungssystem erreicht. Der LS-Filter ist mit gestrichelten Linien gezeichnet, da z.Zt. noch unklar ist, auf welche Faktoren dieser Filter reagiert. Es liegt jedoch einige Evidenz dafür vor, daß ein solcher Filter vorhanden sein muß, um Eigenschaften insbesondere des L1-Erwerbs hinreichend erklären zu können. Dulay & Burt (1977) berichten, daß kindliche Lerner in erster Linie die Äußerungen ihrer gleichaltrigen Spielkameraden verarbeiten und weniger sprachliches Material Erwachsener, wenngleich sie beiden Inputtypen ausgesetzt sind. Diese erste Inputselektion erfolgt durch den sprachspezifischen Filter. In Gegensatz dazu reagiert der PS-Filter auf all diejenigen Faktoren, die im allgemeinen als Variablen für den Erfolg im Zweitsprachenerwerb angenommen werden. Man beachte, daß einer der PS-Filterausgänge direkt an den ursprünglichen Input zurückgeht. Zwei verschiedene Gründe sprechen für die Annahme einer solchen Beziehung:

Skizze eines Spracherwerbsmodells

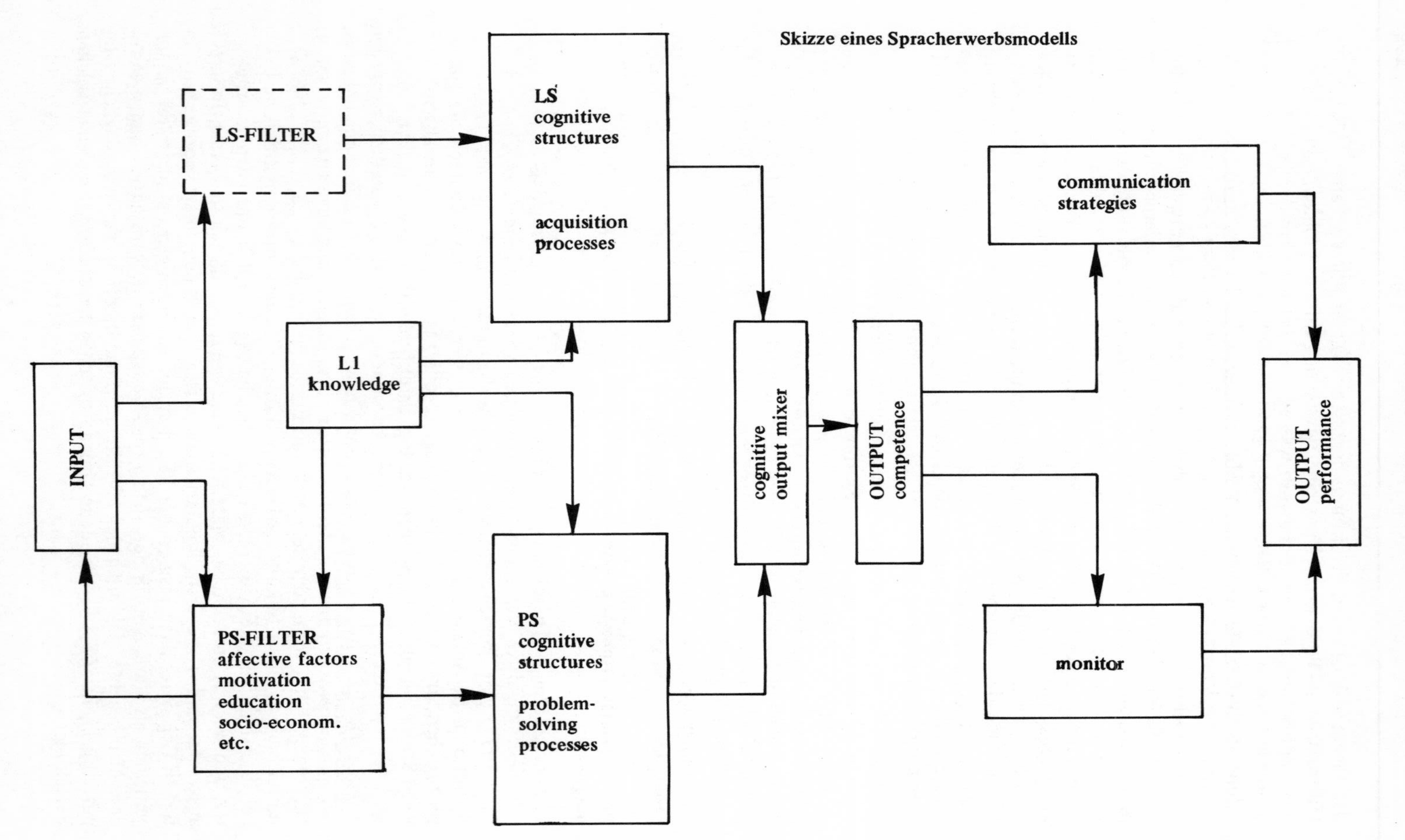

1. könnte der PS-Filter nicht direkt den ursprünglichen Input beeinflussen, dann hieße dies, daß umso mehr Input den LS-Filter passiert, je weniger der PS-Filter durchläßt, i.e. ein Lerner mit geringer Motivation, unzureichender Bildung und ungünstiger affektiver Konstellation wird imstande sein, die Zielsprache vornehmlich auf der Grundlage von LS-Strukturen und somit nach den gleichen Prinzipien zu erlernen, die bei einem L1-Erwerber zu beobachten sind; je schlechter die Lernbedingungen, desto mehr ähnelt der unterrichtliche dem natürlichen Lernprozeß: eine bislang kaum haltbare These.
2. der Rückpfeil vom PS-Filter zum Input impliziert die Annahme, daß Umwelt- und Persönlichkeitsfaktoren nicht die Art und Weise beeinflussen, in der sprachliche Daten verarbeitet werden, sondern lediglich die Gesamtmenge der zu verarbeitenden Inputdaten reduzieren. Mir sind keine Arbeiten bekannt, die überzeugend nachweisen, daß Umweltfaktoren oder Persönlichkeitsfaktoren den Ablauf des Spracherwerbsprozesses verändern. Unter widrigen Umständen mögen sowohl Kinder als auch Erwachsene sehr viel langsamer lernen, aber sie zeigen im wesentlichen die gleichen entwicklungsbedingten Fehlertypen und Erwerbssequenzen wie schnelle Lerner. Arbeiten wie die von Schumann (1975a), Fathman (1975a) und das Heidelberger Projekt zeigen, daß Umwelteinflüsse vor allem die Möglichkeiten des Lernenden beeinträchtigen können, mit der Zweitsprache in Kontakt zu treten. Derartige Lerner verkehren nur selten mit L2-Sprechern, und wenn sie mit L2-Sprechern kommunizieren müssen, tun sie dies mit einem begrenzten Repertoire an Strukturen. Diejenigen Strukturen jedoch, die sie gemeistert haben, entwickeln sich im wesentlichen genauso wie bei erfolgreicheren Lernern.

Ich möchte betonen, daß die muttersprachlichen Kenntnisse des L2-Erwerbers nicht als Teil des PS-Filters, sondern als eine unabhängige Einheit anzusehen sind. Diese Annahme ist damit zu rechtfertigen, daß im Gegensatz zu Umwelt- und Persönlichkeitsfaktoren das muttersprachliche Vorwissen den Erwerbsprozeß auf drei verschiedene Weisen beeinflussen kann. Zunächst kann dieses Vorwissen direkt den Verarbeitungsmechanismus der LS-Strukturen beeinflussen. Man denke daran, daß L1- und L2-Erwerb Unterschiede hinsichtlich der auftretenden Entwicklungssequenzen zeigen können. Obwohl sowohl der L1- als auch der L2-Erwerb geordneten Entwicklungssequenzen unterliegt und daher als *creative construction process* gelten kann, müssen L1- und L2-Erwerbssequenzen nicht stets identisch sein. Dulay & Burt (1974a–c) zeigen, daß die Rangfolge der Morpheme für L2-Erwerber nicht gleich mit der von L1-Erwerbern ist. Obwohl alle L2-Erwerber unabhängig vom Alter und ihrer Muttersprache die gleiche Abfolge aufwiesen, unterschied sich diese entscheidend von den entsprechenden L1-Abfolgen. In Felix (1976b) habe ich gezeigt, daß L2-Erwerber beim Erwerb von Fragewörtern andere Fehlertypen zeigen als L1-Erwerber. Weiterhin bilden L1-Erwerber ihre frühesten Äußerungen nach konzeptuellen und nicht nach syntaktischen Regeln, während L2-Erwerber typischerweise die präsyntaktische Phase überspringen (cf. Felix 1978b). Gass (1980) berichtet, daß L2-Erwerber bestimmte Relativkonstruktionen anders erlernen als L1-Erwerber. Insgesamt ergibt sich der Eindruck, daß L2-Erwerber weitaus spezifischere und effektivere Hypothesen über die Zielsprache bilden können als L1-Erwerber. Mit anderen Worten, der L2-Erwerber benutzt sein sprachliches Vorwissen als eine zusätzliche Informationsquelle, die die Art der Hypothesenbildung beeinflußt. Darüberhinaus kann L1-Wissen in direkter Weise den PS-Verarbeitungsmechanismus beeinflussen. Dies geschieht stets dann, wenn sprachliche Daten nach Problemlösungsstrategien verarbeitet werden, wobei L1-Strukturen als Vergleichsbasis dienen können. Das Ergebnis ist die Interferenz, i.e. das Auftreten spezifischer L1-Strukturen in L2-Produktionen. Zuletzt kann sich L1-Wissen teilweise in der gleichen Art bemerkbar machen wie Umweltfaktoren im PS-Filter. Viele Erwachsene, die lange Zeit in einer ausländischen Sprachgemeinschaft gelebt haben, vermeiden es mehr oder minder bewußt, die Landessprache zu lernen, weil ihre L1 eine ausreichende Kommunikationsbasis bildet. Diese Erwachsenen können nicht in dem gleichen Sinne als erfolglose Lerner gelten wie diejenigen, die trotz großer Anstrengungen im Lernprozeß gescheitert sind. Hier wirken vielmehr die L1-Kenntnisse als Reduktionsmechanismus für den L2-Input.

Das LS- und PS-Struktursystem stellt den eigentlichen Verarbeitungsmechanismus dar. Diese Systeme entsprechen dem, was Seliger (1980) als *innate strategies* bezeichnet. Sie stellen die mentale Kapazität des Menschen dar, Sprache(n) zu erwerben/benutzen bzw. Problemlösungsaufgaben zu meistern. Es soll nun keineswegs behauptet werden, die LS-Komponente und PS-Komponente stellten das gesamte kognitive Potential des Menschen dar. Es ist anzunehmen, daß der Mensch über weitere kognitive Komponenten verfügt, wenngleich derzeit noch unklar ist, welchen Domänen eigene kognitive Struktursysteme zuzuordnen sind. Mir scheint, daß die Perzeption ein möglicher Kandidat für solch eine unabhängige Strukturkomponente sein kann.

Die LS-Komponente ist in jedem Fall speziesspezifisch in dem Sinne, daß nur der Mensch über sie verfügt. Dies bedeutet nicht, daß etwa Schimpansen oder andere Tiere unfähig sind, bestimmte grundlegende linguistische Strukturen zu erlernen; jedoch sind sie nicht in besonderer Weise für den Spracherwerb kognitiv ausgerüstet, sondern werden vermutlich auf allgemeine Problemlösungsstrategien rekurrieren, um sprachliche Daten zu verarbeiten. Die Ausgänge der LS-Komponente und der PS-Komponente führen zum *cognitive output mixer*, der das Verhältnis zwischen LS-verarbeitetem und PS-verarbeitetem sprachlichen Wissen bestimmt. Wie bereits erwähnt, unterscheiden sich Individuen erheblich hinsichtlich des Anteiles, den die beiden kognitiven Komponenten an der Verarbeitung sprachlichen Materials haben. Es gibt einige Gründe, auf die ich hier nicht näher eingehen möchte, nach denen möglicherweise der *cognitive output mixer* vor den LS- und PS-Filtermechanismus geschaltet werden sollte, d.h. der ursprüngliche Input wird sofort aufgespalten in Material, das entweder in die PS- oder die LS-Komponente eintritt. Jedoch bringt diese Lösung einige gravierende Probleme mit sich.

Der Output (Kompetenz) ist das Gesamtergebnis aller Erwerbsprozesse. Man beachte, daß der Output nicht gleichzusetzen ist mit den Äußerungen, die ein Lerner produziert. Vielmehr stellt er das zugrundeliegende Wissen des Lerners über die zu erwerbende Sprache dar. Dieses Wissen wird intuitiv im Chomsky'schen Sinne sein und wäre damit als Ergebnis von Prozessen der LS-Komponenten ausgewiesen. Anders Teilwissen hingegen wird aus Problemlösungsprozessen resultieren.

Der Output dient als Basis für die Produktion konkreter Äußerungen, i.e. Output (Performanz). Die Beziehung zwischen Kompetenz und Performanz ist bekanntlich höchst komplex und in vielerlei Hinsicht noch unklar. Ich habe in dieser Graphik nur diejenigen Faktoren berücksichtigt, von denen anzunehmen ist, daß sie spezifisch für den Spracherwerb sind, d.h. für Sprecher, die noch nicht die volle Sprachkompetenz erreicht haben. Es scheint, daß wenigstens zwei Komponenten zwischen Kompetenz und Performanz einzuschalten sind: Kommunikationsstrategien und Krashens Monitor. Beide beziehen sich auf die Realisierung konkreter Äußerungen, nicht auf den Erwerb von sprachlichen Strukturen. Der wesentliche Unterschied zwischen Kommunikationsstrategien und dem Monitor betrifft den Gegensatz von Form und Inhalt. Der Monitor befaßt sich im wesentlichen mit der sprachlichen Form; er stellt Techniken bereit, um eine bestimmte Äußerung möglichst korrekt (im Sinne der formalen Strukturen der Erwachsenensprache) zu produzieren. Er überprüft die LS-erzeugten Äußerungen bezüglich möglicher Modellabweichungen. Demgegenüber befassen sich die Kommunikationsstrategien mit dem Inhalt sprachlicher Äußerungen. Sie helfen bestimmte kommunikative Intentionen auch dann zu übertragen, wenn die angemessenen formal-sprachlichen Mittel nicht zur Verfügung stehen. Die Zahl möglicher Kommunikationsstrategien scheint recht gewaltig zu sein und Lernende geben sich zuweilen recht originell in ihrem Versuch, den intendierten Inhalt zu übermitteln. Burmeister & Ufert (1980) berichten über drei grundlegende Typen von Kommunikationsstrategien in künstlichen Sprechsituationen *(relapse to L1, relapse to archaic structures, structure avoidance).*

Die vorliegende Graphik hebt zwar in erster Linie auf den L2-Erwerbsprozeß ab, soll jedoch ebenso für den L1-Erwerb zuständig sein. Letztlich versucht die Graphik gerade anzudeuten, in welcher Hinsicht sich L1- und L2-Erwerbsprozeß unterscheiden. Für den L1-Erwerb (und den präpubertären natürlichen L2-Erwerb) sind die PS-bezogenen Komponenten in der Graphik zu eliminieren, so daß das Input-Material direkt in die LS-bezogenen Komponenten wandert, ohne daß L1-Vorwissen oder Problemlösungsprozesse intervenieren. Derzeit muß noch offenbleiben, ob Monitor und Kommunikationsstrategien ebenso für den L1-Erwerb relevant sind. Offenkundig benutzen auch L1-Erwerber bestimmte Strategien, um ihre sprachlichen Beschränkungen zu kompensieren. So verwenden bekanntlich L1-Erwerber bestimmte Techniken, um sich selbst zu korrigieren, und offensichtlich haben sie auch bestimmte Vorstellungen darüber, was in der Zielsprache korrekt ist und was nicht. Die entscheidende Frage ist jedoch, ob L1 und L2-Erwerber in diesem Bereich die gleichen grundlegenden Strategien verwenden.

BIBLIOGRAPHIE

Adams, M. 1974, Second language acquisition in children: a study in experimental methods. M.A. Thesis UCLA.

Adams, M. 1978, Methodology for examining second language acquisition. In: Hatch, E., ed. 1978, 277–296.

Agnello, F. 1977, Exploring the pidginization hypothesis. A study of three fossilized negation systems. In: Henning, C., ed. 1978, 224–234.

Aitchison, J. 1976, The articulate mammal. London.

Anastasi, A. 1958, Heredity, environment and the question "how?". Psych. Rev. 65, 197–208.

Andersen, R. 1978a, The impoverished state of cross-sectional morpheme acquisition/accuracy methodology. In: Henning, C., ed. 1978, 308–320.

Andersen, R. 1978b, An implicational model for second language research. Language Learning 28, 221–282.

Anderson, J. 1976, The acquisition of English sentential complementation by adult native speakers of Puerto Rican Spanish. Dissertation Urbana.

d'Anglejan, A. & Tucker, G. 1975, The acquisition of complex English structures by adult learners. Language Learning 25, 281–296.

Antinucci, F. & Parisi, D. 1973, Early language acquisition: a model and some data. In: Ferguson, C. & Slobin, D., eds. 1973, 607–619.

Antinucci, F. & Volterra, V. 1973, Lo sviluppo della negazione nel linguaggio infantile: uno studio pragmatico. Istituto di Psicologia, CNR, Rom.

Argoff, H. 1976, The acquisition of Finnish inflectional morphology. Dissertation Berkeley.

Arndt, H. 1971, Erkenntnistheoretische Grundlagen von Chomskys Theorie des Spracherwerbs. Neusprachliche Mitteilungen aus Wissenschaft und Praxis 24, 65.

Arndt, H. 1972, Fragestellungen in der neueren linguistischen Forschung und deren Anwendbarkeit im Fremdsprachenunterricht. Die Neueren Sprachen 21, 391–407.

Bach, E. & Harms, R., eds. 1968, Universals in linguistic theory. New York.

Backman, N. 1976, Two measures of affective factors as they relate to progress in adult second language learning. Working Papers on Bilingualism 10, 100–122.

Backman, N. 1977, Learner intonation – a pilot study. In: Henning, C., ed. 1978, 29–37.

Bacon, A. 1977, The effects of full and partial prompting on the acquisition of academic responding. Dissertation Morgantown.

Bahns, J. & Wode, H. 1980, Form and function in L2 acquisition. In: Felix, S., ed. 1980b, 81–92.

Bailey, N. & Eisenstein, M. & Madden, C. 1976, The development of wh-questions in adult second language learners. In: Fanselow, J. & Crymes, R., eds. 1976, 1–9.

Bailey, N. & Madden, C. & Krashen, S. 1974, Is there a "natural sequence" in adult second language learning? Language Learning 24, 235–243.

Bar-Adon, A. & Leopold, W., eds. 1971, Child language: a book of readings. Englewood Cliffs, N.J.

Barnett, S., ed. 1973, Ethology and development. Philadelphia.

Barry, H. & Bacon, M. & Child, J. 1957, A cross-cultural survey of some sex differences in socialization. Journal of Abnormal and Social Psychology 55, 327–332.

Basser, L. 1962, Hemiplegia of early onset and the faculty of speech with special effects of hemispherectomy. Brain 85, 427–460.

Bastian, J. & Eimas, P. & Liberman, A. 1961, Identification and discrimination of a phonemic contrast induced by silent interval. Journal of the Acoustical Society of America 33, 842–851.

Bateson, P. 1973, The imprinting of birds. In: Barnett, S., ed. 1973, 1–15.

Beale, C. 1976, Acquisition of sentences containing relative clauses in children's language. Dissertation Missouri, Columbia.

Behaghel, O. 1918, Die Verneinung in der deutschen Sprache. Wissenschaftliche Beihefte zur Zeitschrift des Allgemeinen Deutschen Sprachvereins, Reihe 5, 38–40, 222–252.

Belasco, S. 1971, The feasibility of learning a second language in an artificial unicultural situation. In: Pimsleur, P. & Quinn, T., eds. 1971, 1–10.

Belkin, A. 1975, Investigation of the functions and forms of children's negative utterances. Dissertation Columbia.

Bell, R. 1965, Parent-child conflict in sexual values. The Journal of Social Issues 22, 34–44.

Bellugi, U. 1965, The development of interrogative structures in children's speech. In: Riegel, K., ed. 1965, 123–138.

Bellugi, U. 1967, The acquisition of the system of negation in children's speech. Dissertation Harvard.

Bellugi, U. 1968, Linguistic mechanisms underlying child speech. In: Zale, H., ed. 1968, 34–44.

Bellugi, U. & Brown, R., eds. 1964, The acquisition of language. Monographs of the Society for Research in Child Development 29, part I.

Bergman, C. 1977, Problems in the developmental psycholinguistics of bilingualism: language acquisition and language use. Dissertation San Diego.

Berko, J. 1958, The child's learning of English morphology. Word 14, 150–177.

Bertkan, J. 1974, An analysis of English learner speech. Language Learning 24, 279–286.

Bever, T. & Fodor, J. & Weksel, W. 1965, Theoretical notes on the acquisition of syntax: a critique of "contextual generalization". Psychological Review 72, 467–482. Zitate nach: Bar-Adon, A. & Leopold, W., eds. 1971, 263–278.

Bever, T. & Langendoen, D. 1971, A dynamic model of the evolution of language. Linguistic Inquiry 2, 433–463.

Bierwisch, M. 1963, Grammatik des deutschen Verbs. Berlin.

Bierwisch, M. 1967, Some semantic universals of German adjectivals. Foundations of Language 3, 1–36.

Bijou, S. & Baer, D. 1961, Child development. Vol. 1: a systematic and empirical theory. New York.

Billows, L. 1973, Kooperatives Sprachenlernen. Heidelberg.

Bitterman, M. 1965, Phyletic differences in learning. American Psychologist 20, 396–410.

Bloom, L. 1970, Language development: form and function in emerging grammars. Cambridge, Mass.

Bloom, L. 1973, One word at a time. Den Haag.

Bloom, L. & Lightbown, P. & Hood, L. 1975, Structure and variation in child language. Monographs of the Society for Research in Child Development.

Blount, B. 1969, The acquisition of language by Luo children. Dissertation Berkeley.

Bohn, O. 1979, Der natürliche L2-Erwerb englischer Satzeinbettungen bei Kindern mit Deutsch als L1. Staatsexamensarbeit Kiel.

Bol, E. & Carpay, J. 1974, Diagnostik von "schwierigen" grammatischen Strukturen. Praxis 21, 145–158.

Bouton, Ch. 1974, L'acquisition d'une langue étrangère. Paris.

Bower, T. 1974, Development in infancy. San Francisco.

Bower, T. & Broughton, J. & Moore, M. 1970, Infant responses to approaching objects: an indicator of response to distal variables. Perception and Psychophysics 9.

Bower, T. & Wishart, J. 1973, Development of auditory-manual co-ordination. i. Vorb.

Bowerman, M. 1973, Early syntactic development: a cross-linguistic study with special reference to Finnish. Cambridge.

Bowlby, J. 1960, Separation anxiety. International Journal of Psychoanalysis 41, 89–113.

Boyd, P. 1975, The development of grammar categories in Spanish by Anglo children learning a second language. TESOL Quarterly 9, 125–135.

Braine, M. 1963, The ontogeny of English phrase structure: the first phase. Language 39, 1–13. Zitate nach: Bar-Adon, A. & Leopold, W., eds. 1971, 279–289.

Brante, G. 1949, Studies on lipids in the nervous system; with special reference to quantitative chemical determination and topical distribution. Acta Physiologica Scand. 18, Suppl. 63.

Brière, E. 1978, Variables affecting native Mexican children's learning Spanish as a second language. Language Learning 28, 159–174.

Brown, D. 1973, Affective variables in second language acquisition. Language Learning 23, 231–243.

Brown, G. 1969, In defense of pattern practice. Language Learning 19, 191–203.

Brown, R. 1968, The development of wh-questions in child speech. Journal of Verbal Learning and Verbal Behavior 7, 279–290.

Brown, R. 1970, Psycholinguistics. New York.

Brown, R. 1973, A first language: the early stage. Cambridge, Mass.

Brown, R. & Bellugi, U. 1964, Three processes in the child's acquisition of syntax. Harvard Educational Review 34, 133–151.

Brown, R. & Cazden, C. & Bellugi, U. 1968, The child's grammar from I–III. In: Hill, J., ed. 1968, vol. 2, 28–73.

Brown, R. & Fraser, C. 1963, The acquisition of syntax. In: Cofer, C. & Musgrave, B., eds. 1963, 158–197. Zitate nach: Bellugi, U. & Brown, R., eds. 1964.

Brown, R. & Hanlon, C. 1970, Derivational complexity and the order of acquisition in child speech. In: Hayes, J., ed. 1970, 11–53.

Burgschmidt, E. & Götz, D. 1974, Kontrastive Linguistik deutsch/englisch. München.

Burmeister, H. & Ufert, D. 1980, Strategy switching? In: Felix, S., ed. 1980b, 109–122.

Burmeister, H. & Ufert, D. & Wode, H., 1979, Zur Leistungsfähigkeit experimenteller Datenerhebungsverfahren bei der Untersuchung zum natürlichen Zweitsprachenerwerb. Linguistische Berichte 64, 95–104.

Burt, M. & Dulay, H., eds. 1975, On TESOL '75: new directions in second language learning. Teaching and bilingual education. Washington D.C.

Burt, M. & Dulay, H. 1980, On acquisition orders. In: Felix, S., ed. 1980b, 265–328.

Burt, M. & Dulay, H. & Finocchiaro, M., eds. 1977, Viewpoints on English as a second language. New York.

Burt, M. & Dulay, H. & Hernández, E. 1975, Bilingual syntax measure. New York.

Butterworth, G. 1972, A Spanish-speaking adolescent's acquisition of English syntax. M.A. Thesis UCLA.

Butzkamm, W. 1973, Aufgeklärte Einsprachigkeit. Heidelberg.

Butzkamm, W. 1976, Grammatik bilingual. Fragment einer Theorie des Grammatikerwerbs. In: Rall, D. & Schepping, R. & Schleyer, W., eds. 1976, 83–94.

Caldwell, B. 1962, The usefulness of the critical period hypothesis in the study of filiative behavior. Merrill-Palmer Quarterly of Behavior and Development 8, 229–242.

Canale, M. & Beniak, E. & Mougeon, R. 1978, Acquisition of some grammatical elements in French and English by monolingual and bilingual Canadian students. Canadian Modern Language Review 34, 505–524.

Cancino, H. & Rosansky, E. & Schumann, J., 1974, Testing hypothesis about second language acquisition: the copula and negative in three subjects. Working Papers on Bilingualism 3, 80–96.

Cancino, H. & Rosansky, E. & Schumann, J. 1975, The acquisition of the English auxiliary by native Spanish speakers. TESOL Quarterly 9, 421–430.

Cancino, H. & Rosansky, E. & Schumann, J. 1978, The acquisition of English negatives and interrogatives by native Spanish speakers. In: Hatch, E., ed. 1978, 207–230.

Carmichael, L., ed. 1946, Manual of child psychology. New York.

Carrol, J. 1966, The contribution of psychological theory and educational research to the teaching of foreign language. In: Valdman, A., ed. 1966, 93–106.

Cazden, C. 1965, Environmental assistance to the child's acquisition of grammar. Dissertation Harvard.

Cazden, C. 1968, The acquisition of noun and verb inflection. Child Development 39, 433–448.

Cazden, C. & Cancino, H. & Rosansky, E. & Schumann, J. 1975, Second language acquisition sequences in children, adolescents and adults. Final Report, Project No. 730744, U.S. Dept. of Health, Education and Welfare, 1975.

Chamot, A. 1972, English as a third language: its acquisition by a child bilingual in French and Spanish. Dissertation Austin, Texas.

Chastain, K. 1975, Affective and ability factors in second language acquisition. Language Learning 25, 153–161.

Chastain, K. 1976, Developing second language skills: theory to practice. Chicago.

Chihara, T. & Oller, J. 1978, Attitudes and attained proficiency in EFL; a sociolinguistic study of adult Japanese speakers. Language Learning 28, 55–68.

Chomsky, C. 1969, The acquisition of syntax in children from 5 to 10. Cambridge, Mass.

Chomsky, N. 1965, Aspects of the theory of syntax. Cambridge, Mass.

Chomsky, N. 1968, Language and mind. New York.

Chomsky, N. 1975, Reflections on language. New York.

Chomsky, N. 1977, Conditions on rules of grammar. In: Cole, R., ed. 1977, 3–50.

Chun, J. 1974, Second language acquisition: a review of the literature. Manuskript Stanford.

Clahsen, H. 1979, Syntax oder Produktionsstrategien? Zum natürlichen Zweitsprachenerwerb der 'Gastarbeiter'. In: Kloepfer, R. et al., eds. 1979, 343–354.

Clahsen, H. 1980a, Psycholinguistic aspects of L2 acquisition. In: Felix, S., ed. 1980b, 57–79.

Clahsen, H. 1980b, Variation in der frühkindlichen Syntaxentwicklung. Erscheint in: Michigan Germanic Studies, Vol. 6.2.

Clahsen, H. & Meisel, J. 1980, Eine psycholinguistische Rechtfertigung von Wortstellungsregeln im Deutschen. Erscheint in: Papiere zur Linguistik 21.

Clark, E. 1971, On the acquisition of the meaning of "before" and "after". Journal of Verbal Learning and Verbal Behavior 10, 266–275.

Clark, E. 1972, On the child's acquisition of antonyms in two semantic fields. Journal of Verbal Learning and Learning Behavior 11, 750–758.

Clark, E. 1973a, How children describe time and order. In: Ferguson, C. & Slobin, D., eds. 1973, 607–619.

Clark, E. 1973b, What's in a word? In: Moore, T., ed. 1973, 65–110.

Clark, E. 1973c, Non-linguistic strategies and the acquisition of word meaning. Cognition 2, 161–182.

Cofer, C. & Musgrave, B., eds. 1963, Verbal behavior and learning: problems and processes. New York.

Cohen, A. 1974, The Culver City Spanish Immersion Programm: how does summer recess affect Spanish speaking ability? Language Learning 24, 55–68.

Cohen, A. 1975, Forgetting a second language. Language Learning 25, 127–138.

Colby, K. 1973, The rationale for computer-based treatment of language difficulties in non-speaking autistic children. Journal of Autism and Childhood Schizophrenia 3, 254–260.

Cole, R., ed. 1977, Current issues in linguistic theory. Bloomington, Ind.

Collins, L. 1972, Language processes and second-language acquisition. Dissertation Indiana.

Cook, V. 1969, The analogy between first and second language learning. IRAL 7, 207–216.

Cook, V. 1973, The comparison of language development in native children and foreign adults. IRAL 11, 13–28.

Cook, V. 1975, Cognitive processes in second language learning. Manuskript N.E. London Polytechnic.

Corder, P. 1967, Significance of learners' errors. IRAL 5, 162–169.

Corder, P. 1971, Idiosyncratic dialects and error analysis. IRAL 9, 147–159.

Corder, P. 1973, Introducing applied linguistics. Aylesburg.

Corder, P. & Roulet, E., eds. 1977, The notions of simplification, interlanguages and pidgins and their relation to second language pedagogy. Genf.

Curtiss, S. 1976, Genie: a linguistic study of a modern day "wild child". Dissertation UCLA.

Curtiss, S. & Krashen, S. & Fromkin, V. & Rigler, D. & Rigler, M. 1973, Language acquisition after the critical period. Proceedings of the Ninth Regional Meeting of the Chicago Linguistic Society.

Dato, D. 1970, American children's acquisition of Spanish syntax in the Madrid environment. Preliminary edition. U.S. Dept. of Health, Education and Welfare, Final Report 3036, 1970.

Dato, D. 1971, The development of the Spanish verb phrase in children's second-language learning. In: Pimsleur, P. & Quinn, T., eds. 1971, 19–33.

Dato, D., ed. 1975, Developmental psycholinguistics: theory and applications. Washington D.C

Denenberg, V. 1964, Critical periods, stimulus input, and emotional reactivity. Psychological Review 71, 335–351.

Denninghaus, F. 1970, Die wechselseitigen Einflüsse zwischen der Linguistik und dem Fremdsprachenunterricht. Praxis des Neusprachlichen Unterrichts 17, 407–418.

Dennis, W. 1940, The effect of cradling practices upon the onset of walking in Hopi children. Journal of Genetic Psychology 56, 77–86.

Derwing, B. 1975, Linguistic rules and language acquisition. Cahiers linguistiques d'Ottawa, 13–41.

Dickerson, L. 1975, The learner's interlanguage as a system of variable rules. TESOL Quarterly 9, 401–407.

Dickerson, L. & Dickerson, W. 1977, Interlanguage phonology: current research and future directions. In: Corder, P. & Roulet, E., eds. 1977, 18–29.

Dickerson, W. 1971, Hesitation phenomena in the spontaneous speech of non-native speakers of English. Dissertation Illinois.

Dickerson, W. 1976, The psycholinguistic unity of language learning and language change. Language Learning 26, 215–231.

Dietrich, J. 1973, Pädagogische Implikationen der Einsprachigkeit im Fremdsprachenunterricht. Praxis 20, 344–358.

Dietrich, R., ed. 1975, Aspekte des Fremdsprachenerwerbs. Beiträge zum 2. Fortbildungskurs "Deutsch als Fremdsprache". Heidelberg.

Dinkel, N. 1977, The use of frequency adverbial terms by young children: acquisition and meaning. Dissertation Tampa, Florida.

Dirven, R., ed. 1977, Hörverständnis im Fremdsprachenunterricht. Kronberg/Ts.

Dirven, R. & Hünig, W. & Kühlwein, W. & Radden, G. & Strauß, J. 1976, Die Leistung der Linguistik für den Englischunterricht. Tübingen.

Disick, R. 1976, Affektive Ziele im Fremdsprachenunterricht. In: Solmecke, G., ed. 1976, 49–58.

Dittmar, N. 1980, Ordering adult learners according to language abilities. In: Felix, S., ed. 1980b, 205–231.

Dittmar, N. & Klein, W. 1975, Untersuchungen zum Pidgin-Deutsch spanischer und italienischer Arbeiter in der Bundesrepublik. Ein Arbeitsbericht. In: Wierlacher, A. et al., eds. 1975, 170–194.

Dittmar, N. & Rieck, B. 1975, Reihenfolgen im ungesteuerten Erwerb des Deutschen. Zur Erlernung grammatischer Strukturen durch ausländische Arbeiter. In: Dietrich, R., ed. 1975, 119–145.

Dixon, T. & Horton, D., eds. 1968, Verbal behavior and general behavior theory. Englewood Cliffs, N.J.

Donaldsen, M. & Balfour, Y. 1968, Less is more: a study of language comprehension in children. British Journal of Psychology 59, 461–471.

Drachman, G., ed. 1976, Akten des 1. Salzburger Kolloquiums über Kindersprache. Tübingen.

Drachman, G., ed. 1977, Akten der 3. Salzburger Jahrestagung für Linguistik. Salzburg.

Driver, B. 1977, The accomplishment of inquiry sequences by children in informal classroom settings. Dissertation Austin, Texas.

Dubois, B. 1975, Mexican-American child bilingualism: double deficit? Manuskript New Mexico.

Dulay, H. 1974, Aspects of child second language acquisition. Dissertation Harvard.

Dulay, H. & Burt, M. 1972, "Goofing": an indicator of children's second language learning strategies. Language Learning 22, 235–252.

Dulay, H. & Burt, M. 1973, Should we teach children syntax? Language Learning 23–24, 245–258.

Dulay, H. & Burt, M. 1974a, Errors and strategies in child second language acquisition. TESOL Quarterly 8, 129–136.

Dulay, H. & Burt, M. 1974b, Natural sequences in child second language acquisition. Language Learning 24, 37–53.

Dulay, H. & Burt, M. 1974c, A new perspective on the creative construction process in child second language acquisition. Language Learning 24, 253–278.

Dulay, H. & Burt, M. 1974d, You can't learn without goofing. In: Richards, J., ed. 1974, 95–123.

Dulay, H. & Burt, M. 1975, A new approach to discovering universal strategies of child second language acquisition. In: Dato, D., ed. 1975, 209–233.

Dulay, H. & Burt, M. 1977, Remarks on creativity in language acquisition. In: Burt, M. & Dulay, H. & Finocchiaro, M., eds. 1977, 95–126.

Duncker, K. 1938, Induced motion. In: Ellis, W., ed. 1938.

Dušková, L. 1969, On sources of errors in foreign language learning. IRAL 7, 11–36.

Echeverria, M. 1975, Late stages in the acquisition of Spanish syntax. Dissertation Washington.

Ellis, N., ed. 1966, International review of research in mental retardation. Vol. 1. New York.

Ellis, W., ed. 1938, Source book of gestalt psychology. London.

Endler, N. & Boulter, L. & Osser, H., eds. 1976, Contemporary issues in developmental psychology. New York.

Engelkamp, J. 1974, Psycholinguistik. München.

Engen, T. & Lipsitt, L. & Kuge, H. 1963, Olfactory responses and adaptation in the human neonate. Journal of Comparative Physiology 56, 73–77

Erikson, E. 1970, Identity versus identity diffusion. In: Mussen, P. et al., eds. 1970, 532–537.

Ervin-Tripp, S. 1964, Imitation and structural change in children's language. In: Lenneberg, E. & Lenneberg, H., eds. 1964, 163–189.

Ervin-Tripp, S. 1974, Is second language learning like the first? TESOL Quarterly 8, 111–128.

Essen van, A. & Menting, J., eds., 1975, The context of foreign language learning. Assen.

Estacio, C. 1971, A cognition-based program of second language learning. In: Pimsleur, P. & Quinn, T., eds. 1971, 189–194.

Falk, J. 1974, Second language learning and first language acquisition: providing comparable data. Manuskript Stanford.

Fanselow, J. & Crymes, R., eds. 1976, On TESOL '76. Washington D.C.

Fantz, R. 1965, The origin of form perception. In: Mussen, P. & Conger, J. & Kagan, J., eds. 1965.

Fantz, R. & Ordy, J. & Udelf, M. 1962, Maturation of pattern vision in infants during the first six months. Journal of Comparative and Physiological Psychology 55, 907–917.

Fathman, A. 1975a, The relationship between age and second language production ability. Language Learning 25, 245–253.

Fathman, A. 1975b, Language background, age and the order of acquisition of English structures. In: Burt, M. & Dulay, H., eds. 1975, 3–43.

Fathman, A. 1977, Similarities and simplification in the interlanguage of second language learners. In: Corder, P. & Roulet, E., eds. 1977, 30–38.

Fathman, A. 1978, ESL and EFL learning: similar or dissimilar? In: Blatchford, E. & Schachter, J., eds. 1978, 213–223.

Kadar, G. i. Vorb., Der gleichzeitige Erwerb des Ungarischen, Deutschen und Französischen eines Kindes im Alter zwischen 2 und 4 Jahren. Kiel.

Kagan, J. 1970, Attention and psychological change in the young child. Science 170, 826–832.

Kaper, W. 1975, Negatie in de Kindertaal. Forum der Letteren 16, 18–44.

Katz, J. 1966, The philosophy of language. New York.

Katz, J. & Bever, T. 1973, The fall and rise of empiricism. Manuskript MIT.

Katz, J. & Postal, P. 1964, An integrated theory of linguistic description. Cambridge, Mass.

Keats, J. & Collis, L. & Halford, R. 1978, Cognitive development. Research based on a Neo-Piagetian approach. New York.

Kenyeres, E. 1938, Comment une petite hongroise de sept ans apprend le français. Arch. Psychol. 26, 521–566.

Kernan, K. 1969, The acquisition of language by Samoan children. Dissertation Berkeley.

Kessler, C. 1971, The acquisition of syntax in bilingual children. Washington D.C.

Kessler, C. & Idar, L. 1977, The acquisition of English syntactic structures by a Vietnamese child. In: Henning, C., ed. 1978, 299–307.

Kielhöfer, B. 1975, Fehlerlinguistik des Fremdsprachenerwerbs. Linguistische, lernpsychologische und didaktische Analyse von Französischfehlern. Kronberg/Ts.

Kimura, D. 1963, Speech lateralization in young children as determined by an auditory test. Journal of Comparative and Physiological Psychology 56, 899–902.

Kinney, L. 1976, A psycholinguistic approach to pidgin and creole languages. Dissertation Chapel Hill, N.C.

Klahr, D. & Wallace, J. 1976, Cognitive development: an information-processing view. Hillsdale, N.J.

Klein, W. 1974, Variation in der Sprache. Kronberg/Ts.

Klein, W. et al. 1976, Untersuchungen zur Erlernung des Deutschen durch ausländische Arbeiter. Germanistisches Seminar der Universität Heidelberg.

Kleinmann, H. 1978, The strategy of avoidance in adult second language acquisition. In: Ritchie, W., ed. 1978, 157–174.

Klima, E. 1964, Negation in English. In: Fodor, J. & Katz, J., eds. 1964, 246–323.

Klima, E. & Bellugi, U. 1966, Syntactic regularities in the speech of children. In: Lyons, J. & Wales, R., eds. 1966, 183–208.

Kloepfer, R. et al., eds. 1979, Bildung und Ausbildung in der Romania. Band 2. München.

Kohn, J. 1975, Acquisition of standard German among Swiss-German speaking primary school children. Dissertation Columbia.

Krashen, S. 1973, Lateralization, language learning, and the critical period: some new evidence. Language Learning 23, 63–73.

Krashen, S. 1975, The development of cerebral dominance and language learning: more new evidence. In: Dato, D., ed. 1975, 179–192.

Krashen, S. 1977, The monitor model for adult second language performance. In: Burt, M. & Dulay, H. & Finocchiaro, M., eds. 1977, 152–161.

Krashen, S. 1978, Individual variation in the use of the Monitor. In: Ritchie, W., ed. 1978, 175–184.

Krashen, S. 1980, Relating theory and practice in adult second language acquisition. In: Felix, S., ed. 1980b, 185–204.

Krumm, H. 1973, Analyse und Training fremdsprachlichen Lernverhaltens. Weinheim – Basel.

Kruse, J. 1976, Der L2-Erwerb der englischen Negation bei Kindern mit Deutsch als L1. Manuskript Kiel.

Kühlwein, W. & Raasch, A., eds. 1977, Kongreßberichte der 8. Jahrestagung der Gesellschaft für Angewandte Linguistik. Mainz.

Lado, R. 1973, Moderner Sprachunterricht. Eine Einführung auf wissenschaftlicher Grundlage. München.

Lambert, W. & Gardner, R. & Olton, R. & Tunstall, K. 1976, Eine Untersuchung der Rolle von Einstellungen und Motivation beim Fremdsprachenlernen. In: Solmecke, G., ed. 1976, 85–103.

Lamendella, J. 1969, On the irrelevance of transformational grammar to second language pedagogy. Language Learning 19–20, 255–268.

Lamendella, J. 1977, General principles of neurofunctional organization and their manifestation in primary and non-primary language acquisition. Language Learning 27, 155–196.

Lane, H. 1962, Some differences between first and second language acquisition. Language Learning 12, 1–14.

Lane, H., ed. 1966, Studies of language behavior. Center Res. Lang. Behavior, Report No. 2.

Lange, D. 1975, Negation im natürlichen Zweitsprachenerwerb: eine Fallstudie. Arbeitspapiere zum Spracherwerb Nr. 9. Englisches Seminar der Universität Kiel.

Lange, S. & Larsson, K. 1973, Syntactical development of a Swedish girl, Embla, between 20 and 42 months of age, part I: age 20–25 months. Stockholm.

Larsen-Freeman, D. 1975a, The acquisition of grammatical morphemes by adult learners of English as a second language. Dissertation Michigan.

Larsen-Freeman, D. 1975b, The acquisition of grammatical morphemes by adult ESL students. TESOL Quarterly 9, 409–419.

Larsen-Freeman, D. 1976, An explanation for the morpheme acquisition order of second language learners. Language Learning 26, 125–134.

Larsen-Freeman, D. 1978a, An ESL index of development. TESOL Quarterly 12, 439–448.

Larsen-Freeman, D. 1978b, Evidence of the need for a second language acquisition index of development. In: Ritchie, W., ed. 1978, 127–136.

Larudee, F. 1964, Language teaching in historical perspective. Dissertation Michigan.

Lashley, K. 1938, Experimental analysis of instinctive behavior. Psychological Review 45, 445–471.

Lashley, K. 1949, Persistent problems in the evolution of mind. Quarterly Review of Biology 24, 28–42.

Lashley, K. & Russell, J. 1934, The mechanisms of vision: a preliminary test of innate organization. Journal of Genetic Psychology 45, 136–144.

Law, M. 1973, Assumptions in linguistics and the psychology of learning made in current modern language courses. Praxis 20, 231–238.

Leaffer, T. 1976, On negation: a comparative analysis of young children's ability to understand sentence negation. Dissertation New York.

Lenneberg, E. 1962, Understanding language ability to speak: a case report. Journal of Abnormal Social Psychology 65, 419–425.

Lenneberg, E. 1967, Biological foundations of language. New York.

Lenneberg, E. 1969, On explaining language. Science 164, 635–643.

Lenneberg, E. & Lenneberg, H., eds. 1975, Foundations of language development, New York.

Lenneberg, E. & Rebelsky, F. & Nichols, J. 1965, The vocalization of infants born to deaf and to hearing parents. Human Development 8, 23–37.

Leopold, W. 1939–49, Speech development of a bilingual child: a linguist's record. Evanston, Ill.

Levenston, E. & Blum, S. 1977, Aspects of lexical simplification in the speech and writing of advanced adult learners. In: Corder, P. & Roulet, E., eds. 1977, 51–71.

Levenston, E. & Blum, S. 1978, Discourse- completion as a technique for studying lexical features of interlanguage. Working Papers on Bilingualism 15, 1–14.

Libbish, B. 1964, Neue Wege im Sprachunterricht. Frankfurt.

Liberman, A. & Cooper, F. & Shankweiler, D. & Studdert-Kennedy, M. 1967, Perception of the speech code. Psychological Review 74, 431–461.

Liberman, A. & Harris, K. & Eimas, P. & Lisker, L. & Bastian, J. 1961, An effect of learning on speech perception: the discrimination of durations of silence with and without phonemic significance. Language and Speech 4, 175–195.

Liberman, A. & Harris, K. & Hoffman, H. & Griffith, B. 1957, The discrimination of speech sounds within and across phoneme boundaries. Journal of Experimental Psychology 53, 358–368.

Licklider, J. & Miller, G. 1951, The perception of speech. In: Stevens, S., ed. 1951.

Lightbown, P. 1977a, Consistency and variation in the acquisition of French: a study of first and second language development. Dissertation Columbia.

Lightbown, P. 1977b, French L2-learners: what they're talking about. Language Learning 27, 371–389.

Lightbown, P. 1978, Question form and question function in the speech of young French L2 learners. In: Paradis, M., ed. 1978a, 41–50.

Lightbown, P. & Spada, N. 1978, Performance on an oral communication task by francophone ESL learners. SPEAQ Journal. Vol. 2, No. 4, 35–54.

Littlewood, W. 1973, A comparison of first language acquisition and second language learning. Praxis 20, 343–348.

Locke, J. 1970, The value of repetition in articulation learning. IRAL 8, 147–154.

Lo Coco, V. 1975, An analysis of errors in the learning of Spanish and of German as second languages. Dissertation Stanford.

Lono, L. 1976, A study of language universals and their application to second language teaching. Dissertation New York.

Lorenz, K. 1932, Betrachtungen über das Erkennen der arteigenen Triebhandlungen der Vögel. Journal of Ornithology 80, 50–98.

Lorenz, K. 1943, Die angeborenen Formen möglicher Erfährung. Zeitschrift für Tierpsychologie 5, 335–409.

Lovell, K. 1961, The growth of mathematical and scientific concepts in children. London.

Lübke, D. 1975, Lernziel "Kommunikationsfähigkeit". Praxis 22, 291–301.

Luria, A & Yudovich, F. 1959, Speech and the development of mental processes in the child. London.

Lyons, J. & Wales, R., eds. 1966, Psycholinguistic Papers. Edinburgh.

MacFie, J. 1961, Intellectual impairment in children with localized post-infantile cerebral lesions. Journal of Neurology, Neurosurgery and Psychiatry 24, 361–365.

Major, D. 1974, The acquisition of modal auxiliaries in the language of children. Den Haag.

Marquis, D. 1931, Can conditioned reflexes be established in the new-born infant? Journal of Genetic Psychology 39, 479–492.

Mason, W. & Harlow, H. & Rueping, R. 1959, The development of manipulatory responsiveness in the infant rhesus monkey. Journal of Comparative and Physiological Psychology 52, 555–558.

McGraw, M. 1940, Neural maturation as exemplified by the achievement of bladder control. Journal of Pediatrics 18, 580–590.

McGraw, M. 1943, The neuromuscular maturation of the human infant. Columbia.

McGraw, M. 1946, Maturation of behavior. In: Carmichael, L., ed. 1946, 332–369.

McNeill, D. 1965, Some thoughts on first and second language acquisition. Manuskript.

McNeill, D. 1966a, Developmental psycholinguistics. In: Smith, F. & Miller, G., eds. 1966, 15–84.

McNeill, D. 1966b, The creation of language by children. In: Lyons, J. & Wales, R., eds. 1966, 99–114.

McNeill, D. 1966c, Some universals of language acquisition. In: Lane, H., ed. 1966, 32–56.

McNeill, D. 1968a, On theories of language acquisition. In: Dixon, T. & Horton, D., eds. 1968, 406–420.

McNeill, D. 1968b, Two problems of cognitive psychologists, problem I: predication. Center of Cognitive Studies Colloquium, Harvard.

McNeill, D. 1970, The acquisition of language: the study of developmental psycholinguistics. New York.

McNeill, D. & McNeill, M. 1968, What does a child mean when he says 'no'? In: Zale, E., ed. 1968, 51–62.

Mediano, Z. 1976, Preliminary studies in the acquisition of Portuguese morphology by Brazilian children. Dissertation New Mexico.

Meisel, J. 1975a, Ausländerdeutsch und Deutsch ausländischer Arbeiter. Zur möglichen Entstehung eines Pidgin in der BRD. Zeitschrift für Literaturwissenschaft und Linguistik 18, 9–53.

Meisel, J. 1975b, Der Erwerb des Deutschen durch ausländische Arbeiter. Untersuchungen am Beispiel von Arbeiten aus Italien, Spanien und Portugal. Linguistische Berichte 38, 59–69.

Meisel, J. 1976, The language of foreign workers in Germany. Grazer Linguistische Studien 3, 107–134.

Meisel, J. 1977, The language of foreign workers in Germany. In: Molony, C. & Zobl, M. & Stölting, W., eds. 1977, 184–212.

Meisel, J. 1979, Strategies of second language acquisition: more than one kind of simplification. Paper presented at the "Symposium on the Relationship Between Pidginization, Creolization and Language Acquisition", Linguistic Society of America, Annual Meeting '79, Los Angeles.

Meisel, J. 1980a, Linguistic simplification: a study of immigrant workers' speech and foreigner talk. In: Felix, S., ed. 1980b, 13–40.

Meisel, J. 1980b, Etapes et itinéraires d'acquisition d'une langue seconde. Champs Educatifs 1.

Meisel, J. & Clahsen, H. & Pienemann, M. 1979, On determining developmental stages in natural second language acquisition. Erscheint in: Studies in Second Language Acquisition.

Menyuk, P. 1963, Syntactic structures in the language of children. Child Development 34, 407–422.

Menyuk, P. 1969, Sentences children use. Cambridge, Mass.

Menyuk, P. 1971, The acquisition and development of language. Englewood Cliffs, N.J.

Miller, G. 1951, Language and communication. New York.

Miller, W. & Ervin, S. 1964, The development of grammar in child language. In: Bellugi, U. & Brown, R., eds. 1964, 9–35.

Mills, A. 1977, First and second language acquisition in German. A parallel study. Ludwigsburg.

Milon, J. 1974, The development of negation in English by a second language learner. TESOL Quarterly 8, 137–143.

Möhle, D. 1975, Zur Beschreibung von Stufen der Kommunikationsfähigkeit im neusprachlichen Unterricht. Praxis 22, 4–13.

Molony, C. & Zobl, H. & Stölting, W., eds. 1977, German in contact with other languages. Kronberg/Ts.

Moltz, H. 1960, Imprinting: empirical basis and theoretical significance. Psychological Bulletin 57, 291–314.

Monane, T. 1971, Sequencing in language teaching: linguistic and psychological factors involved. Dissertation Georgetown.

Moore, T., ed. 1973, Cognitive development and the acquisition of language. New York.

Moran, M. 1975, Mastery of verb tense markers by children in primary learning disabilities classes and regular classes. Dissertation Kansas.

Moskowitz, B. 1973, On the status of vowel shift in English. In: Moore, T., ed. 1973, 223–260.

Mussen, P., ed. 1970, Carmichael's manual of child psychology. New York.

Mussen, P. & Conger, J. & Kagan, J., eds. 1965, Readings in child development and personality. New York.

Naimon, N. & Fröhlich, M. & Stern, H. & Todesco, A. 1978, The good language learner. Toronto, Ontario.

Natalicio, D. & Natalicio, L. 1969, The child's learning of English morphology. Language Learning 19, 205–215.

Nehls, D. ed. 1980, The acquisition of language. Stuttgart.

Nemser, W. 1971, Approximative systems of foreign language learners. IRAL 9, 115–123.

Neufeld, G. 1980, On the acquisition of prosodic and articulatory features in adult language learning. In: Felix, S., ed. 1980b, 137–149.

Newmark, L. & Reibel, D. 1968, Necessity and sufficiency in language learning. IRAL 6, 145–161.

Ney, J. 1971, Transformational-generative theories of language and the role of conditioning in language learning. Language Learning 21–22, 63–73.

Nickel, G. 1971, Papers in contrastive linguistics. Cambridge.

Nickel, G. 1972, Reader zur kontrastiven Linguistik. Frankfurt.

Nickel, G. ed. 1976, Proceedings of the Fourth International Congress of Applied Linguistics. Stuttgart.

Odlin, T. 1978, Variable rules in the acquisition of English contractions. TESOL Quarterly 12, 451–458.

O'Dowd, S. 1976, Children's acquisition of comparative and superlative adjectives. Dissertation Brown University.

Oerter, R. 1977, Moderne Entwicklungspsychologie. Donauwörth.

Oller, J. 1971a, Language use and foreign language learning. IRAL 9, 161–168.

Oller, J. 1971b, Language communication and second language learning. In: Pimsleur, P. & Quinn, T., eds. 1971, 171–179.

Oller, J. & Perkins, K. 1978, Intelligence and language proficiency as sources of variance in self-reported affective variables. Language Learning 28, 85–97.

Olmsted, D. 1971, Out of the mouth of babes. Den Haag.

Olsen, L. & Samuels, S. 1973, The relationship between age and accuracy of foreign language production. The Journal of Educational Research 66, 263–269.

Olsson, M. 1977, Intelligibility. An evaluation of some features of English produced by Swedish 14-years-olds. Göteborg.

Omar, M. 1973, The acquisition of Egyptian Arabic. Den Haag.

Osgood, C. 1957, Motivational dynamics of language behavior. Nebraska Symposium on Motivation 5, 348–424.

Osgood, C. & Seboek, T., eds. 1969, Psycholinguistics: a survey of theory and research problems. Indiana.

Paradis, M., ed. 1978a, Aspects of bilingualism. Columbia, S.C.

Paradis, M., ed. 1978b, The Fourth Lacus Forum 1977. Columbia, S.C.

Park, T. 1970, The acquisition of German syntax. Arbeitspapiere Psychologisches Institut der Universität Münster.

Park, T. 1974, A study of German language development. Manuskript Bern.

Parreren van, C. 1972, Lernprozeß und Lernerfolg. Braunschweig.

Parreren van, C. 1975, First and second language learning compared. In: Essen van, A. & Menting, J., eds. 1975, 100–116.

Payne, A. 1976, The acquisition of the phonological system of a second dialect. Dissertation Pennsylvania.

Perkins, A. 1976, The interlanguage performance of adult speakers of English as a second language on higher-order constructions. Dissertation Michigan.

Perkins, K. & Larsen-Freeman, D. 1975, The effect of formal language instruction on the order of morpheme acquisition. Language Learning 25, 237–243.

Piaget, J. 1962, The stages of the intellectual development of the child. Bulletin of the Menninger Clinic 26, 120–145.

Piaget, J. 1971, Psychologie der Intelligenz. Freiburg.

Piaget, J. 1976a, Le langage et la pensée chez l'enfant. Neuchâtel-Paris.

Piaget, J. 1976b, Die Äquilibration der kognitiven Strukturen. Stuttgart.

Piaget, J. 1976c, Biology and cognition. In: Inhelder, B. & Chipman, H., eds. 1976, 45–62.

Piaget, J. 1976d, Piaget's theory. In: Inhelder, B. & Chipman, H., eds. 1976, 11–23.

Pienemann, M. 1977, Erwerbssequenzen und Lehrprogression. Überlegungen zur Steuerung des Zweitspracherwerb In: Kloepfer, R. et al., eds. 1979. Band 2, 397–416.

Pienemann, M. 1978, Deutsch als Fremdsprache für ausländische Arbeiterkinder. Studium Linguistik 6, 23–38.

Pienemann, M. 1979, Der Zweitspracherwerb ausländischer Arbeiterkinder. Disseration Wuppertal.

Pienemann, M. 1980, The second language acquisition of immigrant children. In: Felix, S., ed. 1980b, 41–56.

Piepho, H. 1974, Kommunikative Kompetenz als übergeordnetes Lernziel im Englischunterricht. Dornburg-Frickhofen.

Pimsleur, P. & Quinn, T., eds. 1971, The psychology of second language learning. Cambridge.

Politzer, R. 1965, Some reflections on transfer of training in foreign language learning. IRAL 3, 171–177.

Politzer, R. 1970, On the use of aptitude variables in research in foreign language teaching. IRAL 8, 333–340.

Postal, P. 1964, Constituant structure: a study of contemporary models of syntactic description. Den Haag.

Postal, P. 1966, On so-called pronouns in English. Monograph Series on Languages and Linguistics 19. Washington D.C.

Potter, R. & Kopp, A. & Green, H. 1947, Visible speech. New York.

Premack, D. 1971, Language in chimpanzee? Science 172, 808–822.

Raabe, H., ed. 1976, Trends in kontrastiver Linguistik. Band 2. Tübingen.

Rall, D. & Schepping, R. & Schleyer, W., eds. 1976, Didaktik der Fachsprache. Bonn.

Ramge, H. 1975, Spracherwerb. Grundzüge der Sprachentwicklung des Kindes. Tübingen.

Ramsay, A. 1951, Familial recognition in domestic birds. Auk 68, 1–16.

Randhawa, B. & Korpan, S. 1973, Assessment of some significant affective variables and the prediction of achievement in French. Canadian Journal of Behavioral Science 5, 24–33.

Ravem, R. 1968, Language acquisition in a second language environment. IRAL 6, 175–185.

Ravem, R. 1969, First and second language acquisition. Vortrag BAAL Seminar on Error Analysis. Edinburgh, 26–27 April 1969.

Ravem, R. 1970, The development of wh-questions in first and second language learners. University of Essex Language Centre, Occasional Papers 8, 16–41.

Ravem, R. 1974, Second language acquisition. Dissertation Essex.

Redlinger, W. 1977, Bilingual language development in preschool Mexican-American children. Dissertation Arizona.

Reibel, D. 1971, Language learning strategies for the adult. In: Pimsleur, P. & Quinn, T., eds. 1971, 87–96.

Reyes, E. 1969, Some problems of interference in the use of English verbs by native Tagalog speakers. Language Learning 19, 87–97.

Richards, J., ed. 1974, Error analysis. Perspectives on second language acquisition. Thetford, Norfolk.

Riegel, K., ed. 1965, The development of language functions. Ann Arbor.

Ritchie, W., ed. 1978, Second language acquisition research: issues and implications. New York.

Roeper, T. 1972, Approaches to a theory of language acquisition with examples from German children. Dissertation Harvard.

Roeper, T. 1973, Connecting children's language and linguistic theory. In: Moore, T., ed. 1973, 187–196.

Rosansky, E. 1976, Second language acquisition research: a question of methods. Dissertation Harvard.

Rosansky, E. 1977, Methods and morphemes in second language acquisition research. Language Learning 26, 409–425.

Rosenbaum, P. 1967, The grammar of English predicate complement constructions. Cambridge.

Roth, E. & Oswald, W. & Daumenlang, K. 1975, Intelligenz. Stuttgart-Berlin-Köln-Mainz.

Ruke-Dravina, V. 1963, Sprachentwicklung bei Kleinkindern: 1. Syntax: Beitrag auf der Grundlage lettischen Sprachmaterials. Lund.

Rydin, J. 1971, A Swedish child in the beginning of syntactic development and some cross-linguistic comparisons. Manuskript.

Sameroff, A. 1968, The components of sucking in the human new-born. Journal of Experimental Child Psychology 6, 607–623.

Sameroff, A. 1971, Can conditioned responses be established in the new-born infant? Developmental Psychology 5, 1–12.

Sanches, M. 1968, Features in the acquisition of Japanese grammar. Dissertation Stanford.

Sangster, L. & Schooneveld van, C., eds. 1979, The melody of language. Baltimore.

Savić, S. 1975, Aspects in adult-child communication: the problem of question acquisition. Journal of Child Language 2, 251–260.

Schadé, J. & van Groenigen, W. 1961, Structural organization of the human cerebral cortex: maturation of the middle frontal gyrus. Acta anatomica 47, 74–111.

Schachter, J. 1974, An error in error analysis. Language Learning 24, 205–214.

Schatz, C. 1954, The role of context in the perception of stops. Language 30, 47–56.

Schlesinger, J. 1977, The role of cognitive development and input in language acquisition. Journal of Child Language 4, 153–169.

Schlue, K. 1977, An inside of interlanguage. In: Henning, C, ed. 1977, 342–348.

Schneider, B. 1978, Sprachliche Lernprozesse. Tübingen.

Schönpflug, U. 1977, Psychologie des Erst- und Zweitsprachenerwerbs. Stuttgart.

Schröder, A. 1979, Aussprachefehler bei Sextanern im Englisch-Anfangsunterricht im Lichte des natürlichen L2-Erwerbs. Manuskript Universität Kiel.

Schumann, J. 1975a, Second language acquisition: the pidginization hypothesis. Dissertation Harvard.

Schumann, J. 1975b, Affective factors and the problem of age in second language acquisition. Language Learning 25, 209–235.

Schumann, J. 1976, Social distance as a factor in second language acquisition. Language Learning 26, 135–143.

Schumann, J. 1977a, Implications of pidginization and creolization for the study of adult second language acquisition. In: Schumann, J. & Stevenson, G., eds. 1977, 137–152.

Schumann, J. 1977b, Second language acquisition: the pidginization hypothesis. Language Learning 27, 391–408.

Schumann, J. & Stevenson, G., eds. 1977, New frontiers in second language learning. Rowley, Mass.

Scoon, A. 1971, Affective influences on English language learning among Indian students. TESOL Quarterly 5, 285–291.

Scovel, T. 1969, Foreign accents, language acquisition, and cerebral dominance. Language Learning 19, 245–253.

Scott, J. 1962, Critical periods in behavioral development. Science 138, 949–958.

Scupin, E. & Scupin, G. 1907, Bubis erste Kindheit: ein Tagebuch. Leipzig.

Scupin, E. & Scupin, G. 1910, Bubi im vierten bis sechsten Lebensjahr. Leipzig.

Segermann, K. 1974, Zur Überwindung des Methodenstreits in der fachdidaktischen Diskussion. Praxis 21,339–353.

Seliger, H. 1978, Implications of a multiple critical periods hypothesis for second language learning. In: Ritchie, W., ed. 1978, 11–20.

Seliger, H. 1980, First and second language acquisition: the question of developmental strategies. Vortrag Second Language Research Forum, Los Angeles, März 1980.

Selinker, L. 1972, Interlanguage. IRAL 10, 209–231.

Shapira, R. 1978, The non-learning of English: case study of an adult. In: Hatch, E., ed. 1978, 246–255.

Shirley, M. 1959, The first two years. Minnesota.

Silvester, L. 1976, Aspects of the interlanguage of English learners of German. In: Nickel, G., ed. 1976, 329–344.

Simmet, A. 1978, Lernprozesse im Fremdsprachenunterricht. Manuskript Passau.

Simmet, A. i. Vorb., Spracherwerb und Fremdsprachenunterricht. Passau.

Sinclair-de Zwart, H. 1967, Acquisition du langage et développement de la pensée. Paris.

Sinclair-de Zwart, H. 1973, Language acquisition and cognitive development. In: Moore, T., ed. 1973, 9–26.

Siqueland, E. 1968, Reinforcement patterns and extinction in human new-borns. Journal of Experimental Child Psychology 6, 431–442.

Siqueland, E. & Lipsitt, L. 1966, Conditioned head-turning behavior in new-borns. Journal of Experimental Child Psychology 3, 356–376.

Skinner, B. 1957, Verbal behavior. New York.

Skinner, B. 1966, The phylogeny and ontogeny of behavior. Science 153, 1205–1213.

Slobin, D. 1966, The acquisition of Russian as a native language. In: Smith, F. & Miller, G., eds. 1966, 129–148.

Slobin, D. 1968, Early grammatical development in several languages with special attention to Soviet research. Working Paper No. 11, Lang. Behav. Res. Lab., Berkeley.

Slobin, D. 1970a, Suggested universals in the ontogenesis of grammar. Working Paper No. 32, Lang. Behav. Res. Lab., Berkeley.

Slobin, D. 1970b, Universals of grammatical development in children. In: Flores d'Arcais, G. & Levelt, W., eds. 1970, 174–186.

Slobin, D. 1973, Cognitive prerequisites for the development of grammar. In: Ferguson, C. & Slobin, D., eds. 1973, 175–208.

Smith, F. & Miller, G., eds. 1966, The genesis of language: a psycholinguistic approach. Cambridge, Mass.

Smith, N. 1973, The acquisition of phonology: a case study. Cambridge.

Snow, C. 1977, The development of conversation between mothers and babies. Journal of Child Language 4, 1–21.

Snow, C. & Waterson, H., eds. 1978, The development of communication. London.

Solmecke, G. 1973, Psychologische Grundlagen des neusprachlichen Unterrichts. Ratingen – Kastellaun – Düsseldorf.

Solmecke, G., ed. 1976, Motivation im Fremdsprachenunterricht. Paderborn.

Spolsky, B. 1966, A psycholinguistic critique of programmed foreign language instruction. IRAL 4, 119–129.

Sprissler, M. & Weinrich, H. 1972, Fremdsprachenunterricht in Intensivkursen. Stuttgart.

Stampe, D. 1973, A dissertation on natural phonology. Dissertation Chicago.

Stauble, A. 1978, The process of decreolization: a model for second language development. Language Learning 28, 29–54.

Stein, A. 1976, A comparison of mother's and father's language to normal and language-deficient children. Dissertation Boston.

Stern, C. & Stern, W. 1907, Die Kindersprache: eine psychologische und sprachtheoretische Untersuchung. Leipzig.

Stevens, S., ed. 1951, Handbook of experimental psychology. New York.

Stevens, S. & Newman, E. 1936, The localization of actual sources of sound. American Journal of Psychology 48, 297–306.

Stickel, G. 1970, Untersuchungen zur Negation im heutigen Deutsch. Braunschweig.

Stockwell, R. & Schachter, P. & Partee, B. 1973, The major syntactic structures of English. New York.

Stoper, A. 1967, Vision during pursuit movement: the role of oculomotor information. Dissertation Brandeis.

Stross, B. 1969, Language acquisition by Tenejapa Tseltal children. Dissertation Berkeley.

Syngle, B. 1975, Second language (English) acquisition strategies of children and adults: a cross-sectional study. Dissertation Louisiana.

Tarone, E. 1974, A discussion of the Dulay and Burt studies. Working Papers on Bilingualism 4, 57–70.

Tavakolian, S. 1977, Structural principles in the acquisition of complex sentences. Dissertation Massachusetts.

Taylor, B. 1974, Toward a theory of language acquisition. Language Learning 24, 23–35.

Thorndike, E. 1913, The psychology of learning. Educational Psychology, part II.

Thorndike, E. 1932, The fundamentals of learning. New York.

Thorpe, W. 1956, Learning and instinct in animal. Cambridge, Mass.

Thorpe, W. 1961, Current problems in animal behavior. In: Thorpe, W. & Zangwill, O., eds. 1961.

Titone, R. 1965, Grammar learning as induction. IRAL 3, 1–11.

Tucker, R. & Hamayan, E. & Genesee, F. 1976, Affective, cognitive, and social factors in second language acquisition. Canadian Modern Language Review 32, 214–226.

Ufert, D. 1980, Der natürliche Zweitsprachenerwerb des Englischen: die Entwicklung des Interrogationssystems. Dissertation Kiel.

Valadez-Love, H. 1976, The acquisition of English syntax by Spanish-English bilingual children. Dissertation Stanford.

Valdman, A., ed. 1966, Trends in language teaching. New York.

Valette, R. 1964, Some reflections on second language learning in young children. Language Learning 14, 91–98.

Valette, R. 1971, Mastery learning and foreign languages. In: Pimsleur, P. & Quinn, T., eds. 1971, 67–73.

de Villiers, J. & de Villiers, P. 1973, A cross-sectional study of the acquisition of grammatical morphemes in child speech. Journal of Psycholinguistic Research 2, 267–278.

Vogel, K. & Vogel, S. 1975, Lernpsychologie und Fremdsprachenerwerb. Tübingen.

Volterra, V. 1972, Il 'no'. Prime frase di sviluppo della negazione nel linguaggio infantile. Archivo di Psicologia, Neurologia e Psichiatria, fasc. I.

Waelsch, H., ed. 1955, Biochemistry of the developing nervous system: Proceedings of the First International Neurochemical Symposium. New York.

Wagner-Gough, J. 1975, Comparative studies in second language learning. CAL-ERIC/CLL Series on Language and Linguistics 26.

Walk, R. & Gibson, J. 1961, A comparative and analytical study of visual depth perception. Psychological Monographs 75.

Wallace, H. 1968, Informational discrepancy as a basis of perceptual adaptation. In: Freedman, S., ed. 1968.

Walz, J. 1975, A longitudinal study of the acquisition of French pronunciation. Dissertation Indiana.

Warren, I. 1975, The development of phonological processes in the young child. Dissertation Washington.

Warshawsky, D. 1975, The acquisition of four English morphemes by Spanish-speaking children. Dissertation Michigan.

Watson, J. 1966, Perception of object orientation in infants. Merrill-Palmer Quarterly of Behavior and Development 12, 73–94.

Watson, J. 1971, Cognitive-perceptual development in infancy: setting for the seventies: Merrill-Palmer Quarterly of Behavior and Development 17, 139–152.

Weeks, T. 1971, Speech registers in young children. Child Development 42, 1119–1131.

Weeks, T. 1974, The slow speech development of a bright child. Cambridge, Mass.

Weir, R. 1962, Language in the crib. Den Haag.

Werner, H. 1948, Comparative psychology of mental development. New York.

Wertheimer, M. 1961, Psychomotor co-ordination of auditory-visual space at birth. Science 134, 1692–1703.

White, B. 1963, Development of perception during the first six months. Vortrag American Association for the Advancement of Science.

White, B. 1971, Human infants: experience and psychological development. Englewood Cliffs, N.J.

White, S. 1970, The learning theory approach. In: Mussen, P., ed. 1970, 657–701.

Wieman, L. 1974, The stress pattern of early child language. Dissertation Washington.

Wienold, G. 1973, Die Erlernbarkeit der Sprachen: eine einführende Darstellung des Zweitsprachenerwerbs. München.

Wierlacher, A. et al., eds. 1975, Jahrbuch Deutsch als Fremdsprache 1. Heidelberg.

Wilkins, D. 1974, Second language learning and teaching. London.

Wode, H. 1973, Positionelle Grundstrukturen auf der Basis lexikalischer Merkmale. Manuskript Kiel.

Wode, H. 1974a, Natürliche Zweitsprachigkeit: Probleme, Aufgaben, Perspektiven. Linguistische Berichte 32, 15–36.

Wode, H. 1974b, Grammatical intonation in child language: a case from German and some complaints. In: Sangster L. & Schooneveld van, C. eds., 1979, 291–345.

Wode, H. 1976a, Some stages in the acquisition of questions by monolingual children. Word 27, 261–310.

Wode, H. 1976b, Der Erwerb der Fragestrukturen in der Kindersprache. In: Drachman, G., ed. 1976, 101–112.

Wode, H. 1976c, Developmental sequences in naturalistic L2-acquisition. Working Papers on Bilingualism 11, 1–31. Nachdruck in: Hatch, E., ed. 1978, 101–117.

Wode, H. 1977a, The L2-acquisition of /r/. Phonetica 34, 200–217.

Wode, H. 1977b, Natürlicher Spracherwerb und Fremdsprachenunterricht. IPTS-Arbeitspapier zur Unterrichtsfachberatung 2467/77, Kronshagen, 1–20.

Wode, H. 1977c, On the systematicity of L1 transfer in L2 acquisition. In: Henning, C., ed. 1978, 160–169.

Wode, H. 1977d, The beginnings of non-schoolroom L2 phonological acquisition. IRAL 16, 109–125.

Wode, H. 1977e, Lernerorientiertheit im Fremdsprachenunterricht: FU als Spracherwerb. In: Hunfeld, H., ed. 1977, 17–23.

Wode, H. 1977f, Developmental principles in naturalistic L2-acquisition. In: Drachman, G., ed. 1977, 207–220.

Wode, H. 1977g, Four early stages in the development of L1-negation. Journal of Child Language 4, 87–102.

Wode, H. 1977h, Natürlicher Spracherwerb: der L1- und L2-Erwerb der Interrogation. In: Kühlwein, W. & Raasch, A., Hrsg. 1977.

Wode, H. 1978a, The L1- vs. L2-acquisition of English interrogation. Working Papers on Bilingualism 15, 37–57.

Wode, H. 1978b, Fehler, Fehleranalyse und Fehlerbenotung im Lichte des natürlichen L2-Erwerbs. Linguistik und Didaktik 34/35, 233–245.

Wode, H. 1978c, Free vs. bound forms in three types of language acquisition. ISB-Utrecht 3, 6–22.

Wode, H. 1978d, L1-Erwerb, L2-Erwerb und Fremdsprachenunterricht. Die Neueren Sprachen 77, 452–465.

Wode, H. 1979, The L2-acquisition of English in a natural setting. Studia Anglica Posnaniensia 10, 35–48.

Wode, H. 1981, Learning a second language. Tübingen.

Wode, H. & Bahns, J. & Bedey, H. & Frank, W. 1978, Developmental sequence: an alternative approach to morpheme order. Language Learning 28, 175–183.

Wode, H. & Ruke-Dravina, V. 1977, Why "Kathryn no like celery"? Folia Linguistica 10, 361–376.

Wode, H. & Schmitz, T. 1974, Some developmental trends in the acquisition of negation in several languages. Arbeitspapiere zum Spracherwerb Nr. 3, Englisches Seminar der Universität Kiel.

Woodward, F. 1945, Recovery from aphasia. Bulletin of the Los Angeles Neurological Society 10, 73–75.

Young, D. 1974, The acquisition of English syntax by three Spanish-speaking children. M.A. Thesis UCLA.

Zabrocki, L. 1970, Die Methodik des Fremdsprachenunterrichts vom Standpunkt der Sprachwissenschaft. Glottodidactica 5, 1–35.

Zale, H., ed. 1968, Proceedings of the Conference on Language and Language Behavior. New York.

Zimmermann, G. 1970, Motivation und Fremdsprachenunterricht. Der Fremdsprachliche Unterricht 15, 59–74.

ZISA (Forschungsgruppe "Zweitspracherwerb italienischer und spanischer Arbeiter") i. Vorb., Deutsch als Zweitsprache. Der Spracherwerb ausländischer Arbeiter. Tübingen.

Zubin, J., ed. 1967, Psychopathology of mental development. New York.

Zydatiß, W. 1974, 'There' – ein Lernproblem im Englischen. Linguistik und Didaktik 17, 42–49.

Zydatiß, W. 1975, Eine Taxonomie von Fehlern in der englischen Wortstellung. Linguistik und Didaktik 6, 304.